D1533827

Historia del descubrimiento y conquista del Perú

Letras Hispánicas

Agustín de Zárate

Historia del descubrimiento y conquista del Perú

Edición de Marta Ortiz Canseco

CÁTEDRA

LETRAS HISPÁNICAS

1.ª edición, 2022

Ilustración de cubierta: detalle de la portada de la *Historia general de los hechos de los castellanos en las islas y Tierra Firme del mar Océano. Década Sexta,* Antonio de Herrera y Tordesillas (Madrid, Juan de la Cuesta, 1615)

PAPEL DE FIBRA
CERTIFICADO

© De la introducción y notas: Marta Ortiz Canseco, 2022
© Ediciones Cátedra (Grupo Anaya, S. A.), 2022
Juan Ignacio Luca de Tena, 15. 28027 Madrid
Depósito legal: M. 33.499-2021
ISBN: 978-84-376-4378-6
Printed in Spain

Índice

Introducción

Para Marco, mi aventurero

La *Historia del descubrimiento y conquista del Perú,* de Agustín de Zárate, constituye uno de los textos más importantes sobre la llegada de los españoles a las tierras peruanas. Publicado por primera vez en Amberes, en casa de Martín Nuncio, el año de 1555, se convirtió rápidamente en un referente fundamental de las crónicas de conquista del Perú. No solo por su visión panorámica de los acontecimientos y por su intento de objetividad, sino también por la condición de Zárate como testigo de los hechos: en efecto, pasó un breve tiempo en el Perú y conoció a los protagonistas de la llegada, la conquista y las guerras civiles que marcaron los primeros años de la estancia de los españoles en estas tierras.

A lo largo del proceso de impresión del texto, en 1555, Zárate realizó algunos cambios notables, por lo que existen varias emisiones de la misma edición; hasta tal punto son diferentes entre sí algunos de los ejemplares de esta edición, que críticos como Cabard (1969) han señalado que se pueden incluso considerar como dos ediciones diferentes. Sin embargo, Roche (1978) demostró que existen no menos de tres ejemplares distintos entre sí, a lo cual debemos añadir que podrían existir casi tantos textos diferentes como ejemplares se tiraron de esa edición. Por otro lado, en años sucesivos a la primera edición de su *Historia,* Zárate corregirá y enmendará muchas partes de su texto, hasta que, en el año 1577, afincado en Sevilla, encargará al impresor Alonso Escribano que edite una nueva versión de su obra, bajo el título de *Historia del descubrimiento y*

11

conquista de las provincias del Perú. Esta segunda versión presenta numerosos cambios con respecto a la edición príncipe y es la que más se ha publicado hasta nuestros días. Por poner algunos ejemplos, siguen el texto de 1577 las ediciones de Barcia de 1749, la de Rivadeneyra para la Biblioteca de Autores Españoles en 1853, la de Toribio Medina de 1901 y la de Porras Barrenechea de 1944, entre otras.

La presente edición se propone rescatar íntegro el texto publicado en 1555, arrojar luz sobre las diferencias entre los ejemplares de esa primera edición y apuntar todas las variantes encontradas en relación con la segunda edición, la de 1577. El intento de ofrecer un estudio que cotejara ambos ejemplares ya fue realizado, primero por Dorothy McMahon en 1965, quien señaló las enormes diferencias que existieron en el libro V entre la primera y la segunda edición, y después por Teodoro Hampe y Franklin Pease en 1995, donde por primera vez encontramos una edición completa que consigna todas las variantes. Sin embargo, hoy en día ninguna de estas dos ediciones es accesible al público general, ya que ambas están descatalogadas. Así, la edición que presentamos tiene el objetivo de salvar este vacío y de ofrecer un texto fiable y completo de una de las crónicas fundamentales sobre la llegada de los españoles a tierras peruanas.

Sobre Agustín de Zárate[1]

Varios autores han señalado que, a pesar de la inmensa fama que tiene la crónica escrita por Agustín de Zárate, poco se sabe sobre la vida de este autor. Según Hampe (1985 y 1995), Zárate nació en Valladolid cerca de 1514,

---

[1] Teodoro Hampe ha sido el crítico que más estudios ha dedicado a trazar una biografía exacta de Zárate, siguiendo toda la documentación

hijo de Isabel de Polanco y de Lope Díaz de Zárate, un funcionario cortesano que trabajaba como escribano de cámara en el Consejo de la Inquisición y en el Consejo Real, y que, en 1522, renunció a su oficio en favor de su único hijo varón. Es así como Agustín, siendo un niño no mayor de ocho años, fue nombrado escribano de cámara del Consejo Real por una provisión del 4 de febrero de 1522, que le asignaba el «derecho a ejercer el cargo cuando hubiere alcanzado la edad correspondiente» (Hampe, 1985, 22)[2].

En relación con su madre, Isabel de Polanco, Hampe (1985) ofrece algunos datos interesantes sobre la sospecha de que tuviera sangre judía, lo que dificultó a algunos de sus sucesores el acceso a determinados puestos de poder. Sin embargo, esto no impidió que en 1532 Agustín de Zárate tomara posesión de su plaza de escribano. Por estos años parece que se casó con Catalina de Bayona, natural de Medina del Campo (Hampe, 1985, 23) y, en 1538, falleció su padre en Valladolid, de quien se conserva su testamento.

En 1543 Zárate renunciará a su oficio para desempeñar el cargo de contador en América. Se embarca para el Nuevo Mundo el 3 de noviembre del mismo año a bordo del ga-

---

encontrada en los archivos. El panorama más completo y reciente lo ofrece en el estudio biográfico que precede a la edición de Zárate de 1995, pero también encontramos datos en sus textos de 1991, 1985 y 1984. El recorrido biográfico que presento aquí se basa principalmente en las investigaciones de este autor. También Roche (1985) dedicó un gran esfuerzo a dar luz a los documentos del archivo que ofrecen información sobre la vida y avatares de Zárate.

[2] Según McMahon (1965, XI), que se basa en Porras (1944), fue en 1528 cuando el padre de Agustín renunció a su puesto de secretario del Consejo de Castilla y en 1532 cuando la reina Juana le autoriza a cumplir con los deberes de su padre, ya muerto para esa fecha. Hampe, en su estudio de 1985, ofrece información más actualizada, basada en documentos del Archivo Histórico Nacional, del Archivo General de Indias y del Archivo General de Simancas, que demuestran que la fecha de renuncia del padre de Agustín fue 1522 y su muerte acaeció en 1538.

león *San Medel y Celedón,* que se hizo a la mar en Sanlúcar de Barrameda. En ese mismo galeón viajaron algunos parientes y amigos de Zárate, de entre los que destaca su sobrino, el licenciado Polo Ondegardo, célebre tratadista, uno de los primeros en estudiar las instituciones políticas y jurídicas del imperio inca. La flota en la que viajaron Zárate y Ondegardo fue la capitaneada por el primer virrey del Perú, el «célebre testarudo y desgraciado» Blasco Núñez Vela (Porras, 2014 [1962], I, 397), quien fue el responsable de implantar las Leyes Nuevas, dictadas por la Corona española para la gobernación en el Nuevo Mundo siguiendo las reivindicaciones de Bartolomé de las Casas. Más adelante comentaremos en detalle la importancia de la figura de Núñez Vela en la crónica de Zárate y las consecuencias que tuvo en el Perú el intento de implantar dichas leyes.

En enero de 1544 llegan a Nombre de Dios, en Tierra Firme, donde Zárate se dedicó a revisar las cuentas de la zona durante cuatro meses, por lo que permaneció allí más tiempo que el virrey Núñez Vela, «tiempo suficiente para fijar en su espíritu una actitud contraria a las miras del virrey, imbuidas del propósito de hacer cumplir puntualmente las Leyes Nuevas» (Hampe, 1985, 25). En junio de 1544 encontramos a Zárate ya en tierras peruanas, donde parece que enseguida se dedicó a revisar las cuentas de las cajas reales. Es en estos momentos cuando el virrey es capturado y destituido por el bando de los Pizarro y, como es sabido, Zárate apoyó el nombramiento de gobernador de Gonzalo Pizarro. Según Porras (1944, 5), «Zárate parece haber simpatizado desde antes de su llegada a Lima con el bando de los Pizarro»; de hecho, cuenta Porras que el fiscal Villalobos, encargado de la acusación de Zárate a su vuelta a España, lo culpó de enviar a su sobrino Polo Ondegardo a visitar a Hernando Pizarro al Castillo de la Mota, quien les dio dinero para defender sus intereses en el Perú. Sea como fuere,

14

se conoce que [Zárate] tuvo un encuentro con el caudillo y los jefes pizarristas en el tambo de Pariacaca, donde recibió una carta credencial para que representara las exigencias de los rebeldes ante la Audiencia. Luego emitió un resoluto parecer sobre la conveniencia de entregar el mando del país a Pizarro y participó decisivamente —con su experiencia de largos años en la Corte— en la redacción del documento que le titulaba gobernador, encargándose inclusive de dejar el papel en manos del tirano, cuando este se hallaba a escasa media legua de Lima (Hampe, 1985, 26).

En opinión de Zárate, Gonzalo Pizarro era el más adecuado para gobernar las tierras peruanas por varias razones, entre las que destacaba su habilidad y medios para contentar a los soldados y evitar los saqueos, así como la falta de habilidad de los oidores para conseguir la paz en el reino (McMahon, 1965, XII). En estas razones, expuestas en el parecer citado por Hampe, se basó efectivamente la cédula que nombraba a Gonzalo Pizarro gobernador del Perú, firmada el 24 de octubre de 1544[3]. Como han estudiado Lohmann (1977), Roche (1985) y Hampe (1995), parece innegable que Zárate contribuyó, gracias a su experiencia en la corte, al ensalzamiento de Pizarro como gobernador del Perú. Algunos cronistas como Cieza de León y Antonio de Herrera comentaron la amistad que Zárate mantuvo con Gonzalo Pizarro. Incluso el propio contador revela, en una confesión de 1549, que frecuentaba la casa de Pizarro para jugar a las cartas e intercambiar regalos (Hampe, 1985, 27). Durante el tiempo que vivió en Lima, Zárate recibió los tributos de la encomienda de Chincha y se dedicó al comercio de libros en la ciudad de Los Reyes (Porras, 1944, 5-6).

Finalmente, en julio de 1545, tras un año de estadía en Perú, salió rumbo a Panamá, en una época en la que nadie

---

[3] Conservada en el AHN, Patronato 90a, N.1, R. 32.

podía embarcarse, hecho que demuestra también su amistad con Pizarro. Parece que tanto en Panamá, como en México (por donde pasó a causa de un temporal que desvió su embarcación), como a su llegada a España en julio de 1546 (Hampe, 1985), Zárate repitió en varias ocasiones que la única solución para la pacificación del Perú era nombrar gobernador a alguno de los Pizarro; primero defendía a Gonzalo, pero ante el Consejo de Indias prefirió nombrar a Hernando Pizarro, un personaje con más prestigio entre los conquistadores.

> Abrumado de sospechas contrarias a la reputación de burócrata «fidelista», el contador general fue recluido en la cárcel de Madrid (julio de 1546). Luego de buen tiempo, el 10 de mayo de 1547 el fiscal Villalobos planteó ante el Consejo una demanda de pleito civil, imputando a Agustín de Zárate una serie de irregularidades en el desempeño de su cargo en el Nuevo Mundo: defraudación en el pago de derechos del quinto real y de almojarifazgo, cobranza indebida de salarios, apoyo financiero a la rebelión de Gonzalo Pizarro, etc. (Hampe, 1985, 30).

Diez meses después, Zárate obtuvo la libertad bajo fianza, hasta que en agosto de 1549 el fiscal Villalobos lo acusó de haber participado de la captura del virrey y de haber colaborado con los rebeldes ofreciéndoles dinero de las arcas reales. Esto hizo que Zárate volviese a ser encarcelado, esta vez en Valladolid, primero en la prisión y luego en su domicilio, que tuvo que trasladar de Valladolid a Madrid en 1551, a causa de la mudanza de la Corte. Finalmente, en octubre de 1553 nuestro autor fue absuelto plenamente y obtuvo de nuevo el favor real, hasta el punto de que, en diciembre del mismo año, se le asignó la tarea de «tomar las cuentas concernientes a la provisión de armadas de Indias en la Casa de la Contratación de Sevilla» (Hampe, 1985, 32). Poco después, en 1554, el príncipe Felipe le ordenó recaudar el oro y plata venidos de América en la última flota y enviarlos a La Coruña, desde donde saldría la armada del príncipe rumbo a Inglaterra para el matrimonio de este con María Tudor. El propio Zárate se embarcaría en esta flota y, durante el viaje, ofreció a Felipe el manuscrito de su crónica; según cuenta nuestro autor en su prólogo, al príncipe le agradó tanto el texto que le mandó imprimirlo. Así que Zárate, al viajar de Inglaterra a Amberes con otro encargo financiero, dio su manuscrito a la imprenta de Martín Nuncio, donde apareció en 1555.

En esta *Historia del descubrimiento y conquista del Perú,* Zárate se encargará de ocultar pertinentemente su apoyo a Gonzalo Pizarro, quien por cierto ya había sido ejecutado antes de que esta crónica fuera impresa. A casi diez años de su vuelta a la Península y habiendo pasado varios años en prisión, Zárate había tenido tiempo de escribir y revisar su crónica que, como él mismo aclara en su dedicatoria, no había podido escribir en Perú por miedo a las represalias de «un maestre de campo de Gonzalo Pizarro», es decir, Francisco de Carvajal, conocido también como «el demonio de los Andes»:

> No pude en el Perú escribir ordenadamente esta relación (que no importara poco para su perfección), porque solo haberla allá comenzado me hubiera de poner en peligro de la vida con un maestre de campo de Gonzalo Pizarro, que amenazaba de matar a cualquiera que escribiese sus hechos, porque entendió que eran más dignos de la ley de olvido, que los atenienses llamaban amnistía, que no de memoria ni perpetuidad.

Tras su vuelta a la Península Ibérica, Zárate continuó con sus tareas de contador, primero en Andalucía, después en la Corte y más tarde fue enviado de nuevo a Andalucía como administrador de las salinas de tierra adentro. Vivía en Sevilla, donde preparó una nueva edición de su texto, que sacó a la luz Alonso Escribano en 1577, edición que, como hemos comentado y veremos en detalle, muestra diversas variantes con respecto a la primera. En marzo de 1585 Hampe encuentra el último documento autógrafo de Zárate, quien firmó también la censura de las *Elegías de varones ilustres de Indias,* de Juan de Castellanos, publicada en 1589. Poco se sabe de la fecha de su muerte, así como de los últimos años de su vida, aunque parece que fue enterrado en Zaratán, cerca de Valladolid (Hampe, 1985, 35).

La «Historia» de Zárate

Agustín de Zárate viaja al Perú en la flota comandada por el virrey Blasco Núñez Vela, cuyo encargo principal fue el de implantar las Leyes Nuevas en tierras peruanas. Estas leyes nacieron ya en el seno de una gran polémica, liderada por Bartolomé de las Casas en su lucha por conseguir una legislación más justa que protegiera a los indígenas americanos de los abusos de los españoles. La preocupación de la Corona por el trato que se daba a los indígenas fue constante y se irá plasmando en las ordenanzas, disposiciones y leyes que se dictaron inmediatamente después del célebre sermón de Montesinos, pronunciado en 1511. A consecuencia de dicho sermón surgen las Leyes de Burgos y Valladolid (1512-1513), donde los reyes quisieron regular las jornadas de trabajo de los indios, el pago de sus salarios y otras medidas de protección que, sin embargo, nunca llegaron a ser suficientes para evitar la explotación de los nativos. Tras sucesivos años de viajes, protestas y denuncias sobre el modo en que los españoles ejercían sus violencias contra las sociedades americanas, en 1540 Las Casas viaja a la Península Ibérica para presentar, ante la Junta de Valladolid de 1542, una propuesta para suprimir el sistema de las encomiendas.

Parece que fue esta junta la que solicitó a Las Casas que pusiera por escrito de manera sumaria el memorial de agravios que venía escribiendo el dominico en su gran obra, la

18

Historia de las Indias. La crítica suele afirmar que este primer compendio constituiría una versión previa de la *Brevísima relación de la destrucción de las Indias,* publicada diez años después. En cualquier caso, fruto de la reunión que Las Casas mantuvo con la Junta de Valladolid en 1542, se promulgaron las conocidas como Leyes Nuevas (1542-1543), en las que el Estado se hace responsable del buen tratamiento de los indios, prohíbe la esclavitud, se suprimen los trabajos involuntarios y, lo más importante, desaparece la concesión de nuevas encomiendas y la herencia de las mismas. La implantación de estas leyes produjo tales desórdenes en toda América que incluso algunos religiosos llegaron a dudar de su conveniencia. De hecho, en 1545, el monarca Carlos V tuvo que dictar una cédula que revocara algunos artículos, como por ejemplo el relativo a la ley de herencia. Además, en Perú el intento de implantación de estas leyes produjo las guerras civiles entre los conquistadores, con la rebelión de Gonzalo Pizarro que narra en detalle nuestro cronista Agustín de Zárate.

Parte del problema de la implantación de estas leyes en el Perú fue la actitud del virrey Núñez Vela, designado por la Corona para esta difícil tarea. Según comenta Hampe (1985, 25), citando una declaración hecha en Lima por Zárate en 1544, Núñez Vela era demasiado rígido en la administración, cualidad que era muy apreciada en la metrópoli, pero que debía ser más relajada en el caso de las Indias, donde era imposible aplicar un procedimiento tan estricto. Esta rigidez le llevó a su desafortunado final: Núñez Vela fue decapitado, tal y como lo narra Zárate (V, XXXV)[4] en su *Historia:*

> Andando en este tiempo el licenciado Carvajal discurriendo por el campo, halló que el capitán Pedro de Puelles quería acabar de matar al visorrey, aunque él estaba ya sin

---

[4] Señalaremos la ubicación de las citas a Zárate de este modo: el primer número indica el libro y el segundo el capítulo (libro, capítulo).

19

sentido y casi muerto de la caída y de un arcabuzazo que le habían dado. Y Carvajal le hizo cortar la cabeza, diciendo que era en satisfacción de la muerte de su hermano que diz que era el fin de aquella su jornada y no por seguir a Pizarro.

La caída del virrey Núñez Vela se enmarca entonces en lo que se conocen como las guerras civiles entre españoles en tierras peruanas. A la llegada de los españoles, Zárate (I, XV) cuenta cómo en el Perú sucedió algo similar a lo que vivieron en México las tropas de Hernán Cortés. El Imperio inca se encontraba ya dividido y ello facilitó a Francisco Pizarro la conquista del territorio. Tal y como cuenta Zárate, pero esta versión la encontramos en muchos otros cronistas de la época, al morir el último Inca, Huayna Cápac, dejó dividido su imperio entre sus hijos: Huáscar, quien estaba al mando de la capital del imperio, situada en Cuzco, y Atahualpa, quien quería ser señor de las tierras de Quito, que habían pertenecido a su abuelo y a su madre. Sin embargo, Huáscar quiso unificar todo el imperio bajo su mandato, siendo él el primogénito y quien, según la tradición incaica, tenía el derecho de heredar todo el poder. Por ello, se estaban sucediendo una serie de guerras civiles justamente cuando llegaron los españoles al territorio peruano.

Evidentemente, la llegada de los españoles no sirvió para que implantaran un período de paz bajo su gobierno. Lejos de ello, los propios españoles entraron en guerras civiles por los enfrentamientos entre Francisco Pizarro y Diego de Almagro, quienes habían sido socios en la conquista. La rivalidad entre ellos surge por la posesión del Cuzco cuando Almagro volvió de Chile, en 1537, tal y como lo narra Zárate en esta *Historia* (III, IV). Las tropas de Pizarro vencen a las de Almagro y este es condenado a muerte. Después, en Lima, Francisco Pizarro será asesinado en venganza, y desde entonces se suceden las guerras, entre las que destaca la rebelión de Gonzalo Pizarro contra el virrey

Núñez Vela y lo establecido por las Leyes Nuevas sobre las encomiendas. Evidentemente, es común que los cronistas tomen partido por uno u otro bando, en especial si participaron como testigos directos de los hechos, como es el caso de Zárate, de quien ya hemos visto que estuvo preso precisamente por apoyar la causa de los Pizarro.

En su clasificación sobre las crónicas de la conquista del Perú, Porras Barrenechea (2014 [1962], I, 76-77) incluye la crónica de Zárate bajo el conjunto de «crónicas de las guerras civiles», aquellas escritas desde 1538, fecha en que se produce la primera contienda entre españoles por la posesión del Cuzco, también conocida como la Guerra de las Salinas, hasta 1550, año en que el rebelde Gonzalo Pizarro es apresado y ejecutado en la batalla de Xaquixaguana, y cuando el gobernador Pedro La Gasca se retira del Perú. En este ciclo deberíamos considerar a los tres célebres cronistas generales que escribieron de oídas sobre el Perú: Gonzalo Fernández de Oviedo, Francisco López de Gómara y Bartolomé de las Casas. Los dos primeros recogen la versión almagrista de la conquista, en tanto que Las Casas defiende a los indios frente a los soldados y encomenderos; pero los tres son autores de historias de las Indias, si bien dedicaron parte de sus obras a la conquista del Perú. Los cronistas de las guerras civiles que centraron sus obras en el Perú son Agustín de Zárate, Diego Fernández «el Palentino» o Juan Cristóbal Calvete de Estrella, entre otros.

Estructura de la crónica

El propósito inicial de Zárate fue narrar lo ocurrido tras su llegada al Perú. Sin embargo, pronto comprendió que debía ofrecer también los antecedentes, desde la llegada de Francisco Pizarro, para que el público lector europeo comprendiera mejor la sucesión de los acontecimientos. Así, de los siete libros que componen la *Historia del descubrimiento y conquista del Perú,* los cuatro primeros se dedican al período de tiempo que va de 1525, cuando Pizarro, Almagro y Luque comienzan en Panamá los preparativos para la expedición al sur, hasta 1544, fecha en que Zárate llega al Perú. Los tres últimos libros se centrarían, entonces, en los años 1544-1550, o, más exactamente, como anota McMahon (1965, XVII), «hasta 1548, porque todos los acontecimientos posteriores a la derrota de Gonzalo Pizarro en abril de 1548 son expuestos muy brevemente en los últimos cinco capítulos del libro siete».

El libro I comienza con ese encuentro en Panamá entre Francisco Pizarro, Diego de Almagro y Hernando de Luque, «los más caudalosos de aquella tierra» (I, I), donde se propusieron explorar las tierras del sur. De ellos, fue Pizarro quien primero se embarcó, con ciento catorce hombres, en dirección a la tierra que luego se llamaría Perú. Lo seguiría después Almagro con setenta españoles, si bien más adelante volvería a Panamá a por refuerzos. Este primer libro se centra en las aventuras iniciales de Pizarro por tierras desconocidas, describe los paisajes, el clima y a las gentes que encuentran por «debajo de la línea equinoccial», alude a lugares como la punta de Santa Helena o la isla de la Puma, así como el avistamiento de gigantes y el encuentro con los habitantes de la región. Si bien la crónica empieza siguiendo un estricto orden cronológico, en el noveno capítulo Zárate ofrece un informe sobre las ciudades de cristianos que existían en la sierra del Perú; es decir, la narración hace un salto temporal para dejar constancia de esta información. Además, este libro contiene en la edición de 1555 tres capítulos que desaparecerán en la edición de 1577 y que más adelante comentaremos en detalle; en ellos, Zárate narra algunas de las creencias y costumbres de los indios del Perú. El libro I termina con una breve relación sobre el origen de los incas y el estado en que se encontraban cuando llegaron los españoles a sus tierras.

En el libro II se retoma la acción de Francisco Pizarro, que se encontraba de nuevo en Panamá tras haber viajado a España para informar al rey de sus descubrimientos y solicitar la gobernación de las tierras que conquistase. Ya empezamos a ver las disensiones entre él y Diego de Almagro por el reparto de las tierras descubiertas. En este segundo libro se nos narra el encuentro entre Pizarro y Atahualpa en Cajamarca, la prisión y muerte de Atahualpa, el previo asesinato de Huáscar, así como los movimientos de Pizarro y Almagro que aumentan la tensión entre ellos.

El libro III comienza con la jornada de Diego de Almagro en Chile y narra después su vuelta, cuando tomó la ciudad de Cuzco y prendió a Hernando Pizarro. En este tercer libro asistimos a la célebre batalla de las Salinas, en la que Almagro fue derrotado y condenado a muerte por Hernando Pizarro. El libro IV comienza narrando la jornada de Gonzalo Pizarro a la Canela, la aventura de Francisco de Orellana por el río Amazonas y la vuelta a Quito de Gonzalo, tras muy difíciles trabajos. En este libro encontramos también la conspiración de los almagristas contra Francisco Pizarro, así como su asesinato y la posterior llegada de Vaca de Castro, que había sido nombrado gobernador del Perú. Se nos narra aquí la batalla de Chupas, en la que fueron derrotados los almagristas, y la gestión posterior de Vaca de Castro.

El libro V, el más extenso de la crónica, narra el período comprendido entre la salida de Blasco Núñez Vela de España, en 1543, hasta su derrota y muerte en 1546. Se trata quizá del libro más interesante, no solo porque trata sucesos que Zárate presenció como testigo, sino también porque es uno de los que más variantes muestra tanto entre los ejemplares de 1555 como con la edición de 1577. Dorothy McMahon ofreció en 1965 una edición exclusivamente del libro V, en la que estudiaba en detalle las variantes entre 1555 y 1577, así como las diferencias entre la primera edición y las traducciones que aparecieron en

Europa a partir de 1563. Como comentaremos más adelante, ella no tuvo en cuenta las variantes en la primera edición, sino solo las que presentan las ediciones posteriores; a pesar de ello, afirma con razón que esos cambios tenían como objetivo «presentar las acciones y la personalidad del virrey de una manera menos desagradable», así como «proteger a otros individuos que habían sido amigos de Gonzalo Pizarro, en especial a Antonio de Ribera» (McMahon, 1965, XVII). En cualquier caso, lo cierto es que ya desde el segundo capítulo Zárate presenta las disensiones entre el virrey y los oidores, y encontramos también referencias a su personalidad demasiado rígida. El libro termina con la batalla de Quito, en la que es vencido y muerto Núñez Vela.

Cabe destacar que es precisamente en este libro V donde Zárate menciona su importante papel en la comunicación entre los oidores y Gonzalo Pizarro, cuando cuenta:

> Despachada esta provisión, mandaron a algunos vecinos los oidores que la fuesen a notificar a Gonzalo Pizarro donde quiera que le topasen en el camino, y ninguno hubo que lo quisiese aceptar, así por el peligro que en ello había como porque decían que Gonzalo Pizarro y sus capitanes les culparían, respondiéndoles que viniendo ellos a defender las haciendas de todos les eran contrarios. Y así, viendo esto los oidores, mandaron por un acuerdo a Agustín de Zárate, contador de cuentas de aquel reino, que juntamente con don Antonio de Ribera, vecino de aquella ciudad, fuese a hacer esta notificación (V, XIII).

El libro VI comienza narrando las andanzas de Francisco de Carvajal y el descubrimiento de las minas del Potosí (capítulo IV), así como el nombramiento del licenciado Pedro de La Gasca como pacificador del Perú y su llegada a Tierra Firme. El título que llevó este miembro del Consejo de la Inquisición fue el de «presidente de la audiencia real del Perú, con plenario poder para todo lo que tocase a la gobernación de la tierra y a la pacificación de las alteraciones della» (capítulo VI). En el séptimo capítulo encontramos la transcripción de una carta que La Gasca lleva de parte del rey, dirigida a Gonzalo Pizarro, así como la extensa carta que le dirige el propio La Gasca al conquistador; ambas misivas están enviadas desde Panamá y en ellas veremos también algunas variantes con respecto a la edición de 1577. En todo este libro el presidente La Gasca permanece en Panamá y se narran los movimientos de Gonzalo Pizarro en el Perú.

Es en el libro VII cuando asistimos a la llegada de La Gasca a tierras peruanas, su encuentro con Pedro de Valdivia, que había vuelto de Chile, y el importante papel que este ejerce en la lucha contra Pizarro. El capítulo VII se centra en la célebre batalla de Xaquixaguana, en la que Gonzalo Pizarro termina rindiéndose porque todos sus soldados huyen al campo contrario, y es en el octavo capítulo donde se nos narra finalmente la decapitación y descuartizamiento tanto de Pizarro como de su maestre de campo, Carvajal, así como la sentencia a la horca de varios de sus capitanes. Zárate hace alusión brevemente a las disposiciones de La Gasca con respecto al reparto de la tierra tras la victoria, que realizó antes de embarcarse de vuelta a España. La crónica termina con la narración de una breve revuelta comandada por los hermanos Hernando y Pedro de Contreras en Panamá contra La Gasca, que fue rápidamente disuelta, y con la llegada a España del presidente, que fue nombrado obispo de Palencia. Para el cargo de virrey del Perú, tal y como cuenta Zárate en el último capítulo, el rey nombró a Antonio de Mendoza, que en ese momento ejercía el mismo puesto en la Nueva España.

Con respecto a los personajes que protagonizan esta historia, conviene señalar que encontraremos el apellido Zárate en varias ocasiones, pero no debemos confundir al contador Agustín de Zárate, autor de esta crónica, con el aludido como «el licenciado Zárate», que era otra persona.

Nuestro contador alude a sí mismo en pocas ocasiones, casi todas relacionadas con su propio papel como mediador en los conflictos entre Pizarro y Núñez Vela, a lo largo del libro V.

A quien sí se dedica mucho espacio es a Francisco de Carvajal, de quien destaca continuamente su carácter soberbio y su crueldad, se trata quizá del personaje que más miedo inspira entre los españoles. Su papel es sobre todo destacado a lo largo del libro V, donde por ejemplo encontramos uno de los episodios más crueles que protagoniza, cuando ahorca a tres españoles y se burla de ellos de la siguiente manera:

> ...el maestre de campo Carvajal en su presencia sacó de la cárcel cuatro personas de los que tenía presos, y a los tres dellos, que fueron Pedro del Barco y Machín de Florencia y Juan de Sayavedra, los ahorcó de un árbol que estaba junto de la ciudad, diciéndoles muchas cosas de burla y escarnio al tiempo de la muerte sobre no haberles dado término de media hora a todos tres para confesarse y ordenar sus ánimas. Y especialmente a Pedro del Barco, que fue el último de los tres que ahorcó, le dijo que por haber sido capitán y conquistador y persona tan principal en la tierra, y aun casi el más rico della, le quería dar su muerte con una preeminencia señalada, que escogiese en cuál de las ramas de aquel árbol quería que le colgasen (V, XIII).

También en el libro VI se le dedica un espacio importante, en especial cuando se narra que unos indios de Juan Villarroel descubrieron la plata del cerro de Potosí y fue Carvajal quien se apoderó de ella. Es aquí cuando entendemos por qué nadie se enfrentaba a Carvajal: el terror que inspiraba hacía que fuera el primero en enterarse si alguien trataba de armar una emboscada contra él:

> Y con hacer tan crueles justicias en este caso de motines, andaba tan temerosa la gente que no había quien osase

tratar de allí adelante cosa desta calidad, porque en sintiendo no solamente determinación, pero la más liviana sospecha, no daba menos pena que la muerte. Y así un hermano no se osaba fiar de otro, con lo cual se puede satisfacer a la culpa que muchas personas principales destos reinos han imputado a los servidores de su majestad por no haber muerto a Carvajal, aunque no fuera por más de sacar sus personas de tan dura y peligrosa servidumbre, porque nunca motín se hizo contra él de que no tuviese noticia. Y así cuatro o cinco que averiguó costaron las vidas a más de cincuenta personas. Y con tanto la gente andaba tan acobardada por el gran peligro de los movedores y por el gran premio que daba a los descubridores, que se tenía por más seguro temporizar con el tirano hasta que sucediese alguna oportunidad o coyuntura conveniente (VI, IV).

Es interesante detenerse también en el modo como es presentado uno de los protagonistas de esta crónica: Gonzalo Pizarro. Zárate trata de describirlo siempre con cierta distancia, tratando de que su simpatía por este personaje no quede en evidencia. Los cambios más importantes que vamos a ver entre unas ediciones y otras (tanto entre las distintas emisiones de 1555 como entre la primera y la segunda edición) tienen precisamente que ver con el modo en que Zárate presenta a Pizarro: si en una primera versión se notaba demasiado su afinidad con los Pizarro, en la revisión del texto, tras haber sido acusado y estado preso precisamente por esta razón, Zárate se preocupa por disimular su opinión. Baste como ejemplo la eliminación de un simple adverbio cuando se nos narra la muerte del rebelde: la frase «muriendo como *muy* buen cristiano» se convierte en 1577 en «muriendo como buen cristiano» (VII, VIII), con esa exclusión de la palabra «muy», que dejaba la oración quizá demasiado efusiva. A lo largo del texto, y en especial en el libro V (como ha estudiado McMahon), encontraremos muchísimos cambios de este tipo.

Fuentes y lecturas de Zárate

La crónica de Zárate fue una de las más traducidas y leídas en Europa. Al poco de su primera edición, fue traducida al italiano (1563), holandés (1563, 1564, 1573...), inglés (1581) y más adelante al francés (1700). Según Burke (1995, 33), la historia de Zárate se encuentra en el quinto lugar de las más difundidas: trece ediciones en cinco lenguas entre 1555 y 1742, solo por detrás de las crónicas de Antonio de Solís, Gómara, Acosta y Benzoni.

Si bien nuestro autor no había tenido una formación académica como sí la tuvieron otros cronistas de Indias, su texto se ajustó perfectamente a las necesidades del público europeo que deseaba conocer el Nuevo Mundo a partir de analogías con la tradición grecolatina, es decir, con el mundo ya conocido. Como estudia Hampe (2014, 39), Zárate era hijo y nieto de escribanos, pero no tuvo acceso a la universidad. En su propia familia fue la generación siguiente la que pudo terminar los estudios académicos, como es el caso de su sobrino Polo Ondegardo, quien se licenció en leyes en Salamanca. Esto no ha impedido, sin embargo, que la crónica de Zárate se siga considerando como una de las más amenas y veraces (Lazo, 1965, 92-93; Hampe, 2014, 41). El propio Porras la definió como un texto completo, compendioso, deleitoso e instructivo, cuya objetividad e imparcialidad «hacen que no parezca ya un cronista, aunque sepamos que presenció parte de los hechos que narra, sino un historiador profesional» (Porras, 2014 [1962], I, 395). Sin embargo, Roche (1985, 6) se opuso fuertemente a esta afirmación de Porras, ya que Zárate nunca pudo haber transmitido una visión neutra ni objetiva de una guerra civil en la que no fue mero espectador, sino que ejerció un papel importante como actor e incluso llegó a estar en primer plano en momentos tan importantes como la proclamación de Gonzalo Pizarro como gobernador del Perú. Ningún español, afirma Roche, que se encontrara en tierras peruanas en esos años, pudo haber actuado como simple espectador.

En cualquier caso, lo cierto es que Zárate produjo un texto con importantes relaciones intertextuales con la tradición europea. Como señala Pease (1995, XV), ya en el siglo XIX Prescott notó la fuerte influencia de Tucídides en la *Historia* de Zárate, y podemos destacar también el influjo de Horacio, Séneca, Ovidio y Plotino, este último quizá a través de Marsilio Ficino (Pease, 1995, XV; Cabard, 1967; Hampe, 1995, LIV). Si bien nuestro autor no tuvo acceso a estudios universitarios, cuando fue preso a su vuelta a España, en 1549, se hallaron ciento diez libros en el secuestro de sus bienes (Hampe, 1985, 31). Esto significa que tuvo una afición literaria orientada a la corriente humanística de la época:

> Esto lo demuestra la profusión de citas de su *Historia,* que remiten al mundo clásico grecorromano y a autores como el «diuino» Platón, Horacio, Cicerón, Séneca, y el renacentista Marsilio Ficino; ya el cronista Cieza de León apuntaba que el vallisoletano era «tenido por hombre sabio», mientras que su colega Gutiérrez de Santa Clara lo presenta como «hombre docto y científico». Tales aserciones se ven confirmadas en el testimonio del secuestro de los bienes del contador general, practicado en septiembre de 1549. Dice el documento que en su casa de Valladolid, en la calle de Teresa Gil, se hallaron dentro de un arca blanca «ciento y diez bolúmenes de libros, escriptos en latín y romance, entre grandes y pequeños» (Hampe, 1985, 31)[5].

Según ha señalado el propio Hampe (2014, 47), las referencias a autores clásicos que encontramos en la *Historia*

---

[5] Hampe indica que este documento se encuentra en el Archivo General de Indias, Justicia, 1072, 4ta pieza.

de Zárate se encuentran principalmente en la dedicatoria al rey y en la introducción de la crónica. Sin embargo, también a lo largo del texto encontraremos alusiones directas a Julio César (II, IX) o a Plutarco (IV, IX), por mencionar solo algunos ejemplos. Veremos, además, que Zárate sigue las tesis de Platón, seguramente a partir de sus lecturas de Ficino o Plotino, sobre «el mito de la Atlántida para explicar el origen de los primitivos pobladores del continente americano» (Hampe, 1995, LIV). Esta tesis se encuentra en las explicaciones de Zárate, quien identifica La Española, Cuba, San Juan y Jamaica como las islas intermedias entre la Atlántida y Tierra Firme, mencionadas por Platón. Esta analogía entre la realidad americana y la concepción del mundo europea tiene como objetivo ofrecer al público lector una visión del Nuevo Mundo no completamente ajena, permitiendo así la posibilidad de que los pobladores americanos se correspondieran con las tribus perdidas de Israel y, por lo tanto, implantar la idea de que «toda la humanidad es una sola» (Hampe, 2014, 54), lo cual permite y justifica también el proyecto invasor, colonizador y evangelizador.

Con respecto a la edición de 1555, cabe destacar que en ella encontramos una serie de ilustraciones que veremos repetidas también en la crónica de Cieza de León. «Es perfectamente entendible que un tipógrafo radicado en Amberes como Martin Nutius, responsable de tempranas versiones de Cieza y Zárate, tuviera dificultad en obtener dibujos o grabados de artistas» sobre la realidad americana (Hampe, 2014, 42). Por ello, los cuatro grabados que encontramos en la crónica de Zárate, específicamente en los capítulos X y XIV del libro I (con la representación de un demonio dialogando con los indios —que son dibujados con barbas, a la manera europea— y la construcción de un edificio, respectivamente), en el capítulo II del libro III (con la ilustración de unas supuestas llamas, que en realidad son ovejas) y en el capítulo IV del libro VI (una vista sobre el cerro de Potosí), son los mismos que fueron utilizados en la crónica de Cieza.

El uso de estas imágenes es revelador en la medida en que se trata de grabados que habían sido también utilizados para ilustrar realidades europeas. Hampe (2014, 43) menciona el caso de un grabado que aparece en una publicación europea sobre Venecia, en el que se observa a unos gondoleros navegando por el Gran Canal, y que es utilizado después para ilustrar el lago Titicaca en la crónica de Cieza de León. Este tipo de analogías constituyeron moneda corriente en las crónicas de Indias, tanto en el uso de ilustraciones como en la propia narración, ya que los cronistas necesitaban comparar lo encontrado en América con la realidad europea, de modo que sus lectores comprendiesen aquello que se contaba. Ello contribuye, como es sabido y ha sido ampliamente estudiado, al empobrecimiento de las realidades, heterogeneidades y especificidades americanas.

> Los cronistas hicieron denodados esfuerzos por explicar América y los Andes desde sus propias experiencias. Se emplearon estereotipos conocidos y eurocéntricos, que eran usuales desde la Antigüedad, para señalar la inferioridad de pueblos extraños (Hampe, 2014, 45).

Como vemos, Zárate maneja con soltura las fuentes de la tradición grecolatina, bien porque las conocía como lector, bien porque muchas de estas ideas pertenecían a la conciencia colectiva de la comunidad en la que vivía. Mención aparte merecen las fuentes de historiadores y cronistas contemporáneos de los que Zárate se sirvió para redactar su crónica. Algunos críticos como Juan Bautista Muñoz y Jiménez de la Espada (1877) acusaron a Zárate de haber plagiado los papeles de La Gasca, así como las informaciones de Rodrigo Lozano, Nicolao de Albelino o Polo Ondegardo.

Con respecto a Albelino, Kermenic (1944) alude a un texto publicado en Sevilla en 1549 bajo el título de *Verda-*

dera relación de lo sucedido en los reinos e provincias del Perú desde la ida a ellas del virrey Blasco Núñez Vela hasta el desbarato y la muerte de Gonzalo Pizarro, firmado por el autor florentino Nicolao Albelino. Se trata de una edición muy poco conocida que circuló sin nombre de autor y que fue considerada por críticos como Juan Bautista Muñoz o William Prescott como una primera versión de la *Historia* de Zárate, por sus semejanzas en los libros V, VI y VII (Kermenic, 1944, s.p.). José Toribio Medina, quien encontró en la Biblioteca Nacional de Francia el único ejemplar conocido del texto de Albelino firmado por él y cuyo facsímil publicó en 1930, afirma que en realidad Zárate se sirvió de Albelino para narrar algunos pasajes de su crónica.

Por otra parte, el autor más mencionado cuando hablamos de Zárate como plagiador es Rodrigo Lozano. Lo cierto es que el propio Zárate lo menciona como fuente en la «Declaración» que precede a su crónica, cuando afirma: «La principal relación deste libro, cuanto al descubrimiento de la tierra, se tomó de Rodrigo Lozano, vecino de Trujillo, que es en el Perú, y de otros que lo vieron». Gracias a los estudios de Bataillon (1961 y 1963) sabemos que Lozano fue uno de los fundadores de San Miguel de Piura (1532) y de Trujillo (1535). Su experiencia como encomendero en la región norte del Perú le permitió sin duda estar en contacto directo con los nativos y Bataillon (1963, 21) afirma que es posible que Lozano fuera el autor de los tres capítulos del primer libro de la crónica de Zárate dedicados a las tradiciones y ceremonias de los indios del Perú, esos tres capítulos que, como estudiaremos más adelante, desaparecieron en la edición de 1577. Zárate confirma que tomó de Lozano las informaciones sobre el descubrimiento de las tierras peruanas, por lo que fue definitivamente una fuente importante en su crónica. Pérez de Tudela (1965), en su edición del texto atribuido a Lozano, titulado *Relación de las cosas del Perú,* propuso que el autor de esta crónica quizá fuera Polo Ondegardo, quien la enviaría a su tío, Agustín de Zárate, para que le sirviera como fuente. Lo cierto es, sin embargo, que ninguna de las copias de esta *Relación* está firmada, por lo que cualquier afirmación acerca de su autoría es conjetura[6].

Por último, es célebre la relación entre la obra de Zárate y la *Historia* de López de Gómara. Dada la corta estadía de Zárate en el Perú, se tuvo que valer de relaciones impresas como la de Gómara (cuya primera edición apareció en 1552) o de manuscritos, como el de Lozano. Pease (1995, XIII) señala que cabría la posibilidad de que en realidad fuera Gómara quien hubiera utilizado como fuente los manuscritos que Zárate había escrito en la cárcel, dado que este, al contrario que aquel, sí había sido testigo de los hechos narrados. Sin embargo, ya Jiménez de la Espada (1877) y tras él muchos otros críticos han insistido en la enorme deuda que tiene la crónica de Zárate con la de Gómara[7].

Pease (1995, XVIII) corrobora la teoría de Porras (2014 [1962], I, 402), según la cual la crónica de Zárate excede todas estas fuentes y, si bien se sirvió de ellas, tuvo acceso también a otros testimonios. Por otra parte, es normal que un autor del siglo XVI utilizara otras fuentes para su obra; recordemos que la palabra 'plagio' es un concepto más propio de la época contemporánea. Como afirma Pease (1995, XVIII),

---

[6] Para más información sobre Lozano, véanse Bataillon (1960), Vargas Ugarte (1959) y Pease (1995). Este último, siguiendo a Pérez de Tudela (1965), ofrece un registro del lugar en el que se encuentran los cuatro manuscritos de esta *Relación:* uno en la Biblioteca Nacional de Francia, otro en el Archivo General de Indias (ambos del siglo XVI) y dos copias del siglo XVIII en la Real Academia de la Historia (Pease, 1995, XIX). Por su parte, Roche (1985, 95) considera incorrecta la atribución de este texto a Lozano o a Polo Ondegardo.

[7] El propio Inca Garcilaso señaló esta relación, que ha sido estudiada en los últimos años por Porras (2014 [1962]), Bataillon (1961, 1963), Cabard (1967, 1969), Roche (1978, 1985), McMahon (1965) o Durand (1972).

«no es extraño ni excepcional que un autor del siglo XVI usara y abusara de otros textos ajenos para la composición de una obra presentada como propia».

La historia del texto

La *Historia del descubrimiento y conquista del Perú*, de Agustín de Zárate, contó en vida del autor con dos ediciones (1555 y 1577) que difieren bastante entre sí. A ello debemos sumar el hecho de que entre los ejemplares de la primera edición hallamos también muchas variantes. Aunque más abajo sistematizaremos estas variantes, trataré aquí de ordenar la genealogía de la crítica editorial de la *Historia* de Zárate.

Ya en 1953 Dorothy McMahon estudió las importantes diferencias que existen en el libro V, entre la edición de 1555 y la de 1577; dedicó varios estudios al tema, hasta que, en 1965, publicó una edición crítica exclusivamente del libro V. Quizá el hecho de haberse centrado solo en ese libro le impidió resaltar la importancia de otros cambios, específicamente los que atañen al libro I, sobre los que arrojó luz Marcel Bataillon por primera vez en 1960 y después en 1963. Tras él, Pierre Duviols completó, en 1964, la explicación sobre el contexto sociopolítico que pudo haber causado estos cambios. Sin embargo, no fue hasta 1969 cuando Cabard notó que en realidad muchos de los cambios que supuestamente se realizaron de 1555 a 1577 ya los encontramos en algunos ejemplares de 1555. Es decir, durante el propio proceso de impresión Zárate ya cambió muchísimos elementos que aluden sobre todo a episodios de la rebelión de Gonzalo Pizarro contra el virrey Núñez Vela, específicamente en los capítulos XII, XXVI y XXXV del libro V.

En su importante artículo, Cabard (1969, 11) señala que hasta tal punto son distintos unos ejemplares de otros en la edición de 1555, que podríamos considerar la de 1577 no como la segunda, sino como la tercera edición, en la medida en que la de 1555 podría componerse de dos ediciones. Cabard consultó el ejemplar que se encuentra en la Biblioteca Municipal de Toulouse y, al cotejarlo con la edición de McMahon, que se basaba en el ejemplar conservado en la H. E. Huntington Memorial Library de San Marino, vio que había grandes diferencias entre sí. Esto le llevó a pensar que el ejemplar consultado por McMahon pertenecía a una primera tirada de 1555, en tanto que el de Toulouse era un ejemplar de una supuesta segunda tirada del mismo año. Sin embargo, casi una década después, Roche señaló (1978, 7) que no estamos ante dos, sino ante al menos tres tiradas diferentes, que se corresponden con diversas emisiones, siguiendo la terminología de Moll (1979), en la elaboración de la *Historia del descubrimiento y conquista del Perú*.

En su caso, Roche (1978, 7) tuvo acceso a varios ejemplares, de entre los que establece un orden a partir de la siguiente denominación: A1 designa a los ejemplares más alejados de la versión definitiva, donde se incluirían los conservados en San Marino (consultado por McMahon) y en la Biblioteca Nacional de Francia, estos serían los primeros impresos de la tirada de 1555; A2 incluiría los ejemplares que se corresponden con un estado intermedio, entre los que se encuentra uno de los que se conservan en la Biblioteca Mazarine, de París (signatura 33.546D); por último, bajo la etiqueta de A3, Roche reúne los ejemplares más cercanos al texto definitivo, es decir, el texto en el que se basarán las traducciones posteriores y la edición de 1577, y que Roche encuentra en la Biblioteca Municipal de Toulouse (consultado por Cabard) y de nuevo en la Mazarine (con signatura 33.546).

Según Roche (1978, 7-8), las correcciones de unos ejemplares a otros son desiguales. En A2 encontramos catorce folios (recto-verso) rehechos, en A3 vemos todas las modificaciones ya realizadas en A2, a las que se suman dos nuevos folios (recto-verso). Es decir, en total, se trataría de treinta y dos páginas rehechas, sobre un total de quinientas setenta. De ellas, solo veinticinco serían cambios que responden a «motivos políticos», mientras que las siete restantes se justifican por razones técnicas. En el análisis que ofrece Roche sobre esos cambios ideológicos, se revela sorprendentemente una actitud 'almagrista', según este crítico. Más abajo veremos en detalle lo estudiado por Roche, pero importa señalar aquí que las variantes políticas suelen derivar en cambios técnicos, puesto que, si Zárate añade o elimina texto para cumplir con su objetivo ideológico, y quiere que solo se cambien uno o dos pliegos de la misma tirada, tendrá que encajar después esos cambios dentro del proceso de impresión, de manera que eliminará o cambiará páginas para que cuadre la misma paginación en toda la tirada. Esto significa que algunas de las variantes no responden a motivos políticos, sino a motivos formales que Zárate debe salvar a causa de los ajustes añadidos por objetivos ideológicos. Cuando comentemos los cambios del libro IV tal y como los ha estudiado Roche (1978, 12) veremos en detalle estos ajustes.

En definitiva, el estudio de Roche de 1978 arroja la luz definitiva sobre qué pudo haber sucedido durante el proceso de impresión de la edición de 1555. Según afirma este crítico, lo más probable es que las correcciones que se realizaron fueran por 'sustitución', es decir, se reemplazaba un pliego por otro. Esto nos sitúa ante un nuevo problema: ¿cuándo se realizaron estos cambios? Damos por hecho que fue durante el proceso de impresión, pero en realidad también pudo haber sido algún tiempo después, ya que se trataba simplemente de cambiar un pliego por otro y volver a encuadernar el libro. Así, Roche (1978, 15) afirma que la fecha máxima en que esto pudo ocurrir fue en 1563, cuando aparecieron las traducciones italiana y holandesa, que presentan ya el texto definitivo de 1555 (la versión A3). Por último: ¿por qué estos cambios? Si Roche explica que son cambios 'almagristas', es decir, que favorecen a la

Diagram of Relationships[27]

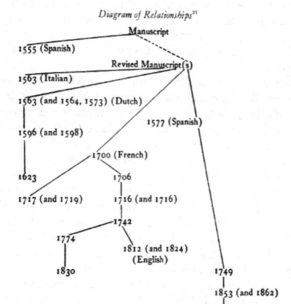

[27] The broken line represents a hypothetical relationship, the solid lines, an established relationship.

Fig. 1

figura de Almagro y a sus seguidores, no es porque esto reflejara la ideología del autor, sino que le permitía más bien alejarse de los pizarristas: todo lo que era almagrista era antipizarrista (Roche, 1978, 15) y a Zárate le convenía, tras su período en prisión acusado por haber colaborado con la causa pizarrista, alejarse lo más posible de estas sospechas.

En su edición de 1965, Dorothy McMahon creó este *stemma* (fig. 1), que ofrece una propuesta de genealogía de las ediciones, pero se basa en un supuesto manuscrito intermedio entre la edición de 1555 y la de 1577. En concreto, afirma que la traducción al italiano de 1563 no está basada en la edición de 1555, sino en un manuscrito desconocido. Sin embargo, Cabard (1969) comenta que no es que Zárate haya escrito un manuscrito nuevo entre ambas fechas, sino que la versión que difundió para su traducción fue una de las últimas versiones impresas de la tirada de 1555. De este modo, si bien este *stemma* ofrece una visión muy clara de cuál fue el recorrido de las traducciones y reediciones de la *Historia* de Zárate, no acierta en lo concerniente a la versión en la que se basaron dichas traducciones. De hecho, Cabard (1969, 9) afirma que ya en 1555 Zárate había publicado una edición nueva y modificada.

En el caso del texto que ofrecemos aquí, está basado en el ejemplar de 1555 conservado en la Biblioteca Nacional de España (signatura U/5266), texto que estaría incluido en el grupo A3, si seguimos la clasificación de Roche (1978), es decir, el grupo de impresos con la versión final del texto, en los que se basarían tanto las traducciones posteriores como la segunda edición. Este ejemplar de la BNE ha sido cotejado con el de 1577 conservado en la misma institución (signatura R/31359). El hecho de que hayamos seguido la versión definitiva de 1555 explica que no existan tantas variantes entre esta y la de 1577. Para una edición moderna de lo que sería la primera versión impresa (A1), remitimos a la que publicaron Pease y Hampe en 1995, basada en el ejemplar de la H. E. Huntington Memorial Library de San Marino y cotejada también con la de 1577. En nuestro caso, para revisar algunos cambios y confirmar otros, hemos tenido acceso también al ejemplar de la Bibliotèque Nationale de France (con signatura 8-OL-763), que correspondería con la primera versión impresa (A1). En el anexo I de la presente edición se puede consultar la transcripción de los capítulos con mayores variantes entre A1 (basándonos en el ejemplar de la BNF) y A3 (que es el que hemos transcrito en la presente edición, basándonos en BNE). Se trata de los capítulos I y IV del libro III; los capítulos VI, VII, XX y XXI del libro IV; y los capítulos XII, XXVI, XXXIV y XXXV del libro V.

Además de los cambios que encontramos en la edición de 1555, es evidente que para la segunda edición, la de 1577, Zárate revisó su texto en detalle. En el cotejo que ofrecemos en la presente edición se puede apreciar que muchos de los cambios de 1577 son corrección de erratas, o pequeños ajustes de sentido, propios de una relectura atenta. Antes de entrar en detalle y sistematizar el orden de redacción y publicación del texto, veamos cuáles son las principales diferencias entre los ejemplares de 1555 y de estos con la edición de 1577.

Variantes

Portada y preliminares

El título de la portada se amplía en la edición de 1577, se añade la tasa (1578) y el mandato del rey (1576). Pero la dedicatoria se conserva y el texto comienza igual en la «Declaración de la dificultad...». Los textos añadidos en 1577 se ofrecen en el anexo II de esta edición.

El cambio en el título de la portada se puede apreciar a continuación:

1555:	*Historia del descubrimiento y conquista del Perú, con
	las cosas naturales que señaladamente allí se hallan, y
	los sucesos que ha habido. La cual escribía Agustín
	de Zárate, ejerciendo el cargo de contador general de
	cuentas por su majestad en aquella provincia y en la
	de Tierra Firme.*

1577:	*Historia del descubrimiento y conquista de las provin-
	cias del Perú, y de los sucesos que en ella ha habido,
	desde que se conquistó hasta que el licenciado De la
	Gasca, obispo de Sigüenza, volvió a estos reinos; y de
	las cosas naturales que en la dicha provincia se hallan
	dignas de memoria. La cual escribía Agustín de Zára-
	te, contador de mercedes de su majestad, siendo conta-
	dor general de cuentas en aquella provincia y en la de
	Tierra Firme.*

Libro I

En el primer libro de la edición de 1555 encontramos
tres capítulos que no se incluyeron en la de 1577, los capítulos X, XI y XII, titulados así:

> Capítulo X. De las opiniones que los indios tienen de su
> creación y de otras cosas.
> Capítulo XI. De los ritos y sacrificios que los indios tienen
> y hacen en el Perú.
> Capítulo XII. Cómo tienen la resurrección de la carne.

Bataillon (1963) fue el primero en llamar la atención
sobre esta importante ausencia en la edición de 1577 y en
todas las ediciones posteriores en castellano. Según el his-
panista francés, esta supresión se explica por el cambio de
política de Felipe II en 1577, cuando le ordena explícita-
mente al virrey Martín Enríquez que prohíba los escritos de
Bernardino de Sahagún sobre las religiones indígenas, así
como cualquier texto que hable de las supersticiones y maneras de vivir de los indios. Estos tres capítulos de Zárate son

los únicos en los que se mencionaba ese tema y en la propia portada de 1577 encontramos una alusión clara a que el texto de 1555 fue revisado por el Consejo de Castilla:

> Imprimiose el año de cincuenta y cinco en la villa de Anvers por mandado de la majestad del rey nuestro señor, y con licencia de la majestad cesárea, y ahora se torna a imprimir con licencia de la majestad real, habiéndose visto y examinado por los señores del Supremo Consejo de Castilla, como parece por la Real Cédula que está en la segunda hoja deste libro.

El objetivo de Felipe II era el de proclamar una doctrina oficial que fundase la cristianización sobre la base de la ignorancia por parte de los españoles de las religiones indígenas, en lugar de mostrar el conocimiento que se tenía sobre las mismas (Bataillon, 1963, 15). Precisamente los tres capítulos que faltan en la edición de 1577 de la crónica de Zárate son los únicos que aluden a la religión y los mitos del Perú prehispánico. El problema era que el dar a conocer en profundidad los detalles sobre las religiones amerindias permitía realizar comparaciones entre ellas y el cristianismo, algo que en un momento dado preocupó mucho a la Corona. El mismo José de Acosta, en su *Historia natural y moral de las Indias* (1590), procura denunciar cualquier posible analogía entre las creencias y prácticas religiosas indígenas y los dogmas o los sacramentos cristianos (Bataillon, 1963, 15).

En el caso del texto de Zárate, en el capítulo X de 1555, que comenta las ideas que tenían los indios sobre la creación, encontramos una alusión a la leyenda de los nativos sobre un diluvio, que enseguida es comparado con el diluvio universal y la historia de Noé:

> Comoquiera que sea, ellos tienen noticia que ha habido diluvio, sino que como no saben que en el arca se escapó Noé con las siete personas que regeneraron el mundo, imaginan y fingen que en las cuevas se escaparon, como

41

hemos dicho, o pudo ser algún particular diluvio como el de Deucalión.

En el capítulo XI, dedicado a narrar los ritos y sacrificios de los indios en el Perú, cuando Zárate alude a los tesoros que encontraron los españoles en sus saqueos a los lugares sagrados, vemos de nuevo una comparación directa entre las *huacas* y los objetos sagrados de la religión cristiana:

> Y entre las piezas de oro y de plata que en estas guacas se hallaban, había báculos y mitras como de obispos al propio, y algunas figuras de palo había que tenían mitras en las cabezas puestas. Y cuando al Perú pasó el obispo de Tierra Firme, fray Tomás de Verlanga, que los indios le vieron con la mitra puesta diciendo misa de pontifical, todos decían que parecía a guaca, y aun preguntaban si era guaca de los cristianos. Y muchas veces se ha preguntado a qué fin tenían aquellas mitras, y no lo saben decir, sino dicen que antiguamente así las tenían.

Por último, en el capítulo XII encontramos que Zárate afirma tajantemente que los indios del Perú creían en la resurrección de la carne:

> Todo esto a efecto de que creían que habían de resucitar en otro siglo y queríanse hallar apercibidos con sus mujeres y servicio, y así rogaban ellos a los españoles que entraban a sacarles de las sepulturas el oro y plata que no derramasen los huesos, porque más presto y con menos pena pudiesen resucitar.

Como hemos comentado, la supresión de estos capítulos pasó desapercibida a la crítica en los siglos posteriores, puesto que, a partir de la edición de Barcia de 1749 basada en la de 1577, nadie se detuvo a editar y revisar la de 1555. Por otra parte, cabe señalar que el propio contenido de estos tres capítulos no se ajusta a lo que Agustín de Zárate pudo haber averiguado en su corta estancia en el Perú, donde no parece que se interesara demasiado por la población nativa. Él mismo afirma en su prólogo, como hemos visto arriba, que la fuente principal en la que se basa para lo referente «al descubrimiento de la tierra» fue el texto hoy perdido de Rodrigo Lozano. Bataillon (1963, 19) afirma que no solo Zárate se basó en este texto, sino que también lo hicieron autores como Francisco López de Gómara, en su *Historia general de las Indias*.

Además, Bataillon lo atribuye a la crónica perdida de Rodrigo Lozano, en la que se basaron Gómara y Zárate entre otros. La comparación entre los pasajes sobre el Perú de estos últimos es tan semejante, dice Bataillon (1963, 17), que hace pensar en una fuente común. Parece que todos los ejemplares de la edición de 1555 contienen estos tres capítulos y todos los de la de 1577 carecen de ellos. Esto refrenda la teoría de Bataillon de que se debió a una decisión política sucedida después de 1555. En dicho año nos encontramos «todavía al final del imperio de Carlos V, una etapa aún de lucha e indecisión respecto al destino de los grupos cismáticos o protestantes dentro de la Iglesia católica», mientras que en 1577 ya «se habían impuesto los postulados contrarreformistas de Trento, incluyendo la publicación del *Index librorum prohibitorum* de la Inquisición» (Hampe, 2014, 37). Como hemos visto, esto implica una represión directa en el mundo del libro, donde desaparecerán numerosas menciones a las costumbres de los nativos, aunque fuera solo con el objetivo de criticarlas.

Otro de los cambios importantes en este primer libro es el que encontramos en el capítulo XIII. Hay un breve párrafo que alude al modo en que se sucedían los incas en el poder, que cambia totalmente de 1555 a 1577: en la primera versión vemos una línea de sucesión incaica más o menos ordenada y en la segunda encontramos una visión más desordenada y bárbara. Varios críticos se han detenido a explicar este cambio, en especial Duviols (1964), pero también

Pease (1995) y Cabard (1967). En 1555 Zárate había escrito lo siguiente:

> Estos ingas comenzaron a poblar la ciudad del Cuzco y desde allí fueron sojuzgando toda la tierra y la hicieron tributaria, sucediendo por línea derecha de hijos el imperio, comoquiere que entre los naturales no suceden los hijos sino primero el hermano del muerto siguiente en edad. Y después de aquel fallecido torna el señorío al hijo mayor de su hermano, y así dende en adelante hereda el hermano deste, y después torna a su hijo, sin que jamás falte este género de sucesión (I, XIII).

Esta alusión a la línea sucesoria de los incas se convierte en 1577 en lo siguiente:

> Estos ingas comenzaron a poblar la ciudad del Cuzco y desde allí fueron sojuzgando toda la tierra y la hicieron tributaria, y de ahí adelante iba sucediendo en este señorío el que más poder y fuerzas tenía, sin guardar orden legítima de sucesión, sino por vía de tiranía y violencia, de manera que su derecho estaba en las armas (I, X)[8].

Como vemos, estas modificaciones tenían como objetivo «divulgar la especie de un Tahuantinsuyu desordenado y sujeto a tiranía, imagen cara a los cronistas llamados toledanos» (Pease, 1995, XIV). En efecto, parece que el posicionamiento político e histórico del virrey Toledo pudo influir, a la distancia, en la reedición de la *Historia* de Zárate, donde los incas aparecerán como tiranos y usurpadores. El fin último será probar que el rey de España debía ser el único soberano legítimo y sus virreyes podían disponer por derecho de los cargos y bienes de los descendientes de la dinastía incaica (Duviols, 1964, 152).

---

[8] En la edición de 1577 este capítulo es el décimo porque, como hemos visto, en ella se habían eliminado los capítulos X, XI y XII de la edición de 1555.

Libro II

Los cambios encontrados en el segundo libro son menores, en comparación con los demás libros de la crónica. Las dos únicas variantes reseñables se refieren a los indígenas; en el capítulo IV encontramos que se cambia el número de indios que corresponde a cada español, de doscientos a cien, cambio que se produce únicamente en la edición de 1577. Y en el capítulo XII encontramos la reducción de un pasaje relativo al modo como los indios atacaban a los españoles. Como veremos señalado en el propio texto de la presente edición, estas líneas, que sí aparecen en todas las versiones de 1555, fueron eliminadas en 1577:

> ...llevando tan cansados los caballos que aun de diestro no podían subir, y los indios desde lo alto echaban muchas piedras, que llaman galgas, de tal suerte que con echar una piedra cuando llega a cinco o seis estados, lleva tras sí más de otras treinta de las que ha removido. Y así cuando llega abajo no tienen número las que lleva. Y con todo esto desecharon la cuesta...

Libro III

El tercer libro de la crónica ha sido estudiado en detalle por Roche (1978), quien analiza algunos ejemplos de las variantes entre las distintas emisiones de 1555, que, en sus palabras, nos muestran a un Zárate almagrista, como ya hemos adelantado. En la presente edición ofrecemos, en el anexo I, la transcripción de dos capítulos cuyo contenido se ve en gran parte modificado: los capítulos I y IV. Tal y como afirma Roche, no debemos olvidar que, si bien estos cambios tienen un objetivo político, algunas otras partes se debieron a la necesidad de Zárate (o del impresor) de ajustar el texto al pliego que quería sustituir.

Además del cambio en estos dos capítulos, hay un cambio menor que afecta al capítulo II, cuyo título pasa de ser «De los trabajos que pasó don Diego de Almagro y su gente en la jornada de Chili y de algunas particularidades de aquella tierra» (A1, ejemplar BNF) a «De los trabajos que pasó don Diego de Almagro y su gente en el descubrimiento de Chili» (A3, ejemplar BNE). Según Roche (1978, 10), este cambio de *jornada* a *descubrimiento* quiere resaltar con una palabra más contundente la hazaña almagrista, así como una glorificación de quienes participaron en ella.

En definitiva, los cambios en este libro tienen el objetivo de enfatizar el papel de Almagro y sus hombres, y específicamente el de Juan de Sayavedra, cuyas acciones se narran de muy distinta manera en ambas versiones. En la última emisión de la edición de 1555, el bando almagrista es observado con más benevolencia e incluso se justifican en cierta manera sus actuaciones, probablemente para disimular la simpatía de Zárate por los Pizarro.

Libro IV

Este cuarto libro también ha sido analizado por Roche (1978). En él vamos a encontrar cambios principalmente al final del capítulo VI, cuyo contenido se reescribe para ocultar el deseo de los almagristas de matar a Vaca de Castro. En el anexo I se encontrará transcrita esta parte final, que es la que difiere entre las versiones A1 y A3, donde vemos que Zárate explica cómo los hombres de Almagro deciden esperar la llegada de Vaca de Castro para comprender sus intenciones, en lugar de presentarlos como deseosos de su muerte antes siquiera de hablar con él. Además, en la versión última de este capítulo Zárate explica que algunos de los almagristas no tenían la intención de asesinar a Francisco Pizarro, como veremos en el texto de nuestra edición.

Este cambio en el capítulo VI afecta al capítulo VII, puesto que en la primera versión (A1) el texto termina una hoja antes que en la última versión (A3). Por ello, ofrecemos también en el anexo I la transcripción del capítulo VII completo, a pesar de que los cambios que encontraremos aquí tienen que ver con la necesidad de ajustar las líneas para que coincida el texto con la caja de imprenta y poder sustituir solo un pliego.

Los capítulos XX y XXI también serán modificados en la última versión de 1555. Se ofrece su transcripción en el anexo I, donde se observará, cotejándolo con la versión A3, que en esta última se añaden veintiséis nombres de los soldados que defendieron el bando del rey en la batalla de Chupas. Estos nombres se añaden en el capítulo XX, lo cual obliga a Zárate a variar el contenido del capítulo XXI para que, de nuevo, el pliego que quiere sustituir cuadre en la caja tipográfica.

Libro V

Parece que es en este libro V donde más cambios introdujo Zárate a lo largo de la impresión de 1555. Es aquí donde claramente vemos las diferentes emisiones de la primera edición. Estas variantes han sido estudiadas por McMahon (1953, 1955 y 1965) y ampliadas por críticos como Cabard (1969), Hampe o Pease (1995), entre otros. Si por un lado McMahon se centró en los cambios entre 1555 y 1577, Cabard, siguiendo su estudio, revisó los cambios que existían entre los ejemplares de 1555. Es en los capítulos XII, XXVI, XXXIV y XXXV donde mayores variantes veremos, todas relacionadas con los episodios de la rebelión de Gonzalo Pizarro contra el virrey Núñez Vela.

En el caso del capítulo XII, el título «De cierta conjuración que hubo en Lima para matar los oidores y lo que sobre ello acaeció» (A1, ejemplar BNF) se convierte en «De cierta conjuración que hubo en Lima para soltar al visorrey y lo que sobre ello acaeció» (A3, ejemplar BNE); además, en 1577 cambia a: «De cierto trato que hubo en Lima para soltar al visorrey y lo que sobre ello acaeció». El capítulo XXVI pasa de titularse «De cierto motín que hubo en la ciudad de Los Reyes en este tiempo y cómo le aplacó Lorenzo de Aldana» (A1, ejemplar BNF) a «De cierto movimiento que hubo en Los Reyes y cómo le aplacó Lorenzo de Aldana» (A3, ejemplar BNE), que se conserva así en 1577. Por último, el capítulo XXXV se titula primero «De cómo se rompió la batalla de Quito, en que fue vencido y muerto el visorrey» (A1, ejemplar BNF) y después se reduce a «De cómo rompió la batalla de Quito» (A3, ejemplar BNE), título que queda así en 1577. Curiosamente, en la «tabla de los capítulos» que aparece al final de la primera edición, los títulos de los capítulos se conservan tal y como aparecen en la primera versión (A1), y no se cambian a la forma en que se publicaron en la última versión (A3).

El cambio en los títulos nos da una idea de las importantes variantes que veremos en el interior de cada uno de estos capítulos, cuya primera versión (A1, ejemplar BNF) se puede consultar completa en el anexo I. Estos cambios no obedecen, como estudió Cabard (1969, 12), a un intento de ser más fiel a los hechos históricos, puesto que no aportan ningún suceso nuevo, sino que simplemente cambian el punto de vista de la narración. En la segunda versión, en efecto, Zárate se muestra más severo en su visión de los oidores, en tanto que ofrece una opinión más favorable al virrey Núñez Vela. Según Cabard (1969), esto se explicaría porque, recién salido de prisión, el autor decidió aligerar algunos de sus juicios sobre el virrey, para salvaguardar sus propios intereses. Si este libro V narra la primera fase de la rebelión de Gonzalo Pizarro, en su última versión (A3) el foco no se centrará tanto en esta lucha entre clanes, sino en el enfrentamiento entre los colonos y la Corona. Las correcciones de Zárate serán a la vez contra el rebelde Gonzalo Pizarro y en favor de Núñez Vela, presentado ahora como víctima (Roche, 1978, 14). En palabras de McMahon (1953), los cambios principales buscan «blanquear» la figura del virrey.

Como se verá en las notas al pie de la presente edición, hay una confusión importante con los apellidos en algunas partes del texto, pero llama la atención especialmente en el capítulo XI, donde encontramos varios cambios de 1555 a 1577. Por ejemplo, en la primera se llama Baltasar de Castro a quien en 1577 será Baltasar de Castilla; lo mismo con Gaspar Rojas (1555) y Gaspar Rodríguez (1577) o con el licenciado Cepeda (1555) y el licenciado Álvarez (1577). Además, en el capítulo IV encontramos que en el ejemplar A3 (BNE) falta un fragmento, que sí existía en A1 (BNF) y que se recupera después en la edición de 1577. Esta falta se debe probablemente a un despiste del impresor, tal y como se explica en la nota correspondiente.

Libros VI y VII

Si bien Roche (1978, 15) comenta que en estos libros no hay cambios entre los ejemplares de 1555, sí es importante destacar un cambio que encontramos entre la edición de 1555 y la de 1577. En el capítulo VII del libro VI, Zárate transcribe dos cartas: una escrita por el rey y otra por La Gasca, ambas dirigidas a Gonzalo Pizarro y enviadas por La Gasca cuando este se encontraba en Panamá. En la edición de 1555, en la transcripción de la carta de La Gasca encontraremos un fragmento que en la de 1577 se elimina. Se trata de un texto que incide en los actos heroicos de Carlos V y el miedo que Gonzalo Pizarro debería sentir de sus posibles represalias. En este fragmento La Gasca incide en las amenazas indirectas que está transmitiendo a Pizarro para que no entre en guerra con el rey. Esta supresión no ha sido señalada en ninguna de las ediciones críticas que cotejan ambos textos, pero se puede consultar en la presente edición, donde ofrecemos la carta completa y la nota que señala los párrafos eliminados en 1577.

En relación con el libro VII, no hemos encontrado ningún cambio significativo, ni entre las emisiones de 1555 ni entre estas y la edición de 1577.

Esta edición

Toda edición crítica de una obra de los siglos XVI-XVII va a depender en primera instancia de los ejemplares que se consulten para su cotejo. En nuestro caso, hemos seguido los dos que se conservan en la Biblioteca Nacional de España, uno de 1555 (signatura U/5266), perteneciente a la biblioteca de Usoz, y otro de 1577 (signatura R/31359). El texto que se transcribe es el de la edición príncipe (1555), si bien se va completando con los añadidos de la edición de 1577. Ofrecemos además dos anexos: en el primero se encuentra la transcripción de los capítulos que varían entre las diversas emisiones de la edición de 1555; tomamos como referencia para esta transcripción la edición conservada en la Bibliotèque Nationale de France (con signatura 8-OL-763). En el segundo anexo incluimos los fragmentos más extensos que se incorporaron en la segunda edición (1577), que fue minuciosamente revisada por su autor.

Las notas que ofrecemos a lo largo del texto aluden siempre al cotejo entre la edición de 1555 (ejemplar BNE) y la de 1577 (BNE). Los cambios menores se indicarán en nota y los cambios mayores en anexos. Por norma general, en nota al pie se señala solo la palabra que, en la edición de 1577, sustituye a la de 1555. Todo lo que se añada en la edición de 1577 se pondrá entre corchetes en nuestra transcripción, siempre y cuando aporte información de interés: no se añadirán preposiciones, letras o cambios menores que no cambien el sentido del texto. Del mismo modo, aquello que aparece en 1555 pero no se encuentra en 1577 solo se señalará si se trata de diferencias significativas, como la falta de una palabra completa, pero no la falta de letras, determinantes, cambios de género o número, o el desarrollo de formas apocopadas (de *gran* a *grande,* por ejemplo).

El texto original ofrece escasas divisiones en párrafos, más allá de los cambios de secciones o capítulos. Si bien es característico de la época escribir a renglón seguido, hemos decidido añadir espacios entre párrafos para facilitar la lectura. Por la misma razón, aunque con la intención de intervenir lo mínimo posible, hemos modernizado también la puntuación. Los capítulos suelen contraerse a la forma *cap.* o *capitul.;* para homogeneizar los títulos, transcribiremos siempre la forma completa *capítulo.*

Actualizaremos la ortografía de los topónimos y antropónimos solo en los casos en que haya ambigüedad, si no, respetaremos la ortografía original. En casos como *Francisco Piçarro,* sí se cambiará a la grafía actual *z (Pizarro),* o *Augustín* por *Agustín,* siguiendo el criterio relativo a la ortografía del castellano actual. Los topónimos quedan en la forma original, excepto aquellos con -x- en lugar de -j-, cuya ortografía se actualizará (Cajamarca por Caxamalca, Jauja por Xauxa, etc.).

En el caso tan común del *Reyno del Perú* se homogeneizará siempre por *reino del Perú;* lo mismo con *ciudad de Los Reyes;* en general, no se respetará el uso de mayúsculas para los sustantivos que acompañan a topónimos o a cargos públicos como *Rey Nuestro Señor, Virrey, Su Majestad,* y grupos como *Religión Católica, Santa Fe Católica,* etc. Se homogeneiza la forma *Iesu Christo* por *Jesucristo.* Se elimina la -t- final en palabras como *sant;* se actualizan las formas verbales *terná* y *ternía* por *tendrá* y *tendría,* lo mismo con formas como *llevallo,* que se convierte en *llevarlo;* cambiamos *anega/hanega* por *fanega.* Los nombres de plantas y animales se actualizan, por ejemplo, *alcaodones* se sustituye

52

por *alcaudones, ajíes* por *axis,* etc.; por último, el grupo -sc- se corrige siguiendo la norma actual: *recibir* por *rescebir.*

Si bien se conservan las formas contraídas *dellos, destos, dellas, destas,* etc., sí se intervendrá en la contracción *del* con significado *de él,* para facilitar la legibilidad del texto. Se respetan las formas arcaicas *mesmo, asimesmo,* etc. No se actualizará la numeración del original y se respeta cada una de las formas en que aparece: tanto números romanos como fechas escritas alfabéticamente, como arábigos: *veinte y cinco, diez y seis,* etc.

El objetivo de esta edición es ofrecer un texto definitivo de la *Historia del descubrimiento y conquista del Perú,* de Agustín de Zárate, en la versión última publicada de la tirada de 1555. Para ello, todos los cambios mencionados se dirigen a facilitar su lectura sin dejar de respetar el texto original y las especificidades que Zárate otorgó a su prosa.

Bibliografía

Ediciones de la crónica de Zárate en castellano[9]

1555: *Historia del descubrimiento y conquista del Perú, con las co-sas naturales que señaladamente allí se hallan, y los sucesos que ha habido. La cual escribía Agustín de Zárate, ejercien-do el cargo de contador general de cuentas por su majestad en aquella provincia y en la de Tierra Firme*, Amberes, Martín Nuncio.

1577: *Historia del descubrimiento y conquista de las provincias del Perú, y de los sucesos que en ella ha habido, desde que se conquistó hasta que el licenciado De la Gasca, obispo de Si-güenza, volvió a estos reinos; y de las cosas naturales que en la dicha provincia se hallan dignas de memoria. La cual escri-bía Agustín de Zárate, contador de mercedes de su majestad, siendo contador general de cuentas en aquella provincia y en la de Tierra Firme*, Sevilla, Alonso Escribano.

1749: *Historia del descubrimiento y conquista de la provincia del Perú...*, incluida en el volumen *Historiadores primitivos de las Indias Occidentales*, edición de Andrés González Bar-cia, Madrid, tomo III, págs. 1-178.

1853: *Historia del descubrimiento y conquista de la provincia del Perú...*, incluida en *Historiadores primitivos de Indias*, co-lección dirigida por Enrique de Vedia, Madrid, Imprenta

---

[9] Para un listado de las traducciones a otras lenguas, remitimos a la edición de Pease y Hampe (1995), de donde tomamos este inventario de ediciones en castellano.

de M. Rivadeneyra, tomo II, págs. 459-574. En la Biblioteca de Autores Españoles, tomo XXVI.

1862: *Historia del descubrimiento y conquista de la provincia del Perú...,* incluida en *Historiadores primitivos de Indias,* colección dirigida por Enrique de Vedia, Madrid, Imprenta de M. Rivadeneyra, tomo II, págs. 459-574. En la Biblioteca de Autores Españoles, tomo XXVI.

1901: *Historia del descubrimiento y conquista de la provincia del Perú...,* selección y edición de José Toribio Medina, incluida en *Relaciones de Chile, sacadas de los antiguos cronistas de Indias y otros autores,* Santiago de Chile, Imprenta Elzeviriana, págs. 255-265. En la *Colección de Historiadores de Chile,* tomo XXVII.

1913: *Historia del descubrimiento y conquista de la provincia del Perú...,* incluida en *Historiadores primitivos de Indias,* colección dirigida por Enrique de Vedia, Madrid, Imprenta de los sucesores de Hernando, tomo II, págs. 459-574. En la Biblioteca de Autores Españoles, tomo XXVI.

1928: *Historia del descubrimiento y conquista de la provincia del Perú...,* incluida en *Historiadores primitivos de Indias,* colección dirigida por Enrique de Vedia, Madrid, Imprenta de los sucesores de Hernando, tomo II, págs. 459-574. En la Biblioteca de Autores Españoles, tomo XXVI.

1941: *Historia del descubrimiento y conquista de la provincia del Perú...,* en *Crónicas de la Conquista del Perú,* publicada con las crónicas de Francisco de Jerez y de Cieza de León, edición de Julio Le Riverend, México, Editorial Nueva España, págs. 499-893.

1944: *Historia del descubrimiento y conquista del Perú,* edición de Jan M. Kermenic, estudio preliminar de Raúl Porras Barrenechea, Lima, Imprenta Miranda.

1947: *Historia del descubrimiento y conquista de la provincia del Perú...,* incluida en *Historiadores primitivos de Indias,* colección dirigida por Enrique de Vedia, Madrid, Ediciones Atlas, tomo II, págs. 459-574. En la Biblioteca de Autores Españoles, tomo XXVI.

1965: *Historia del descubrimiento y conquista del Perú,* edición de Dorothy McMahon, Buenos Aires, Universidad de Buenos Aires. Contiene solo el libro V.

1968: *Historia del descubrimiento y conquista del Perú (1555),* en Biblioteca Peruana, primera serie, Lima, Editores Técnicos Asociados, tomo II, págs. 105-413.

1995: *Historia del descubrimiento y conquista del Perú,* edición, notas y estudio preliminar de Franklin Pease G. Y. y de Teodoro Hampe Martínez, Lima, Pontificia Universidad Católica del Perú, Fondo Editorial.

Bibliografía

ALBENINO, Nicolás, *Verdadera relación de lo sucedido en los reinos e provincias del Perú desde la ida a ellas del virrey Blasco Núñez Vela hasta el desbarato y la muerte de Gonzalo Pizarro,* Sevilla, Juan de León, 1549. Disponible en: <http://www.cervantesvirtual.com/obra-visor/cronistas-coloniales-primera-parte--0/html/0000fb16-82b2-11df-acc7-002185ce6064_10.html#I_99_>.

BATAILLON, Marcel, «Zarate ou Lozano? Pages retrouvées sur la religion péruvienne», *Caravelle,* 1 (1963), 11-28.

— «Un Chroniqueur Péruvien retrouvé: Rodrigo Lozano», *Cahiers de l'Institut des Hautes Etudes de l'Amerique Latine,* 2 (1961), 17.

BURKE, Peter, «America and the rewriting of world history», en K. O. Kupperman (ed.), *America in European consciousness, 1493-1750,* Chapel Hill, University of North Carolina Press, 1995, págs. 33-51.

CABARD, Jean-Pierre, «Les trois transformations de la *Historia* péruvienne de Agustín de Zárate», *Cahiers du monde hispanique et luso-brésilien,* 13 (1969), 7-14.

— *Pour une nouvelle biographie de Agustin de Zárate,* Tesis, Institut d'Études Hispaniques, Université de Toulouse, 1967.

DURAND, José, «Montería indiana: el Chaco», *Anuario de Letras,* X, México (1972), 75-104.

DUVIOLS, Pierre, «La *Historia del descubrimiento y conquista del Perú,* de Agustín de Zárate, remaniée conformément aux vues historico-politiques du vice-roi Toledo», *Annales de la Faculté des Lettres* (Aix-en Provence), 38 (1964), 151-154.

HAMPE, Teodoro, «Reminiscencias clásicas en la *Historia del Perú*, de Agustín de Zárate (1555-1577)», *Estudios Humanísticos. Historia,* 13 (2014), 35-60.

— «Agustín de Zárate, contador y cronista indiano (estudio biográfico)», en Agustín de Zárate, *Historia del descubrimiento y conquista del Perú,* Lima, Pontificia Universidad Católica del Perú, 1995, págs. LI-LXXVIII. También publicado en *Mélanges de la Casa Velázquez,* XXVII/2 (1991), 129-154.

— «Agustín de Zárate: precisiones en torno a la vida y obra de un cronista indiano», *Cahiers du monde hispanique et lusobrésilien,* 45 (1985), 21-36. También publicado en *Boletín de Lima,* 42/7 (1985), 83-90.

— «La misión financiera de Agustín de Zárate, contador general del Perú y Tierra Firme (1543-1546)», *Historia y Cultura* (Lima), 17 (1984), 91-124.

JIMÉNEZ DE LA ESPADA, Marcos, «Estudio preliminar», en Pedro Cieza de León, *Tercer libro de las guerras civiles del Perú el cual se llama la guerra de Quito,* Madrid, Biblioteca Hispano-Ultramarina, vol. I, 1877.

KERMENIC, Jan, «La *Historia* de Agustín de Zárate y la *Relación* de Nicolao Albertino», en Agustín de Zárate, *Historia del descubrimiento y conquista del Perú,* Lima, Imprenta Miranda, 1944.

LAZO, Raimundo, *Historia de la literatura hispanoamericana. El período colonial (1492-1780),* México DF, Porrúa, 1965.

LOHMANN VILLENA, Guillermo, *Las ideas jurídico-políticas en la rebelión de Gonzalo Pizarro. La tramoya doctrinal del levantamiento contra las Leyes Nuevas en el Perú,* Valladolid, Universidad de Valladolid, Seminario Americanista, 1977.

LÓPEZ DE GÓMARA, Francisco, *Primera y segunda parte de la Historia general de las Indias con todo el descubrimiento y cosas notables que han acaecido dende que se ganaron hasta el año de 1551,* Zaragoza, Agustín Millán, 1552.

LOSTANAU ULLOA, Alejandro, «El cronista Agustín de Zárate», *Boletín del Instituto Riva Agüero,* 9, Lima (1974), 172-181.

MACCORMACK, Sabine, «Limits of understanding: perceptions of Greco-Roman and Amerindian paganism in early modern Europe», en K. O. Kupperman (ed.), *America in European consciousness, 1493-1750,* Chapel Hill, University of North Carolina Press, 1995, págs. 79-129.

McMahon, Dorothy, «Introducción», en Agustín de Zárate, *Historia del descubrimiento y conquista del Perú,* Buenos Aires, Universidad de Buenos Aires, 1965.

— «Some Observations on the Spanish and Foreign Editions of Zárate's *Historia del descubrimiento y conquista del Perú*», *The Papers of the Bibliographical Society of America,* 49, second quarter (1955), 95-111.

— «Variations in the Text of Zárate's Historia del descubrimiento y conquista del Perú», *Hispanic American Historical Review,* XXXIII/4 (1953), 572-586.

Moll, Jaime, «Problemas bibliográficos del Siglo de Oro», *Boletín de la Real Academia Española,* 59/216 (1979), 49-107.

Nava Contreras, Mariano, «La historiografía y la etnografía griegas en dos cronistas peruanos: Agustín de Zárate y Juan de Betanzos», *Praesentia: revista venezolana de estudios clásicos,* 10 (2009), s.p.

Pease, Franklin, «La *Historia* de Agustín de Zárate», en Agustín de Zárate, *Historia del descubrimiento y conquista del Perú,* Lima, PUCP, 1995, págs. XI-XLI.

Pérez de Tudela, Juan, «Estudio preliminar», en *Crónicas del Perú,* 5 vols., Madrid, Biblioteca de Autores Españoles, 1965.

— *Relación de las cosas del Perú,* 168, Madrid, Biblioteca de Autores Españoles, 1965.

Porras Barrenechea, Raúl, *Los cronistas del Perú. Dos volúmenes,* edición de Oswaldo Holguín Callo, Lima, Biblioteca Abraham Valdelomar, Instituto Raúl Porras Barrenechea y Academia Peruana de la Lengua, 2014 [1962].

— «Estudio preliminar», en Agustín de Zárate, *Historia del descubrimiento y conquista del Perú,* Lima, Imprenta Miranda, 1944.

Prescott, William, *History of the Conquest of Peru,* Nueva York, Harper & Brothers Publishers, 1847.

Roche, Paul, *Agustín de Zárate: témoin et acteur de la rébellion pizarriste,* Nantes, Université de Nantes, 1985.

— «Les corrections *almagristes* dans l'édition prínceps de l'*Histoire du Pérou* d'Agustín de Zárate», *Cahiers du monde hispanique et luso-brésilien,* 31 (1978), 5-16.

Serna, Mercedes (ed.), *La conquista del Nuevo Mundo. Textos y documentos de la aventura americana,* Madrid, Castalia, 2012.

Vargas Ugarte, Rubén, *Manual de estudios peruanistas,* Lima, Librería e Imprenta Gil, 1959.

Historia del descubrimiento
y conquista del Perú

Historia del descubrimiento y conquista del Perú, con las cosas naturales que señaladamente allí se hallan, y los sucesos que ha habido. La cual escribía Agustín de Zárate, ejerciendo el cargo de contador general de cuentas por su majestad en aquella provincia y en la de Tierra Firme.

[Sello de imprenta]

En Anvers.
En casa de Martín Nuncio, a las dos Cigüeñas.
Año MDLV
Con Privilegio

Concede su majestad a Martín Nuncio que él solo pueda imprimir este libro, llamado *La historia del descubrimiento y conquista de la provincia del Perú,* por tiempo de cinco años, y veda a todos los otros impresores hacer lo mesmo, so graves penas, como más claro parece en el original privilegio.

Subscripto

Facuwes

A la majestad del rey de Inglaterra, príncipe nuestro señor,
Agustín de Zárate, contador de mercedes
de la majestad cesárea[1]

S.C.R.M.

Sirviendo yo el cargo de secretario en el Real Consejo de Castilla, donde había quince años que residía, en fin del año pasado de cuarenta y tres, me fue mandado por la majestad del emperador rey nuestro señor, y por los del su Consejo de las Indias, que fuese a las provincias del Perú y Tierra Firme a tomar cuenta a los oficiales de la Hacienda Real del cargo de sus oficios y a traer los alcances que della resultasen. Y así me embarqué en la flota donde fue proveído por visorrey del Perú Blasco Núñez Vela.

Llegados allá, vi tantas revueltas y novedades en aquella tierra, que me pareció cosa digna de ponerse por memoria, aunque, después de escrito lo de mi tiempo, conocí que no se podía bien entender si no se declaraban algunos presupuestos de donde aquello toma origen; y así, de grado en grado, fui subiendo hasta hallarme en el descubrimiento de la tierra, porque van los negocios tan dependientes unos de otros, que por cualquiera que falte no tienen los que se siguen la claridad necesaria, lo cual me compelió comenzar (como

---

[1] 1577: «Dedicatoria a la majestad...».

dicen) del Huevo Trojano. No pude en el Perú escribir ordenadamente esta relación (que no importara poco para su perfección), porque solo haberla allá comenzado me hubiera de poner en peligro de la vida con un maestre de campo de Gonzalo Pizarro, que amenazaba de matar a cualquiera que escribiese sus hechos, porque entendió que eran más dignos de la ley de olvido, que los atenienses llamaban amnistía, que no de memoria ni perpetuidad.

Necesitome a cesar allá en la escritura y a traer acá para acabarla los memoriales y diarios que pude haber, por medio de los cuales escribí una relación que no lleva la prolijidad y cumplimiento que requiere el nombre de historia, aunque no va tan breve ni sumaria que se pueda llamar «comentarios», mayormente yendo dividida por libros y capítulos, que es muy diferente de aquella manera de escribir. No me atreviera a emprender el un estilo ni el otro si no confiara en lo que dice Tulio, y después de él Cayo Plinio, que, aunque la poesía y la oratoria no tienen gracia sin mucha elocuencia, la historia, de cualquier manera que se escriba, deleita y agrada, porque por medio della se alcanzan a saber nuevos acontecimientos, a que los hombres tienen natural inclinación, y aun muchas veces se huelgan en oírlos contar a un rústico por palabras groseras y mal ordenadas. Y así, no siendo el estilo desta escritura tan pulido[2] como se requería, servirá de saberse por él la verdad del hecho, quedando licencia y aun facilidad a quien quisiere tomar este trabajo para escribir la historia de nuevo, con mejores palabras y orden, como vemos que aconteció muchas veces en las historias griegas y latinas, y aun en las de nuestros tiempos.

Lo que toca a la verdad, que es donde consiste el ánima de la historia, he procurado que no se pueda enmendar, escribiendo las cosas naturales y accidentales que yo vi sin

---

[2] 1577: «elocuente», en lugar de «pulido».

ninguna falta ni disimulación, y tomando relación de lo que pasó en mi ausencia de personas fidedignas y no apasionadas, lo cual se halla con gran dificultad en aquella provincia, donde hay pocos que no estén más aficionados a una de las dos parcialidades de Pizarro o Almagro, que en Roma estuvieron por César o Pompeyo, o poco antes por Sila o Mario. Pues entre los vivos o los muertos que en el Perú vivieron, no se hallará quien no haya recibido buenas o malas obras de una de las dos cabezas o de los que dellas dependen. Si hubiere alguno que cuente diferentemente este negocio, será cuanto a la primera de las tres partes en que todas[3] las historias se dividen, que es de los intentos o consejos, en lo cual no es cosa nueva diferir los historiadores; pero cuanto a las otras dos partes, que contienen hechos y sucesos, he trabajado lo que pude por no errar.

Cuando acabé esta relación salí de un error[4], en que hasta entonces estuve, de culpar a los historiadores porque en acabando sus obras no las sacan a luz, creyendo yo que su pretensión era que el tiempo descubriese[5] sus defectos, consumiendo los testigos del hecho. Pero ahora entiendo la razón que tienen para lo que hacen en esperar que se mueran las personas de quien tratan, y aun algunas veces les venía bien que pereciesen sus descendientes y linaje, porque en recontar cosas modernas hay peligro de hacer graves ofensas, y no hay esperanza de ganar algunas gracias, pues el que hizo cosa indebida, por livianamente que se toque, siempre quedará quejoso de haber sido el autor demasiado en la culpa de que le infama, y corto en la disculpa que él alega. Y por el contrario, el que merece ser alabado sobre alguna hazaña, por perfectamente que el historiador la cuente, nunca dejará de culparle de corto, porque no refirió más copiosamente su hecho hasta henchir un gran vo-

---

[3] 1577: falta «todas».
[4] 1577: salí de la opinión en que hasta entonces estuve.
[5] 1577: encubriese.

lumen de solas sus alabanzas. De lo cual procede necesitarse el que escribe a traer pleito, o con el que reprende, por lo mucho que se alargó, o con el que alaba, por la brevedad de que usó. Y así sería muy sano consejo a los historiadores entretener sus historias, no solamente los nueve años que Horacio manda en otras cualesquier obras, pero aun noventa, para que los que proceden de los culpados tengan color de negar su descendencia, y los nietos de los virtuosos queden satisfechos con cualquier loor que vieren escrito dellos.

El temor deste peligro me había quitado el atrevimiento de publicar por ahora este libro, hasta que vuestra majestad me hizo a mí tanta merced, y a él tan gran favor, de leerle en el viaje y navegación que prósperamente hizo de La Coruña a Inglaterra, y recibirle por suyo y mandarme que le publicase e hiciese imprimir. Lo cual cumplí en llegando a esta villa de Amberes, los ratos que tuve desocupados de la labor de la moneda de su majestad, que es mi principal negocio. A vuestra majestad suplico reciba en servicio mi trabajo y tenga por suyo este libro, como lo es el autor de él, porque desta manera estará seguro de las murmuraciones que pocas veces faltan en semejantes obras. En lo cual recibiré señalada merced de vuestra majestad, cuya real persona Nuestro Señor guarde con acrecentamiento de más reinos y señoríos, como por sus criados es deseado.

De Amberes, a XXX de marzo. Año MDLV.

Declaración de la dificultad que algunos tienen en averiguar
por dónde pudieron pasar al Perú las gentes
que primeramente lo poblaron

La duda que suelen tener sobre averiguar por dónde podrían pasar a las provincias del Perú las gentes que desde los tiempos antiguos en ella habitan, parece que está satisfecha por una historia que recuenta el divino Platón algo sumariamente en el libro que intitula *Thimeo,* o *De natura,* y después muy a la larga y copiosamente en otro libro o diálogo que se sigue inmediatamente después del *Thimeo,* llamado *Atlántico,* donde trata una historia que los egipcios recontaban en loor de los atenienses. Los cuales dice[n] que fueron partes para vencer y desbaratar ciertos reyes y gran número de gentes de guerra, que vino por la mar desde una grande isla llamada Athlántica, que comenzaba después[6] de las columnas de Hércules, la cual isla dice[n] que era mayor que toda Asia y África. Contenía diez reinos, los cuales dividió Neptuno entre diez hijos suyos, y al mayor, que se llamaba Athlas, dio el mayor y mejor.

Cuenta otras muchas y muy memorables cosas de las costumbres y riquezas desta isla, especialmente de un templo que estaba en la ciudad principal, las paredes y techumbres cubiertas con planchas de oro y plata y latón, y otras

---

[6] 1577: desde las columnas.

muchas particularidades que serían largas para referir, y se pueden ver en el original, donde se tratan copiosamente; muchas de las cuales costumbres y ceremonias vemos que se guardan el día de hoy en la provincia del Perú. Desde esta isla se navegaba a otras islas grandes que estaban de la otra parte della, vecinas a la tierra continente, allende la cual se seguía el verdadero mar. Las palabras formales de Platón en el principio del *Thimeo* son estas: «Hablando Sócrates con los athenienses: "tiénese por cierto que vuestra ciudad resistió en los tiempos pasados a innumerable número de enemigos que, saliendo del mar Atlántico, habían tomado y ocupado casi toda Europa y Asia, porque entonces aquel estrecho era navegable, teniendo a la boca de él y casi a su puerta una ínsula que comenzaba desde cerca de las columnas de Hércules, que dicen haber sido mayor que Asia y África, y juntamente desde la cual había contratación y comercio a otras islas, y de aquellas islas se comunicaba con la tierra firme y continente que estaba frontero dellas, vecina del verdadero mar, y aquel mar se puede con razón llamar verdadero mar y aquella tierra se puede justamente llamar tierra firme y continente"». Hasta aquí Platón, aunque poco más abajo dice que nueve mil años antes que aquello se escribiese sucedió tan gran pujanza de aguas en la mar de aquel paraje que en un día y una noche anegó toda esta isla, hundiendo las tierras y gente, y que después aquel mar quedó con tantas ciénagas y bajíos que nunca más por ella habían podido navegar ni pasar a las otras islas ni a la tierra firme de que allí se hace mención.

Esta historia dicen todos los que escriben sobre Platón que fue cierta y verdadera, en tal manera que los más dellos, especialmente Marsilio Ficino y Plotino, no quieren admitir que tenga sentido alegórico, aunque algunos se lo dan, como lo refiere el mismo Marsilio en las *Anotaciones sobre el Thimeo*. Y no es argumento para ser fabuloso lo que allí dice de los nueve mil años porque, según Eudoxo, aquellos años se entendían según la cuenta de los egipcios, lunares y no solares, por manera que eran nueve mil meses, que son setecientos y cincuenta años. También es casi demostración para creer lo desta isla saber que todos los historiadores y cosmógrafos antiguos y modernos llaman al mar que anegó esta isla Mathantico, reteniendo el nombre de cuando era tierra. Pues sobre propuesto[7] de ser esta historia verdadera, ¿quién podrá negar que esta isla Athalántica comenzaba desde el estrecho de Gibraltar, o poco después de pasado Cáliz [sic], y llegaba y se extendía por ese gran golfo donde, así norte-sur como este-oeste[8], tiene espacio para poder ser mayor que Asia y África?

Las islas que dice el texto que se contrataban desde allí parece claro que serían La Española, Cuba y San Juan y Jamaica, y las demás que están en aquella comarca. La tierra firme que se dice estar frontero destas islas consta por razón que era la misma Tierra Firme que ahora se llama así, y todas las otras[9] provincias con quien es continente que, comenzando desde el estrecho de Magallanes, contienen corriendo hacia el norte la tierra del Perú y la provincia de Popayán y Castilla del Oro, y Veragua, Nicaragua, Guatimala, Nueva España, las siete ciudades, la Florida, los Bacallaos, y corre desde allí para el septentrión hasta juntarse con las Nueruegas, en lo cual sin ninguna duda hay mucha más tierra que en todo lo poblado del mundo que conocíamos antes que aquello se descubriese. Y no causa mucha dificultad en este negocio el no haber descubierto antes de ahora por los romanos ni por las otras naciones que en diversos tiempos ocuparon a España, porque es de creer que duraba la maleza de la mar para impedir la navegación, y yo lo he oído y lo creo, que comprendió el descubrimiento de aquellas partes, debajo de esta autoridad de Platón, y así aquella tierra se puede claramente llamar la tierra continente de

---

[7] 1577: prosupuesto de ser historia verdadera.
[8] En el original: «así Nortesur como Lestehueste».
[9] 1577: falta «otras».

que trata Platón, pues cuadran[10] en ella todas las señas que él da de la otra. Mayormente aquella en que dice que es vecina al verdadero mar, que es el que ahora[11] llamamos del Sur, pues por lo que de él se ha navegado hasta nuestros tiempos consta claro que en respecto de su anchura y grandeza, todo el mar Mediterráneo y lo sabido del océano, que llaman vulgarmente del Norte, son ríos.

Pues si todo esto es verdad, y concuerdan también las señas dello con las palabras de Platón, no sé por qué se tenga dificultad a entender que por esta vía hayan podido pasar al Perú muchas gentes, así desde esta grande isla Athlántica como desde las otras islas, para donde desde aquella isla se navegaba. Y aun desde la misma tierra firme podían pasar por tierra al Perú, y si en aquello había dificultad por la misma mar del Sur, pues es de creer que tenían noticia y uso de la navegación, aprendida del comercio que tenían con esta grande isla, donde dice el texto que tenían grande abundancia de navíos, y aun puertos hechos a mano para la conservación dellos donde faltaban naturales.

Esto es lo que se puede sacar por rastro cerca desta materia, que no es poco para cosa tan antigua y sin luz, mayormente teniendo respecto a que en el Perú no hay letras con que conservar la memoria de los hechos pasados, ni aun las pinturas que sirven por letras en la Nueva España, sino unas ciertas cuerdas de diversas colores, añudadas, de forma que por aquellos ñudos y por las distancias dellos se entienden, pero muy confusamente, como se declara más largo en la historia que yo tengo hecha en las cosas del Perú.

Puedo decir lo que Horacio en una carta:

> —*Si quid nouisti rectius istis,*
> *Candidus imperti, si non vis, vtere mecum.*

---

[10] 1577: quedaran.
[11] 1577: el que verdaderamente llamamos del Sur.

Cerca del descubrimiento desta nueva tierra, parece que le cuadra un dicho a manera de profecía que hace Séneca en la tragedia *Medea,* por estas palabras:

> *Venient annis saecula seris,*
> *Quibus Oceanus vincula rerum*
> *Laxet, nouosque typhis detegat orbes,*
> *Atque ingens pateat tellus,*
> *Nec sit terris vltima Thyle.*

La principal relación deste libro, cuanto al descubrimiento de la tierra, se tomó de Rodrigo Lozano, vecino de Trujillo, que es en el Perú, y de otros que lo vieron.

[Libro primero]

*Historia del descubrimiento y conquista de la provincia del
Perú y de las guerras y cosas señaladas en ella, acaecidas hasta
el vencimiento de Gonzalo Pizarro y de sus sec[u]aces, que en
ella se rebelaron contra su majestad*

Capítulo I

*De la noticia que se tuvo del Perú,
y cómo se comenzó a descubrir*

En el año del nacimiento de nuestro señor Jesucristo de
mil y quinientos y veinte y cinco años, tres vecinos de la ciudad de Panamá (que es puerto de la mar del Sur), en la
provincia de Tierra Firme llamada Castilla del Oro, se juntaron en compañía universal de todas sus haciendas, que
fueron don Francisco Pizarro, natural de la ciudad de Trujillo, y don Diego de Almagro, natural de la villa Malagón
(cuyo linaje nunca se pudo bien averiguar, porque algunos
dicen que fue echado a la puerta de la iglesia), y un clérigo
llamado Hernando de Luque[12]. Y como estos fuesen los

---

[12] En 1577 se varía significativamente esta oración de la siguiente manera: «don Diego de Almagro, natural de la villa Malagón (cuyo linaje
nunca se pudo bien averiguar, porque algunos dicen que fue echado a la
puerta de la iglesia), y que un clérigo llamado Hernando de Luque le crio».

más caudalosos de aquella tierra, pensando ser acrecentados y servir a su majestad del emperador don Carlos nuestro señor, propusieron descubrir por la mar del Sur la costa de levante de la Tierra Firme, hacia aquella parte que después se llamó Perú. Y tomando licencia don Francisco Pizarro de Pedro Arias de Ávila, que a la sazón gobernaba aquella tierra por su majestad, aderezó un navío con harta dificultad y se metió en él con ciento y catorce hombres; y descubrió una pequeña y pobre provincia, cincuenta leguas de Panamá, que se llama Perú, de donde después impropiamente toda la tierra que por aquella costa se descubrió por espacio de más de mil y doscientas leguas por luengo de costa se llamó Perú.

Y pasando adelante halló otra tierra que los españoles llamaron el Pueblo Quemado, donde los indios le daban tan continua guerra y le mataron tanta gente, que le fue forzado volverse malherido a la tierra de Chinchama, que era cerca de Panamá. Y en este medio tiempo don Diego de Almagro, que allí había quedado, hizo otro navío y en él se embarcó con setenta españoles y fue en busca de don Francisco Pizarro por la costa hasta el río, que llamó de San Juan, que era cien leguas de Panamá, y como no le halló, le[13] tornó buscando hasta que por el rastro conoció haber estado en el Pueblo Quemado, donde desembarcó. Y como los indios quedaron victoriosos por haber echado de la tierra a don Francisco Pizarro, se le defendían animosamente y aun le hacían harto daño, hasta que un día los indios le entraron un fuerte donde se defendían, por descuido de aquellos a quien tocaba la defensa por aquella parte, y desbarataron los españoles, y a don Diego le quebraron un ojo y le trajeron a términos, que le fue forzado acogerse a la mar, y se volvió costeando hacia Tierra Firme.

Y llegando a Chinchama, halló allí a don Francisco Pizarro, y se vio con él, y juntando los ejércitos y enviando por más

---

[13] 1577: «se», en lugar de «le».

gente, se rehicieron de hasta doscientos españoles, y tornaron a navegar la costa arriba en los dos navíos y en tres canoas que habían hecho. En la cual navegación pasaron muchos y muy grandes trabajos, porque toda la costa es anegada de los esteros de muchos ríos que en ella entran en la
mar, con abundancia de lagartos, que los naturales llaman
caimanes, que son unas bestias que se crían en las bocas de
aquellos ríos, tan grandes que comúnmente tienen a veinte
y a veinte y cinco pies de largo, y en sintiendo en el agua
cualquiera persona o bestia, le muerden y llevan debajo del
agua, donde le comen, y especialmente huelen mucho los
perros. Salen a desovar en la arena, donde entierran gran
cantidad de huevos, y los crían en seco, y ellos andan por la
arena no muy ligeros, y después se acogen al agua; en lo
cual, y en otras particularidades que en ellos se hallan, parecen muy semejantes a los cocodrilos del Nilo.

Y así mismo padecían mucha hambre porque no hallaban comida sino la fruta de unos árboles llamados mangles,
de que hay abundancia en aquella ribera, que son muy recios y altos y derechos y, por criarse en el agua salada, la
fruta es también salada y amarga. Pero la necesidad les hacía que se sustentasen con ella y con algún pescado que tomaban, y con marisco y cangrejos, porque en toda aquella
costa no se cría maíz. Y así andaban remando en las canoas
contra la gran corriente del mar, que siempre corre hacia el
norte, y ellos iban al sur. Por toda la costa salían a ellos indios de guerra, dándoles gritas y llamándolos desterrados, y
que tenían cabellos en las caras, y que eran criados del espuma de la mar, sin tener otro linaje, pues por ella habían
venido, y que para qué andaban vagando el mundo, que
debían ser grandes holgazanes, pues en ninguna parte para-
ban a labrar ni sembrar la tierra. Y por habérseles muerto a
estos capitanes mucha gente, así de hambre como en las
refriegas de los indios, se acordó que don Diego volviese a
Panamá por gente, donde trajo ochenta hombres, y con
ellos y con los que habían quedado vivos pudieron llegar

hasta la tierra que se llamaba Catamez, que era ya fuera de aquellos manglares. Tierra de mucha comida y medianamente poblada, donde todos los indios que salían de guerra traían sembradas las caras con clavos de oro en agujeros que para ello tenían hechos. Y por ser la tierra tan poblada, no pasaron adelante hasta que don Diego de Almagro tornó a Panamá por más gente; y entretanto se volvió don Francisco Pizarro a le esperar a una pequeña isla que estaba junto a la tierra, que llamaron la isla del Gallo, donde quedó padeciendo harta necesidad de todo lo necesario.

Capítulo II

Cómo quedó don Francisco Pizarro aislado en la Gorgona, y cómo con la poca gente que tenía navegó pasando la línea equinoccial

Cuando don Diego de Almagro volvió a Panamá por socorro, halló que su majestad había proveído por gobernador della un caballero de Córdoba llamado Pedro de los Ríos, el cual le impidió la vuelta, porque los que quedaron con don Francisco Pizarro en la isla del Gallo le enviaron secretamente a pedir que no permitiese que fuese más gente a morir en aquella peligrosa jornada sin ningún provecho, como habían muerto los pasados, y a ellos les mandase volver. Por lo cual Pedro de los Ríos envió un teniente con su mandamiento para que todos los que quisiesen se pudiesen volver a Panamá libremente, sin que forzasen a ninguno a quedarse.

Pues como la gente supo este mandato, se embarcaron luego con gran alegría, como si escaparan de tierra de moros, de forma que solos doce hombres se quisieron quedar con don Francisco Pizarro, con los cuales, por ser tan pocos, no osó quedar allí, y se fue a una isla despoblada, seis leguas dentro en la mar, que por ser toda llena de fuentes y arroyos la llamaron la Gorgona, donde se sostuvieron comiendo cangrejos, exaibas[14] y grandes culebras, de que allí hay abundancia, hasta que el navío volvió de Panamá. Y en llegando sin traer más gente, salvo comida, se metió en él con solos sus doce compañeros, cuya constancia y virtud fue causa del descubrimiento de la tierra del Perú. Uno de los cuales se llamaba Nicolás de Ribera, natural de Olvera, y Pedro de Candía, natural de la isla de Candia, en Grecia, y Juan de Torre y Alonso Briceño, natural de Benavente, y Cristóbal de Peralta, natural de Baeza, y Alonso de Trujillo, natural de Trujillo, y Francisco de Cuéllar, natural de Cuéllar, y Alonso de Molina, natural de Úbeda. Y guiándolos un piloto llamado Bartolomé Ruiz, natural de Moguer, navegaron con harto trabajo y peligro contra la fuerza de los vientos y corrientes, hasta que llegaron a una provincia llamada Mostripe[15], que está en medio de dos pueblos que los cristianos poblaron, y nombraron al uno Trujillo y al otro San Miguel.

Y no osando pasar adelante por la poca gente que tenía, a la vuelta, en el río que llaman de Puechos o de la Chira, tomó cierto ganado de las ovejas de la tierra y algunos indios que sirvieron de lenguas y, volviendo a la mar, hizo saltar en el puerto de Tumbez, de donde se trajo noticia de una casa muy principal que el señor del Perú allí tenía, con una población de indios ricos, que era una de las cosas señaladas del Perú hasta que los indios de la isla de la Puna lo destruyeron, como adelante se dirá, y allí se quedaron tres españoles huidos, que después se supo haber sido muertos por los indios. Y con esta noticia se tornó a Panamá, habiendo andado tres años en el descubrimiento, padeciendo grandes trabajos y peligros, así con la falta de comida como con las guerras y resistencia de los indios y con los

---

[14] 1555: exaiuas; 1577: exayuas.
[15] 1577: Motupe.

motines que entre su mesma gente había, desconfiando los más dellos de poder hallar cosa de provecho. Lo cual todo apaciguaba y proveía don Francisco con mucha prudencia y buen ánimo, confiado en la gran diligencia con que don Diego de Almagro le iría siempre proveyendo de mantenimientos y gente y caballos y armas. De manera que con ser los más ricos de la tierra no solamente quedaron pobres, pero adeudados en mucha suma.

Capítulo III

De cómo don Francisco Pizarro vino a España a dar noticia a su majestad del descubrimiento del Perú, y de algunas costumbres de los naturales de él

Hecho el descubrimiento (como arriba está dicho), don Francisco Pizarro se vino a España y dio noticia a su majestad de todo lo acaecido, y le suplicó que en remuneración de sus trabajos le hiciese merced de la gobernación de aquella tierra, que él quería tornar a descubrir y poblar. Lo cual su majestad hizo, capitulando con él lo que se acostumbraba con los otros capitanes a quien se había encomendado el descubrimiento de otras provincias. Y con tanto se volvió a Panamá, llevando consigo a Hernando Pizarro, y a Juan Pizarro, y a Gonzalo Pizarro, y a Francisco Mint[16] de Alcántara, sus hermanos, entre los cuales solos Hernando Pizarro y Juan Pizarro eran legítimos y hermanos de padre y madre, hijos de Gonzalo Pizarro el Largo, vecino de Trujillo, que fue capitán de infantería en el reino de Navarra. Don Francisco era su hijo natural y Gonzalo Pizarro lo mesmo, aunque de diferentes madres, y Francisco Martín era hermano de don Francisco de madre solamen-

---

[16] 1577: Martín.

te. Y demás destos llevó consigo otra mucha gente para el descubrimiento, que los más dellos eran naturales de Trujillo y Cáceres y de otros lugares de Extremadura.

Y así, llegado a Panamá, comenzaron a aderezar las cosas necesarias para el descubrimiento, debajo de la mesma compañía, caso que hubo algunas disensiones entre don Francisco y don Diego, porque había sentido mucho don Diego que don Francisco hubiese negociado en España con su majestad todo lo que a él tocaba, trayendo título de gobernador y adelantado mayor del Perú, sin hacer mención de cosa que a él tocase, comoquier que en todos los trabajos y costas del descubrimiento había puesto la mayor parte. De todo esto le consoló don Francisco, diciendo que su majestad no había sido servido por entonces de darle para él cosa ninguna, caso que se lo había pedido, pero que él le prometía y daba palabra de renunciar en él el adelantamiento, y le enviaría a suplicar que le pasase en él. Y con esto quedó algo satisfecho don Diego. Y así los dejaremos poniendo en orden la armada y las otras cosas necesarias al descubrimiento, por contar el sitio de la provincia del Perú y las cosas señaladas y costumbres de las gentes.

Capítulo IV

De la gente que habita debajo de la línea equinoccial, y otras cosas señaladas que allí hay

La tierra del Perú, de que se ha de tratar en esta historia, comienza desde la línea equinoccial adelante hacia el mediodía. La gente que habita debajo de la línea y en las faldas della tienen los gestos ajudiados, hablan de papo como moros, son dados al pecado nefando, a cuya causa maltratan sus mujeres y hacen poco caso dellas, y andan trasquiladas sin otra vestidura más que unos pequeños refajos con que cubren sus vergüenzas. Y ellas siembran y amasan y muelen el pan[17] que en toda aquella provincia se come, que en la lengua de las islas se llama maíz, aunque en la del Perú se llama zara. Los hombres traen unas camisas cortas hasta el ombligo y sus vergüenzas de fuera. Hácense las coronas casi a manera de frailes, aunque adelante ni atrás no traen ningún cabello, sino a los lados. Précianse de traer muchas joyas de oro en las orejas y en las narices, mayormente esmeraldas que se hallan solamente en aquel paraje. Aunque los indios no han querido mostrar los veneros dellas, créese que nacen allí, porque se han hallado algunas mezcladas y pegadas con guijarros, que es señal de hacerse[18] dellos. Átanse los brazos y piernas con muchas vueltas de cuentas de oro y de plata, y de turquesas menudas, y de contezuelas blancas y coloradas, y caracoles, sin consentir traer a las mujeres ninguna cosa destas.

Es tierra muy caliente y enferma, especialmente de unas verrugas muy enconadas que nacen en el rostro y otros miembros que tienen muy hondas las raíces, de peor calidad que las bubas. Tienen en esta provincia las puertas de los templos hacia el oriente, tapadas con unos paramentos de algodón, y en cada templo hay dos figuras de bulto de cabrones negros, ante las cuales siempre queman leña de árboles que huelen muy bien, que allí se crían, y en rompiéndoles la corteza, destila dellos un licor cuyo olor trasciende tanto que da fastidio, y si con él untan algún cuerpo muerto y se lo echan por la garganta, jamás se corrompe. También hay en los templos figuras de grandes sierpes en que adoran y, demás de los generales, tenía cada uno otros

---

[17] Parte de la oración anterior desaparece en 1577, donde leemos: «La gente que habita debajo de la línea y en las faldas della tienen los gestos ajudiados, hablan de papo, andaban tresquilados y sin vestidos, más que unos pequeños refajos con que cubrían sus vergüenzas. Y las indias siembran y amasan y muelen el pan...».

[18] 1577: cuajarse.

particulares, según su trato y oficio, en que adoraban: los pescadores en figuras de tiburones y los cazadores según la caza ejercitaban, y así todos los demás. Y en algunos templos, especialmente en los pueblos que llaman de Pasao, en todos los pilares dellos tenían hombres y niños crucificados los cuerpos, o los cueros tan bien curados que no olían mal, y clavadas muchas cabezas de indios, que con cierto cocimiento las consumen hasta quedar como un puño.

La tierra es muy seca, aunque llueve a menudo; es de pocas aguas dulces que corren, y todos beben de pozos o de aguas rebalsadas que llaman [j]agüeyes. Hacen las casas de unas gruesas cañas que allí se crían, el oro que allí nace es de baja ley, hay pocas frutas, navegan la mar con canoas falcadas, que son cavadas en troncos de árboles, y con balsas. Es costa de gran pesquería y muchas ballenas. En unos pueblos desta provincia, que llamaban Caraque, tenían sobre las puertas de los templos unas figuras de hombres con una vestidura de la mesma hechura de almática de diácono.

Capítulo V

De los veneros de pez que hay en la punta de S[an]ta Helena, y de los gigantes que allí hubo

Cerca desta provincia, en una punta que los españoles llamaron de S[an]ta Helena, que se mete en la mar, hay ciertos veneros donde mana un betún que parece pez o alquitrán, y suple por ello. Junto a esta punta dicen los indios de la tierra que habitaron unos gigantes, cuya estatura era tan grande como cuatro estados de un hombre mediano. No declaran de qué parte vinieron, manteníanse de las mesmas viandas de los indios, especialmente pescado, porque eran grandes pescadores, a lo cual iban en balsas, cada uno en la suya, porque no podía llevar más, con navegar tres caballos en una balsa; apeaban la mar en dos brazas y media, holgaban mucho de topar tiburones o bufeos u otros peces muy grandes, porque tenían más que comer, comía cada uno más que treinta indios, andaban desnudos por la dificultad de hacer los vestidos, eran tan crueles que sin causa ninguna mataban muchos indios, de quien eran muy temidos. Vieron los españoles en Puerto Viejo dos figuras de bulto destos gigantes, una de hombre y otra de mujer.

Hay memoria entre los indios, descendiendo de padres en hijos, de muchas particularidades destos gigantes, especialmente del fin dellos. Porque dicen que bajó del cielo un mancebo, resplandeciente como el sol, y peleó con ellos tirándoles llamas de fuego que se metían por las peñas donde daban, y hasta hoy están allí los agujeros señalados. Y así se fueron retrayendo a un valle, donde los acabó de matar todos. Y con todo esto nunca se dio entero crédito a lo que los indios decían cerca destos gigantes, hasta que siendo teniente de gobernador en Puerto Viejo el capitán Juan de Olmos, natural de Trujillo, en el año de quinientos y cuarenta y tres, y oyendo todas estas cosas hizo cavar en aquel valle donde hallaron tan grandes costillas y otros huesos que si no parecieran juntas las cabezas no era creíble ser de personas humanas. Y así hecha la averiguación y vistas las señales de los ríos[19] en las peñas, se tuvo por cierto lo que los indios decían y se enviaron a diversas partes del Perú algunos dientes de los que allí se hallaron, que tenía cada uno tres dedos de ancho y cuatro de largo.

Tiénese por cosa cierta entre los españoles, vistas estas señales, que por ser como dicen que era esta gente muy dados al vicio contra natura, la justicia divina los quitó de la tierra, enviando algún ángel para ello, como se hizo en Sodoma y otras partes. Y así para esto como para todas las otras antigüedades que en el Perú se saben, se ha de presu-

---

[19] 1577: rayos.

poner la dificultad que hay en la averiguación, porque los naturales ningún género de letras ni escritura saben ni usan, ni aun las pinturas que sirven en lugar de libros en la Nueva España, sino solamente la memoria que se conserva de unos en otros, y las cosas de cuenta se perpetúan por medio de unas cuerdas de algodón que llaman los indios quippos, denotando los números por nudos de diversas hechuras, subiendo por el espacio de la cuerda desde las unidades a decenas, y así dende arriba, y poniendo la cuerda del color que es la cosa que quieren mostrar. Y en cada provincia hay personas que tienen cargo de poner en memoria por estas cuerdas las cosas generales, que llaman Quippo Camayos, y así se hallan casas públicas llenas destas cuerdas, las cuales con gran facilidad da a entender el que las tiene a cargo, aunque sean de muchas edades antes de él.

Capítulo VI

De las gentes y cosas que hay pasada la línea equinoccial hacia el mediodía, por la costa de la mar

Pasada la línea equinoccial hacia el mediodía hay una isla de doce leguas de bojo, muy cerca de la tierra firme, la cual isla llaman la Puma[20], abundante de mucha caza de venados y pesquería y de muchas aguas dulces. Solía estar poblada de mucha gente y tenían guerras con todos los pueblos comarcanos, especialmente con los de Tumbez, que están doce leguas de allí. Vestían camisas y pañicos[21], eran señores de muchas balsas con que navegaban. Estas balsas son hechas de unos palos largos y livianos, atados sobre otros dos palos, y siempre los de encima son nones,

---

[20] 1577: Puna.
[21] 1555: pañisos; 1577: pañicos.

comúnmente cinco, y algunas veces siete o nueve, y el de en medio es más largo que los otros, como piértego de carreta, donde va asentado el que rema, de manera que la balsa es de hechura de la mano tendida, que van menguándose los dedos, y encima hacen unos tablados por no mojarse. Hay balsas en que caben cincuenta hombres y tres caballos, navegan con la vela y con remos, porque los indios son grandes marineros dellas, aunque algunas veces ha acaecido, yendo españoles en las balsas, desatar los indios muy sutilmente los palos y apartarse cada uno por su cabo, y así perecer los cristianos y salvarse los indios sobre los palos, y aun sin ningún arrimo, por ser grandes nadadores.

Peleaban los desta isla con tiraderas y hondas, y con porras y hachas de plata y cobre. Tenían muchas lanzas con hierros de oro bajo, y hombres y mujeres traían muchas joyas y anillos de oro, servíanse con vasijas de oro y plata. Y el señor de aquella isla era muy temido de sus vasallos, y tan celoso que todos los servidores de su casa y guardas de sus mujeres traían cortadas las narices y miembros genitales. Y en otra pequeña isla, junto a ella, se halló en una casa el retrato de una huerta con los arbolicos y plantas de plata y oro. Frontero desta isla y en la tierra firme había unos pueblos que, por cierto enojo que hicieron al señor del Perú, les dio por pena que se sacasen los dientes de la mejilla alta; y así hasta el día de hoy hombres y mujeres andan desdentados.

En pasando de Tumbez hacia el mediodía, en espacio de quinientas leguas por luengo de costa, ni en diez leguas la tierra adentro, no llueve ni atruena[22], ni cae rayo, caso que pasadas las diez leguas o más[23] o menos como la sierra dista de la mar, llueve y atruena y hay invierno y verano a los tiempos y de la manera que en Castilla. Y al tiempo que en la sierra es invierno en la costa es verano, y así por el con-

[22] 1577: ni truena jamás.
[23] 1577: o algo más o menos.

trario; y por todo el espacio descubierto de la tierra del Perú, que es desde la ciudad de Pasto, donde comienza, hasta la provincia de Chili, que ahora está descubierta, hay más de mil y ochocientas leguas más largas que las de Castilla, y en todas ellas va a la larga una cordillera de sierras muy ásperas, que unas veces distan de la mar quince y veinte leguas, y otras se meten los ramos de la sierra por la tierra y hacen menor la distancia. Por manera que todo lo descubierto del Perú se entiende por dos nombres: que toda la distancia que hay desde las montañas a la mar, ahora diste poco o mucho, se llaman los llanos, y todo lo demás se llama la sierra.

Estos llanos son muy secos y de muy grandes arenales, porque no llueve jamás en ellos, ni se halla fuente ni pozo ni otro ningún manantial, sino cuatro o cinco [j]agüeyes que, por estar junto a la mar, el agua es muy salobre. Mantiénense del agua de los ríos que descienden de la sierra y se juntan de las nieves y lluvias que allí caen, porque tampoco en la sierra se hallan sino muy pocas fuentes. Estos ríos están apartados unos de otros algunas veces doce y quince y veinte leguas, pero lo más ordinario es a siete y a ocho leguas; y así los caminantes hacen comúnmente jornada en ellos, porque no tienen otra agua que beber. Por las orillas destos ríos, una legua en ancho y a veces más o menos, como lo sufre la disposición de la tierra, hay muy grandes frescuras de arboledas y frutales y maizales que los indios siembran. Y después que los españoles fueron a aquella tierra también siembran trigo, lo cual todo riegan con las acequias que sacan destos ríos, en que tienen muy grande experiencia e industria, porque algunas veces para desmentir los valles que se ofrecen en medio, acontece rodear con la acequia siete y ocho leguas, con no tener el tal valle media legua de distancia de punta a punta.

La frescura destos valles tura de largo como viene el río desde la mar a la sierra, corren los ríos con tanto ímpetu por venir de tan alto que muchos dellos, como son el de

89

Santa y el de la Barranca y otros semejantes, no los podrían pasar los españoles a caballo sin ayuda de los indios, que les defiende[n] la corriente, poniéndose hacia la parte baja asidos con varales y otros palos, y aun con todo esto pasando los ríos no es seguro detenerse a dar agua ni otra cosa, porque la furia del agua desbarata al caballo y al que va encima y le hace perder los sentidos, y el principal peligro consiste en que si cae el caballo o el hombre, la gran corriente los lleva abajo sin dejarlos levantar, porque es tanta[24] que ordinariamente lleva tras sí piedras bien grandes. Los que caminan por los llanos van siempre por la orilla de la mar, que casi no se apartan del agua, o a lo menos pocas veces la pierden de vista. Y en los inviernos es peligroso camino, porque vienen los ríos tan crecidos que no se pueden pasar sino en las balsas que arriba están dichas, o en otras que hacen hinchiendo unas redes de calabazas, y sobre ellas va tendido de pechos el que ha de pasar, y un indio va delante, asida la balsa a nado con una cuerda, y otro detrás echándola hacia adelante. Y así mesmo en las riberas destos ríos hay frutales de diversas maneras y algodonales y salces y cañas y carrizos[25] y juncos y juncia y espadañas y otros géneros de yerbas. Es tierra muy fértil, y en todo el año se siembra y se coge el trigo y el maíz sin esperar tiempo cierto para ello.

Los indios no viven en casas, sino debajo de los árboles o de ramadas[26]. Las mujeres visten unos hábitos de algodón hasta los pies, a manera de lobas; los hombres traen pañetes y unas camisetas hasta la rodilla, y encima unas mantas. Y aunque la manera del vestir es común a todos, difieren en lo que traen en las cabezas según el uso de cada tierra, porque unos traen trenzas de lana y otros un solo cordón de lana y otros muchos cordones de diversas colores, y no hay ninguno que no traiga algo en la cabeza, y en cada provincia es diferentemente. Diví-

---

[24] 1577: es tan furiosa.
[25] 1555: carrijos; 1577: carrizos.
[26] 1555: derramadas; 1577: de ramadas.

dense en tres géneros todos los indios destos llanos, porque a unos llaman yungas y a otros tallanes y a otros mochicas.

En cada provincia hay diferente lenguaje, caso que los caciques y principales y gente noble, demás de la lengua propia de su tierra, saben y hablan entre sí todos una mesma lengua, que es la del Cuzco. Por causa que el rey del Perú, llamado Guaynacaba, padre de Atabaliba, pareciéndole que era poco acatamiento de sus vasallos, especialmente de los caciques y gente principal que más de ordinario con él trataban, haber de negociar por intérprete, mandó que todos los caciques de la tierra y sus hermanos y parientes enviasen sus hijos a servirle en su corte, so color que aprendiesen la lengua, aunque principalmente su intento era asegurar la tierra de todos los principales con tenerles sus hijos en rehenes. Comoquier que sea, por esta forma acabó[27] que toda la gente noble de su reino supiese y hablase la lengua de su corte, de la manera que en Flandes se introdujo que los caballeros y nobles hablen[28] la lengua francesa, de manera que el español que supiere la lengua del Cuzco puede pasar por todo el Perú, en los llanos y en la sierra, entendiendo y siendo entendido de los principales.

CAPÍTULO VII

Del viento que corre en los llanos del Perú, y la razón de la sequedad dellos

Con razón podrían dudar los que leyeren esta historia de la causa por que no llueve en todos los llanos del Perú, como arriba está dicho, habiendo apariencias de que en ellos hubiese grandes lluvias[29], pues tienen tan cerca de la

---

[27] 1577: consiguió.
[28] 1577: hablasen.
[29] 1577: habiendo razones de que en ellos hubiese de haber grandes lluvias.

una parte la mar, que comúnmente engendra humedades y vapores, y de la otra las altas sierras de que hemos hecho relación, donde nunca faltan nieves y aguas. Y la razón natural que hallan los que con diligencia lo han inquirido es que en todos estos llanos y costa de mar corre todo el año un solo viento, que los marineros llaman sudoeste, que viene prolongando la costa, tan impetuoso que no deja parar ni levantar las nubes o vapores de la tierra ni de la mar a que lleguen a congelarse a la región del aire; y de las altas sierras que exceden estos vapores o nubes se ven abajo que parece que son otro cielo, y sobre ellos está muy claro, sin ningún nublado. Y este viento causa también correr las aguas de aquella mar hacia la parte del norte, como corren, aunque algunos dan para ello otra causa, que como la mar del Sur va a embocar por el estrecho de Magallanes, y por ser tan angosto que no tiene más de dos leguas, no puede caber por él tan gran pujanza de agua, especialmente encontrándose allí con las aguas de la mar del Norte, que le estorban la entrada. Y así, no pudiendo caber toda el agua por allí, necesariamente tiene de hacer reflexión y retraerse hacia atrás, y así es causa de que las corrientes vuelvan atrás contra el norte, de donde nace otro inconveniente, que es ser por esta razón tan dificultosa la navegación de Panamá para el Perú, porque siempre tienen el viento contrario y mucha parte del año también las corrientes, que si no van a la bolina y forcejando contra el viento no es posible navegar.

En toda esta costa del Perú hay grandes pesquerías de todos géneros de peces y muchos lobos marinos. Desde el río de Tumbez arriba no se hallan lagartos, algunos dicen que lo causa ser la tierra más templada, porque ellos son amigos de calor, pero por más cierto se tiene causarlo la furia con que corren los ríos que no los dejaban[30] criar, porque ellos ordinariamente crían en las rebalsas de los ríos.

---

[30] 1577: dejan.

En toda la largura de los llanos hay pobladas de cristianos cinco ciudades. La primera se llama Puerto Viejo, que está muy cerca de la línea equinoccial. Esta tiene pocos vecinos, porque es tierra pobre y enferma, aunque hay algunas esmeraldas (como arriba está dicho) cincuenta leguas más arriba. Quince leguas la tierra adentro está otra ciudad que se llama San Miguel, y en lengua de los indios se llamaba Piura, lugar fresco y bien proveído, aunque sin minas de oro ni de plata. Allí hay una enfermedad natural de la tierra, que da en los ojos a los más que por allí pasan. Sesenta leguas adelante la costa arriba está una ciudad en un valle que llaman Chimo, y la ciudad se llama Trujillo, está dos leguas de la mar, aunque el puerto es peligroso. Está asentada en un llano a la orilla de un río, es muy abundante de aguas y fértil de trigo y maíz y ganado, está la población hecha por mucha orden y razón, hay en ella[31] hasta trescientas casas de españoles. Ochenta leguas más arriba hay otra ciudad, dos leguas de un puerto de mar muy bueno y seguro, asentada en un valle que se dice Lima, y la ciudad se dice Los Reyes, porque se pobló día de la Epifanía. Está en un llano junto a un río caudaloso, la tierra es muy abundante de pan y de todo género de frutas y ganados. Está la ciudad poblada de suerte que todas las calles van a dar en la plaza a cordel, y por cualquiera se parece el campo por dos partes. Es de muy apacible vivienda por causa de su templanza, que en todo el año no hay frío ni calor que dé pesadumbre; los cuatro meses del estío de España hace en ella alguna más diferencia de frío que en el otro tiempo. Estos cuatro meses cae en ella hasta el mediodía un rocío menudo como las nieblas de Valladolid, salvo que no es dañoso para la salud; antes los que tienen enfermedad de cabezas las lavan con este rocío.

Dase muy bien toda fruta de Castilla, especialmente naranjas, cidras, limones, toronjas, dulce y agro, e higos y gra-

---

[31] 1577: y en ella.

nadas, y aun de uvas hubiera abundancia si las alteraciones de la tierra hubieran dado lugar, porque algunas hay nacidas que se pusieron de granos de pasas. También hay gran abundancia de verdura y legumbres de Castilla, y grande aparejo para criarlas, porque en cada casa hay una acequia de agua sacada del río, que podría hacer moler un molino. Hay en el río muchas paradas de molinos de Castilla, donde los españoles muelen su trigo. Por manera que esta ciudad se tiene por la más sana y apacible vivienda de la tierra, por ser el puerto de gran comercio y contratación, y que para proveerse de lo necesario acuden a él de todas las ciudades que están la tierra arriba, en cuyas minas se halla tanta abundancia de oro y plata como de aquella provincia se trae. Y también por estar en medio de la tierra, y haber su majestad mandado por esta razón que resida allí la Audiencia Real, a cuya causa acuden todos los vecinos de la tierra a pedir allí su justicia; y es de creer que cada día se irá aumentando más en vecindad.

Tendrá ahora quinientas casas, aunque toma muy mayor sitio que una ciudad de España que tenga mil y quinientas, así por ser las calles muy anchas y la plaza, como porque cada casa ocupa un solar de ochenta pies de delantera y doblado el largo. Los edificios no se pueden hacer de más de un suelo, porque no hay madera en la tierra que sufra hollarse, y a tres años se come de carcoma. Y con todo esto las casas son muy suntuosas y de grande autoridad y muchos aposentos, los cuales edifican haciendo las paredes de los cuartos de adobes con cinco pies en ancho, y en medio lo hinchen de tierra todo lo necesario para subir el aposento, hasta que las ventanas que salen a la calle queden bien altas del suelo. Las escaleras están descubiertas en los patios y van a dar en unos terrados que sirven de corredor o antecuarto para entrar desde allí a los aposentos. Las techumbres se hacen y cubren con unos tirantes toscos, y encima dellos se pone un cielo de unas esteras pintadas como las de Almería, que cubren también las mesmas tirantes, o de unos lienzos pintados, y encima de todo se hacen ramadas, y así quedan los aposentos muy altos y frescos y defendidos del sol, porque del agua no hay necesidad de defenderlos, pues como está dicho nunca llueve.

Ciento y treinta leguas desta ciudad, la costa arriba, está otra villa que se intitula la villa hermosa de Arequipa, que será pueblo de hasta trescientas casas, muy sano y abundante de todo género de comida. Está a doce leguas de la mar, de cuya causa se espera que se poblará mucho, porque suben a él los navíos con ropa y vino y otros mantenimientos, de donde se provee la ciudad del Cuzco y la provincia de los Charcas, adonde acude la mayor parte de la gente de la tierra, por causa de la contratación de las minas de Potosí y Porco. Y también se traen dellas a esta villa gran abundancia de plata para embarcarla en los mesmos navíos y llevarlo por mar a la ciudad de Los Reyes o a Panamá, con que se excusa llevarlo por tierra con gran peligro y riesgo y trabajo, después que en ejecución de la ordenanza real no se cargan los indios. Desde esta ciudad pueden ir por tierra junto a la costa de la mar, por espacio de cuatrocientas leguas, a la provincia que descubrió y pobló el gobernador Pedro de Valdivia, que se llama Chili, que en lengua de indios quiere decir frío, por causa de los grandes fríos que para llegar a ellos se pasan, como la historia lo declarará adelante, cuando tratare de la jornada que para el descubrimiento della hizo el adelantado don Diego de Almagro[32]. Este es el sitio y población de la parte del Perú en los llanos de él, con que se debe presuponer que la mar está en bonanza[33] y limpia en toda aquella costa por tanto espacio de tierra como hemos dicho, que jamás hay tormenta ni maleza ni bajío, ni otro impedimento para que las naos no puedan surgir seguramente con sola una áncora en toda la costa.

---

[32] 1577: cuando tratare de la jornada que hizo el adelantado don Diego de Almagro.
[33] 1577: la mar es tan bonanza.

Capítulo VIII

De la calidad de la sierra del Perú, y de la población della de indios y cristianos

Los indios que habitan en la sierra son muy diferentes de los llanos en fuerzas y esfuerzo y razón, y viven más políticamente en casas cubiertas de tierra, y visten camisas y mantas de lana de las ovejas que allí se crían; andan en cabello con unas vendas atadas a las cabezas. Las mujeres visten unos hábitos sin mangas, muy fajadas con unas cintas de lana por todo el cuerpo, con que se hacen los talles largos; traen cobijadas unas mantellinas de lana prendidas al cuello con unos grandes alfileres de oro o plata, como cada una alcanza, los cuales en su lengua se llaman topos, que tienen las cabezas grandes y llanas, y tan agudas que les sirven de cuchillos. Ayudan mucho a sus maridos en las labores y trabajos del campo y en los caseros, y aun casi lo hacen[34] ellas todo. Son comúnmente blancas y de muy buenos gestos y facciones, mucho más que las de los llanos.

Y así mesmo la tierra es muy diferente de los llanos, porque toda está cubierta de yerba, y con gran abundancia de arroyos y aguas muy frías, de las cuales juntándose se hacen los ríos que van por los llanos. Hay muchas flores por los campos y verduras como las de Castilla. Hay por todas partes berros y pomaza[35] y mastuerzo y almirones y verbena y zarzamoras y hacederas, y hay otras yerbas que echan unas flores amarillas, y las hojas como apio, que en poniéndola en cualquier llaga, aunque esté corrompida, luego la limpia, y si la ponen sobre la carne sana, la come hasta el hue-

---

[34] 1577: trabajan.
[35] En 1577 falta «pomaza».

so. Hay muchos géneros de árboles de la tierra, con gran diversidad de frutas tan sabrosas como las de Castilla. Hay alisos y nogales silvestres. Tienen los indios muchas ovejas silvestres y otras domésticas. Hay venados y corzos, y otros géneros de animales menores y abundancia de raposos.

De todos estos animales hacen los indios una caza de gran regocijo, que ellos llaman chico[36], desta manera: que se juntan cuatro o cinco mil indios más o menos, como lo sufre la población de la tierra, y pónense apartados uno de otro en corro, ta[n]to que ocupan dos o tres leguas de tierra; y después se van juntando paso a paso al son de ciertos cantares que ellos saben para aquel propósito, y viénense a juntar hasta trabarse de las manos, y aun hasta cruzar los brazos unos con otros, y así viene[n] a juntar gran número de caza, como en corral, de todos géneros de animales, y allí toman y matan lo que les parece. Y son tan grandes las voces[37] que dan, que no solamente espantan las animales, mas hacen caer entre ellas aturdidas muchas perdices y neblíes y otras aves, que embarazadas con la mucha gente y grandes gritos se dejan tomar a manos, y algunas dellas con redes.

Hay por los montes leones y osos negros y gatos y monos de diversas maneras, y otros muchos géneros de salvajinas, y las aves que hay en los llanos y en la sierra son águilas y palomas, tórtolas, pitos, codornices, papagayos, alcaudones, mochuelos, patos y gallaretas, garzas blancas y pardas, ruiseñores y otras diversidades de hermosas aves; y entre ellas hay unas tan pequeñitas que un cigarrón es mayor, y tienen unas plumas largas como un tornasol verde. Hay por la costa tan grandes buitres que, tendidas las alas, tienen quince y diez y seis palmos de punta a punta; estos se mantienen de lobos marinos, y cuando los ven en tierra

---

[36] 1577: chaco.
[37] En 1555 leemos «veces». Se sustituye por «voces» tal y como corrige la edición de 1577.

uno dellos hace presa en los pies o cola, y otro le saca los ojos, y así otros le pican hasta matarle y cebarse en él. Hay otras aves que llaman alcatraces, que son de hechura de gallinas, aunque muy mayores, porque les puede caber en el papo tres celemines de trigo, y son tan generales en toda la costa de la mar del Sur, que por espacio de más de dos mil leguas nunca faltan; mantiénense de marisco, y cuando sienten hombre muerto entran a buscarle la tierra adentro treinta y cuarenta leguas. Es la carne dellas tan hedionda y mala, que algunos que con necesidad la han comido mueren como con ponzoña.

Ya está dicho que en toda esta sierra llueve y graniza y nieva y hace gran frío, aunque hay en ella valles tan hondos que no se siente por la mucha calor; y allí se puede criar una yerba que los indios tienen en más que oro ni plata, llamada coca, cuya hoja es casi de hechura de la del zumaque; y tiénese experiencia que el que trae esta hoja en la boca no ha sed ni hambre. En algunas partes desta sierra no hay ningunos árboles, y los que caminan por ellas hacen lumbres de unos céspedes que por allí se crían. Hay veneros de tierra de diversas colores, y vetas de oro y plata, las cuales los indios conocían y fundían muy mejor y con menos trabajo y costa que los cristianos. Porque en las sierras más altas hacían unos hornillos con las puertas hacia el mediodía, de donde hemos dicho que siempre sopla el viento, y allí echan el metal con estiércol de ovejas, y encendiendo el viento el carbón se derrite y cendra la plata y oro. Y aun ahora se ha visto en la gran abundancia de plata que se saca en las minas de Potosí, que no se puede fundir con fuelles, sino que los indios lo funden en estos hornillos, que ellos llaman guairas, que quiere decir viento, porque se enciende con él.

Es tan abundante y fértil esta tierra de cualquier cosa que en ella se siembra que de una fanega de trigo salen ciento y cincuenta, y a veces doscientas, y lo ordinario es ciento, con no haber arados con que labrar la tierra, sino unas palas agudas con que los indios la revuelven, y siembran los granos de trigo haciendo un agujero con un palo y metiéndolos allí, como hacen en España cuando siembran habas. Danse las verduras y legumbres en tanta abundancia que se vio en la ciudad de Trujillo nacer rábanos tan gruesos como un hombre, muy tiernos y macizos, y que las hojas ocupaban dos pasos al derredor, y lo mesmo las lechugas y coles y otras hortalizas que se sembraron de la simiente que se llevó de Castilla; pero la que nació después en la tierra no creció tanto.

Las viandas que en aquella tierra comen los indios son maíz cocido y tostado en lugar de pan, y carne de venados cecinada a manera de mojama, y pescado seco, y unas raíces de diversos géneros que ellos llaman yuca y ajíes y [c]amotes y papas, y otras de otras maneras, y altramuces y otras legumbres. Beben un brebaje en lugar de vino, que hacen echando maíz con agua en unas tinajas que guardan debajo de tierra, y allí hierve; y demás del maíz crudo le echan en cada tinaja cierta cantidad de maíz mascado, para la cual hay hombres y mujeres que se alquilan, y sirven como levadura. Tiénese por mejor y más recio lo que se hace con agua embalsada que con la que corre. Este brebaje se llama comúnmente chicha[38] en lenguaje de las islas, porque en lengua del Perú se llama aciza[39]: es blanco o tinto, como la color del maíz le echan, y emborracha más fácilmente que vino de Castilla, aunque si los indios lo pudiesen haber, según son aficionados a ello, dejarían lo de su tierra. También hacen otra bebida de una frutilla que nace en unos árboles que llaman molles, aunque no es tan preciada como la chicha.

---

[38] 1577: chica.
[39] 1577: açua.

Capítulo IX

De las ciudades de cristianos que hay en la sierra del Perú

En la sierra del Perú hay algunas poblaciones de cristianos que comienzan desde la ciudad de Quito, la cual está en cuatro grados poco más o menos allende la línea equinoccial. Solía ser lugar muy apacible y abundante de pan y ganados, y mucho más por los años de cuarenta y cuatro y cuarenta y cinco, que se descubrieron muy ricas minas de oro e iba poblándose y acrecentándose el lugar de mucha gente, hasta que la furia de la guerra acudió allí, que fue causa que muriesen casi todos los vecinos de aquella ciudad a manos de Gonzalo Pizarro y de sus capitanes, porque habían servido y favorecido al visorrey Bla[s]co Núñez Vela el tiempo que allí residió, como adelante más particularmente se dirá.

Desde esta ciudad no hay población de cristianos por la sierra hasta un descubrimiento de la provincia de los Bracamoros, que el capitán Juan Porcel por una parte y el capitán Vergara por la otra descubrieron e hicieron en ella unas pequeñas poblaciones para desde allí entrar a descubrir más adelante, conquistando y descubriendo la tierra. Y aun estas poblaciones se deshicieron, porque Gonzalo Pizarro trajo consigo estos capitanes con su gente, para ayudarse dellos en sus guerras. Y este descubrimiento se hizo por orden del licenciado Vaca de Castro, siendo gobernador de aquella provincia, que por la parte de San Miguel envió al capitán Porcel, y mucho más arriba, por la provincia de los Chichapoyas[40], envió a Vergara, creyendo que iban por diversas entradas, caso que ellos después se toparon y aun

---

[40] 1577: Chachapoyas, en todos los casos.

tuvieron diferencia sobre a quién pertenecía. Y viniendo llamados por Vaca de Castro para dar entre ellos asiento, se hallaron al principio de la guerra en la ciudad de Los Reyes en servicio del visorrey, y después de él preso se quedaron con Gonzalo Pizarro y cesó el negocio de la entrada. Está este descubrimiento a ciento y sesenta leguas de la ciudad de Quito, por la sierra.

Más adelante otras ochenta leguas hay una provincia que se dice de los Chichapoyas, donde hay una población de cristianos que se intitula Levanto, tierra fértil de comida y de razonables minas. Es la provincia muy fuerte y segura, porque está cercada casi por todas partes de un muy hondo valle, por el cual va un río que le cerca por la mayor parte, que cortando las puentes de él habría mucha dificultad de conquistarla. Esta provincia pobló de cristianos el mariscal Alonso de Alvarado, a quien estaba encomendado.

Más adelante por espacio de sesenta leguas hay otra población de cristianos que se llama Guánuco, hecha por mandado del licenciado Vaca de Castro, que la llamó León, por ser él natural de la ciudad de León, en España. Es tierra de mucha comida, y créese que hay en ella abundancia de minas, especialmente hacia la parte que tiene ocupada el Inga, que está alzado y de guerra en la provincia de los Andes, como adelante se declarará. Y desde esta ciudad no hay en la sierra lugar de cristianos hasta la villa de Guamanga, que por los cristianos se nombra San Juan de la Victoria, que hay distancia de sesenta leguas. Esta villa es de poca población de cristianos, aunque se cree que se acrecentaría mucho si el Inga viniese de paz, porque está muy cerca della y les tiene ocupada a los vecinos la mejor tierra, y donde hay muchas minas y abundancia de coca, que es hierba de mucho provecho, como arriba está dicho.

Desde esta villa de Guamanga al Cuzco hay distancia de ochenta leguas, en las cuales hay grande aspereza de caminos por las muchas sierras y quebradas, que son causa de grandes peligros. La ciudad del Cuzco antes de los cristianos era el asiento y corte de los reyes de aquella provincia, y desde ella se gobernaba tanta distancia de tierras como está declarado y se declarará. Y allí acudían los caciques de todas partes, así a traer los tributos del señor como a tratar sus negocios y a pedir su justicia unos contra otros. Y en toda la provincia no había otro lugar poblado de indios ni que tuviese forma de ciudad sino esta, donde hay una muy buena fortaleza labrada de piedras cuadradas tan grandes que causa admiración haberse podido traer allí a fuerza de indios, sin ayuda de bueyes ni mulas ni otros animales, porque hay muchas piedras que no las moverán diez pares de bueyes cada una dellas.

Las casas y edificios en que hoy viven los cristianos son las mesmas que los indios tenían, aunque algunas reparadas y otras acrecentadas. La ciudad se divide en cuatro estancias, en cada una de las cuales tenía mandado el rey (que en lengua de los indios se llama Inga) que viviesen y se aposentasen los indios de hacia la parte que correspondía a aquel cuartel, desta manera: que el que tira hacia el mediodía se llama Collasuyo, por una provincia que está hacia aquella parte llamada Collao; y el que está a[41] la parte del norte, contrario deste, se llama Chinchasuyo, por causa de una provincia muy nombrada que cae en aquel derecho llamada Chincha, que ahora es de su majestad, harto pobre y despoblada según lo que solía. Y así desta manera se nombran los otros dos cuarteles de oriente y poniente, Andesuyo y Condesuyo, y ningún indio podía vivir en el aposento diferente del que estaba señalado a su tierra sin gran pena.

La tierra comarcana a esta ciudad es muy abundante de toda comida, y es tan sana que en entrando en ella un hombre sin enfermedad, poca o ninguna vez adolece. Está cercada de muchas y ricas minas de oro, en las cuales se ha sacado tanto como a España ha venido; aunque ahora, después que se descubrieron las minas de Potosí, se han despo-

---

[41] 1577: hacia.

blado las del oro, así porque se halla muy mayor ganancia en la plata, como porque es con muy menor peligro de los indios y aun de los cristianos que tratan en ello. Desde esta ciudad del Cuzco a la villa de Plata, que es en la provincia de las Charcas, hay ciento y cincuenta leguas y más, y en medio hay una provincia muy grande y llana que se llama el Collao, que tura[42] más de cincuenta leguas. Y la principal parte (que se nombra Chiquito) es de su majestad, y por haber tan gran distancia despoblada de cristianos, el licenciado de La Gasca, el año de cuarenta y nueve, mandó poblar un lugar en esta provincia del Collao [que se nombra Nuestra Señora de la Paz][43].

La villa de Plata es lugar de mucho frío, más que ninguna otra de la sierra. Hay en ella pocos vecinos, pero muy ricos, y aun estos que hay, la mayor parte del año residen en el asiento de las minas que hay en el cerro de Porco, y después en el de Potosí cuando se descubrió (como adelante se dirá). Desde esta villa de Plata, en tirando[44] la tierra adentro, la mano izquierda hacia la parte de oriente, se descubrió por mandado del licenciado Vaca de Castro, que envió a ello al capitán Diego de Rojas y a Felipe Gutiérrez a una provincia que se llama de Diego de Rojas, que dicen ser muy buena y sana tierra, y abundante de comida, aunque no se ha hallado en ella tanta riqueza como se tenía creído que hubiera. Y por ella han venido al Perú el capitán Domingo de Itala[45] y sus compañeros en el año de cuarenta y nueve, por manera que han andado toda la tierra que hay entre la mar del Sur y la del Norte cuando subieron por el río de la Plata, descubriendo la tierra por el mar del Norte.

Este es el sitio de todo lo que está descubierto y poblado en toda la provincia del Perú hacia la mar del Sur, imaginan-

---

[42] 1577: dura.
[43] Añadido en 1577.
[44] 1577: entrando.
[45] 1555: Ytala; 1577: Ycala.

do la tierra por luengo de costa, sin haber entrado a descubrir la tierra adentro, porque hallan en ello gran dificultad a causa de la aspereza de las sierras, que son tan dobladas que no se pueden pasar sin gran dificultad y fríos y faltas de comida; y a todo esto venciera la industria y buen ánimo de los españoles si no desconfiasen de ser adelante la tierra rica.

Capítulo X

De las opiniones que los indios tienen de su creación y de otras cosas[46]

Como los indios no tengan escritura (según es dicho), no saben el origen de su creación ni el fin que hubo el mundo en el diluvio, como ello pasó, sino añadiendo y componiendo en cada siglo lo que a cada uno le parecía. Dicen que de la parte del septentrión vino un hombre que no tenía hueso ni coyuntura, y que cuando caminaba acortaba o alargaba el camino a su voluntad, y levantaba y abajaba las sierras. Y que este crio los indios que en aquel tiempo había, y que por enojo que le hicieron los indios de los llanos les convirtió toda la tierra en arenales, y mandó que no lloviese allí, más de que les envió los ríos, con cuya agua y riego se sustentasen. Este decían que se llamaba Con y que era hijo del Sol y de la Luna, y lo tenían y adoraban por Dios, y mantenía con yerbas y frutas silvestres las gentes que crio, hasta que de la parte del mediodía vino otro hombre más poderoso que se llamaba Pachacama, que quiere decir criador, que también era hijo del Sol y de la Luna, y que con su venida desapareció Con.

---

[46] Los capítulos X, XI y XII de la edición de 1555 no aparecen en la de 1577. El capítulo X de 1577 se corresponde con el capítulo XIII de 1555, «Del origen de los reyes del Perú, que llaman Ingas». Véase la introducción.

Y quedando aquellas sus gentes sin capitán, Pachacama les convirtió en aves y en monos, y gatos, y osos, y leones, y papagayos, y otras aves que andan por aquella tierra. Y que este crio los indios que ahora son, y dio industria para labrar la tierra y árboles, y le tenían por Dios, y todos los principales que en la tierra morían se iban a enterrar a la provincia que de su nombre se llamó Pachamaca, donde él residía, que es cuatro leguas de la ciudad de Los Reyes. Y que duró Pachamaca muchas edades, hasta que los cristianos llegaron al Perú, que entonces nunca más pareció, por donde se cree que debía de ser algún demonio que les hacía entender todas estas vanidades.

Creen que antes de todo esto hubo diluvio, y que cuando vino se escaparon las gentes en grandes cuevas que para ello habían hecho en las muy altas sierras, llenas de todos bastimentos y tapadas las pequeñas puertas que tenían, por manera que la lluvia no les pudiese entrar, y que cuando creyeron que ya las aguas abajaban, echaban fuera los perros, y en tanto que mojados y limpios venían, entendían que las aguas no habían menguado. Y hasta que llenos de lodo tornaron, no osaron salir de las cuevas, y dicen que de aquella humidad de la tierra después crio muchas culebras, que gran trabajo les dieron, hasta que por tiempo las mataron. Comoquiera que sea, ellos tienen noticia que ha habido diluvio, sino que como no saben que en el arca se escapó Noé con las siete personas que regeneraron el mundo, imaginan y fingen que en las cuevas se escaparon, como hemos dicho, o pudo ser algún particular diluvio como el de Deucalión. También tienen que el mundo ha de haber fin, mas que primero ha de haber una gran seca, que no llueva en muchos años. Y a esta causa los tiempos pasados todos los señores tenían grandes depósitos y casas de maíz, para cuando esta seca viniese, y cuando eclipsa el sol o la luna dan grandes alaridos los indios de miedo, pensando que aquel día es llegado, que el mundo se quiere perder, porque dicen que el sol y la luna se ha de oscurecer, así como lo hacen cuando se eclipsan.

Capítulo XI

De los ritos y sacrificios que los indios tienen
y hacen en el Perú

Tienen y adoran por dios a la Luna y al Sol, y cuando juran es por él y por la tierra, que ellos tienen por madre, y en lugar del Sol tienen en los templos unas piedras a quien veneran y adoran, que llaman guacas, que es nombre de llorar, y así lloran cuando en aquellos templos entran. Y a estas guacas o ídolos no llegan sino los sacerdotes dellos, que de continuo andan vestidos de blanco, y cuando a los ídolos han de llegar, toman paños blancos en las manos y van postrados por tierra y hablan con los ídolos en otra manera que los indios no entienden. Y estos sacerdotes reciben las ofrendas que a los ídolos se ofrecen y las entierran en los templos, porque todos ofrecen de plata o de oro el bulto e imagen de aquella cosa por quien ruegan a la guaca. Y estos son los que sacrifican los ganados y los hombres y catan las señales en los corazones livianos de los hombres y de los animales que sacrifican, y hasta que en algunos hallaban aquellas señales que ellos buscaban no dejaban de sacrificar cuando comenzaban, que decían que, en tanto que aquellas señales no se mostraban, que sus ídolos no eran contentos de aquel sacrificio.

Y aquellos sacerdotes por maravilla entran en poblado ni duermen con mujeres en aquel tiempo que sacrifican, y en toda la noche no paran dando voces, o invocando los demonios por los campos donde aquellas guacas están, porque hay muchas, que para cada casa tienen una guaca. Y cuando con los demonios han de hablar, ayunan primero y véndanse los ojos, y algunos se los quiebran. Porque tan devotos son, que se han visto con los ojos sacados, y los caciques y señores no emprenden cosa sin que primero la consulten con los sacerdotes, y los sacerdotes con los ídolos o con el demonio por mejor decir. Y hallaron los españoles en aquellos templos o casas del Sol muchos tinajones llenos de niños secos que habían sacrificado.

Y entre las piezas de oro y de plata que en estas guacas se hallaban, había báculos y mitras como de obispos al propio, y algunas figuras de palo había que tenían mitras en las cabezas puestas. Y cuando al Perú pasó el obispo de Tierra Firme, fray Tomás de Verlanga, que los indios le vieron con la mitra puesta diciendo misa de pontifical, todos decían que parecía a guaca, y aun preguntaban si era guaca de los cristianos. Y muchas veces se ha preguntado a qué fin tenían aquellas mitras, y no lo saben decir, sino dicen que antiguamente así las tenían. Y sin estas guacas había también por todo el Perú casas o monasterios donde muchas mujeres estaban dedicadas al Sol, que nunca de allí salían, hilando y tejiendo muy buena ropa de algodón y de lana. Y toda esta ropa, cuando acabada estaba, la quemaban con huesos de ovejas blancas y aventaban los polvos hacia el Sol. Y estas mujeres guardaban castidad, y la que otra cosa hacía, la mataban. Empero si alguna se empreñaba y juraba que del Sol era, aquel hijo era libre de muerte.

Y al tiempo que cogían los maizales cada año hacían los indios de la sierra una fiesta, que ponían en medio de las plazas dos altos mástiles hincados, y en las cimas dellos unas figuras de hombres en medio de unos coros llenos de flores, y allí vienen por su orden escuadrones, tocando sus atambores, y con gran grita arremeten y tiran cada escuadrón a las figuras sus varas o tiraderas. Y después que todos han tirado traen los sacerdotes un ídolo que ponen al pie de aquellos mástiles, ante el cual sacrifican un indio o una oveja, y con la sangre untan al ídolo. Y después que en el corazón y en los livianos le catan las señales, lo dicen a la gente y conforme a aquellas señales le hacen la fiesta triste o alegre, que todo aquel día se les pasa en danzar y beber, y en hacer otros juegos y personajes con sus armas en las manos, hachas, porras y otros géneros de armas.

Capítulo XII

Cómo tienen la resurrección de la carne

Los caciques del Perú y todos los principales se entierran en unas bóvedas, sentados en sus asentamientos, que llaman duos, revueltos en todas cuantas mantas ricas tienen. Solían enterrarse con ellos una o dos de sus mujeres, las que él más quería, y aun sobre esto algunas veces había pleito entre ellas y lo dejaba determinado el difunto. Y asimismo enterraban consigo dos o tres muchachos de su servicio, poniendo allí todas las vasijas de oro y plata que tenían. Todo esto a efecto de que creían que habían de resucitar en otro siglo y queríanse hallar apercibidos con sus mujeres y servicio, y así rogaban ellos a los españoles que entraban a sacarles de las sepulturas el oro y plata que no derramasen los huesos, porque más presto y con menos pena pudiesen resucitar.

Las exequias que les hacen sus parientes son que por encima de su sepultura les echan de aquel su brebaje que llaman c[h]icha, que por unas cañas o arcaduces va a dar en la boca del muerto. Ponen sobre sus sepulturas sus bultos hechos de palo, y a la otra gente común demuestran el oficio que tenían, poniéndoles allí pintadas las insignias de tal oficio, especialmente si era hombre de guerra.

Capítulo XIII

Del origen de los reyes del Perú, que llaman Ingas[47]

En todas las provincias del Perú había señores principales que llamaban en su lengua curacas, que es lo mesmo que en las islas solían llamar caciques. Porque los españoles que fueron a conquistar el Perú, como en todas las palabras y cosas generales y más comunes iban amostrados de los nombres en que las llamaban de las islas de Santo Domingo y San Juan y Cuba y Tierra Firme, donde habían vivido, y ellos no sabían los nombres en la lengua del Perú, nombrábanlas con los vocablos que de las tales cosas traían aprendidos. Y esto se ha conservado de tal manera que los mismos indios del Perú, cuando hablan con los cristianos, nombran estas cosas generales por los vocablos que han oído dellos, como al cacique que ellos llaman curaca nunca le nombran sino cacique[48]; y aquel su pan de que está dicho le llaman maíz, con nombrarse en su lengua zara; y al brebaje llaman c[h]icha, y en su lengua azua, y así de otras muchas cosas.

Estos señores mantenían en paz sus indios y eran sus capitanes en las guerras que tenían con sus comarcanos, sin tener señor general de toda la tierra, hasta que de la parte del Collao por una gran laguna que allí hay llamada Titicaca, que tiene ochenta leguas de bojo, vino una gente muy belicosa que llamaron ingas. Los cuales andan trasquilados y las orejas horadadas y metidos en los agujeros un pedazo

---

[47] Corresponde con el capítulo X de 1577, como se indicó en la nota 46. De este modo, los siguientes capítulos en 1577 corresponden con el XI y el XII, donde termina el primer libro. Véase la introducción.

[48] 1555 y 1577: caciqua.

de oro[49] redondo con que los van ensanchando. Estos tales se llaman ringrim, que quiere decir oreja. Y al principal dellos llamaron Zapalla[50] Inga, que es solo señor, aunque algunos quieren decir que le llamaron Inga Viracocha, que es tanto como espuma o grasa de la mar. Porque como no sabían el origen de la tierra donde vino, creían que se había criado de aquella laguna que desagua por un gran río que corre hacia la parte del occidente, que tiene en partes media legua de ancho, el cual entra en otra pequeña laguna que está cuarenta leguas de la grande. Y así se consume sin que haya otro desaguadero, con gran admiración de los que consideran cómo en tan pequeño sumidero desaparece tan gran cantidad de agua. Aunque en esta pequeña nunca se halló suelo, créese que va por debajo a la mar, como lo hace el río Alpheo en Grecia.

Estos ingas comenzaron a poblar la ciudad del Cuzco y desde allí fueron sojuzgando toda la tierra y la hicieron tributaria, sucediendo por línea derecha de hijos el imperio, comoquiera que entre los naturales no suceden los hijos sino primero el hermano del muerto siguiente en edad. Y después de aquel fallecido torna el señorío al hijo mayor de su hermano, y así dende en adelante hereda el hermano deste, y después torna a su hijo, sin que jamás falte este género de sucesión[51]. La insignia o corona que estos ingas traían para mostrar su señorío era una borla de lana colorada que les tomaba desde una sien hasta la otra, y casi les cubría los ojos. Y con un hilo de esta borla entregado a uno de aquellos orejones gobernaban la tierra y proveían lo que

---

[49] 1577: unos pedazos de oro.
[50] 1555 y 1577: Çapalla.
[51] 1577: Estos ingas comenzaron a poblar la ciudad del Cuzco y desde allí fueron sojuzgando toda la tierra y la hicieron tributaria, y de ahí adelante iba sucediendo en este señorío el que más poder y fuerzas tenía, sin guardar orden legítima de sucesión, sino por vía de tiranía y violencia, de manera que su derecho estaba en las armas. La insignia...

querían, con mayor obediencia que en ninguna provincia del mundo se ha visto tener a las provisiones de su rey. Tanto, que acontecía enviar a asolar una provincia entera y matar cuantos hombres y mujeres en ella había, por mano de uno solo destos orejones, sin que llevase otro poder de gente ni de comisión más de uno de aquellos hilos de la borla y, en viéndole, ofrécense todos de muy buena gana a la muerte.

Por la sucesión destos ingas vino el señorío a uno dellos que se llamó Guaynacaba (que quiere decir mancebo rico), que fue el que más tierras ganó y acrecentó a su señorío, y el que más justicia y razón tuvo en la tierra, y la redujo a policía y cultura. Tanto, que parecía cosa imposible una gente bárbara y sin letras regirse con tanto concierto y orden, y tenerle tanta obediencia y amor sus vasallos, que en servicio suyo hicieron dos caminos en el Perú tan señalados que no es justo que se queden en olvido. Porque ninguna de aquellas que los autores antiguos contaron por las siete obras más señaladas del mundo se hizo con tanta dificultad y trabajo y costa como estas. Cuando este Guaynacaba fue desde la ciudad del Cuzco con su ejército a conquistar la provincia de Quito, que hay cerca de quinientas leguas de distancia, como iba por la sierra tuvo grande dificultad en el pasaje por causa de los malos caminos y grandes quebradas y despeñaderos que había en la sierra por do iba. Y así, pareciéndoles a los indios que era justo hacerle camino nuevo por donde volviese victorioso de la conquista, porque había sujetado la provincia, hicieron un camino por toda la cordillera[52] de la sierra, muy ancho y llano, rompiendo e igualando las peñas donde era menester, e igualando y subiendo las quebradas de mampostería. Tanto, que algunas veces subían la labor desde quince y veinte estados de hondo, y así dura este camino por espacio de las

---

[52] Se corrige «ardillera».

quinientas leguas. Y dicen que era tan llano cuando se acabó que podía ir una carreta por él, aunque después acá, con las guerras de los indios y de los cristianos, en muchas partes se han quebrado las mamposterías destos pasos por detener a los que vienen por ellos, que no puedan pasar.

Y verá la dificultad desta obra quien considerare el trabajo y costa que se ha empleado en España en allanar dos leguas de sierra que hay entre el espinar de Segovia y Guadarrama, y cómo nunca se ha acabado perfectamente, con ser paso ordinario por donde tan continuamente los reyes de Castilla pasan con sus casas y corte todas las veces que van o vienen del Andalucía o del reino de Toledo a esta parte de los puertos. Y no contentos con haber hecho tan insigne obra, cuando otra vez el mismo Guaynacaba quiso volver a visitar la provincia de Quito, a que era muy aficionado por haberla él conquistado, tornó por los llanos, y los indios le hicieron en ellos otro camino de casi tanta dificultad como el de la sierra. Porque en todos los valles donde alcanza la frescura de los ríos y arboledas que, como arriba está dicho, comúnmente ocupan una legua, hicieron un camino que casi tiene cuarenta pies de ancho, con muy gruesas tapias del un cabo y del otro, y cuatro o cinco tapias en alto. Y en saliendo de los valles, continuaban el mismo camino por los arenales, hincando palos y estacas por cordel, para que no se pudiese perder el camino ni torcer a un cabo ni a otro, el cual dura las mismas quinientas leguas que el de la sierra. Y aunque los palos de los arenales están rompidos en muchas partes, porque los españoles en tiempo de guerra y de paz hacían con ellos lumbre, pero las paredes de los valles se están el día de hoy en las más partes enteras, por donde se puede juzgar la grandeza del edificio. Y así fue por el uno y vino por el otro Guaynacaba, teniéndosele siempre por donde había de pasar cubierto y sembrado con ramos y flores de muy suave olor.

Capítulo XIV

De las cosas señaladas que Guaynacaba hizo en el Perú

Demás de la obra y gasto destos caminos, mandó Guaynacaba que en el de la sierra, de jornada a jornada, se hiciesen unos palacios de muy grandes anchuras y aposentos donde pudiese caber su persona y casa con todo su ejército, y en el de los llanos otros semejantes, aunque no se podían hacer tan menudos y espesos como los de la sierra, sino a la orilla de los ríos que, como tenemos dicho, están apartados ocho o diez leguas, y en partes quince y veinte. Estos aposentos se llaman tambos, donde los indios en cuya jurisdicción caían tenían hecha provisión y depósito de todas las cosas que él se había menester para proveimiento de su ejército, no solamente de mantenimientos, mas aun de armas y vestidos y todas las otras cosas necesarias. Tanto, que si en cada uno de estos tambos querría renovar de armas o vestidos a veinte o treinta mil hombres en su campo, lo podía hacer sin salir de casa.

Traía consigo gran número de gente de guerra con picas y alabardas y porras y hachas de armas, de plata y cobre, y algunas de oro, y con hondas y tiraderas de palma, tostadas las puntas. En los ríos tenían hechas puentes de madera donde alcanzaban y, donde no, echa[n]do maromas gruesas de una yerba que llaman maguey, que es más recio que cáñamo, de un cabo a otro del río, entretejiéndolas con unos tamujos, que es cosa de admiración ver la orden con que hacen tan altos edificios, que en parte hay más de quince estados de alto y más de doscientos pasos de largo. Y donde no se podían hacer puentes pasaban poniendo una maroma larga de un cabo al otro y, tirando por ella una gran canasta con las asas de madera, por que no se rozase, tirando la tal canasta desde la otra parte con una soga. Y estas puentes sustentaban a su costa los indios en cuyos términos caían.

El rey andaba siempre en una litera de planchas de oro. Traía más de mil señores principales para solo llevarlo en los hombros, y estos eran de su consejo y los más privados. También los caciques andaban en literas que traían en los hombros sus vasallos. Tenían gran sujeción al señor, tanto, que ninguno por principal que fuese le entraba [a] hablar sino descalzo y llevando a cuestas una manta, envuelta en ella alguna cosa que presentaba al señor en reconocimiento, lo cual se guardaba tan estrechamente que si cien veces al día le iban a hablar, tantas había de ser con nuevo servicio. Tenían por muy gran desacato mirar al rostro del señor, y si cuando llevaban la litera alguno tropezaba de forma que cayese, le cortaban luego la cabeza. Tenía puestas postas por toda la tierra de media a media legua, las cuales corrían los indios muy más ligeramente que los caballos de las postas. En conquistando alguna provincia, la primera cosa que hacía era pasar todos los vasallos o los más principales a otra población antigua, a poblar aquella tierra de los indios ya sujetos, y desta manera lo aseguraba todo. Y esta tal gente que remudaba de unas tierras en otras llamaban mitimaes. De todas las provincias de su señorío le traían cada año tributo de lo que en la tierra nacía. Tanto, que en algunas tierras tan estériles que no se criaba ningún fruto, le enviaban cada año ciertas cargas de lagartijas con estar más de trescientas leguas del Cuzco.

Este Guaynacaba reedificó el templo del Sol que en el Cuzco había y aforró las paredes y techumbre de tablones de oro y plata que hizo. Y porque un señor que había en los llanos, que se llamó Chimocappa, que tenía más de cien leguas de tierra, se le rebeló, fue sobre él y le venció y mató y mandó que en pena del delito ningún indio de los llanos trajese armas. Lo cual guardan hasta el día de hoy, caso que al sucesor deste rebelado le dejó en que viviese la provincia de Chimo, donde ahora es Trujillo. Guaynacaba y su padre

115

dieron orden para tener abundancia de ganados en su tierra, como de aquellas ovejas de la tierra se echasen en los campos cada año cierta cantidad dedicada al Sol por vía de diezmo. Y destas multiplicaba en gran número, porque si no era el mismo Guaynacaba para su ejército, tenían por sacrilegio llegar ninguno a ellas, y cuando él las había menester, con mandar hacer una caza de las que arriba tenemos dicho que llaman chacos, en un día podía tomar veinte y treinta mil dellas.

Tenían en gran estima el oro, porque dello hacía el rey y los principales sus vasijas para su servicio y dello hacían joyas para su atavío[53] y lo ofrecían en los templos. Y traía el rey un tablón en que se sentaba de oro de diez y seis quilates, que valió de buen oro más de veinte y cinco mil ducados, que es el que don Francisco Pizarro escogió por su joya al tiempo de la conquista. Porque conforme a su capitulación le habían de dar una joya que él escogiese fuera de la cuenta común. Al tiempo que le nació el primer hijo, mandó hacer Guaynacaba una maroma de oro tan gruesa (según hay muchos indios vivos que lo dicen), que asidos a ello más de doscientos indios orejones[54], no la levantaban muy fácilmente. Y en memoria desta tan señalada joya llamaron al hijo Guásca[r], que en su lengua quiere decir soga, con el sobrenombre de Inga, que era de todos los reyes, como los emperadores romanos se llamaban Augustos.

Esto se ha traído aquí por desarraigar una opinión que comúnmente se ha tenido en Castilla entre la gente que no tiene plática en las cosas de las Indias, de que los indios no tenían en nada el oro ni conocían su valor. También tenía muchos graneros y trojes hechos de oro y plata, y grandes figuras de hombres y de mujeres y de ovejas y de todos los otros animales, y todos los géneros de yerbas que nacían en aquella

---

[53] 1577: porque dello hacía el rey y los principales vasijas para su servicio y joyas para su atavío.

[54] 1577: que asidos a ella más de seiscientos indios orejones.

tierra, con sus espigas y vástigas y nudos hechos al natural, y gran suma de mantas y hondas entretejidas con oro tirado, y aun cierto número de leños como los que había de quemar hechos de oro y plata.

Capítulo XV

Del estado en que estaban las guerras del Perú al tiempo que los españoles llegaron a ella

Aunque el intento principal desta historia sea contar las cosas en ella sucedidas a los españoles que la conquistaron entonces y después acá del descubrimiento, pero porque esto no se podría bien entender sin tocar algo del estado en que los negocios de los indios que la gobernaban estaban en aquella sazón, y también para que se vea claramente cómo fue permisión divina que los españoles llegasen a esta conquista al tiempo que la tierra estaba dividida en dos parcialidades, y que era imposible, o a lo menos muy dificultoso, poderla ganar de otra manera, diré en suma los términos en que hallaron la tierra en aquella coyuntura, para que haya más claridad en la historia.

Guaynacaba, después de haber sujetado a su imperio gran número de provincias por espacio de quinientas leguas, contando desde el Cuzco hacia el occidente, determinó ir en persona a conquistar la provincia de Quito, en cuyas entradas se acababa su señorío. Y así sacó su ejército y fue e hizo la conquista, y por ser la calidad de la tierra muy apacible a su condición, residió allí mucho tiempo, dejando en el Cuzco algunos hijos e hijas suyos, especialmente a su hijo mayor llamado Guáscar Inga, y a Mango Inga y Paulo Inga, y otros muchos. Y en Quito tomó nueva mujer, hija del señor de la tierra, y della hubo un hijo que se llamó Atabaliba, a quien él quiso mucho. Y dejándole debajo de tutores en Quito, tornó a visitar la tierra del Cuzco, y en esta vuelta le hicieron el camino tan trabajoso de la sierra, de que está hecha relación. Después de haber estado en el Cuzco algunos años, determinó volverse a Quito, así porque le era más agradable aquella tierra, como por el deseo de ver a Ataballiba, su hijo, a quien él quería más que a los otros. Y así volvió a Quito por el camino que hemos dicho de los llanos, donde vivió y tuvo su asiento lo restante de la vida hasta que murió y mandó que aquella provincia de Quito que él había conquistado quedase para Ataballiba, pues había sido de sus abuelos.

Muerto Guaynacaba, Ataballiba se apoderó de su ejército y de las riquezas que consigo traía, aunque las principales, como más pesadas, las había dejado en su recámara en el Cuzco, en poder de su hijo mayor, al cual Ataballiba envió embajadores haciéndole saber la muerte de su padre y dándole la obediencia, suplicándole que le dejase aquella provincia de Quito, pues su padre la había ganado y era fuera de su estado y mayorazgo y, sobre todo, que había sido de su madre y abuelo. Guáscar le respondió que él se viniese al Cuzco y le entregase el ejército, y que él le daría tierra donde se mantuviese muy honradamente, pero que a Quito no se le podía dar por ser el fin de su reino, y que de allí había de hacer sus entradas contra los enemigos y tener gente como en frontera; y que si no venía, que iría sobre él y le tendría por enemigo. Ataballiba hubo su consejo con dos capitanes de su padre muy esforzados y cursados en la guerra, el uno llamado Quizquiz y el otro Cilicuchima, los cuales le aconsejaron que no esperase a que su hermano viniese sobre él, sino que él fuese primero. Pues con el ejército que tenía era parte para enseñorearse de todas las provincias por do pasase, e ir cada día acrecentándole, de manera que su hermano tuviese por bien de confederarse con él.

Tomando su consejo, salió[55] de Quito y fuese apoderando de la tierra poco a poco, y también Guáscar envió un gobernador o capitán suyo con cierta gente a la ligera. Y llegando a gran priesa a una provincia que se dice Tumibamba, que es más de cien leguas de Quito, y sabido cómo Atabaliba había ya salido con su ejército, despachó una posta al Cuzco haciendo saber lo que pasaba a Guáscar, para que le enviase dos mil hombres de los capitanes y gente práctica en la guerra, porque con ellos juntaría treinta mil hombres de una provincia que se llama los Cañares (gente muy belicosa) que estaba por él. Y él lo hizo así, y despachados los dos mil hombres a gran priesa se juntaron con ellos los caciques de Tumibamba, y los Chaparras y Paltas y Cañares que estaban en aquella comarca. Y, sabido por Atabaliba, salió contra ellos y pelearon tres días, muriendo mucha gente de ambas partes hasta que, desbaratados los de Quito, Atabaliba fue preso sobre la puente del río de Tumibamba. Y, estando haciendo la gente de Guáscar grandes fiestas y borracherías por la victoria, Atabaliba, con una barra de cobre que una mujer le dio, rompió una gruesa pared del tambo de Tumibamba y se fue huyendo a Quito, que es veinte y cinco leguas de allí. Y tornó a juntar su gente y, haciéndoles entender que su padre le había convertido en culebra y héchole salir por un pequeño agujero, y le había prometido la victoria si tornasen a pelear, los animó tanto que volvió sobre sus enemigos y peleó con ellos y los venció y desbarató, habiendo muerto mucha gente de ambas partes en estas dos batallas. Tanto, que hasta hoy duran los corrales y montones que allí están llenos de huesos de hombres.

Continuando y siguiendo Atabaliba la victoria, determinó ir sobre su hermano, y llegando a la provincia de los Cañares, mató sesenta mil hombres dellos porque le habían sido contrarios, y metió a fuego y a sangre y asoló la población de Tumibamba, situada en un llano, ribera de tres gran-

---

des ríos, la cual era muy grande. Y de allí fue conquistando la tierra, y de los que se le defendían no dejaba hombre vivo, y a los que salían de paz los juntaba consigo, y desta manera iba multiplicando su ejército. E ido a Tumbez, quiso conquistar por mar la isla de la Puna que arriba está dicha, mas el cacique salió con muchas balsas y se le defendió, y porque a Atabaliba pareció que aquella conquista requería más espacio y supo que su hermano Guáscar venía sobre él con su ejército, continuó su camino hacia el Cuzco. Y, quedándose él en Cajamarca, envió delante sus dos capitanes con hasta tres o cuatro mil hombres que fuesen [a] descubrir el campo a la ligera y, llegando cerca del ejército de Guáscar, por no ser sentidos se desviaron del camino por un atajo, por el cual acaso se había también apartado el mesmo Guáscar con siete cientos hombres de sus principales, por salir del ruido del ejército. Y topándole pelearon con él y le desbarataron la gente y le prendieron y, teniéndole preso, venía ya todo el ejército sobre ellos y los cercaron por todas partes, donde no dejaron ninguno vivo, porque había más de treinta para uno, si los capitanes de Atabaliba no dijeran a Guáscar, viendo venir su gente, que los mandase volver, sino que luego le cortarían la cabeza. Y Guáscar, con temor de la muerte y con que le dijeron que su hermano no quería de él otra cosa sino que le dejase en la tierra de Quito, reconociéndole por señor, mandó a su gente que no pasase de allí, sino que luego se volviesen al Cuzco, y ellos lo hicieron.

Y sabida tan buena ventura como acaso sucedió por Atabaliba, envió a mandar a sus capitanes que le trajesen a su hermano preso allí a Cajamarca, donde les esperaba. Y en esta coyuntura llegó el gobernador don Francisco Pizarro con los españoles que llevaba a la tierra del Perú, y tuvo lugar de hacer la conquista que en el libro siguiente se dirá, porque el ejército de Guáscar era desbaratado y huido, y el de Atabaliba estaba la mayor parte despedido por la nueva victoria.

Libro segundo

De la conquista que hicieron en la provincia del Perú
don Francisco Pizarro y su gente

Ya tenemos dicho en el libro precedente cómo don Francisco Pizarro estaba en Panamá, habiendo vuelto de España, aderezando las cosas necesarias para la conquista del Perú, aunque don Diego de Almagro no proveía con tanto calor como solía de lo que era necesario, porque la hacienda principal y el crédito estaba en él, y la causa de su tibieza fue el descontento que tenía de que don Francisco Pizarro no le había traído ninguna merced de su majestad. Pero en fin dándole sus desculpas, se redujeron en amistad, aunque nunca los hermanos de don Francisco quedaron en gracia de don Diego, especialmente Fernando Pizarro, de quien él tenía la principal queja.

En fin Hernando Ponce de León fletó un navío que allí tenía a don Francisco Pizarro, en el cual se metió él con sus cuatro hermanos y la más gente de pie y de caballo que pudo allegar, con harta dificultad por la mucha desconfianza que tenían las gentes desta conquista, a causa de los grandes reveses que en ella había habido los años pasados. Y él se hizo a la vela en principio del año de treinta y uno, y por ser los vientos contrarios tomó la costa de la tierra del Perú más de cien leguas más atrás de donde le había de tomar, y así le fue forzado desembarcar la gente y caballos, yendo su camino por la costa arriba, pasando grandes trabajos y falta de comida por causa de los esteros que había en las entradas de los ríos, tan grandes que les era forzado pasarlos a nado los hombres y los caballos. En lo cual valía mucho la industria y ánimo con que don Francisco los regía y los peligros en que ponía su persona, pasando muchas veces él mismo a cuestas los que no sabían nadar, hasta que llegaron a un pueblo que estaba junto a la mar, que se llama Coaque, asaz rico de mercaderías, bien poblado y bastecido de comida, donde pudo reformar su gente, que muy flaca la traía.

Y de allí envió a Panamá y a Nicaragua dos navíos, y en ellos más de treinta mil castellanos de oro que había tomado en Coaque para acreditar la tierra y poner codicia a la gente que pasase a ella. En este pueblo de Coaque se hallaron algunas esmeraldas, y muy buenas, porque están debajo de la línea, y muchas se perdieron y quebraron porque los que allí iban eran tan poco prácticos en este género de piedras que les pareció que para ser finas las esmeraldas no se habían de quebrar con martillo, como los diamantes, y así, creyendo que los indios los engañaban con algunas piedras falsas, las daban con una piedra, y así destruyeron grandísimo valor destas esmeraldas. Y luego les sobrevino una enfermedad de verrugas (de que arriba tenemos hecho mención) tan general en todo el ejército que pocos se libraron della. No embargante lo cual, el gobernador, persuadiendo la gente que lo causaba la mala constelación de la tierra, pasó adelante con ellos hasta la provincia que llamaron Puerto Viejo, conquistando y pacificando toda aquella comarca, y allí le alcanzó el capitán Benalcázar y Juan Flores, que vinieron de Nicaragua con un navío y alguna gente de pie y de caballo.

Capítulo II

De lo que al gobernador le aconteció en la isla de Puna
y en su conquista

Pacificada la provincia de Puerto Viejo, el gobernador con su gente caminó al puerto de Tumbez, y de allí determinó pasar en balsas que para ello hizo a la isla de la Puna, que (como arriba hemos dicho)[56] está frontero de aquel puerto. Y pasó los caballos y la gente aquel brazo de mar con gran peligro, porque los indios tenían concertado entre sí[57] de cortar las cuerdas de las balsas y anegar los cristianos que en ellas llevaban. Y sabido por el gobernador, mandó que todos fuesen muy sobre aviso y las espadas desenvainadas, sin que perdiesen de ojo a ningún indio y, llegados a la isla, los indios les salieron de paz y los recibieron muy bien, aunque les tenían armada celada para los matar todos aquella noche. Y sabido por el gobernador, dio sobre ellos y los desbarató y prendió al cacique principal y otro día el real amaneció cercado de gente de guerra.

Muy animosamente el gobernador y sus hermanos apriesa cabalgaron, repartiendo los españoles a todas partes, y envió a socorrer a los navíos que cerca de tierra estaban, porque los indios daban sobre ellos por la parte del mar con balsas. Y tanto los españoles pelearon, que los desbarataron, matando e hiriendo muchos dellos, y solos dos o tres españoles allí murieron, aunque otros quedaron malheridos, especialmente Gonzalo Pizarro, de una peligrosa herida que le dieron en una rodilla. Y después desto llegó el capitán Hernando de Soto con más gente de pie y de ca-

---

[56] En 1555 el paréntesis se abre antes de «que».
[57] Elegimos la versión de 1577 («entre sí»), pues en 1555 leemos «otrosí».

ballo que de Nicaragua traía. Y a causa que todos los indios de aquella isla andaban en muchas balsas por entre los anegados manglares, no se les podía hacer la guerra, el gobernador acordó pasar en Tumbez después que hizo repartimiento del oro que allí le dieron, y a causa que adolecía la gente en aquella isla, que es muy enferma porque está cerca de la línea equinoccial.

Capítulo III

De cómo el gobernador pasó a Tumbez y de la conquista que hizo hasta que pobló a San Miguel

En esta isla de la Puna (que hemos dicho) había más de seiscientos indios y mujeres de Tumbez ca[u]tivos con un principal de Tumbez, que ca[u]tivo también estaba[58], y a todos los libertó el gobernador Pizarro y les dio balsas para que se fuesen a sus tierras. Y al tiempo que él se embarcó en los navíos para pasar a Tumbez, envió con unos indios de aquellos de Tumbez tres cristianos en una balsa que primero a Tumbez llegó[59] que los navíos, y en llegando sacrificaron aquellos tres españoles a sus ídolos en pago del beneficio que del gobernador Pizarro habían recibido en los sacar de ca[u]tivos. Y lo mismo hicieran al capitán Hernando de Soto, que en otra balsa iba con indios de aquella tierra, con un solo criado suyo entrando ya por el río de Tumbez arriba, si no fuera por Diego de Agüero y por Rodrigo Lozano, que ya habían desembarcado y, corriendo la ribera del río arriba, le avisaron y dio la vuelta luego.

Y por estar toda la tierra alzada no hubo balsas para ayudar a desembarcar la gente y caballos, y a esta causa no sa-

---

[58] Cambio de orden en 1577: que también estaba captivo.
[59] Un nuevo cambio de orden en 1577: que primero llegó a Tumbez.

lieron aquella tarde con el gobernador en tierra sino Hernando Pizarro y su hermano Juan Pizarro y el obispo don fray Vicente de Valverde y el capitán Soto, y otros dos españoles que en toda la noche no se apearon de los caballos, y bien mojados que, como la mar andaba brava, se trastornó la balsa con ellos al salir, a causa que no la supieron meter los españoles sin indios, como no los había. Y quedó haciendo desembarcar la gente Hernando Pizarro, y más de dos leguas el gobernador anduvo sin poder haber habla con indio ninguno, que todos andaban por los cerros con las armas en las manos. Y ya que a la mar se volvía, toparon con el capitán Mena y con el capitán Juan de Salcedo, que a buscar al gobernador venían con alguna gente de caballo que ya habían desembarcado y, recogida toda la gente, el gobernador asentó el real en Tumbez. Y en tanto llegó el capitán Benalcázar, que en la isla había quedado con la gente que en los navíos no pudo venir en la primera barcada, y hasta que los navíos tornaron por él, siempre los indios le dieron guerra.

Y más de veinte días el gobernador estuvo en Tumbez haciendo mensajeros al señor de aquella tierra, y jamás a las paces quiso venir. Y continuo hacía mucho daño en la gente servil del real cuando por comida iban, sin que los españoles le pudiesen ofender porque estaban de la otra parte del río, hasta que el gobernador hizo traer balsas de la costa allí sin que los indios lo supiesen. Y una tarde con sus hermanos Juan Pizarro y Gonzalo Pizarro, y con el capitán Soto y Benalcázar, pasaron más de cincuenta de caballo el río en las balsas, y dando una trasnochada muy trabajosa por ser el camino muy angosto y de espesos montes y de espinos, dieron cuando amaneció sobre el real de los indios, y haciendo cuanto daño pudieron en él, hicieron en todos aquellos quince días cruda guerra a fuego y a sangre por los tres españoles que sacrificaron, hasta que el principal señor de Tumbez vino a las paces con algún presente de oro y plata. Y luego se partió el gobernador con la mayor parte de la gente, y con la otra dejó al contador Antonio Navarro y al tesorero Alonso Requelme, y cuando llegó treinta leguas de Tumbez, al río de Poechos, hizo de paz a todos los pueblos y caciques que en la ribera de aquel río vivían, e hizo buscar y descubrir el puerto de Paita, que era el mejor de aquella costa, y envió al capitán Hernando de Soto a los pueblos y caciques que en la ribera de aquel río vivían, donde, después que algún reencuentro con él hubieron, le vinieron de paz.

Y por allí llegaron al gobernador mensajeros del Cuzco que Guáscar le enviaba, haciéndole saber la rebelión de su hermano Atabaliba, que en aquel tiempo no lo habían aún preso, como después le prendieron, como ya hemos dicho, y le enviaba a decir lo socorriese y le diese favor para se defender de él. El gobernador envió a Hernando Pizarro a Tumbez para que trajese toda la gente que allí había quedado, y después que volvió por ella pobló la ciudad de San Miguel en un pueblo de indios llamado Tangarara, en la ribera del río de la Chira, cerca de la mar, por que los navíos que viniesen de Panamá hallasen puerto seguro, porque ya algunos habían venido. Y repartido el oro y plata que allí hubieron, dejando en la ciudad solos los vecinos, el gobernador se partió con toda la otra gente a la provincia de Cajamarca, porque supo que estaba allí Atabaliba.

Capítulo IV

De cómo el gobernador fue a Cajamarca, y de lo que le acaeció allí

Partido el gobernador para Cajamarca, pasó con todo su ejército gran necesidad de sed en un despoblado de veinte leguas en que no hay agua ni árboles, sino toda arena seca y muy calurosa, que es desde donde ahora está poblada la ciudad de San Miguel hasta la provincia de Motupe, en la cual halló unos frescos valles y bien poblados, donde pudo bien reformar la gente con la abundancia de comida que allí había. Y subiendo por allí a la sierra, topó con un mensajero de Atabaliba que le traía unos zapatos pintados y dos[60] puñetes de oro, y le dijo que cuando ante él llegase fuese calzado con aquellos zapatos y puestos los puñetes[61], para que en ellos le conociese. El gobernador lo recibió alegremente y respondió que así lo haría y que dijese a Atabaliba[62] que él no venía a hacerle mal, ni se le haría, si él no le daba muy notoria ocasión para ello, porque el emperador y rey de Castilla, por cuyo mandado él iba, no permitía que a nadie se hiciese daño contra razón.

Y como el mensajero se partió, el gobernador fue tras él caminando con mucho aviso por que los indios no viniesen al camino a darle salto[63], y cuando llegó a Cajamarca topó otro mensajero que le vino a decir que no se aposentase sin mandado de Atabaliba. Y a esto ninguna cosa respondió el gobernador más de hacer su aposento y, después de hecho, envió al capitán Soto con hasta veinte de a caballo al real de Atabaliba, que estaba una legua de allí, a le hacer saber su venida. Y cuando Soto llegó al real en presencia de Atabaliba, arremetió el caballo y algunos indios con miedo se desviaron de la carrera, por lo cual Atabaliba los hizo luego matar. Y Atabaliba no le había querido dar respuesta ninguna hasta que llegó Hernando Pizarro, a quien el gobernador había enviado tras Hernando de Soto con otra cierta gente de caballo, sino que hablaba con otro cacique, y aquel cacique con la lengua, y la lengua con Soto, y en llegando Hernando Pizarro luego habló con él derechamente por medio de solo el intérprete.

---

[60] 1577: unos.

[61] 1577: puños.

[62] En 1577 falta «que dijese a Atabaliba», por lo que la oración queda así: «y respondió que así lo haría y que él no venía a hacerle mal».

[63] 1577: no viniesen al camino a dar sobre su gente.

Y Hernando Pizarro le dijo cómo el gobernador, su hermano, venía a él de parte de su majestad, y que para le dar a entender su real voluntad deseaba verse con él y ser su amigo. A lo cual respondió Atabaliba que él sería contento de su amistad con que volviese a los indios todo el oro y plata que en su tierra había tomado y se fuese luego della, y que para dar orden en esto otro día se iría a ver con el gobernador al tambo de Cajamarca. Y después de haber visto Hernando Pizarro el real poblado de tantas tiendas y gente de guerra, que parecía una ciudad, se volvió con aquella respuesta al gobernador. Y dándosela y contándole particularmente lo que había visto, le puso algún temor, porque para cada cristiano había doscientos[64] indios, pero como el gobernador y todos los demás de su real eran de grande ánimo, aquella noche se esforzaron unos a otros, considerando que no tenían otro socorro sino el de Dios, en cuya ayuda esperaban, haciendo lo que en sí era como hombres animosos. Y en toda aquella noche estuvieron guardando el real y aderezando sus armas, sin dormir en toda ella.

Capítulo V

Cómo se dio la batalla contra Atabaliba, y cómo fue preso

Luego, otro día de mañana, el gobernador ordenó su gente, partiendo los sesenta de a caballo que había en tres partes para que estuviesen escondidos con los capitanes Soto y Benalcázar; y de todos dio cargo a Hernando Pizarro y a Juan Pizarro y Gonzalo Pizarro, y él se puso en otra parte con la infantería, prohibiendo que nadie se moviese sin su licencia o hasta que disparase la artillería. Atabaliba

---

[64] 1577: cien.

tardó gran parte del día en ordenar su gente y señalando lugar por donde cada capitán había de entrar, y mandó que por cierta parte secreta, hacia la parte por donde habían entrado los cristianos, se pusiese un capitán suyo llamado Ruminagui, con cinco mil indios, para que guardase las espaldas a los españoles y matase a todos los que volviesen huyendo. Y luego Atabaliba movió su campo tan despacio que más de cuatro horas tardó en andar una pequeña legua.

Él venía en una litera sobre hombros de señores, y delante de él trescientos indios vestidos de una librea, quitando todas las piedras y embarazos del camino, hasta las pajas, y todos los otros caciques y señores venían tras él en andas y hamacas, teniendo en tan poco los cristianos, que los pensaban tomar a manos. Porque un gobernador indio había enviado a decir a Atabaliba cómo eran los españoles muy pocos, y tan torpes y para poco que no sabían andar a pie sin cansarse, y por eso andaban en unas ovejas grandes que ellos llamaban caballos. Y así entró en un cercado que está delante del tambo de Cajamarca y, como vio tan pocos españoles y esos a pie (porque los de a caballo estaban escondidos), pensó que no osarían parecer delante de él ni le esperarían y, levantándose sobre las andas, dijo a su gente: «Estos rendidos están», y todos respondieron que sí.

Y luego llegó el obispo don fray Vicente de Valverde con un breviario en la mano y le dijo cómo un Dios en trinidad había criado el cielo y la tierra y todo cuanto había en ello, y hecho a Adán, que fue el primero hombre de la tierra, sacando a su mujer Eva de su costilla, de donde todos fuimos engendrados. Y cómo por desobediencia destos nuestros primeros padres caímos todos en pecado, y no alcanzábamos gracia para ver a Dios ni ir al cielo, hasta que Cristo nuestro redentor vino a nacer de una virgen por salvarnos, y para este efecto recibió muerte y pasión y, después de muerto, resucitó glorificado y estuvo en el mundo un poco de tiempo, hasta que se subió al cielo dejando en el mundo en su lugar a san Pedro y a sus sucesores, que residían en

Roma, a los cuales los cristianos llamaban Papas. Y esto[s] habían repartido las tierras de todo el mundo entre los príncipes y reyes cristianos, dando a cada uno cargo de la conquista, y que aquella provincia suya había repartido a su majestad del emperador y rey don Carlos nuestro señor, y su majestad había enviado en su lugar al gobernador don Francisco Pizarro para que le hiciese saber de parte de Dios y suya todo aquello que le había dicho. Que si él quería creerlo y recibir agua del bautismo y obedecerle, como lo hacía la mayor parte de la cristiandad, él le defendería y ampararía, teniendo en paz y justicia la tierra, y guardándoles sus libertades como lo solía hacer a otros reyes y señores que sin riesgo de guerra se le sujetaban. Y que si lo contrario hacía, el gobernador le daría cruda guerra a fuego y a sangre, con la lanza en la mano, y que en lo que tocaba a la ley y creencia de Jesucristo y su ley evangélica, que si después de bien informado della él de su voluntad lo quisiese creer, que haría lo que convenía a la salvación de su ánima, donde no, que ellos no le harían fuerza sobre ello.

Y después que Atabaliba todo esto entendió, dijo que aquellas tierras y todo lo que en ellas había las había ganado su padre y sus abuelos, los cuales las habían dejado a su hermano Guáscar Inga, y que por haberle vencido y tenerle preso a la sazón eran suyas y las poseía, y que no sabía él cómo san Pedro las podía dar a nadie. Y que si las había dado, que él no consentía en ello ni se lo daba nada, y a lo que decía de Jesucristo, que había criado el cielo y los hombres y todo, que él no sabía nada de aquello ni que nadie criase nada sino el Sol, a quien ellos tenían por dios, y a la tierra por madre, y a sus guacas, y que Pachacama lo había criado todo lo que allí había. Que de lo de Castilla él no sabía nada ni lo había visto, y preguntó al obispo que cómo sabía él ser verdad todo lo que había dicho, o por dónde se lo daría a entender. El obispo le dijo que en aquel libro estaba escrito que era escritura de Dios. Y Atabaliba le pidió el breviario o biblia que tenía en la mano y, como se lo dio, lo abrió, volviendo las hojas a un cabo y a otro, y dijo que aquel libro no le decía a él nada ni le hablaba palabra, y le arrojó en el campo, y el obispo volvió adonde los españoles estaban diciendo: «A ellos, a ellos».

Y como el gobernador entendió que si esperaba que los indios le acometiesen primero los desbaratarían muy fácilmente, se adelantó y envió a decir a Hernando Pizarro que hiciese lo que había de hacer. Y luego mandó disparar el artillería, y los de caballo acometieron por tres partes en los indios, y el gobernador acometió con la infantería hacia la parte donde venía Atabaliba y, llegando a las andas, comenzaron a matar los que las llevaban y, apenas era muerto uno, cuando en lugar de él se ponían otros muchos a mucha porfía. Y viendo el gobernador que si se dilataba mucho la defensa los desbaratarían, porque aunque ellos matasen muchos indios, importaba más un cristiano, arremetió con gran furia a la litera y, echando mano por los cabellos a Atabaliba (que los traía muy largos), tiró recio para sí y le derribó, y en este tiempo los cristianos daban tantas cuchilladas en las andas, porque eran de oro, que hirieron en la mano al gobernador, pero en fin él le echó en el suelo y, por muchos indios que cargaron, le prendió.

Y como los indios vieron a su señor en tierra y preso, y ellos acometidos por tantas partes y con la furia de los caballos que ellos tanto temían, volvieron las espaldas y comenzaron a huir a toda furia, sin aprovecharse de las armas. Y era tanta la priesa, que con huir los unos derribaban los otros, y tanta gente se arrimó hacia una esquina del cercado donde fue la batalla, que derribaron un pedazo de la pared, por donde pudieron salirse, y la gente de caballo continuo fue en el alcance hasta que la noche les hizo volver. Y como Ruminagui oyó el sonido de la artillería y vio que un cristiano despeñó de una atalaya abajo al indio que le había de hacer la seña para que acudiese, entendió que los españoles habían vencido, y se fue con toda su gente huyendo, y no paró hasta la provincia de Quito, que es más de doscientas y cincuenta leguas de allí, como adelante se dirá.

Capítulo VI

De cómo Atabaliba mandó matar a Guáscar, y cómo Hernando Pizarro fue descubriendo la tierra

Preso Atabaliba, otro día de mañana fueron a coger el campo, que era maravilla de ver tantas vasijas de plata y de oro como en aquel real había, y muy buenas, y muchas tiendas y otras ropas y cosas de valor, que más de sesenta mil pesos de oro valía sola la vajilla de oro que Atabaliba traía, y más de cinco mil mujeres a los españoles se vinieron de su buena gana de las que en el real andaban. Y después de todo recogido, Atabaliba dijo al gobernador que, pues preso lo tenía, lo tratase bien, y que por su liberación[65] él le daría una cuadra que allí había llena de vasijas y de piezas de oro y tanta plata que llevar no la pudiese.

Y como entendió que de aquello que decía el gobernador se admiraba como que no lo creía, le tornó a decir que más que aquello le daría. Y el gobernador se le ofreció que él lo trataría muy bien, y Atabaliba se lo agradeció mucho y luego por toda la tierra hizo mensajeros, especialmente al Cuzco, para que se recogiese el oro y plata que había prometido para su rescate, que era tanto que parecía imposible cumplirlo, porque les había de dar un portal muy largo que estaba en Cajamarca, hasta donde el mismo Atabaliba estando en pie pudo alcanzar con la mano todo el derredor lleno de vasijas de oro (según he dicho). Y para este efecto hizo señalar esta altura con una línea colorada al derredor del portal, y aunque después cada día entraba en el real gran cantidad de oro y plata, no les pareció a los españoles

---

[65] En este caso, seguimos la versión de 1577, pues en 1555 leemos «deliberación».

tanto que fuese parte para solamente comenzar a cumplir la promesa. Por lo cual comenzaron a andar descontentos[66] y murmurando, diciendo que el término que había señalado Atabaliba para dar su rescate era pasado, y que no v[e]ían aparejo ellos de poderse traer, de donde inferían que esta dilación era a efecto de juntarse gente para venir sobre ellos y destruirlos.

Y como Atabaliba era hombre de tan buen juicio, entendió el descontento de los cristianos y preguntó al marqués la causa dello, el cual se la dijo, y él le replicó que no tenía razón de quejarse de la dilación, pues no había sido tanta que pudiese causar sospecha. Y que debían tener consideración a que la principal parte de donde se había de traer aquel oro era la ciudad del Cuzco, y que desde Cajamarca a ella había cerca de doscientas leguas muy largas y de mal camino, y que habiéndose de traer sobre hombros de indios no debían tener aquella por tardanza larga, y que ante todas cosas ellos se satisficiesen si les podía dar lo que les había prometido o no, y que hallando que era verdadera la posibilidad, les hacía poco al caso que tardase un mes más o menos, y que esto se podría hacer con darle una o dos personas que fuesen al Cuzco a lo ver, y que les pudiesen traer las nuevas. Muchas opiniones hubo en el real sobre si se averiguaría esta determinación que Atabaliba pedía, porque se tenía por cosa peligrosa fiarse nadie de los indios para meterse en su poder, de lo cual Atabaliba se rio mucho, diciendo que no sabía él por qué había de rehusar ningún español de confiarse de su palabra e ir al Cuzco debajo della, quedando él allí atado con una cadena, con sus mujeres e hijos y hermanos en rehenes.

Y así con esto se determinaron a la jornada el capitán Hernando de Soto y Pedro del Bar[c]o, a los cuales envió Atabaliba en sendas hamacas, con mucha copia de indios

---

[66] 1577: mostraron andar descontentos.

que los llevaban en hombros casi por la posta, porque no es en mano de los indios ir despacio con las hamacas. Y aunque no son más de dos los que la llevan, todo el número de los hamaqueros, que por lo menos serían cincuenta o sesenta para cada uno, van corriendo, y en andando ciertos pasos se mudan otros dos, en lo cual tienen tanta destreza que lo hacen sin pararse. Pues desta manera caminaron Hernando de Soto y Pedro del Bar[c]o la vía del Cuzco, y a pocas jornadas de Cajamarca toparon los capitanes y gente de Atabaliba que traían preso a Guáscar, su hermano, el cual, como supo de los cristianos, los quiso hablar y habló. E informado muy bien dellos de todas las particularidades que quiso saber, como oyó que el intento de su majestad y del marqués en su nombre era tener en justicia así a los cristianos como a los indios que conquistasen, y dar a cada uno lo suyo, les contó la diferencia que había entre él y su hermano, y cómo no solamente le quería quitar el reino que por derecha sucesión le pertenecía, como al hijo mayor de Guaynacaba, pero que para este efecto le traía preso y le quería matar, y que les rogaba que se volviesen al marqués y de su parte le contasen el agravio que le hacían y le suplicasen que, pues ambos estaban en su poder, y por esta razón él era señor de la tierra, hiciese entre ellos justicia, adjudicando el reino a quien perteneciese, pues decían que este era su principal intento.

Y que si el marqués lo hacía, no solamente cumpliría lo que su hermano se había proferido de dar en el tambo o portal de Cajamarca un estado de hombre lleno de vasijas de oro, pero que le henchiría todo el tambo hasta la techumbre, que era tres tanto más. Y que se informasen y supiesen si él podía hacer muy más fácilmente aquello que su hermano lo otro, porque para cumplir Atabaliba lo que había prometido le era forzoso deshacer la casa del Sol del Cuzco, que estaba toda labrada de tablones de oro y plata igualmente, por no tener otra parte donde haberlo, y él tenía en su poder todos los tesoros y joyas de su padre, con que fácilmente podía cumplir mucho más que aquello. En lo cual decía verdad, aunque los tenía todos enterrados en parte donde persona del mundo no lo sabía, ni después acá se ha podido hallar, porque los llevó a enterrar y esconder con mucho número de indios que lo llevaban a cuestas, y en acabando de enterrarlos mató a todos para que no lo dijesen ni se pudiese saber. Aunque los españoles, después de pacificada la tierra y ahora cada día andan rastreando con gran diligencia y cavando hacia todas aquellas partes donde sospechan que lo metió, pero nunca han hallado cosa ninguna.

Hernando de Soto y Pedro del Barco respondieron a Guáscar que ellos no podían dejar el viaje que llevaban y a la vuelta, pues había de ser tan presto, entenderían en ello. Y así continuaron su camino, lo cual fue causa de la muerte de Guáscar y de perderse todo aquel oro que les prometía, porque los capitanes que le llevaban preso hicieron luego saber por la posta a Ataliba todo lo que había pasado. Y era tan sagaz Ataliba que consideró que si a noticia del gobernador venía esta demanda, que así por tener su hermano justicia como por la abundancia de oro que prometía, a lo cual tenía ya entendido la afición y codicia que tenían los cristianos, le quitarían a él el reino y le darían a su hermano, y aun podría ser que le matasen por quitar de medio embarazos, tomando para ello ocasión de que contra razón había prendido a su hermano y alzádose con el reino. Por lo cual determinó de hacer matar a Guáscar, aunque le ponía temor para no lo hacer haber oído muchas veces a los cristianos que una de las leyes que principalmente se guardaban entre ellos era que el que mataba a otro había de morir por ello.

Y así acordó tentar el ánimo del gobernador para ver qué sentiría sobre el caso, lo cual hizo con mucha industria, que un día fingió estar muy triste y llorando y sollozando, sin querer comer ni hablar con nadie, y aunque el gobernador le importunó mucho sobre la causa de su tristeza, se hizo de rogar en decirla. Y en fin le vino a decir que le habían traído nueva que un capitán suyo, viéndole a él preso, había muerto a su hermano Guáscar, lo cual él había sentido mucho, porque le tenía por hermano mayor y aun por padre. Y que si le había hecho prender no había sido con intención de hacerle daño en su persona ni reino, salvo para que le dejase en paz la provincia de Quito, que su padre le había mandado después de haberla ganado y conquistado, y siendo cosa fuera de su señorío. El gobernador le consoló que no tuviese pena, que la muerte era cosa natural y que poca ventaja se llevarían unos a otros, y que cuando la tierra estuviese pacífica él se informaría quiénes habían sido en la muerte y los castigaría. Y como Atabaliba vio que el marqués tomaba tan livianamente el negocio, deliberó ejecutar su propósito, y así envió a mandar a los capitanes que traían preso a Guáscar que luego le matasen. Lo cual se hizo con tan gran presteza que apenas se pudo averiguar después si cuando hizo Atabaliba aquellas apariencias de tristeza había sido antes o después de la muerte.

De todo este mal suceso comúnmente se echaba la culpa a Hernando de Soto y Pedro del Bar[c]o por la gente de guerra, que no están informados de la obligación que tienen las personas a quien algo se manda (especialmente en la guerra) de cumplir precisamente su instrucción, sin que tengan libertad de mudar los intentos según el tiempo y negocios, si no llevan expresa comisión para ello. Dicen los indios que cuando Guáscar se vido matar dijo: «Yo he sido poco tiempo señor de la tierra, y menos lo será el traidor de mi hermano, por cuyo mandado muero, siendo yo su natural señor». Por lo cual los indios, cuando después vieron matar a Atabaliba (como se dirá en el capítulo siguiente), creyeron que Guáscar era hijo del Sol, por haber profetizado verdaderamente la muerte de su hermano. Y asimismo dijo que cuando su padre se despidió de él le dejó mandado que cuando a aquella tierra viniese una gente blanca y barbada se hiciese su amigo, porque aquellos habían de ser señores del reino, lo cual pudo muy bien saber por industria del demonio[67], pues antes que Guaynacaba muriese ya el gobernador andaba por la costa del Perú conquistando la tierra.

Pues en tanto que el gobernador quedó en Cajamarca, envió a Hernando Pizarro, su hermano, con cierta gente [de a] caballo a descubrir la tierra, el cual llegó hasta Pachacama, que era cien leguas de allí, y en tierra de Guamacucho encontró a un hermano de Atabaliba, llamado Yllescas, que traía más de trescientos mil pesos de oro para el rescate de su hermano, sin otra mucha cantidad de plata. Y después de haber pasado por muy peligrosos pasos y puentes, llegó a Pachacama, donde supo que en la provincia de Jauja, que era cuarenta leguas de allí, estaba el capitán de Atabaliba de quien arriba se ha hecho mención, llamado Cilicuchima, con un gran ejército, y él le envió a llamar rogándole que se viniese a ver con él. Y como no quiso venir el indio, Hernando Pizarro determinó de ir allá y le habló, aunque todos tuvieron por demasiada osadía la que Hernando Pizarro tuvo en irse a meter en poder de su enemigo bárbaro y tan poderoso, en fin le dijo y prometió tales cosas que le hizo derramar la gente e irse con él a Cajamarca a ver a Atabaliba, y por volver más presto vinieron por las cordilleras de unas sierras nevadas, donde hubieran de perecer de frío. Y cuando Cilicuchima hubo de entrar a ver [a] Atabaliba se descalzó y llevó su carga ante él (según su costumbre) y le dijo llorando que si él con él se hallara no le prendieran los cristianos. Atabaliba le respondió que había sido juicio de Dios que le prendiesen, por tenerlos él en tan poco, y que la principal causa de la prisión y vencimiento había sido huir su capitán Ruminagui con los cinco mil hombres con que había de acudir al tiempo de la necesidad.

---

[67] 1577: lo cual pudo bien ser industria del demonio.

Capítulo VII

De cómo mataron a Atabaliba porque le levantaron
que quería matar a los cristianos, y de cómo fue
don Diego de Almagro al Perú la segunda vez

Estando el gobernador don Francisco Pizarro en la provincia de Poechos antes que llegase a Cajamarca, como está dicho, recibió una carta sin firma que después se supo haberla escrito un secretario de don Diego de Almagro desde Panamá, dándole aviso cómo don Diego había hecho un gran navío para con él y con otros embarcarse con la más gente que pudiese e irle a tomar la delantera y a posesionarse en la mejor parte de la tierra, que era pasados los límites de la gobernación de don Francisco, la cual, conforme a las provisiones que había llevado de su majestad, duraba desde la línea equinoccial doscientas y cincuenta leguas adelante norte sur. De la cual carta el gobernador a nadie dio parte y así se dijo y creyó que don Diego se había embarcado en Panamá con ciertos navíos y gente, y hecho a la vela para el Perú con este intento, aunque tocando en la tierra de Puerto Viejo.

Y sabido el buen suceso del gobernador, y cómo tenía tanta cantidad de oro y plata, de lo cual le pertenecía la mitad, mudó el propósito (si es verdad que le traía). Y porque tuvo noticia del aviso que se había dado al gobernador, ahorcó su secretario y con toda aquella gente se fue a juntar con el gobernador a Cajamarca, donde halló ya junta gran parte del rescate de Atabaliba, con grande admiración de los unos y de los otros, porque no se creía haberse visto en el mundo tanto oro y plata como allí había. Y así, el día que se hizo el ensaye y fundición del oro y plata que llamaban de la compaña, se halló montarse en el oro más de seiscientos cuentos de maravedís, y esto con haberse ensayado el oro muy de priesa, y con solamente las puntas, porque no había agua fuerte para afinar el ensaye, de cuya causa siempre se ensayaba el oro dos o tres quilates menos de la ley que después pareció tener por el verdadero ensaye en que se acrecentó la hacienda más de cien cuentos de maravedís. Y cuanto a la plata, hubo mucha cantidad; tanto, que a su majestad le perteneció de su real quinto treinta mil marcos de plata blanca, tan fina y cendrada que mucha parte della se halló después ser oro de tres o cuatro quilates, y del oro cupo a su majestad de quinto ciento y veinte cuentos de marcos[68]. De manera que a cada hombre de caballo le cupieron más de doce mil pesos en oro, sin la plata, porque estos llevaban una cuarta parte más que los peones, y aun con toda esta suma no se había concluido la quinta[69] parte de lo que Ataballba había prometido dar por su rescate.

Y porque a la gente que vino con don Diego de Almagro, que era mucha y muy principal, no le pertenecía cosa ninguna de aquella hacienda, pues se daba por el rescate de Ataballba, en cuya prisión ellos no se habían hallado, el gobernador les mandó dar todavía mil pesos para ayuda de la costa, y acordose de enviar a Hernando Pizarro a dar noticia a su majestad del próspero suceso que en su buena ventura habían habido. Y porque entonces no se había hecho la fundición y ensaye, ni se sabía cierto lo que podría pertenecer a su majestad, de todo el montón trajo cien mil pesos de oro y veinte mil marcos de plata, para los cuales escogió las piezas más abultadas y vistosas, para que fuesen tenidas en más en España. Y así trajo muchas tinajas y braseros y atambores y carneros y figuras de hombres y mujeres, con que hinchió el peso y valor arriba dicho, y con ello se fue a embarcar, con gran pesar y sentimiento de Ataballiba, que le era muy aficionado y comunicaba con él todas

---

[68] 1577: maravedís.
[69] 1577: centésima.

sus cosas. Y así, despidiéndose de él, le dijo: «Vaste, capitán, pésame dello, porque en yéndote tú, sé que me han de matar este gordo y este tuerto», lo cual decía por don Diego de Almagro que, como hemos dicho arriba, no tenía más de un ojo, y por don Alonso de Requelme, tesorero de su majestad, a los cuales había visto murmurar contra él por la razón que adelante se dirá.

Y así fue que, partido Hernando Pizarro, luego se trató la muerte de Atabaliba por medio de un indio que era intérprete entre ellos, llamado Felipillo, que había venido con el gobernador a Castilla, el cual dijo que Atabaliba quería matar a todos los españoles secretamente, y para ello tenía apercibida gran cantidad de gente en lugares secretos. Y como las averiguaciones que sobre esto se hicieron era por lengua del mesmo Felipillo, interpretaba lo que quería conforme a su intención. La causa que le movió nunca se pudo bien averiguar más de que fue una de dos: o que este indio tenía amores con una de las mujeres de Atabaliba y quiso con su muerte gozar della seguramente, lo cual había ya venido a noticia de Atabaliba y él se quejó dello al gobernador, diciendo que sentía más aquel desacato que su prisión ni cuantos desastres le habían venido, aunque se le siguiese la muerte con ellos, que un indio tan bajo le tuviese en tan poco y le hiciese tan gran afrenta, sabiendo él la ley que en aquella tierra había en semejante delito, porque el que se hallaba culpado en él, y aun el que solamente lo intentaba, le quemaban vivo con la mesma mujer si tenía culpa, y mataban a sus padres e hijos y hermanos y a todos los otros parientes cercanos, y aun hasta las ovejas del tal adúltero, y demás desto despoblaban la tierra donde él era natural, sembrándola de sal y cortando los árboles y derribando las casas de toda la población y haciendo otros muy grandes castigos en memoria del delito.

Otros dicen que la principal causa de la muerte de Atabaliba fue la gran diligencia y maña que tuvieron para encaminarla esta gente que fue con don Diego de Almagro por su interés particular, porque les decían los que habían hecho la conquista que no solamente no tenían ellos parte en todo el oro y plata que hasta entonces estaba dado, pero ni en todo lo que de allí adelante se diese, hasta que fuese cumplida toda la suma del rescate de Ataliba, que parecía no poderse henchir aunque se juntase para ello todo cuanto oro había en el mundo, pues resultaba todo ello del rescate de aquel príncipe cuya prisión se había hecho con su industria y trabajo, sin que los de don Diego interviniesen en ello. Y así les pareció a los de don Diego que les convenía encaminar la muerte de Atabaliba porque, mientras él fuese vivo, todo cuanto oro ellos allegasen dirían que era rescate y que no habían de participar los otros en ello.

Y comoquier que fuese, le condenaron a muerte, de lo cual él se admiraba mucho, diciendo que él nunca tal cosa había pensado como se le levantaba, y que le doblasen las prisiones y guardas o le metiesen en uno de sus navíos en la mar. Y dijo al gobernador y a los principales señores: «No sé por qué me tenéis por hombre de tan poco juicio, que penséis que os quiero hacer traición, pues si creéis que esta gente que decís que está junta viene por mi mandado y permisión, no hay razón para ello, pues estoy en vuestro poder atado con cadenas de hierro, y en asomando la tal gente, o sabiendo que viene, me podéis cortar la cabeza. Y si pensáis que viene contra mi voluntad, no estáis bien informados del poder que yo tengo en esta tierra y de la obediencia con que soy temido de mis vasallos, pues si yo no quiero ni las aves volaran, ni las hojas de los árboles se menearan en mi tierra». Todo esto no le aprovechó, ni ofrecer a dar muy grandes rehenes por el primero español que muriese en la tierra. Porque, demás desta sospecha, se le acumuló la muerte de Guáscar, su hermano, y así le sentenciaron a muerte y ejecutaron la sentencia, yendo él siempre llamando a Hernando Pizarro y diciendo que si él allí estuviera no le mataran. Y al tiempo de la muerte se bautizó, por persuasión del gobernador y obispo.

Capítulo VIII

De cómo Ruminagui, capitán de Atabaliba, se alzó
en la tierra de Quito, y cómo el gobernador se fue al Cuzco

Aquel capitán de Atabaliba llamado Ruminagui, que arriba dijimos que huyó de Cajamarca con cinco mil indios, en llegando a la provincia de Quito tomó en su poder los hijos de Atabaliba y se apoderó en la tierra, haciéndose obedecer por señor della. Y después Atabaliba, poco antes que muriese, envió a su hermano Yllescas a la provincia de Quito para traer sus hijos y el Ruminagui le mató y no se los quiso dar. Y después desto algunos capitanes de Atabaliba, conforme a lo que él dejó mandado, llevaron su cuerpo a la provincia de Quito a enterrar con su padre Guaynacaba, los cuales Ruminagui recibió muy honrada y amorosamente e hizo enterrar el cuerpo con gran solemnidad, según la costumbre de la tierra. Y después hizo[70] hacer una borrachera, en la cual, estando borrachos los capitanes que habían traído el cuerpo, los mató a todos, y entre ellos aquel Yllescas hermano de Atabaliba, al cual hizo desollar vivo y del cuero hizo un atambor, quedando la cabeza colgada en el mismo atambor.

Después desto, habiendo el gobernador repartido todo el oro y plata que hubo en Cajamarca, porque supo que uno de los capitanes de Atabaliba, llamado Quizquiz, andaba con cierta gente alborotando la tierra, partió contra él y no le osó aguardar en la provincia de Jauja, por lo cual envió delante al capitán Soto con cierta gente de caballo, yendo él en la retaguarda. Y en la provincia de Vilcacinga dieron de súbito tantos indios sobre el capitán Soto que

---

[70] 1577: mandó.

estaba[71] muy cerca de ser desbaratado, matándole cinco o seis españoles, y como vino la noche los indios se retrajeron a la sierra y el gobernador envió a don Diego de Almagro con cierta gente de caballo al socorro. Y cuando otro día amaneció, que tornaron a pelear, los cristianos se fueron mañosamente retrayendo para sacar los indios al llano, no por escusar las piedras que les tiraban[72] desde lo alto de las cuestas. Y los indios, entendiendo el engaño, no salieron y pelearon allí sin reconocer el socorro que había venido, porque con la mucha niebla que aquella mañana hizo no le pudieron ver. Y así pelearon aquel día tan animosamente los cristianos que desbarataron los indios y mataron muchos dellos.

Y de ahí a poco llegó el gobernador con toda la retaguarda y allí le salió de paz un hermano de Guáscar y de Ataba-liba, que por su muerte habían hecho Inga o rey de la tierra y dádole la borla, que era la insignia o corona real, llamado Paulo Inga. Y este le dijo cómo en el Cuzco le estaba aguardando mucha gente de guerra y, llegando por sus jornadas cerca de la ciudad, vieron salir della grandes humos, y creyendo el gobernador que los indios la quemaban, envió ciertos capitanes a gran priesa a lo defender con alguna gente de caballo, y en llegando a la ciudad salió sobre ellos gran número de indios y comenzaron a pelear con los cristianos, tirándoles tantas piedras y tiraderas y otras armas que, no pudiéndolos sufrir los españoles, se retrajeron a toda furia más de una legua hasta un llano donde se juntaron con el gobernador. Y allí envió sus dos hermanos, Juan Pizarro y Gonzalo Pizarro, con la más gente de caballo, y dieron en los indios por la parte de la sierra tan animosamente que les hicieron huir, y ellos los siguieron matando en el alcance muchos dellos. Y como la noche vino, el go-

---

[71] 1577: estuvo.
[72] 1577: ...los indios al llano, por escusarse de las piedras que les tiraban...

bernador hizo recoger todos los españoles y los tuvo en arma, y cuando otro día pensaron que en la entrada de la ciudad tuvieran alguna resistencia, no hallaron hombre que se la defendiese y así entraron pacíficamente.

Y de ahí a veinte días tuvieron nueva cómo Quizquiz andaba con mucha gente de guerra robando y destruyendo una provincia llamada Condesuyo, y envió a lo estorbar el gobernador al capitán Soto con cincuenta de caballo, y Quizquiz no le aguardó, antes se fue la vía de Jauja a dar sobre algunos españoles que allí supo haber quedado guardando su fardaje y haciendas, y con la hacienda real que tenía [a] cargo el tesorero Alonso Requelme. Los cristianos, sabiéndolo, aunque eran pocos, se defendieron animosamente en un lugar fuerte que para ello escogieron. Y así Quizquiz se pasó adelante la vía de Quito, y tras él envió el gobernador otra vez el capitán Soto con cierta gente de caballo, y después envió en su socorro a sus hermanos, y todos siguieron a Quizquiz más de cien leguas y, no le pudiendo alcanzar, se volvieron al Cuzco y allí hubieron tan gran presa la de Cajamarca de oro y de plata, la cual el gobernador repartió entre la gente y pobló la ciudad, que era la cabeza de la tierra entre los indios y así lo fue mucho tiempo entre los cristianos. Y repartió los indios entre los vecinos que allí quisieron quedar, porque a muchos no les pareció poblar en la tierra, sino venirse con lo que les había cabido en Cajamarca y Cuzco a gozarlo en España.

Capítulo IX

De cómo el capitán Benalcázar fue a la conquista de Quito

Ya dijimos arriba cómo, al tiempo que el gobernador entró en el Perú, pobló la ciudad de San Miguel, en la provincia de Tangarara, junto al puerto de Tumbez, por que

146

los que viniesen de España tuviesen el puerto seguro para desembarcar. Y porque le pareció que habían quedado allí pocos caballos después de la prisión de Atabaliba, envió por su teniente desde Cajamarca a San Miguel al capitán Benalcázar con diez de caballo, al cual por este tiempo se le vinieron a quejar los indios cañares que Ruminagui y los otros indios de Quito les daban [muy] continua guerra, lo cual fue a coyuntura que de Panamá y de Nicaragua había venido mucha gente, y dellos tomó Benalcázar doscientos hombres, los ochenta de caballo, y con ellos se fue la vía de Quito, así por defender a los cañares, que se le habían dado por amigos, como porque tenía noticia que en Quito había gran cantidad de oro que Atabaliba había dejado.

Y cuando Ruminagui supo la venida de Benalcázar salió a defenderle la entrada, y peleó con él en muchos pasos peligrosos con más de doce mil indios, y tenía hechos sus fosados, lo cual todo contraminaba Benalcázar con grande astucia y prudencia, porque quedándoles él haciendo cara, enviaba en las trasnochadas un capitán con cincuenta o sesenta de caballo, que por arriba o por abajo de cada mal paso se lo tenía ganado cuando amanecía. Y desta manera los hizo retraer hasta los llanos, donde no osaron esperar, por el mucho daño que les hacían los de caballo, y cuando aguardaba era porque tenían hecho hoyos anchos y hondos, sembrados dentro de palos y estacas agudas, y cubiertos con céspedes y yerba sobre muy delgadas cañas, casi de la forma que escribe César en el séptimo comentario que los de Alexia le pusieron para defensa de la ciudad, en otra cava secreta, que llaman Lirios.

Pero con todo cuanto hicieron, nunca pudieron engañar a Benalcázar para que cayese ni recibiese daño en alguna destas cuevas, porque nunca los acometía por aquella parte donde los indios le hacían rostro, antes rodeaba una y dos leguas para darlos por las espaldas o por los lados, yendo siempre con gran aviso de no pasar sobre yerba ni tierra que no fuese natural y criada allí. Y demás desto, tuvieron otra astucia los indios, viendo que la pasada no les aprovechaba, que por todas las partes por donde se sospechaba que habían de pasar los caballos, hacían unos hoyos tan anchos como la mano de un caballo, muy espesos, sin que hubiese en medio casi ninguna distancia. Pero con ninguno destos ardides pudieron engañar a Benalcázar y les fue ganando toda la tierra hasta la principal ciudad de Quito, donde supo que un día dijo Ruminagui a todas sus mujeres, de que tenía en gran número: «Ahora habréis placer, que vienen los cristianos con quien os podréis holgar». Y ellas, pensando que se lo decía por donaire, se rieron, y costoles tan caro la risa, que a casi todas las hizo descabezar y determinó de huir de la ciudad, poniendo primero fuego a una sala llena de muy rica ropa que allí tenía desde el tiempo de Guaynacaba y se huyó, aunque primero una noche dio sobre los españoles de sobresalto, sin hacer en ellos ningún daño, y así Benalcázar se apoderó de la ciudad.

Y en este tiempo envió el gobernador a don Diego de Almagro con cierta gente hacia la costa de la mar y a la ciudad de San Miguel, para informarse verdaderamente de una nueva que le había venido, de cómo don Pedro de Alvarado, gobernador de Guatimala, se había embarcado la vía del Perú con una gruesa armada y gran número de caballos y gente para descubrir el Perú, como se dirá en el capítulo siguiente. Y llegado don Diego a San Miguel sin hallar nueva cierta de lo que buscaba, sabido que Benalcázar estaba sobre Quito y la resistencia que Ruminagui le hacía, determinó irle ayudar. Y así fue aquellas ciento y veinte leguas hasta Quito, donde se juntó con Benalcázar y se apoderó de la gente, conquistando algunos pueblos y palenques que hasta entonces se habían defendido, y visto que no había en aquella tierra el oro ni riqueza de que habían tenido noticia, se volvió al Cuzco, dejando por gobernador de la provincia de Quito a Benalcázar, como antes lo era.

Capítulo X

De cómo don Pedro de Alvarado pasó al Perú
y de lo que le acaeció

Después que don Hernando Cortés, marqués del Valle, conquistó y pacificó la Nueva España, tuvo noticia de una tierra que con ella se contenía llamada Guatimala, y para la descubrir envió un capitán suyo llamado don Pedro de Alvarado, el cual con la gente que llevaba la conquistó y ganó, pasando en ella muchos trabajos y peligros, en cuya remuneración su majestad le proveyó de la gobernación della. Y desde allí tuvo noticia de la provincia del Perú[73] y pidió cierta parte de la conquista della a su majestad y le fue concedida y hecho sobre ello sus capitulaciones. Por virtud de las cuales él envió un caballero de Cáceres llamado García Holguín, que con dos navíos fue a descubrir y tomar lengua en la costa del Perú. Y como le trajo tan buena nueva de la gran cantidad de oro que el gobernador don Francisco Pizarro había habido, determinó de pasar allá, pareciéndole que entretanto que don Francisco Pizarro y su gente se desembarazaban de lo que tenían que hacer en Cajamarca, él podría llegar la costa arriba a ganar la ciudad del Cuzco que, conforme a lo que arriba está dicho, tenía entendido que caía fuera de las doscientas y cincuenta leguas de los límites de la gobernación de don Francisco Pizarro.

Y para poder mejor efectuar su propósito, temiendo que desde Nicaragua podría después ir socorro a don Francisco Pizarro, fue una noche a la costa de Nicaragua y tomó por fuerza dos o tres grandes navíos que allí se estaban aderezando, para ir cargados de gente y caballos al Perú en socorro

---

[73] 1577: de la tierra del Perú.

del gobernador. Y en ellos y en los que traía de Guatimala embarcó quinientos hombres de pie y de caballo y navegó hasta tomar [la] tierra en la provincia de Puerto Viejo, y de allí caminó la vía de Quito en el paraje de la línea equinoccial por las faldas de unos llanos y espesos montes que llaman Arcabucos. Y en el camino pasó su gente gran trabajo de hambre y muy mayor de sed, porque fue tanta la falta del agua que si no toparan con unos cañaverales de tal propiedad que en cortando por cada nudo se halla lo hueco lleno de agua dulce y muy buena, las cuales cañas son tan gruesas ordinariamente como la pierna de un hombre, de tal suerte que en cada cañuto hallaban más de medio azumbre de agua, que dicen recoger estas cañas por particular propiedad y naturaleza que para ello tienen del rocío que de noche cae del cielo, comoquier que la tierra sea seca y sin fuente ni agua ninguna. Con esta agua se reparó el ejército de don Pedro [de Alvarado], así hombres como caballos, porque duran grande espacio, aunque todavía la hambre los llegó a tales términos que comieron muchos caballos, con valer cada uno cuatro y cinco mil castellanos.

Y en la mayor parte del camino les iba cayendo encima tierra muy menuda y caliente, que se averiguó salir de un alto volcán que hay cerca de Quito, de tan gran fuego que más de ochenta leguas alcanza la tierra que de él sale y da tan grandes truenos algunas veces que suenan más de cien leguas. Y en todos los pueblos por donde pasó don Pedro de Alvarado debajo de la línea equinoccial halló gran copia de esmeraldas, y después de haber pasado tan trabajoso camino, que lo más de él fueron abriendo a mano con hachas y machetes, topó delante sí una cordillera de sierras nevadas, donde de continuo nevaba y hacía muy gran frío. Y la hora que le pareció más conveniente determinó pasar por un portezuelo que allí había, donde se le quedaron helados más de sesenta hombres, aunque todos para pasar se vistieron todas cuantas ropas traían e iban corriendo sin esperar ni socorrerse los unos a los otros. Donde aconteció que llevando un español consigo a su mujer y dos hijas pequeñas, viendo que la mujer e hijas se sentaron de cansadas y que él no las podía socorrer ni llevar, se quedó con ellas, de manera que todos cuatro se helaron, y aunque él se pudiera salvar quiso más perecer allí con ellas.

Y con este trabajo y peligro pasaron aquella sierra, teniendo a gran buena ventura haber podido verse de la otra parte porque, aunque la provincia de Quito está cercada de muy altas sierras y muy nevadas, en medio hay unos valles muy templados y frescos, donde las gentes viven y hacen sus sementeras. Y en aquel tiempo se derritió la nieve de una de aquellas sierras y bajó tan gran cantidad de agua y con tanto ímpetu que hundió y anegó un pueblo que se llamaba la Contiega. Y viose llevar el agua en la corriente piedras tan grandes como dos piedras de lagar, con tanta facilidad como si fueran de corcho.

Capítulo XI

Cómo se toparon don Diego de Almagro y don Pedro de Alvarado, y de lo que allí acaeció

Ya dijimos arriba cómo don Diego de Almagro, dejando en la provincia de Quito por gobernador al capitán Benalcázar y no teniendo nueva de la venida de don Pedro de Alvarado, se volvió al Cuzco, y a la vuelta conquistó algunos peñoles y fortalezas donde los indios se habían hecho fuertes, en lo cual se detuvo tanto que hubo lugar de venir don Pedro de Alvarado y llegar a la provincia de Quito, sin que don Diego pudiese saber cosa ninguna, por haber mucha distancia de camino y en él ningún comercio de indios ni de cristianos.

Pues andando un día conquistando una provincia llamada Liribamba, pasó un caudaloso río della por un vado harto peligroso, porque los indios le habían quemado las puentes, y a la otra parte del río halló gran copia dellos que le esperaban de guerra. Y él los venció con harta dificultad, porque también peleaban las mujeres tirando muy diestramente con hondas, y fue preso el señor principal dellos, el cual le dio nueva cómo don Pedro de Alvarado andaba ya corriendo la tierra, y estaba quince leguas de allí sobre un peñol, donde se había hecho fuerte un capitán indio llamado Zopazopagui. Y en sabiendo esto don Diego envió siete de caballo a descubrir lo que había, los cuales fueron presos por la gente de don Pedro, aunque después los tornó a soltar y se vino a poner[74] cinco leguas del real de don Diego. Y sabido por don Diego de Almagro, se determinó, viendo la gran ventaja que su enemigo le tenía, de se volver al Cuzco con solos veinte y cinco de caballo, y dejar los demás con el capitán Benalcázar en defensa de la tierra.

Y en esta sazón aquel indio lengua llamado Felipillo, de que arriba está hecha mención, que fue causa de la muerte de Atabaliba, temiendo el castigo que por esto sabía merecer, se huyó del real de don Diego al de don Pedro, y llevó consigo un cacique principal, dejando concertado con los demás que seguían a don Diego que en enviándolos él a llamar se le pasasen. Y como Felipe llegó adonde don Pedro de Alvarado estaba, se le ofreció de traerle de paz toda aquella tierra y le dijo cómo don Diego se quería ir al Cuzco, y que si le quería prender yendo sobre él lo podría hacer fácilmente, porque no tenía más de doscientos y cincuenta hombres, los noventa de caballo. Y como don Pedro de Alvarado tuvo este aviso, luego fue sobre don Diego de Almagro, al cual halló en Liribamba con determinación de morir defendiendo la tierra. Y así don Pedro de Alvarado ordenó su gente y con las banderas tendidas le acometió, y don Diego, por tener poca gente a caballo, le aguardó a pie entre unas paredes e hizo de su gente dos

---

[74] 1577: aposentar.

escuadrones, con el uno estaba él y con el otro el capitán Benalcázar.

Y como estuvieron a vista unos de otros, hubieron su habla de paz y por aquel día y noche pusieron treguas, y en tanto los concertó un licenciado Caldera desta manera: que don Diego de Almagro diese a don Pedro de Alvarado cien mil pesos de oro por los navíos y caballos y otros pertrechos del armada, y que viniesen juntos hasta donde el gobernador Pizarro estaba, para pagárselos allí. El cual concierto se hizo y guardó con mucho secreto, porque sabiéndolo la gente de don Pedro de Alvarado, entre la cual había muchos caballeros y personas principales, no se alterasen, viendo que no se trataba de remuneración ninguna para ellos. Y así publicaron que iban de compañía la tierra arriba para que desde allá don Pedro de Alvarado continuase por mar con su armada el descubrimiento, dando licencia a todos los que se quisiesen quedar en Quito con el capitán Benalcázar para lo poder hacer, pues ya estaban todos unidos en paz y conformidad. Y así muchos de los que vinieron con don Pedro se quedaron en Quito, y don Diego y él y toda la otra gente se fueron a Pachacama, donde supieron que les había venido a recibir el gobernador desde Jauja, donde estaba. Y antes que don Diego partiese de Quito quemó vivo al cacique que se le fue la noche que hemos dicho, y quiso hacer lo mismo a Felipillo si no rogara por él don Pedro de Alvarado.

Capítulo XII

De cómo don Diego de Almagro y don Pedro de Alvarado
se toparon con el Quizquiz, y lo que les acaeció

Yendo don Diego de Almagro y don Pedro de Alvarado desde Quito para Pachacama, el cacique de los Cañares les dijo cómo el Quizquiz, capitán de Atabaliba, venía con un ejército de más de doce mil indios de guerra y traía recogida toda cuanta gente de indios y ganado había hallado desde Jauja abajo, y que él se lo ponía en las manos si lo querían aguardar. Y no dando don Diego crédito a esto, continuó su camino sin detenerse. Y ya que llegaban a una provincia llamada Chaparra, vieron a deshora sobre dos mil indios que venían dos o tres jornadas delante de Quizquiz, con un capitán que se llamaba Sotaurco, porque el Quizquiz tenía esta orden en su camino, que delante enviaba aquel capitán y gente, y a la parte izquierda iban otros tres mil indios recogiendo comida por los pueblos comarcanos, y en la retaguardia, dos jornadas de sí, traía otros tres o cuatro mil indios, y él iba en medio con el cuerpo del ejército y con el ganado y gente presa, de manera que ocupaba su campo quince leguas de término y más.

Y yendo Sotaurco a tomar un paso por do[nde] pensó que los españoles vinieran, don Pedro de Alvarado llegó primero y le prendió, y supo de él toda la orden del Quizquiz y dio una trasnochada con la gente de caballo que le pudo seguir sobre él, aunque les convino detenerse parte de la noche, porque a la bajada de un río se les desherraron los caballos en los grandes pedregales que en él había y se detuvieron a herrarlos con lumbre, y todavía continuaron su camino a gran priesa, porque alguna de la mucha gente que topaban no volviese a dar mandado al Quizquiz de su venida, y nunca pararon hasta que otro día tarde llegaron a vista del real de Quizquiz. Y como él los vido, se fue por una parte con todas las mujeres y gente servil, y por la otra que más áspera era echó a un[75] hermano de Atabaliba que se llamaba Guaypalcon, con la gente de guerra, con los cuales fue a topar don Diego de Almagro en la subida de una cuesta, llevando tan cansados los caballos que aun de diestro no podían subir, y los indios desde lo alto echaban muchas piedras, que llaman galgas, de tal suerte que

---

75 1577: su.

con echar una piedra cuando llega a cinco o seis estados, lleva tras sí más de otras treinta de las que ha removido. Y así cuando llega abajo no tienen número las que lleva. Y con todo esto desecharon la cuesta[76] y por una ladera tomaron las espaldas a Guaypalcon y como él se vio cercado por todas partes, se hizo fuerte con su gente en unas ásperas peñas donde se defendió hasta la noche, que don Diego y don Pedro recogieron todos los españoles. Y los indios con la oscuridad se salieron y fueron a buscar al Quizquiz y hallaron después que los tres mil indios que iban a la parte izquierda habían descabezado catorce españoles que tomaron por un atajo.

Y así procediendo por su camino toparon con la retaguardia de Quizquiz, y los indios se hicieron fuertes al paso de un río y en todo aquel día no dejaron pasar a los españoles, antes ellos pasaron por la parte de arriba, adonde los españoles estaban, a tomar una alta sierra, y por ir a pelear con ellos hubieran de recibir mucho daño los españoles porque, aunque se querían retraer, no podían por la maleza de la tierra. Y así fueron muchos heridos, especialmente el capitán Alonso de Alvarado, a quien pasaron un muslo, y a otro comendador de San Juan. Y toda aquella noche los indios tuvieron mucha guardia, mas cuando amaneció tenían desembarazado el paso del río y ellos se habían hecho fuertes en una alta sierra, donde se quedaron en paz porque don Diego de Almagro no se quiso más allí detener y toda

---

[76] En 1577 leemos: «...con los cuales fue a topar don Diego de Almagro en la subida de una cuesta y por una ladera tomaron las espaldas a Guaypalcon». De este modo, falta todo este fragmento que sí aparece en 1555: «...con los cuales fue a topar don Diego de Almagro en la subida de una cuesta, *llevando tan cansados los caballos que aun de diestro no podían subir, y los indios desde lo alto echaban muchas piedras, que llaman galgas, de tal suerte que con echar una piedra cuando llega a cinco o seis estados, lleva tras sí más de otras treinta de las que ha removido. Y así cuando llega abajo, no tienen número las que lleva. Y con todo esto desecharon la cuesta* y por una ladera tomaron las espaldas a Guaypalcon...».

la ropa que los indios no pudieron subir a la sierra la quemaron aquella noche, quedando en el campo más de quince mil ovejas y más de cuatro mil indias e indios que se vinieron a los españoles de los que llevaba presos el Quizquiz.

Y llegados los cristianos a San Miguel, don Diego de Almagro envió al Puerto Viejo al capitán Diego de Mora, a que por él se entregase de la armada de don Pedro de Alvarado, el cual para ello envió de su parte a García de Holguín que se la hiciese dar. Y después que don Diego dio allí en San Miguel muchos socorros de armas y dineros y vestidos, así a su gente como a la de don Pedro de Alvarado, continuaron su camino la vía de Pachacama, y a la pasada dejó poblando la ciudad de Trujillo al capitán Martín Astete, como el gobernador don Francisco Pizarro lo había mandado. En este tiempo llegando el Quizquiz cerca de Quito, un capitán de Benalcázar le desbarató la gente que llevaba en el avanguardia, por lo cual estuvo en grande aflicción, sin saber qué se hacer, porque sus capitanes le decían que se diese de paz a Benalcázar, por lo cual él los amenazó de muerte y los mandó apercibir para volver atrás. Y como la gente no tenía comida para dar la vuelta, fueron a él ciertos capitanes llevando por cabeza a Guaypalcon[77] y le dijeron que era mejor morir peleando con los cristianos que no volver a morir de hambre en el despoblado. A lo cual no le dio buena respuesta el Quizquiz y por ello Guaypalcon le dio con una lanza por los pechos, y luego le acudieron otros capitanes y con porras y hachas le hicieron pedazos y derramaron la gente, dejando ir a cada uno donde quiso.

---

[77] Aquí y en la siguiente mención a este capitán, en 1555 leemos «Guaypalan», a pesar de que al comienzo del capítulo se le nombraba como «Guaypalcon». Se respeta esta primera forma, que es la que aparece también en 1577.

Capítulo XIII

De cómo el gobernador pagó a don Pedro de Alvarado
los cien mil pesos del concierto, y cómo don Diego
se quiso hacer recibir por gobernador en el Cuzco

Llegados don Diego y don Pedro a Pachacama, el gobernador, que allí había venido desde Jauja, los recibió alegremente y pagó a don Pedro los cien mil pesos que se había concertado con él de darle por el armada, aunque de muchos fue aconsejado que no se los pagase, diciendo que la armada no valía cincuenta mil y que aquel concierto había hecho don Diego de temor, por no romper con don Pedro, que le tenía mucha ventaja, y que sería mejor enviarlo preso a su majestad. Y aunque el gobernador pudiera hacer todo aquello muy fácilmente y sin peligro, quiso más cumplir la palabra de don Diego de Almagro, su compañero, y le pagó liberalmente los cien mil pesos en buena moneda y le dejó ir con ellos a su gobernación de Guatimala, y él se quedó poblando la ciudad de Los Reyes, pasando allí la población que tenía hecha en Jauja, porque le pareció lugar más apacible y aparejado para todo género de contratación, por ser puerto de mar.

Desde allí se fue don Diego con mucha gente al Cuzco, y el gobernador bajó a Trujillo a reformar la población y a repartir la tierra. Y allí le llegó nueva cómo don Diego de Almagro se había querido alzar con la ciudad del Cuzco, porque había sabido que su majestad, con la nueva que le llevó Hernando Pizarro, le había proveído de la gobernación de otras cien leguas, pasados los límites de la de don Francisco, que decían acabarse antes del Cuzco. Y a esto resistieron Juan Pizarro y Gonzalo Pizarro, hermanos del gobernador, con mucha gente que les acudió, y cada día andaban a lanzadas con don Diego y con el capitán Soto,

157

que era de su parte, pero a la fin no pudo salir con ello, porque la mayor parte del cabildo acostó a la parte del gobernador y de sus hermanos. Y como el gobernador esta nueva supo, se fue por la posta al Cuzco y con su presencia lo apaciguó todo y perdonó a don Diego, que muy confuso estaba por lo que había hecho sin tener título ni provisión para ello, salvo porque le dijeron solamente que le estaba concedido.

Y allí de nuevo tornaron a firmar nueva concordia y compañía en esta manera: que don Diego de Almagro fuese a descubrir por la tierra hacia la parte del sur, y que si buena tierra hallase pedirían la gobernación a su majestad para él, y no la habiendo tal, partirían la gobernación de don Francisco entre ambos, y después desto juraron en la hostia consagrada de no ser el uno contra el otro. Y algunos dicen que Almagro juró de no tocar en el Cuzco ni en ciento y treinta leguas adelante, aunque su majestad se lo diese en gobernación y que, hablando con el santo sacramento, dijo así: «Plega a ti, Señor, que cuando este juramento quebrantare tú me confundas cuerpo y alma». Y hecho esto, don Diego se aderezó y se fue su jornada con más de quinientos hombres que le siguieron, y el gobernador se volvió a la ciudad de Los Reyes y envió a Alonso de Alvarado a conquistar la tierra de los Chachapoyas, que es a sesenta leguas de la ciudad de Trujillo la sierra adentro, en la cual conquista pasó mucho trabajo él y los que con él fueron, hasta que poblaron y pacificaron aquella tierra, quedándole a él encomendada la gobernación y justicia della.

Libro tercero

*De la jornada que don Diego de Almagro hizo a Chili
y de las cosas que en este medio sucedieron en el Perú,
y cómo los indios se alzaron con la tierra*

Capítulo I

De cómo don Diego de Almagro se partió para Chili[78]

Don Diego de Almagro se partió en descubrimiento de
su conquista con quinientos y setenta hombres de pie y
de caballo bien aderezados, y algunos vecinos dejaron sus
casas y repartimientos de indios y se fueron con él, con la
gran suma de oro que en aquellas partes había. Y envió
adelante a Juan de Sayavedra, natural de Sevilla, con cien
hombres, que en la provincia que después llamaron los
Charcas topó con ciertos indios que venían de Chili a dar
la obediencia al Inga. Llevó consigo el adelantado hasta
doscientos hombres de pie y de caballo, con que fue conquistando por espacio de doscientas y cincuenta leguas hasta la provincia de Chicoana, donde tuvo noticia que le se-

---

[78] En el anexo I ofrecemos la transcripción completa de este capítulo
siguiendo la versión primera, correspondiente a la edición de la BNF
(ejemplar A1, según la clasificación de Roche [1978], véase la introducción).

guían otros cincuenta españoles y les escribió que se viniesen a él, trayendo por capitán a Noguerol de Ulloa, y con todos fue conquistando hasta la provincia de Chili, que son otras trescientas y cincuenta leguas. Y allí quedó con la mitad de la gente, y con la otra mitad envió a descubrir a Gómez de Alvarado, el cual descubrió hasta sesenta leguas y por las aguas del invierno se volvió a don Diego.

Cuando el adelantado partió del Cuzco, Mango Inga dejó concertado con Villaoma, su hermano, que en un día señalado matase a los cristianos que estaban en el Perú y que él mataría a don Diego y a los suyos, lo cual no pudo efectuar y el hermano hizo el levantamiento que adelante se dirá. Del real de don Diego se huyó aquel indio llamado don Felipe, que era lengua, porque sabía el trato, y don Diego envió tras él y, preso, le hizo descuartizar y él confesó al tiempo de la muerte que había sido causa de la injusta muerte que se dio a Atabaliba por gozar de su mujer.

Habiendo dos meses que el adelantado estaba en Chili, llegó allí un capitán suyo llamado Ruy Díaz con cien hombres de socorro, y certificó haberse rebelado todos los indios del Perú y haber muerto la mayor parte de los cristianos que allí había, la cual nueva Almagro sintió mucho y determinó volver sobre los indios y reducir la tierra al servicio de su majestad, para enviar (después de haberlo hecho) un capitán suyo con gente para poblar a Chili. Y así se partió y en el camino recibió cartas de Rodrigo Orgoños, que venía en rastro suyo con veinte y cinco hombres. Y poco después le alcanzó Juan de Herrada, que también venía en su socorro con cien hombres y traía las provisiones reales por donde su majestad le hacía gobernador de doscientas leguas más adelante, acabados los límites del marqués, llamando su gobernación la Nueva Toledo, porque la del marqués se llamaba la Nueva Castilla. Y aunque al principio deste capítulo se dice que don Diego llevó a este descubrimiento quinientos y setenta hombres, aquellos son los que se pensó que fueran, caso que en realidad de verdad no partieron más de los doscientos hombres y los otros socorros que después le vinieron, de que arriba se trata.

Capítulo II

De los trabajos que pasó don Diego de Almagro y su gente en el descubrimiento de Chili

Grandes trabajos pasó don Diego de Almagro y su gente en la jornada de Chili, así de hambre y sed como de reencuentros que tuvieron con indios de muy crecidos cuerpos que en algunas partes había, muy grandes flecheros y que andaban vestidos con cueros de lobos marinos. Y sobre todo les hizo gran daño el demasiado frío que pasaron en el camino, así del aire tan helado como después al pasar de unas sierras nevadas, donde acaeció a un capitán que iba tras don Diego de Almagro, llamado Ruy Díaz, quedársele muchas personas y caballos helados, sin que bastasen ningunos vestidos ni armas a resistir la demasiada frialdad del aire que los penetraba y helaba. Y era tan grande la frialdad de la tierra que cuando dende en cinco meses don Diego volvió al Cuzco halló en muchas partes algunos de los que murieron a la ida en pie arrimados a algunas peñas helados, con los caballos de rienda también helados, y tan frescos y sin corrupción como si entonces acabaran de morir, y así fue gran parte de la sustentación de la gente que venía los caballos que topaban helados en el camino y los comían.

Y en todos estos despoblados donde no había nieve era grande la falta del agua, la cual suplieron con llevar cueros de ovejas llenos de agua, de tal manera que cada oveja viva llevaba a cuestas el cuero de otra muerta con agua. Porque, entre otras propiedades que tienen estas ovejas del Perú, es una de llevar dos y tres arrobas de carga, como camellos, con quien tienen mucha semejanza en el talle, si no les faltase la giba de los camellos. Y también las han impuesto

161

los españoles en que lleven una persona cabalgando cuatro y cinco leguas en un día, y cuando se sienten cansadas y se echan en el suelo ningún medio basta para levantarlas, aunque las hieran y ayuden, si no es quitándoles la carga. Y cuando llevan algo[79] cabalgando, si se cansan y las apremian a andar, vuelven la cabeza al que va encima y le rucian con una cosa de muy mal olor, que parece ser de lo que traen en el buche. Es animal de gran fruto y provecho, porque tiene finísima lana, especialmente las que llaman pacos, que tienen las vedijas largas, son de poco mantenimiento, especialmente las que trabajan y comen maíz, que se pasan cuatro y cinco días sin beber. La carne dellas es tan sabrosa y sana como los carneros muy gordos de Castilla. Y destas hay ya por toda la tierra carnicerías públicas, porque a los principios no era menester, sino que como cada español tenía ganado propio, en matando una oveja enviaban los vecinos por lo que habían menester a su casa, y así se proveían a veces.

En cierta parte de Chili, en unos campos rasos, hay avestruces que para las matar se ponían los de caballo en postas corriendo tras ellas los unos hasta donde estaban los otros, porque de otra manera no las podía alcanzar un caballo, según vuelan a pie, saltando a trancos casi sin levantar del suelo. También hay por aquella costa muchos ríos que corren de día y de noche no traen gota de agua, lo cual causa gran admiración en los que no entienden que aquello procede de que se derrite de día la nieve de las sierras con el calor del sol, y entonces corre el agua, lo cual de noche con la frialdad se reprime y no corre. Y pasadas quinientas leguas por luengo de costa, que son treinta grados de aquel cabo de la línea equinoccial hacia la parte del sur, llueve y vientan todos los vientos que en España y otras partes del Oriente.

---

[79] 1577: alguno.

Es toda aquella tierra de Chili bien poblada y algo doblada, tanto rasa como montuosa, y aunque por los golfos y
ancones que la mar hace la tierra se corre por diversos rum-
bos y viajes, pero la mar por luengo de costa se considera
norte sur, que es de mediodía a septentrión, desde la ciudad
de Los Reyes hasta en cuarenta grados, y es tierra muy templada y hay en ella invierno y verano, aunque en los tiempos
contrarios de Castilla. El norte que allí parecía que debe
corresponder a nuestro norte, no se parece en aquella tierra
ni se conoce más de por una sola nube chica y blanca que
entre noche y día da una vuelta a aquel lugar, donde verosímilmente se cree que está aquel norte que los astrólogos llaman
Polo Antártico. Y asimismo se parece un crucero con otras
tres estrellas que tras él andan, que por todas son siete, a la
manera de las siete estrellas que rodean nuestro norte, que los
astrólogos llaman Trión y están puestas al compás de las
nuestras, sin diferir más de que las cuatro que hacia el mediodía hacen cruz están más juntas allí que en nuestro polo. El
nuestro norte se pierde de vista de todo punto poco menos
de doscientas leguas de Panamá, llegando debajo la línea, y
entonces se ven desde allí estos dos triones o guardas del
norte cuando están más altas sobre las cabezas de los mismos
nortes, aunque por grande espacio del Polo Antártico no se
parecen más de las cuatro estrellas que hacen el crucero por
el cual se gobiernan los mareantes, y después, metiéndose en
treinta grados para arriba, vienen a descubrir todas siete.

En esta tierra de Chili hace diferencia el día de la noche
y la noche del día según el tiempo, que es por la orden que
en Castilla aunque trocados los tiempos, como está dicho.
En la tierra del Perú y en la provincia de Tierra Firme y en
todas las tierras vecinas a la línea equinoccial la noche es
igual con el día todo el año, y si algún tiempo crece o men-
gua en la ciudad de Los Reyes, no es distancia que se eche
de ver notablemente.

Los indios de Chili visten como los del Perú, son hombres y mujeres de buenos gestos y comen las viandas que en

el Perú. Y adelante de Chili, en treinta y ocho grados de la línea, hay dos grandes señores que traen guerra el uno contra el otro, y cada uno saca en campo doscientos mil hombres de guerra. El uno dellos se llama Leuchengorma, que tiene una isla dos leguas de la Tierra Firme dedicada a sus ídolos, donde hay un gran templo que lo sirven dos mil sacerdotes. Y los indios deste Leuchengorma dijeron a los españoles que cincuenta leguas más adelante hay entre dos ríos una gran provincia toda poblada de mujeres, que no consienten hombres consigo más del tiempo conveniente a la generación, y si paren hijos los envían a sus padres, y si hijas, las crían. Están sujetas a este Leuchengorma, la reina dellas se llama Guaboymilla[80], que en su lengua quiere decir cielo de oro, porque en aquella tierra diz que se cría gran cantidad de oro, y hacen muy rica ropa y de todo pagan tributo a Leuchengorma.

Y aunque muchas veces se ha tenido muy cierta noticia de todo esto, nunca ha habido aparejo de poderlo ir a descubrir, por no haber querido poblar don Diego de Almagro y porque Pedro de Valdivia, que después fue enviado a poblar esta tierra, nunca tuvo tanto número de gente con que pudiese ir a descubrir y dejar poblados los pueblos que tiene hechos. La población deste capitán está treinta y tres grados de aquel cabo de la línea hacia el sur, y de ser toda la costa bien poblada hasta más de cuarenta grados de costa dio noticia un navío de la armada que envió don Gabriel de Carvajal[81], obispo de Plasencia, que embocó por el estrecho de Magallanes y desde allí vino costeando la tierra hacia el norte, hasta llegar al puerto de la ciudad de Los Reyes. En este navío fueron los primeros ratones que en el Perú hubo, porque antes no los había, y después acá han acudido en gran número por todas las ciudades del Perú.

---

80 1577: Gaboymilla.
81 1577: don Gutierre de Carvajal.

Créese que yendo las crías entre cajas o fardeles de mercaderías que van de unas partes a otras, y así los llaman los
indios ococha, que quiere decir cosa salida de la mar.

Capítulo III

De la vuelta de Hernando Pizarro al Perú y de los despachos
que llevó, y del alzamiento de los indios

Después que don Diego de Almagro partió del Cuzco,
vino de Castilla Hernando Pizarro, a quien su majestad
había dado el hábito de Santiago y hecho otras mercedes, y
trajo prorrogación por ciertas leguas en la gobernación de
don Francisco Pizarro, su hermano, y la provisión que hemos dicho para la nueva gobernación de don Diego de
Almagro. Y en este tiempo Mango Inga, señor del Perú,
estaba preso en la fortaleza del Cuzco por los conciertos
que arriba tenemos dicho que hizo con Paulo Inga y con
Villaoma, su hermano, de matar los cristianos. Escribió a
Juan Pizarro rogándole lo mandase soltar, por que Hernando Pizarro no lo hallase preso, y Juan Pizarro, que en el
Collao andaba conquistando un peñol de indios, lo mandó
soltar.

Pues llegado Hernando Pizarro al Cuzco tomó grande
amistad con el Inga y le trataba muy bien, aunque siempre
le hacía guardar. Creyose que esta amistad era a fin de pedirle algún oro para su majestad o para sí mismo, y dende
a dos meses que llegó al Cuzco, el Inga le pidió licencia
para ir a la tierra de Yucaya a celebrar cierta fiesta, prometiéndole traer de allá una estatua de oro macizo que era al
natural de su padre Guaynacaba. E ido allá, dio conclusión
en el camino que concertado tenía desde que don Diego
partió para Chili, y desde allí hizo luego matar algunos mineros y gente de servicio que andaban por el campo en las
estancias y minas y envió de sobresalto un capitán con mu-

cha gente que se apoderó de la fortaleza del Cuzco, de manera que en seis días los españoles no se la pudieron tornar a ganar. Y en la toma della mataron a Juan Pizarro una noche de una pedrada que le dieron en la cabeza porque, a causa de otra herida que antes tenía, no se había podido poner la celada. La cual muerte fue gran pérdida en toda la tierra, porque era Juan Pizarro muy valiente y experimentado en las guerras de los indios y bienquisto y amado de todos.

Y así vino el Inga con todo su poder sobre el Cuzco y la tuvo cercada más de ocho meses, y cada lleno de luna la combatía por muchas partes, aunque Hernando Pizarro y sus hermanos la defendían valientemente con otros muchos caballeros y capitanes que dentro estaban, especialmente Gabriel de Rojas y Hernán Ponce de León y don Alfonso Enríquez y el tesorero Riquelme, y otros muchos que allí había, sin quitar las armas de noche ni de día, como hombres que tenían por cierto que ya el gobernador y todos los otros españoles eran muertos de los indios, que tenían noticia que en todas las partes de la tierra se habían alzado. Y así, peleaban y se defendían como hombres que no tenían más esperanza de socorro sino en Dios y en el de sus propias fuerzas, aunque cada día los disminuían los indios, hiriendo y matando en ellos. Y durante esta guerra y cerco Gonzalo Pizarro salió con veinte de caballo a correr la tierra hasta la laguna de Chinchero, que es a cinco leguas del Cuzco, donde tanta gente vino sobre él que, por mucho que peleó, ya los indios le traían casi rendido, si Hernando Pizarro y Alonso de Toro no lo socorrieran con alguna gente de caballo, porque él se había metido más adentro en los enemigos de lo que convenía, según la poca gente que llevaba, con más ánimo que prudencia.

Capítulo IV

De cómo vino don Diego de Almagro sobre el Cuzco y prendió a Hernando Pizarro[82]

Ya dijimos arriba cómo, después que Juan de Herrada llevó a Chili la provisión que su majestad dio para que don Diego de Almagro fuese gobernador pasada la gobernación de don Francisco Pizarro, se determinó de volver al Perú y apoderarse de la ciudad del Cuzco. Para lo cual le daban gran priesa los caballeros principales que con él andaban, especialmente Gómez de Alvarado, hermano del adelantado don Pedro de Alvarado, y su tío Diego de Alvarado y Rodrigo Orgoños, los unos con codicia de poseer los repartimientos de la tierra del Cuzco y los otros por ambición de quedar solos en la gobernación de Chili. Y así, para salir con su intento, trataban con las lenguas, que dijesen cómo el gobernador Pizarro y los demás españoles que en el Perú quedaron habían sido muertos por los indios que se habían rebelado, porque ya la noticia del alzamiento de los indios había llegado a aquellas partes.

Pues con la instancia que toda esta gente hizo a don Diego se volvió, y cuando llegó a seis leguas del Cuzco, sin hacer saber nada a Hernando Pizarro, se carteó con el Inga, prometiéndole de perdonarle todo lo que había hecho si fuese su amigo y le favoreciese, porque aquella tierra del Cuzco era de su gobernación y que volvía a apoderarse della. Y el Inga cautelosamente le envió a decir que se fuese a ver con él, lo cual don Diego hizo, no recelándose de engaño ninguno, dejando alguna parte de su gente con Juan de Sayavedra y llevando él toda la demás. Mas cuando el Inga

---

[82] En el anexo I ofrecemos la transcripción completa de este capítulo siguiendo la versión primera, correspondiente a la edición de la BNF (ejemplar A1, según la clasificación de Roche [1978], véase la introducción).

vio su tiempo, dio sobre don Diego con tanta furia que le hizo mucho daño. Y entretanto, habiendo sabido Hernando Pizarro la venida de don Diego de Almagro y cómo Juan de Sayavedra quedaba en el pueblo de Hurcos con la gente, salió del Cuzco con 170 hombres a punto de guerra, de lo cual siendo avisado Juan de Sayavedra apercibió su campo, que era de 300 españoles, y alojolos en un sitio fuerte.

Y llegado Hernando Pizarro, envió a rogar a Juan de Sayavedra que se viesen solos, para tratar de medios en los negocios. Juan de Sayavedra aceptó las vistas, en las cuales se dijo que Hernando Pizarro había ofrecido a Juan de Sayavedra mucha cantidad de pesos de oro por que le entregase la gente, lo cual Juan de Sayavedra no aceptó ni era de creer que aceptara, por ser caballero de muy buena casta, de quien no se podía esperar que haría cosa que no debiese, aunque por ser estas cosas que pasaron en secreto no se puede afirmar la certidumbre dellas más de lo que las partes dijeron y el vulgo sospechaba, y algunos indicios en que se fundaban.

Don Diego de Almagro volvió del reencuentro que arriba está dicho que tuvo con el Inga y juntando su gente con la de Juan de Sayavedra se vino la vuelta del Cuzco, y en el camino hizo prender cuatro hombres de caballo con una emboscada que les echó, porque tuvo aviso que se los enviaban por espías. Y dellos supo muy por extenso todo lo que había pasado en la tierra con el levantamiento de los indios, los cuales habían muerto más de seiscientos españoles y quemado gran parte de la ciudad del Cuzco, de lo cual mostró gran sentimiento. Y luego envió a requerir al cabildo del Cuzco con las provisiones reales para que le recibiesen por gobernador de aquella ciudad, por ser acabados mucho antes della los límites de la gobernación del marqués. Oída por los del cabildo esta embajada, le respondieron que hiciese medir el término de la gobernación del marqués y que, constando que aquella ciudad caía fuera della, le recibirían por su gobernador.

La cual averiguación ni entonces ni después se hizo, caso que se juntaron a medir la tierra hombres diestros en ello pero nunca se conformaron en la forma de la medida, porque unos decían que se habían de medir las leguas que estaban señaladas para la gobernación de don Francisco por la costa de la mar, según iban haciendo ancones y caletas, o por el camino real con todos sus rodeos, porque en cualquier destas dos maneras la gobernación del marqués se acababa no solamente antes del Cuzco, mas (según algunos) aun antes de Los Reyes. El marqués pretendía que sus leguas se habían de medir por el aire, echando la cuerda derechamente sin ningún rodeo ni torcedura, o por la línea superior del cielo, midiendo la graduación por la altura del sol y dando tantas leguas a cada grado.

Pues tornando a la historia, Hernando Pizarro envió a decir a don Diego que él le haría desembarazar cierta parte de la ciudad donde se aposentase él y su gente seguramente, entretanto que enviaban relación de lo que pasaba a don Francisco Pizarro, que estaba en la ciudad de Los Reyes, para que se diese algún medio entre ellos, pues eran amigos y compañeros. Y algunos dicen que para tratar desto se pusieron treguas, debajo de las cuales teniéndose por seguro Hernando Pizarro hizo a todos los vecinos y gente de guerra que se fuesen a reposar a sus casas, porque muy cansados estaban de andar armados días y noches, sin dormir ni reposar un punto. Y como don Diego desto fue avisado, con la oscuridad de la noche, especialmente por un gran nublado que sobrevino, dio asalto en la ciudad. Mas cuando Hernando y Gonzalo Pizarro sintieron el ruido se armaron a gran priesa y, como fue su casa la primera sobre que dieron, con sus criados se defendieron fuertemente hasta que por todas partes les pusieron fuego y los prendieron.

Y luego otro día don Diego hizo que el cabildo le recibiese por gobernador y echó en prisiones a Hernando Pizarro y a su hermano, y aunque muchos le aconsejaron que los matase, no lo quiso hacer, por lo mucho que se lo defendió y le aseguró dellos Diego de Alvarado. Y túvose por cierto que a don Diego de Almagro dieron ocasión de quebrantar las treguas ciertos indios y aun españoles que le trajeron nuevas que Hernando Pizarro mandaba quebrar las puentes y se fortalecía en el Cuzco, lo cual pareció claro porque cuando él entraba en la ciudad dijo a grandes voces: «¡Oh, cómo me habéis engañado, que sanas hallo todas las puentes!». De todas estas cosas ninguna sabía el gobernador por entonces, ni lo supo de ahí a muchos días, como adelante se dirá. Don Diego de Almagro hizo Inga y dio la borla del imperio a Paulo, porque su hermano Mango Inga, visto lo que había hecho, se fue huyendo con mucha gente de guerra a unas muy ásperas montañas que llaman los Andes.

Capítulo V

De cómo mataron los indios muchos socorros
que el gobernador envió a sus hermanos al Cuzco

Entre otras cosas que el gobernador don Francisco Pizarro envió a suplicar a su majestad en remuneración de los servicios que había hecho en la conquista del Perú, fue una que le diese veinte mil indios perpetuos para él y sus descendientes en una provincia que llaman los Atabillos, con sus rentas y tributos y jurisdicción, y con título de marqués dellos. Su majestad le hizo merced de darle el título de marqués de aquella provincia y, en cuanto a los indios, le respondió que se informaría de la calidad de la tierra y del daño o perjuicio que se podía seguir de dárselos, y le haría toda la merced que buenamente hubiese lugar. Y así desde entonces en aquella carta le intituló marqués y mandó que se lo llamasen de ahí adelante, como se lo llamó, y por este dictado le intitularemos de aquí adelante en esta historia.

Pues entendida por el marqués la rebelión de los indios por lengua dellos mismos, no pensando que a tanto riesgo hubiese llegado, comenzó a enviar socorro de gente a Hernando Pizarro al Cuzco poco a poco como se iba juntando:

un día diez y otro quince, y así dende en adelante, según la posibilidad se ofrecía. Y entendido los indios que había de hacerse este socorro, proveyeron de mucha gente de guerra en los pasos angostos y peligrosos del camino para estorbar la jornada a los que fuesen. Y así todos cuantos el marqués envió en diversas veces los desbarataron y mataron los indios, lo cual no hicieran si aguardara a enviarlos todos juntos. Y habiendo ido a visitar las ciudades de Trujillo y San Miguel, envió a un Diego Pizarro con setenta de caballo para este socorro, los cuales todos mataron los indios en un muy áspero paso (que se llama la cuesta de Parcos), que es cincuenta leguas del Cuzco, y lo mismo hicieron a un cuñado suyo llamado Gonzalo de Tapia, que después envió con ochenta hombres de caballo. Y también desbarataron al capitán Morgovejo y al capitán Gaete con la gente que llevaron en diversos días, sin que de toda su gente se escapase casi ninguno y sin que los que se seguían supiesen el desbarate de los que iban delante, teniendo tal forma que los dejaban entrar en un valle muy hondo y angosto y, tomándoles la entrada y la salida con gran cantidad de indios, eran tantas las piedras y galgas que les echaban desde las cuestas, que casi sin venir a manos los mataban a todos. Y a toda esta gente (que fueron más de trescientos hombres de caballo) les tomaron gran cantidad de joyas y armas y ropas de seda.

Y viendo el marqués que no respondía ninguno destos socorros envió a Francisco de Godoy, natural de Cáceres, con cuarenta y cinco de caballo y, topando a solos dos hombres de los de Gaete que se habían escapado y habiendo sabido dellos lo que pasaba, se volvió a gran priesa, aunque ya le tenían tomados los pasos por donde habían entrado. Y les siguieron los indios más de veinte leguas, dándoles grande guerra por delante y por la retaguardia, que no le dejaban caminar sino de noche, y así llegó a la ciudad de Los Reyes, donde también vino el capitán Diego de Agüero con cierta gente que se habían escapado a uña de caballo, porque en sus mismos pueblos los indios los habían querido matar. Y porque tuvo nueva

172

el marqués que tras Diego de Agüero venía gran copia de indios de guerra, envió a un Pedro de Lerma con más de setenta de caballo y con muchos indios amigos que salieron al reencuentro a la gente del Inga, con los cuales pelearon gran parte del día, hasta que en un peñol los indios se hicieron fuertes y los españoles los cercaron por todas partes, y aquel día quebraron los dientes al capitán Lerma e hirieron otros muchos españoles, aunque no mataron más de uno de caballo.

Y los cristianos los pusieron en tal aprieto que si el marqués no los mandara recoger, aquel día se diera fin a la guerra, porque los indios estaban muy apretados en aquella pequeña sierra y no tenían lugar de pelear. Y así cuando los españoles se retrajeron dieron muchas gracias al Señor porque les había escapado, haciéndole oración y sacrificio. Y levantando de allí el real, se fueron a poner sobre una alta sierra que está junto a la ciudad de Los Reyes, el río en medio, peleando a la continua con los españoles. El caudillo destos indios era un señor llamado Tizoyopangui, y con aquel hermano del Inga que el marqués envió con Gaete. En esta guerra que los indios dieron en la ciudad de Los Reyes acaeció que muchos indios, criados de los españoles que llaman yanaconas, iban de día a ganar sueldo de los indios y de noche venían a cenar y dormir con sus amos[83].

Capítulo VI

De cómo el marqués envió a pedir socorro a diversas partes
y cómo el capitán Alonso de Alvarado le fue a socorrer

Viendo el marqués tanta multitud de indios sobre la ciudad de Los Reyes, tuvo por cierto que Hernando Pizarro y todos los del Cuzco eran muertos y que había sido tan gene-

---

[83] 1577: señores.

ral este levantamiento que habrían en Chili desbaratado a don Diego y a los que con él iban. Y por que los indios no pensasen que por temor detenían los navíos para huir en ellos, y también por que los españoles no tuviesen alguna confianza en poderse salir de la tierra por la mar y por esto peleasen menos animosamente de lo que debían, envió a Panamá a los navíos y de camino envió al visorrey de la Nueva España y a todos los gobernadores de las Indias, pidiéndoles socorro y dándoles a entender el grande aprieto en que quedaba, significándolo con palabras de no tanto ánimo como solía mostrar en otras cosas, las cuales él puso por persuasión de algunas personas de poco corazón que se lo aconsejaron.

Y asimismo envió mandar a su teniente de Trujillo que despoblase la ciudad y que en un navío que para ello les envió embarcasen sus mujeres e hijos y haciendas, y los enviasen a Tierra Firme, y ellos se viniesen con sus armas y caballos solamente a le ayudar, porque él tenía por cierto que también habían de acudir los indios sobre ellos y no estaba en tiempo de los poder socorrer. Y así era mejor que todos se hiciesen un cuerpo, aunque mandó que la venida fuese secreta, creyendo que no sabiéndola los indios por ir sobre ellos se dividirían, y ellos así lo hicieron aunque, estando para se partir, les llegó el capitán Alonso de Alvarado con toda la gente que traía en el descubrimiento de los Chachapoyas, porque el marqués les había enviado a mandar que, dejada la conquista, los viniese a socorrer. Y así, poniendo alguna gente de guerra de la que traía en defensa de la ciudad de Trujillo, él con lo restante se fue a la ciudad de Los Reyes en socorro del marqués. Y como llegó le hizo su capitán general en lugar de Pedro de Lerma, que hasta entonces lo había sido, por el cual desabrimiento Pedro de Lerma hizo el motín que adelante se dirá.

Y así viéndose el marqués con pujanza de gente le pareció socorrer a lo más peligroso y envió al capitán Alonso de Alvarado con trescientos españoles de pie y de caballo, que fue talando y conquistando la tierra. Y a cuatro leguas de la ciudad en Pachacama[84] tuvo una recia batalla con los indios, los cuales desbarató y mató muchos dellos y prosiguió su camino la vía del Cuzco. Y adelante, al pasar de un despoblado, pasó[85] gran trabajo porque se le murieron más de quinientos indios del servicio de sed, y si los de caballo no corrieran y con vasijas llenas de agua volvieran a socorrer los de a pie, créese que todos perecieran, según estaban fatigados. Y yendo así conquistando, le alcanzó en la provincia de Jauja Gómez de Tordoya, natural de Villanueva de Barcarrota, con otros doscientos hombres de pie y de caballo que tras él envió. Y con todos quinientos hombres Alonso de Alvarado caminó hasta la puente de Lumichaca, donde los cercaron los indios por todas partes y hubo con ellos batalla, en que los venció y mató muchos dellos, y de ahí adelante siempre fueron peleando con él hasta la puente de Abancay, donde fue certificado de la prisión de Hernando y Gonzalo Pizarro y de todo lo demás que en el Cuzco había pasado, y propuso de no pasar adelante hasta tener mandado de lo que había de hacer.

Y como don Diego de Almagro supo la venida de Alonso de Alvarado, envió a Diego de Alvarado con otros siete u ocho caballeros a notificarles sus provisiones, los cuales en llegando Alonso de Alvarado prendió y respondió que enviase a notificar aquellas provisiones al marqués, porque él no era parte para tratar de aquel negocio. Y como don Diego vio que sus mensajeros no volvían, temiendo que Alonso de Alvarado por otro camino se iría a entrar en el Cuzco, se volvió a gran priesa, porque ya había salido tres leguas de la ciudad. Y desde a quince días sacó su gente sobre Alonso de Alvarado, porque supo que Pedro de Lerma tenía ordenado un motín para pasársele con más de ochenta hombres. Y cuando don Diego llegó cerca de Alonso de Alvarado, sus corredores prendieron a Pedro Álvarez Holguín, que adelante iba

---

[84] 1577: de la ciudad de Pachacama.
[85] 1577: padeció.

descubriendo el campo, con una celada que le echó. Y sabiendo Alonso de Alvarado la prisión, quiso él también prender a Pedro de Lerma por la sospecha que ya de él tenía, el cual se le huyó aquella noche llevando las firmas de todos aquellos con quien dejaba hecho concierto.

Y don Diego una noche llegó a la puente porque supo que Gómez de Tordoya y un hijo del coronel Villalba le estaban aguardando, y mucha parte de su gente envió por el vado, donde supo que los conjurados con Pedro de Lerma guardaban el paso, los cuales se le dieron y aun los animaban para que pasasen sin miedo. Y se supo que algunos destos conjurados habían hecho el trato de tan buena gana que, haciendo la guardia aquella noche, hurtaron más de cincuenta lanzas a los de Alonso de Alvarado y las echaron por el río abajo. Pues cuando Alonso de Alvarado quiso acometer, faltáronle los del motín y otra mucha gente de su ejército que por buscar sus lanzas no acudieron. Y así muy fácilmente don Diego los desbarató sin muerte de españoles y allí quebraron los dientes con una pedrada a Rodrigo Orgoños y, después de saqueado el real y preso Alonso de Alvarado, se volvió al Cuzco, haciendo algunos malos tratamientos a los vencidos y quedando tan soberbios que decían que no había de quedar en todo el Perú pizarra en que tropezar, y que el marqués y sus hermanos se habían de ir a gobernar a los manglares, bajo de la línea equinoccial.

Capítulo VII

*De cómo el marqués iba en socorro de sus hermanos
al Cuzco y, sabido el vencimiento de Alonso de Alvarado,
se volvió a Los Reyes*

Con las victorias que Alonso de Alvarado hubo de los indios yendo camino del Cuzco, así en Pachacama como en Lumichaca (según arriba está dicho), el Inga y Tizoyo-

176

pangui tuvieron por bien de alzar el real de sobre la ciudad de Los Reyes. Y viéndose el marqués libre y con mucha gente, se partió para el Cuzco en socorro de sus hermanos, llevando consigo más de setecientos hombres de pie y de caballo, el cual socorro él pensaba que hacía contra los indios, porque ninguna cosa sabía de la vuelta de don Diego de Almagro ni de lo que dello había resultado. Y mucha parte desta gente le había enviado don Alonso de Fuenmayor, arzobispo y presidente de la isla de Santo Domingo, con Diego de Fuenmayor, su hermano, y el licenciado Gaspar de Espinosa había traído alguna parte della desde Panamá y asimismo un Diego de Ayala, a quien el marqués envió a Nicaragua, había acudido con cierto socorro.

Y yendo el marqués con este ejército por el camino de los llanos, en la provincia de la Nasca, a veinte y cinco leguas de Los Reyes, le vinieron nuevas de la vuelta de don Diego y de todas las otras particularidades que después della habían sucedido (según arriba se han contado), lo cual sintió con el pesar que era razón y, pareciéndole que su gente iba aderezada como quien había de pelear con indios, determinó volverse a la ciudad de Los Reyes y proveerse como contra españoles. Y así lo hizo, enviando al Cuzco al licenciado Espinosa para que diese algún corte entre él y don Diego, atrayéndole a ello con que si su majestad sabía lo que había pasado y que ellos no estaban conformes, enviaría otro en lugar de ambos que gozase lo que ellos habían ganado con tanto trabajo. Y que cuando otra cosa no pudiese, acabase con don Diego que soltase sus hermanos y él se estuviese en el Cuzco sin bajar de allí abajo hasta que, consultado, su majestad proveyese y mandase lo que cada uno dellos había de gobernar.

Y con esta embajada fue el licenciado Espinosa, aunque ningún medio pudo tomar y sin concluir el negocio falleció. Y don Diego bajó con su gente a los llanos, dejando en el Cuzco por su teniente al capitán Gabriel de Rojas y presos en su poder a Gonzalo Pizarro y Alonso de Alvarado, y llevando consigo preso a Hernando Pizarro. Y así continuó su camino hasta la provincia de Chincha, que es veinte leguas de Los Reyes, y allí hizo un pueblo en lugar de posesión del gobernador.

Capítulo VIII

De cómo el marqués hizo gente y se soltaron de la prisión Alonso de Alvarado y Gonzalo Pizarro, y de lo que pasó en[86] ellos

Como el marqués llegó a la ciudad de Los Reyes, luego hizo tocar atambores y dio paga a la gente y engrosó su ejército con título de defenderse de don Diego, que decía venirle ocupando su gobernación. Y en pocos días juntó más de setecientos hombres de pie y de caballo, y entre ellos muchos arcabuceros, porque en la compañía de Diego de Fuenmayor había venido un capitán Pedro de Vergara (a quien arriba tenemos dicho que se encomendó el descubrimiento de los Bracamoros), el cual traía de Flandes, donde era casado, gran copia de arcabuces y de toda la munición dellos, porque hasta entonces no había tantos en el Perú que se pudiese juntar compañía ni número cierto de arcabuceros. Y a este Vergara y a un Nuño de Castro nombró el marqués por capitanes de arcabuceros, y a Diego de Urbina, natural de Orduña, sobrino del maestre de campo Juan de Urbina, nombró por capitán de piqueros, y de gente de caballo a Diego de Rojas y a Peranzures y Alonso de Mercadillo, e hizo maestre de campo a Pedro de Valdivia y sargento mayor a Antonio de Villalba, hijo del coronel Villalba.

En este tiempo Gonzalo Pizarro y Alonso de Alvarado, que como dijimos quedaron presos en el Cuzco, se soltaron

---

[86] 1577: con.

y se vinieron con más de setenta hombres al marqués, habiendo prendido a Gabriel de Rojas, teniente de don Diego. Con su venida holgó mucho el marqués, así por verlos fuera de peligro como porque con ellos tomó grande ánimo toda la gente, y luego hizo a Gonzalo Pizarro capitán general y Alonso de Alvarado capitán de gente de a caballo.

Y como don Diego supo la soltura de los presos y la gran pujanza de gente que el marqués tenía, determinó tomar algún partido con él, y aun de moverle él por su parte, enviando a ello con su poder a don Alonso Enríquez y al factor Diego Núñez de Mercado y al contador Juan de Guzmán, para que se viese con don Diego[87]. Y después de haber pasado entre ellos grandes tratos, el marqués lo dejó todo por vía de compromiso en manos de fray Francisco de Bobadilla, provincial en aquellas partes de la orden de la Merced, y lo mismo hizo don Diego. Y fray Francisco, usando de su poder, dio entre ellos sentencia: por la cual mandó que ante todas cosas fuese suelto Hernando Pizarro y restituida la posesión del Cuzco al marqués, como de primero la tenía, y que se deshiciesen los ejércitos, enviando las compañías así como estaban hechas a descubrir la tierra por diversas partes y que diesen noticia de todo a su majestad para que proveyese lo que fuese servido.

Y para que en presencia se viesen y hablasen el marqués y don Diego, trató que con cada doce de caballo se viniesen a un pueblo que se llamaba Mala, que estaba entre los dos ejércitos. Y así se partieron a la vista, aunque Gonzalo Pizarro, no se fiando de las treguas ni palabra de don Diego, se partió luego en pos de él con toda la gente y se fue a poner secretamente junto al pueblo de Mala, y mandó al capitán Castro que con cuarenta arcabuceros se emboscase en un cañaveral que estaba en el camino por donde don Diego había

---

[87] Aunque parece una clara errata, pues aquí debería referirse a Pizarro, Zárate no lo corrige en 1577, por lo que lo dejamos tal y como aparece en ambas ediciones.

de pasar, para que si don Diego trajese más gente de guerra de la concertada, disparase los arcabuces y él acudiese a la seña dellos.

Capítulo IX

De cómo se vieron los gobernadores
y fue suelto Hernando Pizarro

Cuando don Diego partió de Chincha para ir a Mala con sus doce caballeros, dejó mandado a Rodrigo Orgoños, que era su general, que estuviese a mucho recaudo y tuviese su gente a punto, para que si el marqués trajese más gente acudiese él luego e hiciese de Hernando Pizarro lo mismo que él viese que se hacía de él en las vistas. Y así cuando llegaron a juntarse se abrazaron ambos amorosamente y, después de haber pasado algunas pláticas sin tocar en el negocio principal, un caballero de los del marqués se llegó a don Diego al oído y le dijo: «Váyase vuestra señoría de aquí, que le cumple, porque yo como su servidor le aviso dello». Lo cual decía teniendo noticia de la venida de Gonzalo Pizarro, y como don Diego lo entendió pidió a gran priesa su caballo. Y como algunos caballeros del marqués sintieron que se quería ir le persuadieron que le prendiese, pues lo podía hacer tan fácilmente con los arcabuceros que Nuño de Castro tenía en la emboscada, y el marqués nunca lo permitió, por haber venido debajo de su palabra, ni creyó que se volviera sin concluir a lo que había venido.

Y como don Diego, al tiempo que se fue, vio la emboscada, tuvo por cierto el aviso que le habían dado y, vuelto a su real, se quejaba del marqués diciendo que lo habían querido prender sin querer recibir las disculpas que para ello el marqués le daba. Y después desto, por medio e intercesión de Diego de Alvarado, don Diego de Almagro soltó a Hernando Pizarro debajo de cierta pleitesía que entre ellos hubo, para que el marqués le daría navío y puerto seguro para enviar y recibir despachos de España, y que hasta tanto que nuevo mandado de su majestad viniese, no iría el uno contra el otro.

Esta soltura de Hernando Pizarro contradijo mucho Rodrigo Orgoños, porque había visto algunos malos tratamientos que en la prisión se le hicieron, pensando que se querría vengar dellos teniendo poder, y su voto siempre fue que le cortasen la cabeza. Pero valió más el parecer de Diego de Alvarado, confiado en el concierto que se había hecho y, suelto Hernando Pizarro, don Diego le envió al marqués acompañado de su hijo y de otros caballeros. Y aún apenas era partido cuando don Diego se arrepintió de lo hecho, y se cree que le volviera a la prisión si no que se dio tanta priesa a salir de su poder que en breve tiempo había andado la mayor parte del camino, hasta que topó con la gente más principal del marqués que le salían a recibir.

Capítulo X

De cómo el marqués fue sobre don Diego y él se retiró hacia el Cuzco

Cuando se hicieron aquellos conciertos, ya el marqués tenía provisión[88] y mandado de su majestad, que había traído Pedro Anzures, para que ambos gobernadores se estuviesen en la tierra que cada uno tuviese descubierta, poblada y conquistada al tiempo de la notificación, aunque fuese en los límites de la gobernación del otro, hasta tanto que su majestad proveyese en el negocio principal lo que de

---

[88] 1577: Ya cuando se hicieron aquellos conciertos, el marqués tenía provisión.

justicia se debiese hacer. Y con esta provisión, después que el marqués tuvo en su poder a Hernando Pizarro, envió a requerir a don Diego para que se saliese de la tierra y pueblos que él había descubierto y poblado, como su majestad lo mandaba. Don Diego respondió que él estaba presto de guardar y cumplir la provisión y lo que en ella se contenía, que era que cada uno se estuviese en la tierra y pueblos de la forma y manera en que les tomase la notificación de la provisión, y que antes con la mesma provisión él requería al marqués que le dejase estar sin guerra ni contienda alguna, como se estaba a la sazón, con protestación de obedecer y cumplir otra cualquiera cosa que sobre ello su majestad les enviase a mandar.

El marqués replicó que él tenía primero aquellos pueblos y ciudad y tierra del Cuzco, y la había descubierto y poblado, y que él le había desposeído della por fuerza, por tanto que se saliese de la tierra conforme a lo que su majestad mandaba. Donde no, que él le echaría della, pues ya era cumplido el plazo y pleitesía que habían hecho con el nuevo mandado de su majestad. Y como don Diego esto no quiso hacer, el marqués fue sobre él con toda su gente y don Diego se fue retrayendo hacia el Cuzco, y se hizo fuerte en una muy alta sierra que se llama de Guaytara, cortando todos los pasos de aquel áspero camino. Y Hernando Pizarro le iba siguiendo con cierta gente y le subió una noche la sierra por un secreto camino y con los arcabuceros le ganó el paso de tal manera que a don Diego le convino huir, y porque él iba enfermo se adelantó, dejando en la retaguarda a Rodrigo Orgoños, que muy ordenadamente se fuese retirando. El cual, sabiendo de dos de caballo de los del marqués a quien prendió una noche que le iban siguiendo, apresuró el camino, aunque los más de su ejército decían que volviese sobre ellos porque ya sabía que todos los que subían de los llanos a la sierra los primeros días se mareaban y estaban sin sentido, como los que comienzan a navegar. Lo cual Rodrigo Orgoños no quiso hacer, por no ir contra la orden de su gobernador, aunque se cree que le sucediera bien si lo hiciera, porque la gente del marqués iba mareada y maltratada de las muchas nieves que había en la sierra y recibiera mucho daño.

Y por ir tales, el marqués se volvió con el ejército a los llanos y don Diego se fue al Cuzco quebrando siempre las puentes, porque creía que le iban siguiendo. Don Diego estuvo en el Cuzco más de dos meses haciendo gente y otras municiones y aparejos de guerra, y haciendo armas de plata y cobre, y fundiendo artillería y todo lo demás que le era necesario.

Capítulo XI

De cómo Hernando Pizarro fue al Cuzco con su ejército y se dio la batalla de las Salinas y prendieron a don Diego de Almagro

Estando el marqués con todo su ejército en los llanos, de vuelta de la sierra, halló entre su gente diversos pareceres de lo que debía hacer, y al fin se resumió en que Hernando Pizarro fuese con el ejército que tenía hecho por su teniente a la ciudad del Cuzco, llevando por capitán general a Gonzalo Pizarro, su hermano, y que la ida fuese con título y color de cumplir de justicia a muchos vecinos del Cuzco que con él andaban, que se le habían quejado que don Diego de Almagro les tenía por fuerza entradas y ocupadas sus casas y repartimientos de indios y otras haciendas que tenían en la ciudad del Cuzco. Y así partió la gente para allá y el marqués se volvió a la ciudad de Los Reyes y, llegado Hernando Pizarro por sus jornadas a la ciudad una tarde, todos sus capitanes quisieron bajar a dormir al llano aquella noche, mas Hernando Pizarro no quiso sino asentar real en la sierra.

Y cuando otro día amaneció, ya Rodrigo Orgoños estaba en campo aguardando la batalla con toda la gente de don Diego, por capitanes de los de a caballo a Francisco de Chaves y a Juan Tello y Vincencio de Guevara[89]. Y por la parte de la sierra tenía con algunos españoles muchos indios de guerra para se ayudar dellos, y dejó presos en dos cabos de la fortaleza del Cuzco todos los amigos y servidores del marqués y de sus hermanos que en la ciudad estaban, que eran tantos y el lugar tan angosto, que algunos se ahogaron. Y otro día de mañana, habiendo oído misa, Gonzalo Pizarro y su gente bajaron al llano, donde ordenaron sus escuadrones y caminaron hacia la ciudad con intento de se ir a poner en un alto que estaba sobre la fortaleza, porque creían que viendo don Diego la pujanza de gente que tenían no le osaría dar la batalla, la cual ellos deseaban excusar por todas vías, por el daño que della esperaba. Mas Rodrigo Orgoños estaba en el camino real con toda su gente y artillería, aguardando muy fuera deste pensamiento, creyendo que no le podrían entrar por otra parte a causa de una ciénaga que allí había.

Mas como Hernando Pizarro lo descubrió, mandó al capitán Mercadillo que con su gente de caballo estuviese por sobresaliente, así para pelear con los indios de guerra si acometiesen, como para socorrer en la mayor priesa de la batalla, y antes que rompiesen se mezcló una pelea entre los indios que iban con Hernando Pizarro y los de don Diego. Los de caballo de Pizarro tentaron la ciénaga y entretanto los arcabuceros sobresalientes entraron por ella adelante y tiraron de tal manera a un escuadrón de don Diego, de los de caballo, que le hicieron retraer. Y cuando Pedro de Valdivia, maestre de campo del marqués, los vio retraer, certificó la victoria por su parte. Y los de don Diego tiraron un tiro que llevó cinco hombres de los del marqués.

Y cuando Hernando Pizarro y su gente tuvieron pasada la ciénaga y un arroyo que allí había, fueron muy ordena-

---

[89] 1577: Vasco de Guevara.

damente contra los enemigos, avisando a cada capitán de lo que había de hacer al tiempo del romper y esforzando la gente cuanto podía. Y porque vio Hernando Pizarro que los piqueros de don Diego tenían arboladas las picas, mandó a los arcabuceros que tirasen por alto, de manera que dos ruciados[90] le llevaron más de cincuenta picas. Y Rodrigo Orgoños, viendo esto, mandó a sus capitanes que rompiesen y, como vio que se detenían, arremetió con su batalla hacia la parte siniestra, donde había visto que Hernando Pizarro iba muy señalado delante [de] los escuadrones, y Orgoños iba diciendo a voces: «¡Oh, verbo divino!, síganme los que quisieren, que yo a morir voy». Como Gonzalo Pizarro y Alonso de Alvarado vieron el través que Orgoños les mostró, rompieron por los enemigos de manera que derribaron más de cincuenta hombres en el suelo. Y cuando Rodrigo Orgoños acometió le hirieron con un perdigón de arcabuz por la frente, habiéndole pasado la celada, y él con su lanza después de herido mató dos hombres y metió un estoque por la boca a un criado de Hernando Pizarro, pensando que era su amo porque iba muy bien ataviado.

Y como ambos ejércitos se mezclaron, pelearon tan fuertemente que los capitanes y gentes del marqués hicieron volver las espaldas a los de don Diego, matando e hiriendo muchos dellos. Y cuando don Diego los vio huir desde un alto donde los estaba mirando, porque a causa de estar enfermo no entró en la batalla, dijo: «Por nuestro Señor, que pensé que a pelear habíamos venido». Y teniendo dos caballeros rendido a Rodrigo Orgoños, llegó otro que de él había recibido cierta injuria y le cortó la cabeza y de aquella manera mataron a algunos rendidos sin que fuesen parte para lo estorbar Hernando Pizarro y los capitanes, aunque lo procuraban con harta diligencia. Porque como los de Alonso de Alvarado estaban afrentados de la rota que habían

---

90 1577: ruciadas.

recibido en la puente de Abancay, procuraban de se vengar como podían, tanto que, llevando uno rendido en las ancas de su caballo al capitán Ruy Díaz, llegó otro y de un golpe de lanza le mató. Pues viendo don Diego vencida su gente, se fue huyendo a meter en la fortaleza del Cuzco, donde le prendieron Alonso de Alvarado y Gonzalo Pizarro, que iban en su seguimiento.

Los indios, viendo la batalla fenecida, ellos también se dejaron de la suya, yendo los unos y los otros a desnudar los españoles muertos y aun algunos vivos que por sus heridas no se podían defender, porque como pasó el tropel de la gente siguiendo la victoria, no hubo quien se lo impidiese, de manera que dejaron en cueros a todos los caídos. Y los españoles, vencedores y vencidos, escaparon tales del reencuentro que muy fácilmente los indios los pudieran vencer si tuvieran ánimo para dar sobre ellos, como lo tenían concertado. Este reencuentro se dio a veinte y seis de abril de mil y quinientos y treinta y ocho años.

Capítulo XII

De lo que sucedió después de la batalla de las Salinas
y cómo se vino a España Hernando Pizarro

Fenecida esta batalla, Hernando Pizarro trabajó mucho de venir en gracia con los capitanes de don Diego que habían quedado vivos y, como no pudo acabarlo, muchos desterró del Cuzco. Y porque vio que no tenía posibilidad de satisfacer los que le habían servido, porque cada uno pensaba que con darle toda la gobernación no quedaba pagado, acordó de deshacer el ejército, enviando la gente a nuevos descubrimientos de que ya se tenía noticia, con lo cual hacía dos cosas: la una remunerar sus amigos y la otra desterrar sus enemigos.

Y así envió al capitán Pedro de Candía con trescientos hombres suyos y de los de don Diego para que entrase a cierta conquista de cuya riqueza se tenía mucha fama. Y como por aquella parte Pedro de Candía no pudo entrar por la aspereza de la tierra, se volvió hacia el Collao con toda la gente casi amotinada, porque un Mesa que había sido capitán de la artillería del marqués había dicho que, aunque pesase a Hernando Pizarro, pasaría por la tierra del Collao. A lo cual se atrevió por el favor que le daba la gente de don Diego que allí había, porque nunca acababan de allanar los pensamientos. Y así Candía envió preso a este Mesa con el proceso y averiguaciones que contra él se hicieron a Hernando Pizarro.

Y como él entendió que mientras don Diego fuese vivo nunca acabaría de quietarse la tierra ni sosegarse la gente, porque en esta probanza y en otras que Hernando Pizarro hizo halló en diversas partes motines de gente conjurada para venir a sacar de la prisión a don Diego y alzarse con la ciudad. Por todo lo cual le pareció que convenía matar a don Diego, justificando su muerte con las culpas que había tenido en todas las alteraciones pasadas, de que arriba se ha hecho mención, diciendo que él había sido la causa y fundamento dellas por haber al principio entrado con gente de guerra en la ciudad y ocupádola por su propia autoridad, y muerto mucha gente de los que le resistieron, y llegado con ejército y banderas tendidas a la provincia de Chincha (que no había duda ser de la gobernación del marqués), y así le sentenció a muerte.

Y como don Diego oyó la sentencia, hacía y decía muchas lástimas a Hernando Pizarro, trayéndole a la memoria que él había sido la causa que él y su hermano hubiesen subido en el estado en que estaban y les había dado hacienda para ello. Y que se acordase cómo le había él soltado graciosamente de la prisión en que le tuvo, no queriendo tomar el consejo de sus capitanes que le persuadían a que le matase, y que si algún mal tratamiento había recibido en la prisión, ni él lo había mandado ni sido sabidor dello, y que considerase que era muy viejo y que, aunque entonces no le matase, la mesma edad y tiempo le condenaría a muerte en breve. Y a esto Hernando Pizarro le respondió que no eran aquellas palabras para que una persona de tanto ánimo como él la[s] dijese ni se mostrase tan pusilánimo y que, pues su muerte no se podía excusar, que se conformase con la voluntad de Dios, muriendo como cristiano y como caballero. Y a esto le satisfizo don Diego con que no se maravillase de que él temiese la muerte como hombre y pecador, pues la humanidad de Cristo la había temido. Y en fin, Hernando Pizarro, en ejecución de su sentencia, le hizo degollar.

Y luego fue al Collao sobre la gente del capitán Candía e hizo justicia de Mesa, que había sido el inventor del motín, y con los trescientos hombres tornó a enviar al capitán Pedro Anzures a una entrada donde pensaron perecer todos de hambre, por las muchas ciénagas y maleza de la tierra. Y en tanto quedó conquistando la tierra del Collao, que es una tierra llana y muy poblada de minas de oro, y por ser muy fría no se cría maíz en ella y los indios comen unas raíces que llaman papas, que son de hechura y aun casi sabor de turmas de tierra y hay en ella mucho ganado de las ovejas que hemos dicho. Y como Hernando Pizarro supo que el marqués, su hermano, era venido al Cuzco, se vino a ver con él, dejando en su lugar para que continuase la conquista a Gonzalo Pizarro, su hermano, que llegó a descubrir hasta la provincia de los Charcas, donde le cercaron muchos indios de guerra que sobre él vinieron y le pusieron en tanto aprieto que fue forzado a Hernando Pizarro a volverlo a socorrer desde el Cuzco con mucha gente de caballo. Y por que más presto les llegase el socorro, fingió el marqués que él en persona iba a ello y salió de la ciudad dos o tres jornadas. Y como Hernando Pizarro llegó adonde Gonzalo Pizarro estaba halló que los indios eran ya [todos] desbaratados.

Y anduvieron algunos días conquistando aquella tierra, donde hubieron muchos reencuentros con los indios, hasta que prendieron a Tizo, capitán dellos, y así volvieron [ambos] al Cuzco, donde fueron graciosamente recibidos por el marqués, el cual dio de comer en la tierra a todos los que hubo lugar y a los otros envió a ciertas conquistas con los capitanes Vergara y Porcel (que arriba hemos contado), y por otra parte envió al capitán Alonso Mercadillo y al capitán Juan Pérez de Guevara. Y al maestre de campo Pedro de Valdivia envió a la tierra del Chili, donde don Diego se había vuelto.

Y todo esto hecho y asentada la tierra y derramada la gente, Hernando Pizarro se partió para España a dar cuenta a su majestad de [todo] lo sucedido, aunque de muchos fue aconsejado que no lo hiciese, porque no sabían cómo se habría tomado la muerte de don Diego. Y cuando vino aconsejó al marqués, su hermano, que no se fiase de los de don Diego, que comúnmente llamaban los de Chili, ni los dejase juntar, y que cuando viese que de seis arriba estaban juntos, supiese que le trataban la muerte.

Capítulo XIII

De lo que acaeció al capitán Valdivia en el viaje de la provincia de Chili y después de llegado

Pedro de Valdivia llegó con su gente a la provincia de Chili, donde los indios le recibieron de paz cautelosamente porque tenían sus sementeras por coger, que aún no estaba[n] de sazón. Y después que las tuvieron[91] se alzó toda la tierra y dieron sobre algunos españoles que andaban fuera de la población, y mataron catorce dellos. Y Valdivia los fue a socorrer y, andando en esta guerra, se quisieran alzar contra él algunos españoles, que él ahorcó en sabién-

---

[91] 1577: cogieron.

dolo, especialmente al capitán Pedro Sancho de Hoz, que había ido con él casi a título de compañero.

Y en tanto que él andaba en campo, por otra parte vinieron sobre la ciudad más de siete mil indios de guerra que pusieron en mucho estrecho a los pocos españoles que para la guarda della habían quedado con los capitanes Francisco de Villagrán y Alonso de Monroy, que no tenían más de treinta hombres de caballo, los cuales salieron al campo y pelearon valerosamente con los indios flecheros desde la mañana hasta que los despartió la noche, que todos quedaron muy cansados y heridos. Y los indios tuvieron por bien de se retirar por las muertes y gran daño que en aquel día recibieron. Y de ahí adelante toda la más desta tierra estuvo de guerra por más de ocho años y en todos ellos Valdivia y su gente le resistieron sin desamparar la tierra, antes hacía a sus soldados que sembrasen y arasen, y cogían frutos para mantenerse, por no se poder servir de los indios en la labor, y así se sostuvo hasta que volvió al Perú en tiempo que el licenciado de La Gasca estaba haciendo gente contra Gonzalo Pizarro, en todo lo cual [él] le sirvió y ayudó, como adelante se dirá.

Libro cuarto

*Que trata del viaje que Gonzalo Pizarro hizo
al descubrimiento de la provincia de la Canela,
y de la muerte del marqués*

Capítulo I

*De cómo Gonzalo Pizarro se aderezó para la jornada
de la Canela*

Después desto se tuvo noticia en el Perú que en la tierra de Quito, hacia la parte del oriente, había un descubrimiento de una tierra muy rica y donde se criaba abundancia de canela, por lo cual se llamó vulgarmente La tierra de la Canela. Y para la conquistar y poblar determinó el marqués enviar a Gonzalo Pizarro, su hermano. Y porque la salida se había de hacer desde la provincia de Quito y allí habían de acudir y proveerse de las cosas necesarias, renunció la gobernación de Quito en Gonzalo Pizarro, en confianza que su majestad le haría merced della, y así se partió para allá Gonzalo Pizarro con mucha gente que para este descubrimiento llevaba. Y en el camino le convino pelear con los indios de la provincia de Guánuco, que le salieron de guerra y le pusieron en tanto aprieto que fue necesario que el marqués enviase en su socorro a Francisco de Chaves, y así llegó Gonzalo Pizarro a Quito.

Y en este tiempo el marqués envió a Gómez de Alvarado a conquistar y poblar la provincia de Guánuco, porque della habían ido ciertos caciques llamados los Conchucos con mucha gente de guerra sobre la ciudad de Trujillo, y mataron cuantos españoles podían, y aun robaban y hacían [mucho] daño en los mismos indios sus comarcanos, y los que mataban y lo que robaban lo ofrecían todo a un ídolo que consigo traían, que llamaban la Cataquilla. Y así anduvieron hasta que de la ciudad de Trujillo salió Miguel de la Serna, vecino della, con la gente que pudo sacar y, juntándose con Francisco de Chaves, pelearon con los indios hasta que los vencieron y desbarataron.

Capítulo II

De cómo Gonzalo Pizarro partió de Quito y llegó a la Canela, y de lo que le acaeció en el camino

Habiendo aderezado Gonzalo Pizarro las cosas necesarias para su viaje, partió de Quito llevando consigo doscientos[92] españoles bien aderezados, los ciento de caballo con dobladura y más de cuatro mil indios amigos y tres mil cabezas de ovejas y puercos. Y después que pasó una población que se llamaba Ynga, llegó a la tierra de los Quixos, que es la última que conquistó Guaynacaba hacia la parte del septentrión, donde los indios le salieron de guerra y en una noche desaparecieron todos, que nunca más ninguno pudieron haber.

Y después de haber allí reposado algunos días en las poblaciones de los indios, sobrevino un tan gran terremoto con temblor y tempestad de agua y relámpagos y rayos y grandes truenos que, abriéndose la tierra por muchas par-

---

[92] 1577: quinientos.

tes, se hundieron más de quinientas casas. Y tanto creció un río que allí había que no podían pasar a buscar comida, a cuya causa padecieron gran necesidad de hambre. Y después de partidos destas poblaciones pasó unas cordilleras de sierras altas y frías, donde muchos de los indios de su compañía se quedaron helados. Y a causa de ser aquella tierra falta de comida, no paró hasta una provincia llamada Zumaco, que está en las faldas de un alto volcán, donde por haber mucha comida reposó la gente, en tanto que Gonzalo Pizarro con algunos dellos entró por aquellas montañas espesas a buscar camino y, como no le halló, se fue a un pueblo que llamaron de la Coca y de allí envió por toda la gente que había dejado en Zumaco. Y en dos meses que por allí anduvieron siempre les llovió de día y de noche, sin que les diese el agua lugar de enjugar la ropa que traían vestida.

Y en esta provincia de Zumaco y en cincuenta leguas al derredor hay la canela [de] que llevaban noticia, que son unos grandes árboles con hojas como de laurel y la fruta son unos racimos de fruta menuda que se crían en unos capullos. Y aunque esta fruta y las hojas y corteza y raíces del árbol tienen sabor y olor y sustancia de canela, pero la más perfecta es aquellos capullos que son de hechura, aunque mayores, de los capullos de bellotas de alcornoque, y aunque en toda la tierra hay muchos deste género de árboles silvestres que nacen y fructifican sin ninguna labor, los indios tienen muchos dellos en sus heredades y los labran, y así nace dellos más fina canela que de los otros. Y tiénenla ellos en mucho, porque la rescatan en las tierras comarcanas por los mantenimientos y ropa y todas las otras cosas que han menester para su sustentación.

Capítulo III

De los pueblos y tierras que pasó Gonzalo Pizarro hasta que llegó a la tierra donde hizo un bergantín

Pues dejando Gonzalo Pizarro en esta tierra de Zumaco la mayor parte de la gente, se adelantó con los que más sanos y recios estaban, descubriendo el camino según los indios le guiaban, y algunas veces por los echar de sus tierras les daban noticias fingidas de lo de adelante, engañándolos como lo hicieron los de Zumaco, que le dijeron que más adelante estaba una tierra de gran población y comida, lo cual halló ser falso, porque era tierra mal poblada y tan estéril que en ninguna parte della se podía sustentar. Hasta que llegó a aquellos pueblos de la Coca, que era junto a un gran río donde paró mes y medio, aguardando la gente que en Zumaco había dejado, porque en esta tierra les vino de paz el señor della.

Y de allí caminaron todos juntos el río abajo hasta hallar un saltadero que en el río había de más de doscientos estados, por donde el agua se derriba con tan gran ruido que se oía más de seis leguas, y dende a ciertas jornadas hallaron que se recogía el agua[93] del río en una tan pequeña angostura que no había de una orilla a otra más de veinte pies, y era tanta la altura desde las peñas hasta llegar al agua como la del saltadero que hemos dicho. Y de una parte y de otra era peña tajada, y en cincuenta leguas de camino no hallaron por dónde pasar sino por allí, que les defendían los indios el paso hasta que, habiéndolo ganado los arcabuceros, hicieron una puente de madera por donde seguramente pasaron todos.

---

[93] 1577: ...y dende a ciertas jornadas se recogía el agua...

Y así fueron caminando por una montaña hasta la tierra que llamaron de Guema, que era algo rasa y de muchas ciénagas y de algunos ríos, donde había tanta falta de comida que no comía la gente sino frutas silvestres, hasta que llegaron a otra tierra donde había alguna comida y era medianamente poblada. Y los indios andaban vestidos de algodón y en todas las otras tierras que habían pasado andaban en cueros, o por el demasiado calor que a la continua había, o porque no alcanzaban ropa. Solamente traían atados los prepucios con unas cuerdas de algodón por entre las piernas que se iban [a] atar a unas cintas que traen ceñidas por los lomos, y las mujeres traían pañetes sin otro ningún vestido.

Y allí hizo Gonzalo Pizarro un bergantín para pasar a la otra parte del río a buscar comida y para llevar por el río abajo la ropa y otros fardajes y a los enfermos, y aun para caminar él por el río, porque en las más partes a causa de ser la tierra tan anegada que aun con machetes y hachas no podían hacer camino. Y en hacer este bergantín pasaron muy gran trabajo porque hubieron de cimentar fraguas para el herraje, en lo cual se aprovecharon de las herraduras de los caballos muertos, porque ya no había otro hierro, e hicieron hornos para el carbón.

Y en todos estos trabajos hacía Gonzalo Pizarro que trabajasen desde el mayor hasta el menor, y él por su persona era el primero que echaba mano de la hacha y del martillo. Y en lugar de brea se aprovecharon de una goma que allí destilan unos árboles, y por estopa usaron de las mantas viejas de los indios y de las camisas de los españoles, que estaban podridas de las muchas aguas, contribuyendo cada uno según podía. Y así finalmente dieron cabo en la obra y echaron el bergantín al agua, metiendo en él todo el fardaje, y juntamente con él hicieron ciertas canoas que llevaban con el bergantín.

Capítulo IV

De cómo Francisco de Orellana se alzó y fue con el bergantín, y de los trabajos que sucedieron a causa desto

Cuando Gonzalo Pizarro tuvo hecho el bergantín[94] pensó que todo su trabajo era acabado y que con él descubriría toda la tierra, y así continuó su camino llevando el ejército por tierra, por las grandes ciénagas y atolladares que había por la orilla del río y espesuras de montes y cañaverales, haciendo el camino a fuerza de brazos con espadas y machetes y hachas, y cuando no podían caminar por la una parte del río se pasaban a la otra en el bergantín, y siempre caminaban con tal orden que los de tierra y los del río todos dormían juntos. Y cuando Gonzalo Pizarro vio que más de doscientas leguas habían caminado el río abajo y que no hallaban qué comer sino frutas silvestres y algunas raíces, mandó a un capitán suyo llamado Francisco de Orellana que con cincuenta hombres se adelantase por el río a buscar comida, con orden que si la hallaba, cargase della el bergantín, dejando la ropa que él llevaba a las juntas de dos grandes ríos que tenían noticia que estaban ochenta leguas de allí, y que le dejase dos canoas en unos ríos que atravesaban para que en ellos pasase la gente.

Pues partido Orellana, era tan grande la corriente que en breve tiempo llegó a las juntas de los ríos sin hallar ningún mantenimiento y, considerando que lo que en tres días había andado no lo podía subir en un año (según la furia del agua), acordó de se dejar ir el río abajo, donde la ventura le guiase, aunque se tuviera por medio más conveniente esperar allí. Y así se fue sin dejar las dos canoas, casi amotinado

---

[94] 1577: Gonzalo Pizarro cuando tuvo hecho el bergantín...

y alzado, porque muchos de los que con él iban le requirieron que no excediese de la orden de su general, especialmente fray Gaspar de Carvajal, de la orden de los Predicadores, que porque insistía más que los otros en ello le trató muy mal de obra y de palabra. Y así siguió su camino, haciendo algunas entradas en la tierra y peleando con los indios que se le defendían, porque salían a él muchas veces en el río gran número de canoas, y por ir tan apretados en el bergantín no podían pelear con ellos como convenía.

Y en cierta tierra donde halló aparejo se detuvo, haciendo otro bergantín, porque los indios le salieron de paz y le proveyeron de comida y de todo lo más necesario. Y en una provincia más adelante peleó con los indios y los venció, y allí tuvo dellos noticia que algunas jornadas la tierra adentro había una tierra en que no vivían sino mujeres, y ellas se defendían de los comarcanos y peleaban. Y con esta noticia, sin hallar en toda la tierra oro ni plata ni rastro della, caminó por la corriente del río hasta salir por él a la mar del Norte, trescientas y veinte y cinco leguas de la isla de Cubagua. Y este río se llama el Marañón, porque el primero que descubrió la navegación de él fue un capitán llamado Marañón. Nace en el Perú, en las faldas de las montañas de Quito, corre por camino derecho contándole por la altura del sol setecientas leguas, y con las vueltas y rodeos que el río hace, yendo las siguiendo, hay dende su nacimiento hasta que entra en la mar más de mil y ochocientas leguas, y en la entrada tiene de ancho quince leguas y por todo el camino a veces se ensancha tres y cuatro leguas.

Y así llegó Orellana a Castilla, donde dio noticia a su majestad deste descubrimiento, echando fama que se había hecho a su costa e industria y que había en él una tierra muy rica donde vivían aquellas mujeres, que comúnmente llamaron en todos estos reinos la conquista de las Amazonas. Y pidió a su majestad la gobernación y conquista della, la cual le fue dada, y habiendo hecho más de quinientos hombres de caballeros y gente muy principal y lucida, desembarcó[95] con ellos en Sevilla. Y habiendo malas navegaciones y faltas de comidas, desde las Canarias se le comenzó a desbaratar la gente, y poco adelante se le deshizo de todo punto y él murió en el camino. Y así se derramó la gente por las islas, yéndose a diversas partes sin que llegasen al río, de lo cual le quedó gran queja a Gonzalo Pizarro, así porque con irse le puso en tan gran aprieto por falta de comida y por no tener en qué pasar los ríos, como porque llevó en el bergantín mucho oro y plata y esmeraldas, con lo cual tuvo que gastar todo el tiempo que anduvo demandando y aparejando esta conquista.

Capítulo V

De cómo Gonzalo Pizarro volvió a Quito y de los trabajos que pasó en la vuelta

Llegando Gonzalo Pizarro con su gente adonde había mandado a Orellana que le dejase las canoas para pasar ciertos ríos que entraban en aquel río grande, y no las hallando, tuvo gran trabajo en pasar la gente de la otra parte y le fue forzado hacer nuevas balsas y canoas para ello, en que pasó muy gran trabajo. Y después, llegando a la junta de los dos ríos donde Orellana le había de esperar, y no le hallando, tuvo nueva de un español, que Orellana había echado en tierra porque le contradecía el viaje, de todo lo que pasaba y cómo Orellana, teniendo intento de hacer el descubrimiento en su propio nombre y no como teniente de Gonzalo Pizarro, se desistió del cargo que llevaba e hizo que de nuevo la gente lo hiciese capitán.

Y viéndose Gonzalo Pizarro desamparado de toda forma de navegación, que era la vía por donde se proveían de man-

---

[95] 1577: se embarcó.

tenimientos, y no hallando sino muy poco por rescate de cascabeles y espejos, fue tanta la tristeza y desconfianza en que cayeron[96] que determinaron volverse a Quito, de donde estaban alejados más de cuatrocientas leguas de tan mal camino y montañas y despoblados que no pensaban llegar allá, sino morir de hambre en aquellos montes, donde perecieron más de cuarenta dellos sin que hubiese forma de ser socorridos, sino que, pidiendo de comer, se arrimaban a los árboles y se caían muertos de la mucha flaqueza y desmayo que la hambre les causaba. Y así, encomendándose a Dios, se volvieron, dejando el camino por donde habían venido, porque en aquel había a la continua muy malos pasos y falta de comida. Y así a la ventura buscaron otro que no estaba mejor proveído que el de la venida y se pudieron sustentar con matar y comer los caballos que les quedaban y algunos lebreles y otros géneros de perros que llevaban y también se ayudaron de unos bejucos, que son como sarmientos de parra y tienen sabor de ajos. Y llegó a valer un gato salvaje o una gallina cincuenta pesos, y un alcatraz de aquellas gallinazas de la mar que arriba hemos contado, diez pesos.

Así continuó Gonzalo Pizarro su camino la vía de Quito, donde mucho tiempo antes avisó de su tornada, y los vecinos de Quito habían proveído de mucha copia de puercos y ovejas con que salieron al camino, y algunos pocos caballos y ropas para Gonzalo Pizarro y sus capitanes, el cual socorro los alcanzó más de cincuenta leguas de Quito y fue recibido dellos con gran alegría, especialmente la comida. Gonzalo Pizarro y todos los de su compañía venían desnudos en cueros, porque mucho tiempo había que con las continuas aguas se les había[n] podrido todas las ropas. Solamente traían dos pellejos de venados, uno delante y otro atrás, y algunos muslos viejos y calzadas unas antiparas del mesmo venado y unos capeletes de lo mesmo. Y las espadas venían todas sin vainas y

---

[96] En 1577 falta «tristeza»: ...fue tanta la desconfianza en que cayeron...

tomadas de orín, y todos a pie, llenos los brazos y piernas de los rasguños de las zarzas y arboledas, y tan desemejados y sin color que apenas se conocían. Y según ellos mesmos dijeron, uno de los mantenimientos cuya falta más sintieron[97] fue la sal, que en más de doscientas leguas no hallaron rastro della.

Y así recibiendo el socorro y comida en la tierra de Quito besaron la tierra, dando gracias a Dios que los había escapado de tan grandes peligros y trabajos, y entraban con tanto deseo en los mantenimientos que fue necesario ponerles tasa, hasta que poco a poco fuesen habituando los estómagos a tener qué digerir. Y Gonzalo Pizarro y sus capitanes, viendo que en los caballos y ropas que les habían traído no había más de para solos los capitanes[98], no quisieron mudar traje ni subir a caballo, por guardar en todo igualdad, como buenos soldados. Y en la forma que hemos dicho entraron en la ciudad de Quito una mañana, yendo derecho a la iglesia a oír misa y dar gracias a Dios, que de tantos males los había escapado y después cada uno se aderezó según su posibilidad. Esta tierra donde nace la canela está debajo de la línea equinoccial, en el mesmo paraje donde están las islas de Maluco, que crían la canela que comúnmente se come en España y en las otras partes orientales.

Capítulo VI

De cómo los de Chili trataron la muerte del marqués[99]

Cuando Hernando Pizarro tuvo preso en el Cuzco y justició al adelantado don Diego de Almagro, envió a la ciudad de Los Reyes un hijo suyo que había habido en una india,

---

[97] 1577: tuvieron.
[98] En 1577 falta «solos»: ...no había más de para los capitanes...
[99] En el anexo I ofrecemos la transcripción de la última parte de este capítulo siguiendo la versión primera, correspondiente a la edición de la

que también se llamaba don Diego de Almagro, mancebo virtuoso y de grande ánimo y bien enseñado. Y especialmente se había ejercitado mucho en cabalgar a caballo de ambas sillas, lo cual hacía con mucha gracia y destreza, y también en escribir y leer, lo cual hacía más liberalmente y mejor de lo que requería su profesión. Deste tenía cargo, como ayo, Juan de Herrada (de quien arriba hemos tratado), y a este le había dejado encomendado su padre. Y estando con él en la ciudad de Los Reyes, se juntaban en su casa y daban de comer a algunos de su parcialidad que andaban por la tierra desamparados, porque nadie los quería acoger como a vencidos.

Pues viendo esto Juan de Herrada, que Hernando Pizarro era venido a España y Gonzalo Pizarro era ido al descubrimiento de la Canela, y habiendo sido puesto en libertad por el marqués (porque hasta entonces siempre había estado en nombre de preso[100]), comenzaron a juntar armas y aderezarse para poner en ejecución la venganza de la muerte de su padre y tanta destrucción de su gente, cuya memoria conservaban en sus corazones con gran sentimiento y dolor. De manera que, aunque el marqués muchas veces procuró de hacerlos amigos, nunca lo pudo acabar de forma que quedara satisfecho, lo cual le dio causa de quitarle ciertos indios que tenía, por que no tuviese con qué sustentar la gente que se le ayuntaba. Pero todo no aprovechó porque estaban entre sí tan aliados que lo que poseían era común, y cuanto jugaban o barataban todo lo traían a poder de Juan de Herrada para que dello hubiese despensa común. Y cada día se iba juntando más gente y armas, y aunque dello muchas personas avisaron al marqués, era tan confiado y de buena condición y conciencia que respondía que dejasen aquellos cuitados, que harta mala ventura tenían viéndose pobres y vencidos y corridos.

BNF (ejemplar A1, según la clasificación de Roche [1978], véase la introducción).

[100] 1577: siempre había estado en su nombre preso.

Y así, confiado don Diego y su gente en la buena condición y paciencia del marqués, le iban perdiendo la vergüenza, tanto que algunas veces los más principales pasaban por delante de él sin quitarse las gorras ni hacerle otro acatamiento ninguno. Y una noche amanecieron atadas en la picota tres sogas tendidas, la una hacia casa del marqués y la otra a la de su teniente y la otra a la de su secretario. Todo lo cual el marqués disimulaba, excusándolos con que estaban vencidos y que de corridos hacían todas aquellas cosas. Y usando ellos desta disimulación se juntaban ya tan sin recelo que de doscientas leguas venían algunos desta parcialidad que andaban desterrados y acordaron entre sí de matar al marqués y alzarse con la tierra, como lo hicieron, aunque querían aguardar primero lo que se proveía en España, porque era venido a acusar sobre lo pasado a Hernando Pizarro el capitán Diego de Alvarado, a cuya insistencia[101] Hernando Pizarro estaba preso y se seguía el negocio contra él.

Y como supieron que su majestad había proveído al licenciado Vaca de Castro que fuese a haber información sobre todas las alteraciones pasadas, sin proveer [en] el negocio con el rigor y aspereza que ellos quisieran, tuvieron intento de hacer lo que después hicieron algunos dellos, aunque todavía querían esperar a saber la intención de Vaca de Castro, el cual designio no fue general entre todos los desta parcialidad, en que hubo muchos caballeros que, aunque sintieron la muerte del adelantado, no procuraban vengarla más de cuanto fuese por términos jurídicos y sin exceder la voluntad y servicio de su majestad. Y así se juntaron en la ciudad de Los Reyes los [más] principales dellos, que fueron Juan de Sayavedra, don Alonso de Montemayor, el contador Juan de Guzmán, el tesorero Manuel de Espinar, el factor Diego Núñez de Mercado, don Cristóbal

---

[101] 1577: instancia.

Ponce de León, Juan de Herrada, Pero López de Ayala y otros algunos. Entre los cuales eligieron a don Alonso de Montemayor para que fuese en nombre de todos a dar la buena venida a Vaca de Castro, por ser don Alonso caballero principal y de muy buen entendimiento.

Recibida por él la creencia y otros despachos, se partió en busca de Vaca de Castro en principio del mes de abril del año de cuarenta y uno, y anduvo hasta toparle, y después de haberle dado su embajada sucedió la muerte del marqués, como adelante se dirá. Por lo cual don Alonso y los que no habían sido en ella se quedaron con Vaca de Castro, siguiéndole y acompañándole hasta que venció a don Diego de Almagro el mozo en la batalla que le dio en el valle de Chupas, donde se halló en acompañamiento del estandarte real el mismo don Alonso y otros que fueron aficionados al adelantado, posponiendo la afición que tenían a sus cosas por seguir la voz de su majestad, en cuyo nombre Vaca de Castro trataba el negocio.

Capítulo VII

De cómo fue avisado el marqués del concierto
que estaba hecho para matarle[102]

Era tan público en la ciudad de Los Reyes el concierto que estaba hecho para matar al marqués, que muchos le avisaron dello, a los cuales él respondía que las cabezas de los otros guardarían la suya y decía a los que le aconsejaban que trajese gente de guarda que no quería que pareciese que se guardaba del juez que su majestad enviaba. Y un día Juan

---

[102] En el anexo I ofrecemos la transcripción completa de este capítulo siguiendo la versión primera, correspondiente a la edición de la BNF (ejemplar A1, según la clasificación de Roche [1978], véase la introducción).

de Herrada se quejó al marqués diciendo que era fama que los quería matar. El marqués le juró que nunca tal intención había tenido. Juan de Herrada le dijo que no era mucho que lo creyesen, viéndole comprar muchas lanzas y otras armas. Lo cual oído por el marqués los aseguró con amorosas palabras, diciendo que no había comprado las lanzas para contra ellos. Y luego él mismo cogió unas naranjas y se las dio a Juan de Herrada, que entonces por ser las primeras se tenían en mucho, y le dijo al oído que viese de lo que tenía necesidad, que él le proveería. Y Juan de Herrada le besó por ello las manos y, dejando tan seguro y confiado al marqués, se despidió de él y se fue a su posada, donde con los más principales de los suyos concertó que el domingo siguiente le matasen, pues no lo habían hecho el día de San Juan como lo tenían acordado[103].

Y el sábado antes el uno dellos lo descubrió en confesión al cura de la iglesia mayor y él lo fue a decir aquella noche a Antonio Picado, secretario del marqués, y le rogó que le pusiese con él. Y el secretario le llevó en casa de Francisco Martín, hermano del marqués, donde estaba cenando con sus hijos, y levantándose de la mesa le dijo el cura todo lo que pasaba, y el marqués se alteró algo dello a la sazón. Pero dende a poco dijo al secretario que no creía tal cosa, porque pocos días antes le había venido hablar con muy grande humildad Juan de Herrada, y que aquel hombre que había dado el aviso al cura le debía querer pedir algo, y que por echarle cargo había inventado aquello. Y con todo envió a llamar al doctor Juan Velázquez, su teniente, y porque a causa de estar mal dispuesto no pudo venir, el marqués fue aquella noche a su casa, acompañándole solo su secretario con otros dos o tres y una hacha delante. Y como halló al teniente en la cama, le dio cuenta de todo lo que pasaba y él le aseguró diciendo que no tuviese su señoría temor, que

---

[103] 1577: concertado.

en tanto que él tuviese aquella vara en la mano no se osaría revolver nadie en toda la tierra, en lo cual no parece haber quebrantado su palabra, porque después huyendo, como adelante se dirá, al tiempo que quisieron matar al marqués se echó de una ventana abajo a la huerta, llevando la vara en la boca.

Capítulo VIII

De la muerte del marqués don Francisco Pizarro

Con todos estos seguros el marqués andaba tan turbado que el domingo siguiente no quiso ir a [oír] misa a la iglesia e hizo decir misa en casa hasta proveer lo que convenía a su seguridad. Y cuando el doctor Juan Velázquez y el capitán Francisco de Chaves (que era a la sazón el principal de la tierra, después del marqués) salieron de misa, se fueron con otros muchos a la casa del marqués, y después de haberlo visitado los más vecinos se fueron a sus casas, y el doctor y Francisco de Chaves se quedaron a comer con el marqués.

Y acabado de comer, que sería entre las doce y la una del mediodía, entendiendo que toda la gente de la ciudad estaba sosegada y los criados del marqués eran idos a comer, Juan de Herrada y otros once o doce con él acometieron desde su casa, que sería más de trescientos pasos de la del marqués, porque en medio hay todo el largo de la plaza y buena parte de la calle, y desde que salieron desenvainaron las espadas y fueron diciendo a voces: «Muera el tirano traidor que ha hecho matar al juez que ha enviado el rey». La causa que dieron para no ir encubiertos, sino haciendo tan gran ruido, fue para que todos los de la ciudad creyesen que había gran gente de su parte, pues se atrevían a acometer aquel hecho tan públicamente, pues por presto que viniesen a socorrer no podían llegar a tiempo que o no hubiesen salido con su empresa, o fuesen muertos. Y así llegaron a la casa del marqués y dejaron uno dellos a la puerta con la espada desnuda, que había ensangrentado en un carnero que estaba en el patio, dando voces: «Muerto es el tirano, muerto es el tirano». Lo cual fue causa de que, oyéndolo algunos vecinos que querían acudir, se tornasen a sus casas, creyendo ser verdad lo que aquel hombre decía.

Y así Juan de Herrada arremetió por una escalera arriba con su gente y el marqués, que había sido avisado de ciertos indios que estaban a su puerta, mandó a Francisco de Chaves que mientras él entraba a armarse cerrase la puerta de la sala y cuadra, el cual se turbó en tal manera que sin cerrar ninguna dellas salió por el escalera, preguntando qué era aquel ruido. Y uno dellos le dio una estocada y él, viéndose herido, puso mano a la espada diciendo: «¡Cómo! ¿A los amigos también?». Y todos los demás le dieron muchas heridas y, dejándole muerto, corrieron hasta la cuadra del marqués, que más de doce españoles que allí había huyeron, saltando por unas ventanas a la huerta, y entre ellos el doctor Juan Velázquez con la vara en la boca, como tenemos dicho, por desembarazar las manos para descolgarse por la ventana. Y el marqués, que estaba armándose dentro en su cámara con su hermano Francisco Martín y otros dos caballeros y dos pajes grandes, llamado el uno Juan de Vargas, hijo de Gómez de Tordoya, y el otro Escandón, viendo los enemigos tan cerca sin acabarse de atar las correas de las coracinas, con una espada y una adarga acudió a la puerta, donde él y su gente se defendieron tan valientemente que gran rato pelearon sin poderlos entrar, diciendo a voces el marqués: «A ellos, hermano, mueran, que traidores son».

Y tanto los de Chili pelearon que mataron a Francisco Martín, y en su lugar se puso uno de los pajes. Y como los de Chili vieron que se les defendían tanto que les podría venir socorro y, tomándolos en medio, matarlos fácilmente, determinaron aventurar el negocio con meter delante sí un hombre de los suyos que más bien armado estaba, y por embarazarse el marqués en matar aquel, hubo lugar de entrarle la puerta, y todos cargaron sobre él con tanta furia que de cansado no podía menear la espada. Y así le acabaron de matar con una estocada que le dieron por la garganta, y cuando cayó en el suelo pedía a voces confesión y, perdiendo los alientos, hizo una cruz en el suelo y la besó y así dio el ánima a Dios, muriendo así mismo allí los dos pajes del marqués. Y de parte de los de Chili murieron cuatro y quedaron otros heridos.

Y en sabiendo la nueva en la ciudad acudieron más de doscientos hombres en favor de don Diego porque, aunque estaban apercibidos, no se osaban mostrar hasta ver cómo sucedía el hecho. Y luego discurrieron por la ciudad prendiendo y quitando las armas a todos los que acudían en favor del marqués. Y como salieron los matadores con las espadas sangrientas, Juan de Herrada hizo subir a caballo a don Diego e ir por la ciudad diciendo que en el Perú no había otro gobernador ni rey sobre él. Y después de saquear la casa del marqués y de su hermano y de Antonio Picado, hizo al cabildo de la ciudad que recibiese por gobernador a don Diego, so color de la capitulación que con su majestad se había hecho al tiempo del descubrimiento, para que don Diego tuviese la gobernación de la Nueva Toledo y después de él su hijo o la persona que él nombrase, y mataron algunos vasallos que sabían que eran criados y servidores del marqués. Y era grande lástima oír los llantos que las mujeres de los muertos y robados hacían.

Al marqués llevaron unos negros a la iglesia casi arrastrando y nadie lo osaba enterrar, hasta que Juan de Barbarán, vecino de Trujillo, que había sido criado del marqués, y su mujer sepultaron a él y a su hermano lo mejor que pudieron, habiendo primero tomado licencia de don Diego para ello. Y fue tanta la priesa que se dieron que apenas tuvieron lugar para vestirle el manto de la orden de S[an]tiago, ni ponerle las espuelas[104], según el estilo de los caballeros de la orden, porque fueron avisados que los de Chili venían con gran priesa para cortar la cabeza del marqués y ponerla en la picota. Y así Juan de Barbará[n] le enterró, haciendo luego las honras y exequias, poniendo toda la cerca[105] y gastos de su casa. Y dejándolo en la sepultura fueron a poner en cobro sus hijos, que andaban escondidos y descarriados, quedando los de Chili apoderados de la ciudad.

Donde se pueden ver las cosas del mundo y variedad[es] de la fortuna, que en tan breve tiempo un caballero que tan grandes tierras y reinos había descubierto y gobernado, y poseído tan grandes riquezas y dado tanta renta y haciendas como se hallará haber repartido en respeto del tiempo[106], el más poderoso príncipe del mundo, viniese a ser muerto sin confesión, ni dejar otra orden en su ánima ni en su descendencia, por mano de doce hombres en medio del día y estando en una ciudad donde todos los vecinos eran criados y deudos y soldados suyos, y que a todos les había dado de comer muy prósperamente, sin que nadie le viniese a socorrer, antes le huyesen y desamparasen los criados que tenía en su casa. Y que le enterrasen tan ignominiosamente como está dicho, y que de tanta riqueza y prosperidad como había poseído, en un momento viniese a no haber de toda su hacienda con qué comprar la cera de su enterramiento, y que todo esto le sucediese sobre estar avisado por todas las vías que arriba hemos dicho y otras muchas de los tratos que sobre esto había. Esta muerte sucedió a veinte y seis días de junio de quinientos y cuarenta y un años.

---

104 En 1577 falta esta oración: «ni ponerle las espuelas».
105 1577: cera.
106 1577: ...como se hallará haber repartido (respecto del tiempo)...

Capítulo IX

*De las costumbres y calidades del marqués
don Francisco Pizarro y del adelantado
don Diego de Almagro*

Pues toda esta historia y el descubrimiento de la provincia del Perú de que trata tiene origen de los dos capitanes de que hasta ahora hemos hablado, que son el marqués don Francisco Pizarro y el adelantado don Diego de Almagro, es justo escribir sus costumbres y calidades, comparándolos entre sí como hace Plutarco cuando escribe los hechos de dos capitanes que tienen alguna semejanza. Y porque de su linaje está ya dicho arriba lo que se puede saber, en lo demás ambos eran personas animosas y esforzados y grandes sufridores de trabajo y muy virtuosos y amigos de hacer placer a todos, aunque fuese a su costa. Tuvieron gran semejanza en las inclinaciones, especialmente en el estado de la vida, porque ninguno dellos se casó, aunque cuando murieron el que menos tenía era de edad de sesenta y cinco años. Ambos fueron inclinados a las cosas de la guerra, aunque el adelantado todavía, faltando la ocasión de las armas, se aplicaba de muy buena gana a las granjerías.

Ambos comenzaron la conquista del Perú de mucha edad, en la cual trabajaron como arriba está dicho y declarado, aunque el marqués sufrió grandes peligros y muchos más que el adelantado, porque mientras el uno anduvo en la mayor parte del descubrimiento, el otro se quedó en Panamá proveyéndole de lo necesario, como está contado. Ambos eran de grandes ánimos y que siempre pretendieron y concibieron en ellos altos pensamientos, lo cual hacían compadecer con ser muy humanos y amigables a su gente. Igualmente fueron liberales en la obra, aunque en las apariencias llevaba ventaja el adelantado, porque era muy amigo de que sonase y se publicase lo que daba, lo cual tenía al contrario el marqués, porque antes se indignaba de que se supiesen sus liberalidades y procuraba de las encubrir, teniendo más respeto a proveer la necesidad de aquel a quien daba que a ganar honra con la dádiva. Y así aconteció saber que a un soldado se le había muerto un caballo y bajando él al juego de la pelota de su casa, donde pensó hallarle, llevaba en el seno un tejuelo de oro que pesaba diez libras[107] para dársele de su mano y, no hallándole allí, concertose entretanto un partido de pelota y jugó el marqués sin desnudarse el sayo, por que no le viesen el tejuelo, ni osó sacarle del seno por espacio de más de tres horas hasta que vino el soldado a quien le había de dar y secretamente le llamó a una pieza apartada y se lo dio, diciéndole que más quisiera haberle dado tres tanto que sufrir el trabajo que había padecido con su tardanza. Y otros muchos ejemplos que se podrían traer desta calidad. Y por esta causa, por maravilla el marqués daba nada que no fuese por su propia mano, casi procurando que no se supiese. Y por esta razón fue siempre tenido por más largo el adelantado, porque con dar mucho tenía formas como pareciese más.

Pero en cuanto a esta virtud de magnificencia pueden justamente ser igualados, pues (como decía el mismo marqués) por razón de la compañía que tenían de toda la hacienda no daba ninguno nada en que el otro no tuviese la mitad, y así tanto hacía el que lo permitía dar, sabiéndolo, como el que lo daba. Baste para comprobación desto que, con ser ambos en sus vidas de los más ricos hombres así de dinero como de rentas, y que más pudieron dar y retener que ningún príncipe sin corona que en muchos tiempos se haya visto, murieron tan pobres que no solamente no hay memoria de estados ni haciendas que hayan dejado, pero que apenas se hallase en sus bienes con qué enterrarlos,

---

[107] 1577: «quinientos pesos» en lugar de «diez libras».

como se escribe de Catón y de Sila y de otros muchos capitanes romanos que fueron enterrados de público. Ambos fueron muy aficionados a hacer por sus criados y gente, y enriquecerlos y acrecentarlos y librarlos de peligro, pero era tanto el exceso que en esto tenía el marqués que aconteció, pasando un río que llaman de la Barranca, la gran corriente llevarle un indio de su servicio de los que llaman yanaconas y echarse el marqués a nado tras él y sacarle asido de los cabellos y ponerse a peligro por la gran furia del agua, en que ninguno de todo su ejército por mancebo y valiente que fuera se osara poner. Y reprendiéndole su demasiada osadía algunos capitanes, les respondió que no sabían ellos qué cosa era querer bien un criado.

Aunque el marqués gobernó más tiempo y más pacíficamente, don Diego fue mucho más ambicioso y deseoso de tener mandos y gobernación. El uno y el otro conservaron la antigüedad y fueron tan aficionados della que casi nunca mudaron traje del que en su mocedad usaban, especialmente el marqués, que nunca se vistió de ordinario sino un sayo de paño negro con los faldamentos hasta el tobillo y el talle a los medios pechos, y unos zapatos de venado blancos, y un sombrero blanco y su espada y puñal al antigua. Y cuando algunas fiestas, por importunación de sus criados, se ponía una ropa de martas que le envió el marqués del Valle de la Nueva España, en viniendo de misa la arrojaba de sí, quedándose en cuerpo y trayendo de ordinario unas tobajas al cuello, porque lo más del día en tiempo de paz empleaba en jugar a la bola y a la pelota, y para limpiarse el sudor de la cara.

Entrambos capitanes fueron pacientísimos de trabajo y de hambre y particularmente lo mostraba el marqués en los ejercicios destos juegos que hemos dicho, que había pocos mancebos que pudiesen durar con él. Era mucho más inclinado a todo género de juego que el adelantado, tanto que algunas veces se estaba jugando a la bola todo el día, sin tener cuenta con quién jugaba, aunque fuese un marinero o un molinero, ni permitir que le diesen la bola ni hiciesen otras ceremonias que a su dignidad se debían. Muy pocos negocios le hacían dejar el juego, especialmente cuando perdía, si no eran nuevos alzamientos de indios, que en esto era tan presto que a la hora se echaba las corazas y con su lanza y adarga salía corriendo por la ciudad y se iba hacia donde había la alteración, sin esperar su gente, que después le alcanzaron corriendo a toda furia.

Eran tan animosos y diestros en la guerra de los indios estos capitanes que cualquiera dellos solo no dudaba romper por cien indios de guerra. Tuvieron harto buen entendimiento y juicio en todas las cosas que se habían de proveer, así de guerra como de gobernación, especialmente siendo personas no solamente no leídas, pero que de todo punto ni sabían leer ni escribir ni aun firmar[108], que en ellos fue cosa de gran defecto. Porque demás de la falta que les hacía para tratar negocios de tanta calidad, en ninguna cosa de todas sus virtudes e inclinaciones dejaban de parecer personas nobles sino en solo esto, que los sabios antiguos tuvieron por argumento de bajeza de linaje. Fue el marqués tan confiado de sus criados y amigos que todos los despachos que hacía, así de gobernación como de repartimientos de indios, libraba haciendo él dos señales, en medio de las cuales Antonio Picado, su secretario, firmaba el nombre de Francisco Pizarro. Puédense excusar con lo que excusa Ovidio a Rómulo de ser mal astrólogo, de que más sabía las cosas de las armas que de las letras y tenía mayor[109] cuidado de vencer los comarcanos.

Ambos a dos eran tan afables y tan comunes a su gente y ciudad que se andaban de casa en casa solos, visitando los vecinos y comiendo con el primero que los convidaba. Fueron igualmente abstinentes y templados, así en comer y

---

[108] En 1577 falta «ni escribir»: ...de todo punto ni sabían leer ni aun firmar...
[109] 1577: mucho.

beber como en refrenar la sensualidad, especialmente con mujeres de Castilla, porque les parecía que no podían tratar desto sin perjudicar a su vecinos, cuyas hijas o mujeres eran. Y aun en cuanto a las mujeres indias del Perú fue mucho más templado el adelantado, porque no se le conoció hijo ni conversación con ellas, comoquiera que el marqués tuvo amistad con una señora india, hermana de Atabaliba, de la cual dejó un hijo llamado don Gonzalo, que murió de edad de catorce años, y una hija llamada doña Francisca, y en otra india del Cuzco tuvo un hijo llamado don Francisco. Y el adelantado, aquel hijo de quien hemos dicho que mató al marqués, le había habido en una india de Panamá.

Recibieron entrambos mercedes de su majestad, porque a don Francisco Pizarro (como está dicho) le dio título de marqués y del gobernador de la Nueva Castilla y le dio el hábito de Santiago. Y a don Diego de Almagro le dio la gobernación de la Nueva Toledo y le hizo adelantado. Particularmente el marqués fue muy aficionado y temeroso del nombre de sus majestades, tanto que se abstenía de hacer muchas cosas en que tenía poder, diciendo que no quería que dijese su majestad que se extendía él en la tierra. Y muchas veces, hallándose en las fundiciones, se levantaba de su silla a alzar los granitos de oro y plata que se caían de lo que faltaba de[l] cincel con que cortaban los quintos reales, diciendo que con la boca cuando no hubiese otra cosa se había de allegar la hacienda real.

Vinieron a ser semejantes hasta en las muertes y en el género dellas, pues al adelantado mató el hermano del marqués, y al marqués mató el hijo del adelantado. También fue el marqués muy aficionado de acrecentar aquella tierra, labrándola y cultivándola. Hizo unas muy buenas casas en la ciudad de Los Reyes y en el río della dejó dos paradas de molinos, en cuyo edificio empleaba todos los ratos que tenía desocupados, dando industria a los maestros que los hacían. Puso gran diligencia en hacer la iglesia mayor de la ciudad de Los Reyes y los monasterios de Santo Domingo y de la Merced, dándoles indios para su sustentación y para reparo de los edificios.

Capítulo X

De cómo don Diego de Almagro hizo gente de guerra y mató algunos caballeros, y cómo Alonso de Alvarado alzó bandera por su majestad

Después de haberse apoderado don Diego de la ciudad y quitado las varas a los alcaldes y puéstolas de su mano, prendió al doctor Velázquez, teniente del marqués, y a Antonio Picado, su secretario, y nombró por capitanes a Juan Tello, vecino de Sevilla, y a un Francisco de Chaves, y a Sotelo, y a la fama desta gente vinieron cuantos vagamundos y gente perdida andaba por la tierra, por tener facultad de robar y vivir a su placer. Y para hacer paga tomó los quintos reales y las haciendas de los defuntos y los depósitos de los que estaban ausentes, pero después comenzaron a nacer entre ellos disensiones, porque algunos de los principales, movidos con envidia, quisieron matar a Juan de Herrada, viendo que aunque don Diego tenía el nombre de gobernador y capitán general, él era el que lo hacía y gobernaba todo. Por lo cual sabido el motín mataron a algunos dellos, especialmente a Francisco de Chaves, y también cortaron la cabeza a Antonio de Orihuela, vecino de Salamanca, porque viniendo de Castilla había dicho que eran tiranos.

Luego despachó don Diego mensajeros para todas las ciudades de la gobernación para que le recibiesen por gobernador en los cabildos y aunque en las más fue recibido por el miedo que de él se tenía, en los Chachapoyas, donde era teniente Alonso de Alvarado, en llegando los mensajeros los prendió y se alzó e hizo fuerte en la tierra, confiando en la fortaleza della y en cien hombres que tenía, y levantó bandera por su majestad sin que fuesen parte para hacerle torcer las promesas ni amenazas que don Diego le envió a hacer por sus cartas, a las cuales respondía que no le recibiría por gobernador hasta que viese para ello expreso mandado de su majestad. Antes esperaba con la ayuda de Dios y de aquellos caballeros que en su compañía estaban de vengar la muerte del marqués y castigar el desacato que a su majestad se había hecho en todo lo pasado.

Por lo cual luego don Diego despachó al capitán García de Alvarado con mucha gente de pie y de caballo que fuese sobre él y de camino llegase a la ciudad de San Miguel y tomase las armas y caballos de todos los vecinos del pueblo, y de vuelta hiciese lo mesmo en la ciudad de Trujillo, y con todo el ejército fuese sobre Alonso de Alvarado. Y así partió García de Alvarado yendo por mar hasta el puerto de Santa, que es quince leguas de Trujillo, donde topó al capitán Alonso Cabrera que venía huyendo con toda la gente del pueblo de Guánuco a juntarse con los de la ciudad de Trujillo contra don Diego, y le prendió a él y a algunos de los suyos. Y en llegando a la ciudad de San Miguel le cortó la cabeza a él y a Vozmediano y a Villegas, que con él venía.

Capítulo XI

De cómo el Cuzco se alzó por su majestad e hicieron capitán a Pedro Álvarez Holguín, y de lo que él hizo

Cuando los mensajeros y provisiones de don Diego llegaron a la ciudad del Cuzco eran alcaldes della Diego de Silva, hijo de Feliciano de Silva, natural de Ciudad Rodrigo, y Francisco de Carvajal, que después fue maestre de campo de Gonzalo Pizarro. Y ellos y los del cabildo determinaron de no le recibir, aunque tampoco se atrevieron a denegárselo claramente hasta ver si tenían gente o aparejo para poder llevar adelante la defensa. Y así dieron por expediente en el negocio que don Diego enviase más bastante poder del que había enviado y luego lo recibirían.

Y porque Gómez de Tordoya era hombre tan principal en el cabildo y no se había hallado allí porque era ido a caza, le enviaron a hacer saber todo lo que pasaba. Y topando los mensajeros cerca de la ciudad, en sabiendo el suceso, torció la cabeza a un neblí muy preciado que traía en la mano, diciendo que de allí adelante era más tiempo de pelear que de cazar, y entró de noche en la ciudad y secretamente trató con los del cabildo lo que se había de hacer, y aquella misma noche se salió y fue donde estaba el capitán Castro e hicieron sobre ello mensajeros a Pedro Anzures, que era teniente de los Charcas, el cual luego alzó bandera por su majestad. Y así mismo se partió luego Gómez de Tordoya en seguimiento del capitán Pedro Álvarez Holguín, que con más de cien hombres era ido a una entrada contra indios y alcanzándole le contó todo lo acaecido y le suplicó se quisiese encargar de tan justa y honrosa empresa, tomando cargo de aquel ejército y, para atraerle más, se ofreció de ser su soldado y el primero que le obedeciese. Y así Pedro Álvarez lo aceptó y alzó bandera por su majestad.

Y desde allí convocaron la gente de la ciudad de Arequipa, y todos juntos acudieron al Cuzco, donde ya mucha gente estaba por don Diego. Y sabida la venida destos capitanes se huyeron más de cincuenta hombres para don Diego, tras los cuales salieron el capitán Castro y Hernando Bachicao con algunos arcabuceros y dándoles [a]salto una noche los prendieron y tornaron al Cuzco. Y el cabildo del Cuzco, en conformidad de todos los capitanes extranjeros, recibieron y nombraron y juraron a Pedro Álvarez Holguín por capitán y justicia mayor del Perú, hasta que su majestad otra cosa mandase. Y luego pregonó guerra contra don Diego y los vecinos del Cuzco se obligaron a pagar todo lo que Pedro Álvarez gastase de la hacienda real con los soldados si su majestad no lo hubiese por bien gastado. Y para ayuda desta guerra todos los vecinos que allí se hallaron del Cuzco, Charcas y Arequipa ofrecían sus personas y haciendas y en breve tiempo se juntaron más de trescientos y cincuenta hombres, los ciento y cincuenta de caballo, y cien arcabuceros y cien piqueros.

Y porque Pedro Álvarez tuvo noticia que don Diego tenía más de ochocientos hombres de guerra no le osó esperar en el Cuzco, antes se fue por la sierra para juntarse con Alonso de Alvarado, que ya sabía que estaba por su majestad, y también para que en el camino se le juntasen los amigos y servidores del marqués que por los montes estaban escondidos. Y caminó siempre llevando su gente en orden con propósito de dar la batalla a don Diego si le salía al camino. Y cuando salió del Cuzco dejó para guarda y defensa de la ciudad la gente que bastaba y nombró por maestre de campo a Gómez de Tordoya, y por capitanes de gente de caballo a Garcilaso de la Vega y a Pedro Anzures, y dio cargo de la infantería al capitán Castro e hizo alférez de estandarte real a Martín de Robres.

Capítulo XII

De cómo don Diego fue en busca de Pedro Álvarez y por no le alcanzar pasó al Cuzco

Sabido por don Diego lo que en el Cuzco había pasado y cómo Pedro Álvarez había salido de la ciudad con la gente de guerra que tenía, luego entendió que debía ir por la sierra a juntarse con Alonso de Alvarado, pues no tenía cantidad de gente para que se creyese que venía contra él. Y así determinó salirle al camino y defenderle el paso, aunque no lo pudo hacer con la priesa que él quisiera por esperar a García de Alvarado, a quien por la posta había enviado a llamar, y él se vino a juntar con él sin detenerse en ir sobre Alonso de Alvarado, que [entonces] era el intento de aquella jornada.

Y al tiempo que pasó por Trujillo quiso bajar a dar sobre él Alonso de Alvarado, si no se lo estorbara el pueblo de Levanto, que es en los Chachapoyas. Pues llegado García de Alvarado a la ciudad de Los Reyes, luego don Diego se partió contra Pedro Álvarez con trescientos de caballo y cien arcabuceros y ciento y cincuenta piqueros, y antes que saliese echó de la tierra a los hijos del marqués y degolló a Antonio Picado después de haberle dado muy bravos tormentos sobre que declarase dónde tenía el marqués sus tesoros.

Y en saliendo de la ciudad antes que llegase dos leguas della, vinieron secretamente unas provisiones del licenciado Vaca de Castro que enviaba desde la tierra de Quito, dirigidas a fray Tomás de San Martín, provincial de la orden de Santo Domingo, y a Francisco de Barrionuevo, para que entendiesen en la gobernación de la tierra entretanto que llegaba. Y secretamente en el monasterio de Santo Domingo se juntó el cabildo de la ciudad y las obedeció, recibiendo al licenciado Vaca de Castro por gobernador y a Jerónimo de Aliaga, escribano mayor de la gobernación, por su teniente, porque también venían para él las provisiones. Y acabado de hacer esto, los regidores se fueron huyendo a la ciudad de Trujillo y otros muchos vecinos con ellos, lo cual no se pudo hacer tan secreto que aquella noche no lo supiese don Diego. Y quiso revolver a saquear la ciudad y no le dio lugar a ello el miedo que tenía que se le pasase Pedro Álvarez, y también porque su gente no [se] certificase de que había nuevo gobernador en la tierra, y por esto siempre fue caminando, aunque como se entendió que el gobernador estaba en la tierra en el real de don Diego, se le huyeron muchos, especialmente el provincial de Santo Domingo y Diego de Agüero y Juan de Sayavedra y Gómez de Alvarado y el factor Illán Suárez de Carvajal.

Y en este camino, a causa que adoleció Juan de Herrada del mal de que murió, no pudo dejar de detenerse don Diego, de suerte que se le pasó Pedro Álvarez por el valle de Jauja donde él tenía determinado de aguardalle, aunque todavía le siguió. Y estando muy cerca unos de otros y entendiendo Pedro Álvarez que no tenía gente para defenderse de don Diego, según la gente que él traía, usó de una astucia con que le engañó desta manera: que encomendó a veinte de caballo que procurasen una noche de dar en la delantera del real de manera que prendiesen los más que pudiesen, lo cual fue hecho así y, traídos tres hombres presos, ahorcó los dos dellos y al otro le prometió de soltarle y darle mil pesos de oro por que fuese al real de don Diego y tuviese apercebidos algunos amigos suyos, porque la noche siguiente él acometería al real por la parte de la mano derecha. Y para esto tomaron juramento al soldado y pleito homenaje, fingiendo que hacían de él muy gran confianza para que no lo descubriría, y así el mancebo, con codicia de los mil pesos, se partió luego yendo muy seguro por ser el soldado de don Diego.

Y viendo don Diego que a los otros habían ahorcado y que aquel soltaban sin que hubiese causa conocida para ello, sospechó lo que pasaba y sobre esta sospecha le hizo dar tormento, el cual luego declaró todo lo que había pasado y creyendo que era verdad se fue a poner con la más de su gente en aquel través por donde la espía le dijo que Pedro Álvarez había de acometer. Y Pedro Álvarez estaba tan lejos de lo hacer, que a la hora que despachó la espía, siendo de noche y oscuro, levantó el real, continuando su camino con la mayor priesa que pudo, dejando los enemigos aguardándole hasta que cayeron en la burla que les habían hecho. Y todavía don Diego los siguió a la ligera y, entendiéndolo Pedro Álvarez, hizo una posta a Alonso de Alvarado para que le viniese a socorrer, el cual luego salió en favor de Pedro Álvarez con toda su gente y con algunos de los de Trujillo, y anduvo por sus jornadas hasta juntarse con él. Y como don Diego (que iba ya muy lejos) entendió que estaban juntos, dejó de seguirlos y con su gente se fue al Cuzco, y Pedro Álvarez y Alonso de Alvarado enviaron un mensajero la vía de Quito, haciendo saber a Vaca de Castro lo que pasaba, aconsejándole que se diese gran priesa, porque ellos le darían la tierra según el buen principio llevaba su negocio.

En Jauja murió Juan de Herrada y don Diego envió cierta parte del ejército por los llanos para que recogiese la gente que había en Arequipa, adonde fueron sus capitanes y robaron todo cuanto en la ciudad pudieron haber, y aun cavaron todo el monasterio de Santo Domingo porque les dijeron que muchos vecinos tenían enterradas allí sus haciendas.

Capítulo XIII

*De cómo llegó Vaca de Castro a los reales de Pedro Álvarez
y Alonso de Alvarado y le recibieron por gobernador,
y de lo demás que allí hizo*

Ya está dicho arriba la mala navegación que tuvo Vaca de Castro viniendo de Panamá para el Perú, a causa de perder una ancla con que el navío se amarraba, y cómo arribó al puerto de la Buenaventura y de allí fue por tierra a la gobernación de Benalcázar y entró en el Perú, en el cual camino trabajó y padeció mucho, así por ser los caminos muy largos y faltos de comida, como porque él iba muy enfermo y no estaba habituado en semejantes necesidades. Y con todo esto, porque ya se sabía en Popayán la muerte del marqués y muchas de las cosas sucedidas en el Perú, no dejó de caminar a la continua, porque con su presencia se pusiese mano en el remedio. Y es a saber, que aunque el licenciado Vaca de Castro iba principalmente a haber información sobre la muerte de don Diego de Almagro y las demás cosas acaecidas por causa della, sin suspender de la gobernación al marqués, allende desto llevaba una cédula secreta para que si entretanto que él fuese o residiese allá sucediese la muerte del marqués, tomase en sí la gobernación y la ejercitase hasta que su majestad proveyese otra cosa.

Por virtud de la cual cédula fue recibido después de ser llegado a los reales de Pedro Álvarez y Alonso de Alvarado, trayendo consigo mucha gente que en el Perú había bajado a recibirle y acompañarle, y especialmente traía consigo al capitán Lorenzo de Aldana, que era gobernador en Quito por el marqués, y envió delante al capitán Pedro de Puelles para que comenzasen a aderezar lo necesario a la guerra. Y despachó a Gómez de Rojas, natural de la villa de Cuéllar, con sus poderes para que le recibiesen en el Cuzco, el cual se dio tan buena maña y diligencia que antes que don Diego llegase al Cuzco ya él había llegado y las había notificado y estaban recibidas. Y cuando Vaca de Castro pasó por las espaldas de los Bracamoros, salió a él el capitán Pedro de Vergara, que andaba conquistando aquella provincia, como está dicho, y para venirse con Vaca de Castro despobló el lugar que tenía poblado, donde estaba hecho fuerte para no recibir a don Diego de Almagro.

Llegado Vaca de Castro a la ciudad de Trujillo, halló allí a Gómez de Tordoya, que se había venido del real por ciertas palabras que había pasado con Pedro Álvarez, y con él estaba Garcilaso de la Vega y otros caballeros. Y cuando Vaca de Castro salió de Trujillo para ir al real de Pedro Álvarez llevaba ya consigo más de doscientos hombres de guerra bien aderezados. Y llegado al real Pedro Álvarez y Alonso de Alvarado lo recibieron alegremente y, presentando la provisión real, le entregaron las banderas y él las tornó a los mesmos que las tenían, excepto el estandarte real, que le guardó en sí. E hizo maestre de campo a Pedro Álvarez Holguín y le envió con todo el campo a Jauja para que le aguardase allí entretanto que él bajaba a la ciudad de Los Reyes, para recoger toda la gente y armas y municiones que pudiese llevar della y para dejar en orden aquella ciudad. Y mandó al capitán Diego de Rojas que con treinta de caballo fuese siempre veinte leguas delante de Pedro Álvarez, corriendo la tierra, y envió a la ciudad de Trujillo por su teniente de gobernador al capitán Diego de Mora, proveyendo con mucha destreza todas las otras cosas necesarias para la empresa que tenía entre las manos, como si toda su vida se hubiera criado en la guerra.

Capítulo XIV

De cómo don Diego mató a García de Alvarado en el Cuzco,
y cómo sacó su gente contra Vaca de Castro

Ya habemos dicho cómo después que don Diego no pudo alcanzar a Pedro Álvarez se fue al Cuzco y cuando llegó ya Cristóbal de Sotelo, a quien había enviado delante, tenía tomada la posesión de la ciudad y puesto la justicia de su mano, quitando la que estaba por Vaca de Castro. Y llegado don Diego se comenzó a pertrechar de mucha artillería y pólvora, porque en el Perú hay muy buen aparejo para hacer artillería a causa de la abundancia del metal, y también había ciertos maestros levantiscos que la sabían muy bien fundir. Y para hacer pólvora hay gran facilidad por razón del mucho salitre que en las más partes se halla. Y demás desto hizo armas para la gente de su real que no las tenía, de pasta de plata y cobre mezclado, de que salen muy buenos coseletes, habiendo recogido demás desto todas las armas de la tierra, de manera que el que menos armas tenía entre su gente era cota y coracinas o coselete y celadas de la mesma pasta, que los indios hacen diestramente por muestras de las de Milán. Y así pudo aderezar doscientos arcabuceros y ordenó algunos hombres de armas por el buen aparejo que tenía, comoquier que hasta entonces en el Perú peleaban los de caballo a la jineta y pocas o ninguna vez había caballos ligeros.

Estando en estos términos sucedieron ciertas diferencias entre los capitanes García de Alvarado y Cristóbal de Sotelo, en las cuales Sotelo fue muerto, de que hubiera de suceder muy gran daño en el ejército porque ambos tenían muchos amigos y estaba todo el campo dividido. De manera que si don Diego con amorosas palabras no los apaciguara, se mataran unos a otros. Caso que entendiendo García de Alvarado que don Diego tenía mucha afición a Sotelo y que había de procurar de satisfacerse de él, anduvo a recaudo de ahí adelante, no solamente para defensa de su persona, pero para matar a don Diego. Lo cual quiso poner en obra convidándole un día a comer, con determinación de matarle en la comida y, recelándose don Diego dello, fingió estar mal dispuesto después de haber aceptado el convite. Y como aquesto vio García de Alvarado, que todo lo necesario tenía puesto a punto, determinó ir bien acompañado de sus amigos a importunar a don Diego que fuese al convite. Y en el camino le sucedió que, diciendo él a un Martín Carrillo a lo que iba, le respondió que no fuese de su parecer allá, porque entendía que lo habían de matar, y otro soldado le dijo casi lo mesmo, lo cual todo no bastó para que dejase de ir.

Y don Diego estaba echado sobre la cama y dentro del aposento tenía ciertos caballeros armados secretamente. Y como García de Alvarado entró con su gente en la cámara le dijo: «Levántese vuestra señoría, que no será nada la mala disposición e irse ha a holgar un rato, que aunque coma poco haranos cabeza». Y don Diego dijo que le placía y, pidiendo su capa, se levantó, porque estaba echado en cuerpo con su cota y espada y daga. Y comenzando a salir por la puerta de la cámara toda la gente, cuando llegó García de Alvarado, que iba delante de don Diego, Juan de Herrada[110], que tenía la puerta, la cerró, porque era de golpe, y se abrazó con García de Alvarado y dijo: «Sed preso». Y don Diego echó mano a su espada y le hirió diciendo: «No ha de ser preso, sino muerto». Y luego salieron Juan

---

[110] 1577: Juan Balsa.

Balsa[111] y Alonso de Sayavedra y Diego Méndez, hermano de Rodrigo Orgoños, y otros de los que estaban en retaguardia, y le dieron tantas heridas que le acabaron de matar.

Y sabido por la ciudad comenzó [a] haber algún alboroto, pero como don Diego salió a la plaza apaciguó la gente, caso que se huyeron algunos amigos de García de Alvarado. Y luego sacó su gente del Cuzco para ir sobre Vaca de Castro, que ya había sabido cómo se juntó con Pedro Álvarez y Alonso de Alvarado, y venía la vía de Jauja en demanda suya. Y en toda esta jornada sirvió a don Diego Paulo, hermano del Inga, a quien el adelantado, su padre, había hecho Inga, cuya ayuda era de muy gran importancia porque iba adelante del ejército, y con muy pocos indios que llevase todas las provincias de la tierra proveían de comida e indios para llevar las cargas, y de todo lo demás que era necesario.

Capítulo XV

De cómo Vaca de Castro fue desde la ciudad de Los Reyes a Jauja, y de lo que hizo allí

Llegado Vaca de Castro a la ciudad de Los Reyes hizo muchos arcabuces con el buen aparejo de maestros que allí halló, y se aderezó de todo lo necesario tomando prestados de vecinos y mercaderes más de setenta mil pesos de oro, porque toda la hacienda real había tomado y gastado don Diego. Y dejando Vaca de Castro en la ciudad de Los Reyes por su teniente a Francisco de Barrionuevo y por capitán de la mar a Juan Pérez de Guevara, se partió con toda la más gente que pudo para Jauja, dejando orden en la ciudad

---

[111] En 1577 falta «Juan Balsa»: ...y luego salieron Alonso de Sayavedra y Diego Méndez...

224

que si don Diego bajase por otro camino a la ciudad de Los Reyes, como se decía, todos los vecinos con sus mujeres y haciendas se acogiesen a los navíos hasta que él viniese en seguimiento de don Diego.

Llegado a Jauja, Pedro Álvarez le estaba aguardando con toda su gente y aderezo de armas y picas y mucha pólvora que allí se había hecho. Y Vaca de Castro repartió la gente de caballo que traía en las compañías de Pedro Álvarez y Pedro Anzures y Garcilaso de la Vega, que eran capitanes de caballo, y la gente de pie parte della repartió en las compañías de Pedro de Vergara y Nuño de Castro, que eran capitanes de infantería. E hizo otras dos compañías de nuevo, la una de caballo que encomendó a Gómez de Alvarado y otra de arcabuceros que encomendó al bachiller Juan Vélez de Guevara que, con ser letrado, era muy buen soldado y hombre de tanta industria que él mismo había entendido en hacer aquellos arcabuces con que se hizo la gente de su compañía, sin que por esto dejase de entender en las cosas de las letras. Porque así en este tiempo como en las revueltas de Gonzalo Pizarro, de que abajo se tratará, aconteció ser nombrado por alcalde y hasta mediodía andaba en hábito de letrado honestamente y hacía sus audiencias y libraba los negocios, y de mediodía abajo se vestía en hábito de soldado, con calzas y jubón de colores, recamado de oro y muy lucido y con pluma y cuera y su arcabuz al hombro, ejercitándose él y su gente en tirar.

Desta manera ordenó Vaca de Castro su ejército, en que había por todos siete cientos hombres, los trescientos y setenta de caballo y ciento y setenta arcabuceros. E hizo sargento mayor de todo el campo al capitán Francisco de Carvajal, aquel que después fue maestre de campo de Gonzalo Pizarro, por cuya orden se regía el ejército, porque tenía gran experiencia de la guerra en más de cuarenta años que había sido soldado y teniente de capitán en Italia. En este tiempo llegaron a Vaca de Castro mensajeros de Gonzalo Pizarro, que había salido a Quito del descubrimiento de la

Canela (como arriba está contado), haciéndole saber cómo venía en su ayuda con la gente que había sacado.

Y Vaca de Castro le escribió agradeciéndoselo y mandándole que se estuviese quedo en Quito sin venir al ejército, porque siempre tuvo esperanza de hacer algún concierto con don Diego, y que él vendría de paz. Lo cual le pareció que sería parte para estorbar la presunción de Gonzalo Pizarro, así porque de su parte con el deseo de la venganza se estorbarían los conciertos, como porque don Diego no se osaría meter en su poder sabiendo que Gonzalo Pizarro allí estaba, que necesariamente había de ser mucha parte en su real por los amigos que tenía. Otros dicen que temió que si Gonzalo Pizarro venía, le alzarían por general, por ser tan bienquisto a la sazón de todos, y quería que pareciese que aquella guerra se hacía más por vía de justicia que de venganza. Y demás desto, envió a mandar a los que tenían cargo de los hijos del marqués que se estuviesen como estaban en las ciudades de San Miguel y Trujillo, sin venir a la ciudad de Los Reyes hasta que otra cosa mandase, colorando esta provisión con que estaban más seguros y pacíficos allá que no en Lima.

Capítulo XVI

De cómo Vaca de Castro fue con su ejército desde Jauja a Guamanga, y lo que pasó con don Diego

Después que Vaca de Castro tuvo ordenada su gente en Jauja, caminó la vía de Guamanga porque le vino nueva cómo don Diego venía a gran priesa a meterse en la villa o a tomar un paso de un río, que en cobrar lo uno y lo otro habría gran dificultad si primero se lo ocupaba el enemigo, porque la villa está cercada de unos hondos valles o quebradas que la fortifican mucho. Y el capitán Diego de Rojas, que con su gente iba delante a correr el campo, se había entrado en ella, y porque también supo desta venida de don Diego había hecho una torre para se defender hasta que Vaca de Castro llegase. Y a esta causa partió luego a gran priesa Vaca de Castro para allá, enviando en la delantera al capitán Castro con sus arcabuceros que fuesen a apoderarse de un mal paso que está cerca de Guamanga, llamado la cuesta de Parcos.

Y cuando Vaca de Castro llegó dos leguas de Guamanga una tarde, tuvo nueva que don Diego entraba aquella noche en la villa, lo cual sintió mucho porque no era llegada toda su gente, ni llegara tan presto si Alonso de Alvarado no volviera a la recoger. Y junta toda, se partieron luego muy en orden, con haber caminado aquel día algunos de los postreros cinco leguas, armados y muy apercebidos, y pasaron mucho trabajo por la aspereza del camino y quebradas de él. Y pasando por la villa estuvieron de la otra parte toda la noche en arma, porque no tenían lengua de sus enemigos, hasta que otro día se aseguró el campo por los corredores que descubrieron más de seis leguas. Y sabido que don Diego estaba nueve leguas de allí, le escribió con Francisco de Diáquez, hermano de Alonso de Diáquez[112], secretario de su majestad, que de su real había venido, y le envió a rogar y requerir de parte de su majestad se viniese a meter debajo del estandarte real y que con esto y con deshacer el ejército le perdonaría todo lo pasado, y si de otra manera lo hacía procedería contra él por todo rigor de justicia, como contra traidor y vasallo desleal a su príncipe.

Y en tanto que estos mensajeros iban, envió por otra parte un peón muy diestro en la tierra, en hábito de indio, con cartas para muchos caballeros del real de don Diego, y no pudo ir tan secreto que por un campo nevado no le hallasen el rastro, el cual siguieron hasta que, prendiéndole don Diego, le mandó ahorcar, quejándose mucho de la

---

[112] 1577: «Ydiacayz», en todos los casos.

cautela que con él usaba Vaca de Castro, pues por una parte trataba partidos y por otra le enviaba a [a]motinar el real. Y en presencia de los mensajeros apercibió y ordenó todos sus capitanes y gente para dar la batalla, prometiendo que cualquiera que matase vecino, le daría sus indios y hacienda y su mujer. Y así don Diego respondió a Vaca de Castro con el mesmo Diáquez y con Diego de Mercado que en ninguna manera le obedecerían en tanto que fuese acompañado de sus enemigos, que eran Pedro Álvarez Holguín y Alonso de Alvarado y los de su valía, y que no desharía su ejército hasta ver perdón de su majestad, firmado con su real mano, y no con la del cardenal de Sevilla, don fray García de Loaysa, a quien él no conocía por gobernador ni sabía que tuviese poder de su majestad para cosa ninguna de las Indias. Y que se engañaba mucho en lo que tenía pensado y le hacían creer, que se le había de pasar ninguna gente de la suya, sino que muy animosamente le daría la batalla y defendería la tierra a todo el mundo, como lo vería por experiencia si le aguardaba, porque él se partía luego en busca suya.

Capítulo XVII

De cómo Vaca de Castro sacó la gente en campo
para dar la batalla y de lo que le acaeció

Oída Vaca de Castro la embajada de don Diego y vista su pertinacia, sacó la gente en campo a un llano que se llama Chupas, saliendo del término de Guamanga, que era muy áspero para pelear, y allí en Chupas estuvo tres días sin cesar de llover porque era en medio del invierno, y siempre la gente estaba armada y apercibida porque tenían cerca los enemigos, y determinó de dar la batalla pues no se tomaba otro medio. Y porque sintió que mucha de su gente estaba escandalizada desde la batalla de las Salinas, diciendo que su majestad no la había tenido por buena pues por haberla dado tenía preso a Hernando Pizarro, le pareció justificar la causa y satisfacer la gente, con que en presencia de todos firmó y pronunció sentencia contra don Diego, dándole por traidor y rebelde y condenándole a muerte y perdimiento de bienes a él y a todos los que con él venían, y con esta sentencia requirió a todos los capitanes, mandándoles que para lo ejecutar le diesen favor y ayuda.

Y otro día sábado a hora de misa dieron alarma los corredores, porque ya los enemigos venían muy cerca y habían dormido dos pequeñas leguas de allí y caminaban desviado[s] por la parte izquierda del real para unas lomas llanas, por desechar unas ciénagas que estaban delante del real de Vaca de Castro. Y llevaban intento de tomar la villa de Guamanga antes que rompiesen la batalla porque tenían por cierta la victoria, según la gran pujanza de artillería traían y, llegando tan cerca que los corredores se pudieron hablar y aun tirarse con los arcabuces, Vaca de Castro envió al capitán Castro con cincuenta arcabuceros que con ellos trabase escaramuza, en tanto que las banderas subían por unos recuestos que habían de pasar con gran temor. Porque si don Diego revolviera les hiciera muy gran daño con la artillería, porque allí descansó toda la infantería y porque no se detuviesen y subiese presto la gente a tomar lo alto, Francisco de Carvajal, sargento mayor, ordenó que cada bandera por sí arremetiese la cuesta arriba, sin guardar orden hasta estar en lo alto, por que deteniéndose en el camino no les hiciesen daño. Y así se hizo y llegaron a lo alto al tiempo que ya los arcabuceros de Castro habían trabado escaramuza con la retaguardia de don Diego, que todavía no cesó de caminar hasta asentar el real y ponerse en orden para dar la batalla.

Capítulo XVIII

*[De] cómo Vaca de Castro movió los escuadrones
contra don Diego para dar la batalla*

Después que Vaca de Castro vido toda su gente en lo
alto del recuesto y que no había más de una pequeña loma,
mandó al sargento mayor que ordenase los escuadrones, y
él lo hizo. Y Vaca de Castro los fue requiriendo y les dijo
que mirasen quiénes eran y dónde venían y por quién peleaban, y que la fortaleza de aquel reino estaba en sus fuerzas y esfuerzo, y que si fuesen vencidos no podían escapar
de la muerte él y ellos, y que si vencían, que demás de hacer
lo que eran obligados como leales y servidores de su rey,
quedarían señores de sus haciendas y repartimientos, y que
los que no los tenían, él en nombre de su majestad se los
encomendaría, y que para eso quería el rey la tierra, para la
dar a los que lealmente le sirviesen, y que bien veía que a
tan nobles caballeros y esforzada gente como allí estaba no
había necesidad[113] de exhortarlos y darles esfuerzo, antes
tomarle él dellos, como le tomaba, de manera que él iría a
la delantera a romper la primera lanza. Y a esto todos le
respondieron muy animosamente que así lo harían y que
primero quedarían hechos pedazos que se dejasen vencer,
porque cada uno tomaba este negocio por suyo.

Y los capitanes hicieron grande instancia con Vaca de
Castro que no fuese en el avanguardia, porque en ninguna
manera lo consentirían, y que se quedase en la retaguardia
con treinta de caballo, para poder socorrer adonde viese
mayor necesidad, y él así lo hizo. Y viendo que no había
sino hora y media hasta la noche, quisiera que la batalla se

---

[113] 1577: menester.

dilatara para otro día, mas el capitán Alonso de Alvarado le dijo que si aquella noche no se daba, que se perderían, y que pues ya la gente estaba determinada, que no aguardase a que tomase otro segundo acuerdo. Y así Vaca de Castro siguió su parecer, teniendo[114] todavía la falta del día, y dijo que quisiera tener el poder de Josué para detener el sol.

Y estando en esto comenzó a disparar la artillería de don Diego, y porque para acometerle no podía bajar la gente camino derecho sin recibir mucho daño en la bajada, poniéndose como en terreno, el sargento mayor y Alonso de Alvarado buscaron por la parte izquierda una segura entrada que bajaba a un valle, por donde pudieron ir a los enemigos sin que el artillería los cogiese, porque toda pasaba por alto, y los escuadrones bajaron ordenados desta manera: que la parte derecha llevaba Alonso de Alvarado que con su compañía aguardaba el estandarte real, de que era alférez Cristóbal de Barrientos, natural de Ciudad Rodrigo y vecino de la ciudad de Trujillo, y a la parte izquierda iban los cuatro capitanes Pedro Álvarez Holguín y Gómez de Alvarado y Garcilaso de la Vega y Pedro Anzures, llevando cada uno muy en orden sus estandartes y compañías, yendo ellos en la primera hilera, y en medio de ambos escuadrones de a caballo iban los capitanes Pedro de Vergara y Juan Vélez de Guevara con la infantería, y Nuño de Castro con sus arcabuceros salió adelante por sobresaliente, para trabar la escaramuza y recogerse en su tiempo al escuadrón. Vaca de Castro quedó en la retaguardia con sus treinta de caballo, algo desviado de la gente, de manera que podía ver dónde había más necesidad en la batalla para socorrer, como lo hizo.

---

[114] 1577: temiendo.

Capítulo XIX

De cómo se rompió la batalla de Chupas

En tanto que la gente de Vaca de Castro iba caminando hacia los enemigos y a vista dellos siempre le tiraban con la artillería, aunque los tiros pasaban por alto tanto que don Diego sospechó que el capitán Candía, que llevaba a cargo la artillería, había sido sobornado y que adrede subía el punto, y así arremetió a él y él mismo por su mano le mató. Y asestando él un tiro le metió en el escuadrón y mató alguna gente, lo cual viendo el capitán Carvajal y considerando que la artillería que ellos llevaban no podía andar tanto como la necesidad demandaba, acordaron de dejarla sin aprovecharse della, y alargaron el paso. Y aquella hora don Diego y sus capitanes Juan Balsa, y Juan Tello, y Diego Méndez, y Malaver, y Diego de Hoces, y Martín de Bilbao, y Juan de Olla[115] y los demás tenían su gente de caballo en dos escuadrones, y en medio el de la infantería y delante el artillería, asestada hacia la parte por donde Vaca de Castro los había de acometer.

Y pareciéndoles que era flaqueza estar parados, movieron los escuadrones y el artillería hacia la parte donde venía Vaca de Castro, contra voluntad de Pedro Suárez, su sargento mayor, que como hombre práctico en la guerra era de parecer contrario, y en viendo mudar el artillería los juzgó por perdidos, porque donde primero la tenían había delante campo en que podían jugar y hacer mucho daño a los enemigos hasta que llegasen a ellos. Y yéndose metiendo adelante acortaban el campo y la ocasión que tenían de poder jugar y hacer daño en los contrarios, y así se fueron a poner junto a la asomada por donde se había de mostrar Vaca de Castro, de manera que

---

[115] 1577: Juan de Olea.

hasta que llegasen muy cerca la artillería no los pudiese coger, por ser más bajo el sitio por donde venían y defenderles la tierra que estaba en medio. Y así Pedro Suárez, sargento mayor, viendo que no tomaban su parecer, arremetiendo con su caballo se pasó a la parte de Vaca de Castro.

En este tiempo Paulo, el hermano del Inga, acometió a la gente de Vaca de Castro por la parte izquierda con muchos indios de guerra, tirándoles muchas piedras y varas, mas como los arcabuceros sobresalientes mataron algunos dellos, luego huyeron. Y por aquella parte salió Martín Cote, capitán de arcabuceros de don Diego, con su compañía, y trabose entre él y los del capitán Castro una escaramuza. Y así fueron los escuadrones paso a paso al son de los atambores hasta la asomada, donde estuvieron parados en tanto que disparaba el artillería, que tiraba tan apriesa que no daba lugar a que rompiesen, y aunque estaban bien cerca della les pasaba por alto, y si veinte pasos fueran más adelante, les diera de lleno. Pero todavía la infantería de Vaca de Castro recibió mucho daño, porque estaba en parte más alta, donde les cogían las pelotas, porque un tiro llevó toda una hilera e hizo abrir el escuadrón, y los capitanes pusieron gran diligencia en hacerlo cerrar, amenazando de muerte a los soldados con las espadas desenvainadas, y se cerró.

En esta sazón el sargento mayor Francisco de Carvajal estorbaba a los capitanes que rompiesen hasta que hubiese disparado el artillería y, subiendo un poco el recuesto los de caballo, los sobresalientes de don Diego mataron a Pedro Álvarez Holguín y a Gómez de Tordoya con dos pelotas, y herían y mataban otros. Y viéndose el capitán Pedro de Vergara herido de un arcabuz, comenzó a dar voces contra los escuadrones de caballo, diciendo que rompiesen antes que pereciese toda la infantería que estaba puesta al terreno. Y luego los trompetas hicieron señal de romper y arremetieron los escuadrones de caballo de Vaca de Castro contra los de don Diego, que los salieron a recibir animosamente, y los unos y los otros se encontraron, de suerte que casi todas las lanzas quebraron, quedando muchos muertos y caídos de ambas partes. Y dejadas las lanzas se mezclaron los unos con los otros, hiriéndose muy crudamente con las espadas y con porras y hachas, y aun algunos peleaban con hachas de partir leña, dando a dos manos tales golpes que donde alcanzaban no bastaba defensa ninguna. Y así pelearon hasta que, desfalleciéndoles los alientos, descansaron un poco.

Los capitanes de infantería de Vaca de Castro arremetieron con los de don Diego, metiéndose por la artillería, yendo delante animándolos el capitán Carvajal y diciéndoles que no hubiesen miedo al artillería, pues no le daba a él, siendo tan gordo como dos dellos. Y por que no pensasen que lo hacía en confianza de las armas, se quitó de presto una cota de malla y una celada que llevaba y la arrojó en el campo y, quedando en un jubón de lienzo, [con una partesana] arremetió delante contra el artillería y todos le siguieron, de suerte que la ganaron matando muchos de los que le aguardaban, y arremetieron con los contrarios haciéndolo tan valerosamente que la mayor parte de la victoria se les atribuyó.

Y cuando esto pasaba la noche oscureció y casi no se conocían sino por el apellido, y los de caballo tornaron a su pelea y ya la victoria se iba mostrando por Vaca de Castro, cuando él con los treinta de caballo arremetió hacia la parte izquierda, donde estaban dos banderas firmes de don Diego, y aun gritando por sí la victoria, caso que todas las otras banderas y gente de don Diego se iban retrayendo de vencidos. Y como Vaca de Castro rompió en ellas, se trabó de nuevo una pelea, adonde hirieron y derribaron algunos de aquellos treinta y mataron al capitán Jiménez y a N. de Montalvo[116], natural de Medina del Campo, y a otros caballeros. Y como los de Vaca de Castro porfiaron tanto, don Diego y su gente volvieron las espaldas de arrancada y los de Vaca de Castro fueron hiriendo y matando en ellos, y [los d]el capitán Bilbao y un Cristóbal

---

[116] 1577: al capitán Jiménez y a García de Montalvo.

de Sosa, de la parte de don Diego, fue tanto lo que sintieron [ver] volver las espaldas a los suyos, que se arrojaron en los enemigos como desesperados, hiriendo a todas partes, diciendo cada uno por su nombre: «Yo soy fulano, que maté al marqués», y así anduvieron hasta que los hicieron pedazos.

Y muchos de los de don Diego se salvaron con la oscuridad de la noche, tomando de algunos muertos la seña, porque los de Vaca de Castro llevaban bandas coloradas y los de don Diego bandas blancas, y así quedó la victoria conocidamente por Vaca de Castro, comoquier que antes que llegasen a las manos murió mucha más gente de parte de Vaca de Castro, tanto que don Diego tuvo por suya la victoria. Y a todos los españoles que huyeron por un valle los mataron los indios, y a ciento y cincuenta de caballo de don Diego que se fueron huyendo a Guamanga, que estaba dos leguas de allí, los desarmaron y prendieron los pocos vecinos que en la villa habían quedado. Y don Diego y Diego Méndez se fueron huyendo al Cuzco, donde los prendió Rodrigo de Salazar, [vecino] de Toledo, que era su mesmo teniente, y Antón Ruiz de Guevara, que era alcalde ordinario de la ciudad. Y así feneció el mando y gobernación de don Diego, que en un día se vio señor del Perú y en otro le prendió su mesmo alcalde de su propia autoridad. Y esta batalla se dio a diez y seis días de setiembre de mil y quinientos y cuarenta y dos años.

Capítulo XX

De cómo Vaca de Castro dio gracias a su gente por la victoria que habían habido[117]

En gran parte de la noche no se pudo acabar de recoger el ejército porque andaban ocupados en saquear las tiendas

---

[117] En el anexo I ofrecemos la transcripción de la última parte de este capítulo siguiendo la versión primera, correspondiente a la edición de la

de los de don Diego, donde hallaron mucho oro y plata, y mataron algunos que se habían escondido o estaban heridos. Mas después de todos recogidos, pensando que los de don Diego se tornaran a rehacer, estuvo toda la infantería apercebida y así mesmo la gente de a caballo. A Vaca de Castro se le pasó la mayor parte de la noche en alabar toda la gente y ejército en general, y dando particulares gracias a cada soldado porque tan bien lo había hecho. En esta batalla hubo muchos capitanes y soldados que grandemente se señalaron, especialmente don Diego, que por salir con aquella empresa que tan justa le parecía, por ser en venganza de la muerte de su padre, hizo más que su edad requería, porque sería de edad de veinte y dos años, y con él algunos de su ejército. Y también se señalaron muchos de Vaca de Castro por vengar la muerte del marqués, con quien tanta fe tuvieron que (respecto de hacerlo valientemente) ningún peligro dejaban de acometer.

Murieron de ambas partes cerca de trescientos hombres, y entre ellos muchos capitanes y personas señaladas, especialmente Pedro Álvarez Holguín y Gómez de Tordoya, que por mostrar señaladamente sus hechos en aquella batalla iban con unas ropas de terciopelo blanco llenas de chapería de oro sobre las armas en que fueron luego conocidos y muertos por los arcabuceros, como está dicho. Y también se señalaron Alonso de Alvarado y el capitán Carvajal, el cual sin temer ningún peligro se metió por el artillería, donde eran tan espesas las pelotas[118] de los arcabuceros que le aguardaban que parecía imposible dejarle de acertar alguna. Y así, menospreciando la muerte, parece que huyó de él, como suele acaecer en todos los peligros y seguir al que más la teme, como se vio en aquella batalla, que un mancebo, no osando entrar en ella, de temor se fue a esconder tras

BNF (ejemplar A1, según la clasificación de Roche [1978], véase la introducción).
    [118] 1577: balas.

una peña y, saltando un pedazo della del golpe de una pelota[119], le hizo piezas la cabeza, de que murió.

Los principales que se señalaron, así en esta batalla como en los otros negocios de donde dependió, fueron el licenciado Carvajal, Francisco de Godoy, Diego de Aguilera, Nicolás de Ribera, Jerónimo de Aliaga, Juan de Barbarán, Miguel de la Serna, Lope de Mendoza, Diego Centeno, Melchor Verdugo, Cristóbal de Barrientos, Gómez de Alvarado, Gaspar Rodríguez, don Gómez de Luna, Pedro de Hinojosa, Francisco de Carvajal, don Pedro Puertocarrero, Alonso de Cáceres, Diego Ortiz de Guzmán, Sebastián de Merlo, Francisco de Ampuero y otros muchos. Demás de los cuales se señalaron algunos de la parcialidad del adelantado, que como está dicho siguieron a Vaca de Castro por tratar en nombre de su majestad este negocio. Los principales de los cuales fueron Pedro Álvarez Holguín, don Alonso de Montemayor, Juan de Sayavedra, Martín de Robles, Lorenzo de Aldana, don Cristóbal Ponce de León, Pablo de Meneses, Vasco de Guevara, el contador Juan de Guzmán, Diego Núñez de Mercado, Pero López de Ayala, Diego Becerra, Diego Maldonado, Juan García, Diego Gallego, Francisco Gallego, Pero Ortiz, Alonso de Mesa, Dionisio de Bobadilla, Luis García de San Mamés, Garci Gutiérrez de Escobar, Marcos de Escobar, Juan de Horbaneja, Diego de Ocampo y otros muchos. A los cuales o a los más dellos Vaca de Castro dio de comer al tiempo que repartió la tierra, porque decía que aquellos lo habían merecido señaladamente, pues habían dejado sus particulares pretensiones y afición por seguir a su majestad y su real voz y servicio.

---

[119] 1577: bala.

Capítulo XXI

De la justicia que hizo Vaca de Castro
de los de don Diego[120]

Aquella noche de la victoria sobrevino tan grande helada que muchos de los heridos murieron de frío, porque a solo Gómez de Tordoya, que no era muerto, y a Pero Anzures, que estaba herido, se les pudieron dar tiendas porque aún no era llegado el carruaje. Otro día de mañana Vaca de Castro mandó curar más de cuatrocientos heridos que había e hizo enterrar los muertos y llevar los cuerpos de Pero Álvarez y Gómez de Tordoya a sepultar a la villa de Guamanga suntuosamente. Y aquel mismo día hizo degollar algunos de los presos que habían sido en la muerte del marqués, y cuando otro día fue a Guamanga el capitán Diego de Rojas había degollado a Juan Tello y a otros capitanes. Y Vaca de Castro cometió la ejecución de la justicia de los demás al licenciado de la Gama, el cual ahorcó y degolló cuarenta personas de los más culpados, y a otros desterró y a todos los demás perdonó, por manera que serían justiciados hasta sesenta personas.

Diose licencia a todos los vecinos que se fuesen a sus casas y Vaca de Castro se fue al Cuzco, donde hizo nuevo proceso contra don Diego, y dende algunos días le degolló. Y Diego Méndez se soltó de la cárcel con otros dos de los presos y se fueron con el Inga a aquellas montañas que llaman los Andes, que por la aspereza de la entrada son inexpugnables. El Inga lo[s] recibió alegremente, mostrando

---

[120] En el anexo I ofrecemos la transcripción completa de este capítulo siguiendo la versión primera, correspondiente a la edición de la BNF (ejemplar A1, según la clasificación de Roche [1978], véase la introducción).

mucho sentimiento de la muerte de don Diego, porque le era muy aficionado, y como tal le envió al camino, cuando supo qué pasaba, muchas cotas de malla y coseletes y coracinas y otras armas de las que había tomado a la gente que venció y mató de los cristianos cuando iban en socorro de Gonzalo Pizarro y Juan Pizarro al Cuzco, enviados por el marqués (como arriba hemos dicho), y siempre trajo indios disfrazados en el campo que le avisasen del suceso de la batalla.

Capítulo XXII

De cómo Vaca de Castro envió a descubrir la tierra por diversas partes

Vencida la batalla de don Diego y pacificada la tierra le pareció a Vaca de Castro que no se podía derramar la gente de guerra, ni había con qué gratificarlos a todos, si no fuese enviándolos a conquistas y entradas por la tierra. Y así mandó al capitán Vergara que con la gente que había traído se tornase a su conquista de los Bracamoros; y envió al capitán Diego de Rojas y a Felipe Gutiérrez con más de trescientos hombres hacia la parte de oriente a descubrir la tierra que después poblaron, que responde al río de la Plata; y con un Monroy envió socorro a la provincia de Chili al capitán Pedro de Valdivia; y envió al capitán Juan Pérez de Guevara a conquistar la tierra de Mullobamba que él había descubierto. Y es una tierra más montuosa que rasa, y nacen de las faldas de la montaña della dos grandes ríos que tienen las vertientes a la mar del Norte, el uno es el Marañón (de quien tanto arriba se ha tratado), y el otro el río de la Plata. Los moradores de aquella tierra son caribes, que comen carne humana, y es la tierra tan caliente que andan desnudos, con solas unas mantas revueltas al cuerpo.

Y allí tuvo noticia Juan Pérez de otra gran tierra que hay pasadas las últimas cordilleras hacia el septentrión, donde hay ricas minas de oro y se crían camellos y gallinas como las de la Nueva España, y ovejas algo menores que las del Perú. Y todas las sementeras son de regadío porque llueve poco en la tierra, donde hay un lago que tiene las riberas muy pobladas de gente y en todos los ríos hay unos peces de la hechura y tamaño de grandes perros, y así comen y muerden a los indios que entran o pasan cerca de los ríos porque ellos salen también por las orillas. Esta tierra tiene al río Marañón hacia la parte del septentrión, y al oriente la tierra del Brasil, que poseen los portugueses, y al mediodía el río de la Plata, y también dicen que hay allí aquellas mujeres amazonas de que Orellana tuvo noticia.

Pues habiendo despachado Vaca de Castro sus capitanes a estas conquistas, estuvo en el Cuzco más de año y medio repartiendo los indios que estaban vacos y poniendo en orden la tierra, e hizo ordenanzas en gran utilidad y conservación de los indios. En este tiempo se descubrieron en las comarcas del Cuzco las más ricas minas de oro que en nuestros tiempos se habían visto, especialmente en un río que se llama Carabaya, tanto que acontecía a un indio coger en un día cincuenta pesos. Y toda la tierra estaba muy quieta y los indios muy amparados y reparados de las grandes fatigas que recibieron en las guerras pasadas. Y en este tiempo fue Gonzalo Pizarro al Cuzco, porque hasta entonces no se le había dado licencia para ello, y después de haber estado allí algunos días se fue a las Charcas a entender en sus granjerías, hasta que vino el visorrey Blasco Núñez Vela, como en el siguiente libro se declarará.

Libro quinto

De las cosas que sucedieron en el Perú
al visorrey Blasco Núñez Vela

Capítulo I

De las ordenanzas que su majestad mandó hacer
para el gobierno de las Indias y cómo Blasco Núñez Vela
fue por visorrey al Perú para ejecutarlas

En esta sazón y algunos tiempos antes hubo personas religiosas que, pareciéndoles moverse con buen celo, vinieron a informar a su majestad y a los señores de su Real Consejo de los grandes agravios y crueldades que los españoles generalmente hacían en los indios, así maltratando y matando sus personas, como llevándoles sus haciendas e imponiéndoles demasiados tributos y echándolos a las minas y en pesquerías de perlas, donde perecían todos. Y se iban disminuyendo y apocando de tal manera que en breve tiempo no quedaría ninguno dellos en la Nueva España ni en el Perú y en las otras partes donde los había, como habían perecido en las islas de Santo Domingo y Cuba y San Juan de Puerto Rico y Jamaica y en otras islas, donde ya no había memoria de ninguno de los naturales. Diciendo para persuadir esto a su majestad algunas crueldades que los españoles habían hecho en los indios, y aun añadiendo otras que no se tiene noticia haber acontecido.

241

Y como una de las principales causas de donde se seguía esta destrucción era las cargas que a los indios se hacían llevar, por la poca moderación que en ello se tenía y que los que principalmente habían excedido en todas estas cosas eran los gobernadores y sus tenientes y los oficiales de su majestad y los obispos y los monasterios y otras personas favorecidas y privilegiadas que, confiando en que no se había de hacer justicia contra ellos, habían señaládose en todas estas cosas. Y el que principalmente insistió en esta información fue un religioso de la orden de Santo Domingo llamado fray Bartolomé de las Casas, a quien su majestad proveyó del obispado de Chiapa.

Oídas por su majestad todas estas cosas y queriendo remediarlas, entendiendo que convenía así al descargo de su real conciencia, sobre esta información que le fue hecha mandó juntar con los de su Consejo de las Indias otros muchos letrados y personas de conciencia y, habiendo tratádose entre ellos y platicado y mirado con gran diligencia, se hicieron ciertas ordenanzas, con que les pareció que se remediaban todos los daños e inconvenientes que fray Bartolomé había propuesto, mandando que ningún indio se pudiese echar en las minas ni a la pesquería de las perlas ni se cargasen, salvo en aquellas partes que no se pudiese excusar, y entonces pagándoles su trabajo, y que se tasasen los tributos que habían de dar a los españoles, y que todos los indios que vacasen por muerte de los que a la sazón los tenían se pusiesen en la corona real, y que se quitasen las encomiendas y repartimientos de indios que tenían los obispos de todas las Indias y los monasterios y hospitales, y los que hubiesen sido gobernadores o sus lugarestenientes y los oficiales de su majestad, sin que los pudiesen retener aunque dijesen que querían dejar los oficios.

Y particularmente se quitasen los indios en la provincia del Perú a todos aquellos que hubiesen sido culpados en las pasiones y alteraciones de entre don Francisco Pizarro y don Diego de Almagro, y que todos estos indios que de una manera u otra se quitasen y los tributos dellos se pusiesen en cabeza de su majestad. Y con esta última ordenanza era claro que ninguna persona en toda la provincia del Perú podía quedar con indios pues, como se puede colegir de toda esta historia, ningún español de grande ni pequeña calidad había que no estuviese más apasionado por una destas dos parcialidades que si sobre ello le fuese su vida y hacienda. Lo cual se había entendido aun hasta los mesmos indios de la tierra, que muchas veces acontecía haber entre ellos grandes batallas y diferencias y otras contiendas particulares a título destas dos opiniones, que ellos llamaban a los de don Diego los de Chili y a los del marqués los de Pachacama.

Y entre otras muchas cosas demás de las arriba declaradas, que se proveían por las ordenanzas y parecía convenir para el buen gobierno de aquellas provincias, era una que porque la provincia del Perú, que era la más rica y principal cosa de las Indias, estaba sujeta a la audiencia real que residía en la ciudad de Panamá, donde no había más de dos oidores y había muy gran dilación y mal despacho en los negocios, por estar tan lejos el Perú de Panamá, especialmente porque, como tenemos dicho arriba, la mayor parte del año no podían navegar ni ir al Perú. Y a esta causa no se habían remediado desde allí todos los daños e inconvenientes sobredichos, ni se podrían remediar los que adelante sucediesen, se proveyó y mandó que la audiencia de Panamá se deshiciese y se ordenase otra de nuevo en los confines de Guatimala y Nicaragua, de la cual fuese por presidente el licenciado Maldonado, oidor de México, y que a esta audiencia quedase sujeta la provincia de Tierra Firme, y que en el Perú se proveyese nueva audiencia y en ella cuatro oidores y un presidente con título de visorrey y capitán general, porque se entendió que la importancia de las cosas del Perú lo requería.

Estas ordenanzas se hicieron y publicaron en la villa de Madrid en el año de quinientos y cuarenta y dos, y luego se enviaron los traslados dellas a diversas partes de las Indias, de que se recibió muy gran escándalo entre los conquistadores

243

dellas, especialmente en la provincia del Perú, donde más general era el daño, pues ningún vecino quedaba sin quitársele toda su hacienda y tener necesidad de buscar de nuevo qué comer. Y decían que su majestad no había sido bien informado en aquella provisión, pues si ellos habían seguido estas dos parcialidades había sido pareciéndoles que las cabezas dellas eran gobernadores y se lo mandaban en nombre de su majestad, y que no podían dejar de cumplir por fuerza o por grado sus mandamientos. Y así no era aquella culpa porque debiesen ser despojados de sus haciendas y que, demás desto, al tiempo que [ellos] a su costa descubrieron la provincia del Perú, se había capitulado con ellos que se les habían de dar los indios por sus vidas, y después de muertos habían de quedar a su hijo mayor o a sus mujeres no teniendo hijos. Y que, en confirmación desto, pocos días antes su majestad había enviado a mandar a todos los conquistadores que dentro de cierto tiempo se casasen, so pena de perdimiento de los indios, y que en cumplimiento dello los más se habían casado. Y que no era justo que, después que estaban viejos y cansados y con mujeres, pensando tener alguna quietud y reposo, se les quitasen sus haciendas, pues no tenían edad ni salud para ir a buscar nuevas tierras y descubrimientos.

Y así acudieron de diversas partes al Cuzco a hacer relación de todo esto al licenciado Vaca de Castro que allí estaba, y él les dijo que tenía por cierto que, siendo su majestad informado de la verdad, que lo mandaría remediar y que para esto convendría que se juntasen los procuradores de todas las ciudades y se nombrasen algunos dellos que en nombre de todo el reino viniesen a su majestad y a su Real Consejo a suplicar por el remedio destas ordenanzas. Y para que más cómodamente y sin tanto trabajo se pudiesen juntar[121], él bajaría a la ciudad de Los Reyes, por que estu-

---

[121] 1577: ...y a su Real Consejo a suplicar por estas ordenanzas. Y para que más cómodamente se pudiesen juntar...

viesen más en comarca las ciudades de los llanos y las de la sierra para venir a tratar deste negocio, compartiendo el trabajo del camino. Y así se partió de la ciudad del Cuzco para Los Reyes, trayendo consigo procuradores de todas las ciudades de aquellas comarcas, y otros caballeros y gente principal que le venían acompañando.

Capítulo II

De la provisión y jornada de Blasco Núñez Vela, visorrey del Perú, y de los oidores y otros oficiales que con él fueron

En el año de quinientos y cuarenta y tres, casi por el mesmo tiempo que lo contado en el capítulo antes deste pasaba en la provincia del Perú, su majestad, en cumplimiento y ejecución de la ordenanza que tenemos dicho, proveyó por visorrey y presidente de la provincia del Perú a Blasco Núñez Vela, vecino de la ciudad de Ávila, que a la sazón era veedor general de las guardas de Castilla, porque tenía experiencia en lo que de él había conocido, así en este cargo como en otros corregimientos que antes de él había tenido en las ciudades de Málaga y Cuenca, que era caballero recto y que hacía justicia sin ningún respecto, y que ejecutaba los mandamientos reales con todo rigor, sin ninguna disimulación.

Y proveyó por oidores al licenciado Cepeda, natural de la villa de Tordesillas, que a la sazón era oidor en las islas de Canaria, y al doctor Lisón de Tejeda, natural de la ciudad de Logroño, que era alcalde de los hijosdalgo de la audiencia real de Valladolid, y al licenciado Álvarez, abogado en la mesma audiencia, y al licenciado Pedro Ortiz de Zárate, natural de la ciudad de Orduña, que era alcalde mayor en Segovia. Y proveyó asimesmo por contador de cuentas de aquella provincia y de la de Tierra Firme a Agustín de Zárate, secretario de su Real Consejo, [que es el autor desta historia,] porque después del descubrimiento de aquellas provincias no se habían tomado cuenta[s] a los tesoreros y otros administradores de la hacienda real. Y todos se hicieron a la vela en el puerto de Sanlúcar de Barrameda el primero día del mes de noviembre del año de cuarenta y tres, y llegaron al puerto de Nombre de Dios con buena navegación, y allí se detuvieron, aderezando las cosas necesarias para la navegación de la mar del Sur algunos días.

Y el visorrey dio gran priesa en su despacho, y en un navío que hizo aprestar se embarcó e hizo a la vela mediado el mes de febrero del año de cuarenta y tres[122], sin querer esperar a llevar en su compañía ninguno de los oidores, aunque le fue pedido, y dello quedaron algo resabiados, demás de haber pasado entre ellos algunas ocasiones de poca importancia, por donde comenzaban a declarar los unos y los otros sus ánimos. Antes que el visorrey partiese comenzó a ejecutar en aquella provincia (caso que no era de su gobernación) una de las ordenanzas que llevaba, por donde se mandaba que los indios se volviesen a sus naturalezas, estando fuera dellas por cualquier manera. Y así comenzó a recoger todos los indios que en aquella provincia había naturales del Perú, y por el gran comercio estas dos gobernaciones se habían traído muchos, y a costa de sus amos los fletó en su navío y llegó muy brevemente al Perú.

Y desembarcando en el puerto de Tumbez hizo su viaje por tierra y comenzó a ejecutar las ordenanzas en cada lugar por do pasaba, a unos tasándoles los tributos y a otros quitándoles de todo punto los indios y poniéndolos en cabeza de su majestad. Y caso que algunas personas particulares a quien tocaba y en general las dos ciudades de San Miguel y Trujillo parecieron ante él suplicando destas ordenanzas, a lo menos haciendo grande instancia en que

---

[122] Clara errata, que se repite en 1577. Sería el año 1544.

sobreseyese la ejecución dellas hasta que, junta toda la audiencia, ellos pareciesen en Lima a seguir su justicia sobre esta suplicación, pues la ejecución por una de las mesmas ordenanzas venía cometida al que fuese visorrey y oidores juntamente, y no lo podía hacer él solo. Ninguna cosa destas quiso admitir, diciendo que aquellas eran leyes generales y hechas para buena gobernación, y que por esto no admitían suplicación, y así continuó la ejecución hasta que llegó a la provincia de Guaura, que es diez y ocho leguas de la ciudad de Los Reyes.

Capítulo III

De lo que pasó en la ciudad de Los Reyes sobre el recibimiento del visorrey

Desde[123] que el visorrey llegó al puerto de Tumbez, envió adelante a gran priesa a notificar al licenciado Vaca de Castro sus poderes, para que se desistiese de la gobernación. Y así por el mensajero que las llevó como por otros que después de él se siguieron, se tuvo noticia en la tierra del rigor con que el visorrey ejecutaba las ordenanzas y cómo no admitía ninguna suplicación dellas. Y para indignar más la gente sobre lo que el visorrey hacía, añadían algunos otros más rigores y cosas que no le habían pasado a él por pensamiento.

Y causaron tanto alboroto estas nuevas en los ánimos de la gente que venía con Vaca de Castro que unos le decían que no recibiese al visorrey, sino que suplicasen de las ordenanzas y de la provisión que de él se había hecho, y que no les recibiesen a la gobernación, pues él se había hecho indigno dello no queriendo oír a justicia los vasallos de su

---

123 1577: Después.

majestad, y mostraba tanto rigor en la ejecución. Otros le decían que si él no aceptaba esta empresa no faltaría en el reino quien la aceptase. Pero con todo esto Vaca de Castro los apaciguaba, diciendo que tuviesen por cierto que, después de llegados los oidores y asentada la audiencia, siendo informados de la verdad, otorgarían la suplicación, y que él no podía dejar de obedecer lo que su majestad mandaba. Y en cumplimiento dello, cerca desta provincia de Guadachili, que es a veinte leguas de la ciudad de Los Reyes, donde le fueron notificadas las provisiones, él se desistió del cargo de gobernador, aunque primero proveyó a algunas personas ciertos repartimientos de indios que estaban vacos, y parte dellos en su cabeza.

Y viendo los principales que con él venían que no quería hacer lo que ellos le importunaban, se volvieron a la ciudad del Cuzco y, aunque el color que daban para la vuelta era que no osarían aguardar al visorrey solo y que cuando la audiencia estuviese junta volverían, pero con todas estas excusas se entendía bien dellos que iban alterados y no con buenas intenciones, las cuales dende a pocos días declararon. Porque llegando a la villa de Guamanga con grande alboroto, sacaron de poder de Vasco de Guevara toda la artillería que el licenciado Vaca de Castro allí había dejado al tiempo que venció a don Diego, y la llevaron a la ciudad del Cuzco, juntando gran copia de indios para ello. Vaca de Castro continuó su camino hasta llegar a Los Reyes, donde halló gran confusión en toda la ciudad sobre recibir el visorrey, porque unos decían que su majestad por las provisiones no mandaba que fuese recibido si no viniese personalmente, otros decían que en caso que viniese, vistas las ordenanzas que traía y el rigor con que las había comenzado a ejecutar, sin admitir dellas suplicación, no convenía dejarle entrar en la tierra.

Y con todo esto Illán Suárez, factor de su majestad y regidor de aquella ciudad, trabajó y negoció tanto para que fuese recibido que en fin se obedecieron las provisiones y las pregonaron con toda solemnidad. Y luego fueron muchos vecinos y regidores a recebir y besar las manos al visorrey a Guaura, y de allí vinieron con él hasta [la ciudad de] Los Reyes, donde fue recibido con gran fiesta, metiéndole debajo de un palio de brocado y llevando los regidores las varas, vestidos con [sus] ropas rozagantes de raso carmesí, forradas en damasco blanco, y le llevaron a la iglesia y a su posada. Y entendido por él el alboroto de los que se fueron al Cuzco, luego otro día mandó prender en la cárcel pública al licenciado Vaca de Castro, teniendo sospecha que había entendido en aquel motín y sido el origen de él. Y los de la ciudad, caso que no estaban [todos] bien con Vaca de Castro, fueron a suplicar al visorrey no permitiese que una persona como Vaca de Castro, que era del consejo de su majestad y había sido su gobernador, fuese echado en cárcel pública, pues aunque le hubiesen de cortar otro día la cabeza, se podía tener en prisión segura y honesta. Y así le mandó poner en la casa real con cien mil castellanos de seguridad, en que le fiaron los mesmos vecinos de Lima, y le mandó secrestar sus bienes. Y visto todos estos rigores la gente andaba desabrida y haciendo corrillos, y saliéndose pocos a pocos de la ciudad la vía del Cuzco, adonde el visorrey no estaba recibido.

Capítulo IV

De cómo Gonzalo Pizarro vino al Cuzco y le nombraron por procurador general de la tierra

En este tiempo Gonzalo Pizarro, hermano del marqués don Francisco Pizarro, estaba (como es dicho) en sus repartimientos en la provincia de los Charcas con hasta diez o doce hombres amigos suyos. Y sabidas las nuevas de la venida del visorrey y la razón della y las ordenanzas que venía a ejecutar, de que ya había tenido noticia, determinó de venirse al Cuzco debajo de ocasión de saber nuevas de Castilla y proveer en los despachos que enviaba Hernando Pizarro, su hermano. Y andando recogiendo dineros de sus haciendas, le venían cartas de todas [partes, así de los cabildos como de particulares, persuadiéndole cómo a él le convenía tomar esta empresa de suplicar de las ordenanzas y][124] procurar el remedio dellas, así porque era a quien principalmente tocaban, como porque de derecho le pertenecía la gobernación de aquella provincia. Y algunos le ofrecían sus personas y haciendas, otros le escribían que el visorrey había dicho públicamente[125] que le había de cortar la cabeza, de manera que por diversas vías le procuraban indignar y hacerle venir al Cuzco, para resistir la entrada del visorrey.

Visto todo esto y conformándose con el deseo que él siempre había tenido de ser gobernador del Perú, recogió ciento y cincuenta mil castellanos de sus haciendas y de las de Hernando Pizarro y vínose al Cuzco, trayendo consigo hasta veinte personas. Todos le salieron a recibir y mostraron holgarse con su venida, y cada día llegaba al Cuzco gente que se huía de la ciudad de Los Reyes, de la que el visorrey hacía, añadiendo siempre algo para que más se alterasen los vecinos. En el cabildo del Cuzco se hicieron muchas juntas, así de los regidores como de todos los vecinos en general, tratando sobre lo que se debía hacer cerca de la venida del visorrey, y algunos decían que se recibiese y que en lo tocante a las ordenanzas se enviasen procuradores a su majestad para que las remediase, otros decían que,

---

[124] Todo este fragmento falta en 1555, probablemente a causa del cambio de página se perdió una parte de la oración en el proceso de impresión, porque tal y como se presenta el texto carece de sentido. En la versión A1 (ejemplar BNF) sí encontramos este fragmento, por lo que esta carencia se debió seguramente a un despiste del impresor.

[125] En 1577 falta el adverbio «públicamente».

Cuzco se había hecho, luego revocaron el poder a Diego Centeno y en nombre de cabildo respondieron al regimiento del Cuzco que aunque su majestad les quitase las haciendas y vidas habían de obedecer sus provisiones, diciendo que aquella villa siempre le había servido contra los que habían querido lo contrario y que así lo entendían hacer ahora, diciéndoles también que el poder que había llevado Diego Centeno había sido para hacer aquello que cumpliese al servicio de su majestad y buena gobernación de aquellos reinos y conservación de los naturales y que visto que en la elección de Gonzalo Pizarro ni en todo lo demás que se había acordado no concurrían ninguna destas razones, no se podía decir hecho por virtud del poder, pues no era conforme a él.

Aunque esta carta no se escribió con parecer de todos los regidores, porque algunos amigos y aficionados de Gonzalo Pizarro andaban haciendo juntas de gentes y atrayéndoles a su favor, y muchas veces determinaron de matar a Luis de Ribera y Antonio Álvarez y no lo pudieron ejecutar por andar ellos siempre muy a recaudo, esperando las provisiones del visorrey que, por ser tan lejos, no habían podido llegarles. Y mandaron so graves penas que ninguna persona saliese de la ciudad, aunque sin embargo dello muchos se fueron al Cuzco.

CAPÍTULO V

De lo que el visorrey hizo en Los Reyes,
sabida la alteración de la tierra

Siendo entrado y recibido el visorrey en la ciudad de Los Reyes con la solemnidad que hemos dicho por el mes de mayo del año de cuarenta y cuatro, nadie le hablaba en la suspensión de las ordenanzas porque, aunque por el cabildo de la ciudad le había sido interpuesta la suplicación dellas, dándole muchas razones para que se debiesen suspender, no lo había querido hacer, caso que les prometía que después de ejecutadas él escribiría a su majestad informándole cuanto convenía a su servicio y a la conservación de los naturales que las ordenanzas fuesen revocadas. Porque llanamente él confesaba que así para su majestad como para aquellos reinos eran perjudiciales y que si los que las ordenaron tuvieran los negocios presentes no aconsejaran a su majestad que las hiciera. Y que le enviase el reino sus procuradores y juntamente con ellos él escribiría a su majestad lo que conviniese, y que él confiaba que lo mandaría remediar, pero que él no podía tratar de suspender la ejecución como lo había comenzado, porque no traía poder para otra cosa.

En este tiempo llegaron los licenciados Cepeda y Álvarez y doctor Tejada, oidores, dejando al licenciado Zárate enfermo en la ciudad de Trujillo. Y luego el visorrey mandó hacer audiencia y para ello se ordenó un solemne recibimiento para el sello real como en audiencia que nuevamente entraba en la tierra y se recibió llevándole en una caja sobre un caballo muy bien aderezado, cubierto con un paño de tela de oro debajo de un palio de brocado, llevando las varas de él los regidores con ropas rozagantes de terciopelo carmesí, de la forma que en Castilla se recibe la persona real, llevando de diestro el caballo Juan de León, regidor, que iba nombrado por chanciller por el marqués de Camarasa, adelantado de Cazorla, que tenía la merced del sello.

Y luego se asentó la audiencia y se comenzaron a librar negocios y en los primeros días sucedió uno con que se renovaron las disensiones que se habían comenzado a mostrar entre el visorrey y los oidores. Y fue que, llegando el visorrey al tambo de Guaura, donde hemos dicho que estuvo en la determinación de su recibimiento, halló escrito en la pared del tambo un mote cuya sentencia era: «A quien me viniere a echar de mi casa y hacienda, procuraré de echarle del mundo». Leído por el visorrey disimuló por entonces, persuadiéndose que lo había escrito o hecho escribir Antonio de Solar, vecino de Medina del Campo, cuya era aquella provincia de Guaura, porque conoció no tenerle buena voluntad en que cuando allí llegó halló despoblado el tambo, sin que hubiese cristiano ni indio en él, y tuvo por cierto que Antonio de Solar lo había ordenado así. Y disimulando por entonces, en llegando a Los Reyes pocos días después de recibido hizo llamar a Solar y, tratando con él a solas sobre el mote, dijo el visorrey que le había dicho ciertas palabras muy desacatadas, por lo cual mandó cerrar las puertas de palacio y llamó un capellán suyo que le confesase, queriéndole ahorcar de un pilar de un corredor que salía a la plaza. Solar no se quiso confesar y duró esta porfía tanto que se divulgó por la ciudad y vino el arzobispo de Los Reyes y con él otras personas de calidad suplicando al visorrey que suspendiese aquella justicia, lo cual no se podía acabar con él.

Y en fin concedió de dilatarla por aquel día, mandando llevar a Solar a la cárcel y echarle muchas prisiones. Y aquel día, habiéndosele pasado algo la alteración, le pareció que no era bien ahorcarle y así le tuvo en la cárcel por espacio de dos meses, sin hacerle cargo por escrito de su culpa ni formar otro proceso hasta que, venidos los oidores yendo un sábado a visitar la cárcel y estando bien informados y rogados sobre el caso, visitaron a Solar preguntándole la causa de su prisión, y él dijo que no la sabía, ni se halló proceso contra él entre todos los escribanos, ni el alcalde supo decir más[129] de que el visorrey se le había enviado preso, mandándole que le echase aquellas prisiones. Y el lunes siguiente los oidores dijeron al visorrey en el acuerdo que no hallaban proceso ni causa para la prisión de Solar, más de que se decía haberse hecho por su mandado, y que

---

[129]   1577: ...ni el alcaide de la cárcel supo decir más...

si no había información por donde se justificase la prisión, conforme a justicia no podían hacer menos de soltarle. El visorrey les respondió que él le había mandado prender y aun le había querido ahorcar, así por aquel mote que estaba en su tambo como por ciertos desacatos que en su mesma persona le había dicho, de lo cual no había habido testigos, y que él por vía de gobernación, como visorrey, le podía prender y aun matar sin que fuese obligado a darles a ellos cuenta por que lo hacía. Los oidores le respondieron que no había más gobernación de cuanto fuese conforme a justicia y a las leyes del reino.

Y así quedaron diferentes de manera que el sábado siguiente en la visita de la cárcel los oidores mandaron soltar a Solar, dándole su casa por cárcel, y en otra visita le dieron por libre. Lo cual todo sintió el visorrey mucho y halló ocasión para vengarse de los oidores en que todos tres se fueron a posar cada uno [en casa] de un vecino de los más ricos de la ciudad y los daban de comer y todas las otras cosas necesarias a ellos y a sus criados. Y aunque al principio se había hecho con permisión del visorrey, fue por poco tiempo y mientras buscaban casas en que posar y las aderezaban, y viendo que pasaba adelante, el visorrey les envió a decir que buscasen casas en que posar y no comiesen a costa de los vecinos, pues no sonaría bien delante su majestad ni ellos lo podían hacer, y que tampoco estaba bien que anduviesen acompañados con los vecinos y negociantes.

A todo esto respondían que no hallaban casas en que posar hasta que saliesen los arrendamientos, y que comerían a su costa de ahí adelante. Y cuanto al acompañamiento que no era cosa prohibida, antes muy conveniente, y que lo usaban en Castilla en todos los consejos de su majestad porque los negociantes yendo y viniendo acordaban sus negocios a los oidores y les informaban sobre ellos. Y así se quedaron siempre diferentes y mostrándolo todas las veces que se ofrecía coyuntura, tanto que un día el licenciado Álvarez tomó juramento a un procurador sobre que se decía que había dado a Diego Álvarez de Cueto, cuñado del visorrey, cierta cantidad de pesos de oro por que le hiciese nombrar al oficio por el visorrey, la cual averiguación él sintió mucho.

Capítulo VI

De las cosas que proveyó el visorrey para la guerra

En todo este tiempo estaba tan cerrado el camino del Cuzco que ni por vía de indios ni de españoles no se tenía nueva de lo que allá pasaba, salvo saberse que Gonzalo Pizarro había venido al Cuzco y que toda la gente que se había huido de la ciudad de Los Reyes y de otras partes había acudido allí a la fama de la guerra. Y en esto el visorrey y audiencia despacharon provisiones, mandando a todos los vecinos [de la ciudad] del Cuzco y de las otras ciudades que recibiesen a Blasco Núñez por visorrey y acudiesen a le servir a la ciudad de Los Reyes con sus armas y caballos, y aunque todas las provisiones se perdieron en el camino, aportaron a la villa de la Plata las que para allí se habían despachado.

Y por virtud dellas Luis de Ribera y Antonio Álvarez, juntamente con el cabildo, recibieron a Blasco Núñez por visorrey con gran solemnidad y alegrías, y en cumplimiento de lo mandado salieron veinte y cinco de caballo, que se pudieron juntar muy bien aderezados y, llevando por capitán a Luis de Ribera, se fueron la vía de Lima, caminando por despoblados y lugares secretos por que Gonzalo Pizarro no los enviase [a] atajar el camino. Y también aportaron a poder de algunos vecinos particulares del Cuzco las provisiones que para este efecto les había enviado, por virtud de las cuales se vinieron algunos dellos a servir al visorrey, como adelante se dirá.

Estando en estos términos vinieron nuevas ciertas al visorrey de lo que en el Cuzco pasaba, lo cual le dio ocasión a que con grande diligencia hiciese acrecentar su ejército con el buen aparejo que halló de dineros, porque el licenciado Vaca de Castro había hecho embarcar hasta cien mil castellanos que había traído del Cuzco para enviar a su majestad, los cuales sacó de la mar, y en breve tiempo los gastó en la paga de la gente. Hizo capitán de gente de caballo a don Alonso de Montemayor y a Diego Álvarez de Cueto, su cuñado, y de infantería a Martín de Robles y a Paulo de Meneses, y de arcabuceros a Gonzalo Díaz de Piñera, y a Vela Núñez, su hermano, capitán general, y a Diego de Urbina maestre de campo, y sargento mayor a Juan de Aguirre, y entre todos hubo seiscientos hombres de guerra, sin los vecinos, los ciento de caballo y doscientos arcabuceros, y los demás piqueros.

Hizo hacer gran copia de arcabuces, así de hierro como de fundición de ciertas campanas de la iglesia mayor que para ello quitó, y con su gente hacía muchos alardes y daba armas fingidas para ver cómo acudía la gente, porque tenía creído que no andaban de buena voluntad en su servicio. Y porque tuvo sospecha que el licenciado Vaca de Castro, a quien ya había dado la ciudad por cárcel, traía algunos tratos con criados y gente que le era aficionada, un día a hora de comer dio una arma fingida diciendo que venía Gonzalo Pizarro cerca y, junta la gente en la plaza, envió a Diego Álvarez de Cueto, su cuñado, y prendió a Vaca de Castro, y otros alguaciles prendieron por diversas partes a don Pedro de Cabrera y a Hernán Mejía de Guzmán, su yerno, y al capitán Lorenzo de Aldana y a Melchor Ramírez y Baltasar Ramírez, su hermano, y a todos juntos los hizo llevar a la mar, metiéndolos en un navío de armada, de que nombró por capitán a Jerónimo de Zurbano, natural de Bilbao, y dende a pocos días soltó a Lorenzo de Aldana y desterró a don Pedro y a Hernán Mejía para Panamá, y a Melchor y Baltasar Ramírez para Nicaragua, y a Vaca de Castro le dejó todavía preso en la misma nao, sin que a los unos ni a los otros jamás diese traslado ni declarase culpa por qué procediese contra ellos, ni haber recibido información della.

Capítulo VII

De cómo Alonso de Cáceres y Jerónimo de la Serna
se alzaron con dos navíos en Arequipa
y los trajeron al visorrey

Cuando comenzó esta alteración de la tierra habían subido al puerto de Arequipa dos navíos cargados de mercaderías, los cuales Gonzalo Pizarro hizo detener y aun los compró con intento de enviar desde el Cuzco para meter en ellos toda la artillería, así por excusar la gran dificultad que había de traerla por tierra tan largo camino, como para tomar el puerto de la ciudad de Los Reyes y desposeer de los navíos que en ella había al visorrey. Porque entendía (y así es cierto) que el que es señor de la mar en toda aquella costa tiene la tierra por suya y puede hacer en ella todo el daño que quisiere, desembarcando en todos los lugares que hallare desapercebidos y proveyéndose de armas y caballos de los navíos que las llevan al Perú, y no dejando llegar a la tierra ningunos bastimentos y ropa de los que de Castilla se llevan.

Y sabiendo esto el visorrey estaba muy temeroso del suceso, porque no tenía resistencia por mar contra la artillería que esperaba y acordó, desque lo supo, de buscar el remedio que buenamente pudo. Y este fue que hizo armar una nao de las que estaban en el puerto con ocho tiros de bronce y ciertos versos de hierro y algunos arcabuces y ballestas, y la puso en el puerto para defensa de él y resistencia de los navíos que esperaba, y nombró por capitán de él al dicho Jerónimo de Zurbano, natural de la villa de Bilbao[130]. Y aconteció que, sabido el intento de Gonzalo Pizarro por los capi-

---

[130] En 1577 falta: natural de la villa de Bilbao.

tanes Alonso de Cáceres y Jerónimo de la Serna, vecinos de Arequipa, una noche entraron en los navíos que esperaban la venida de la artillería y, pagándoselo muy bien al maestre y algunos marineros que dentro se hallaron, se alzaron con ellos y, dejando sus casas e indios y haciendas, se vinieron con los navíos a la ciudad de Los Reyes. Y llegando al puerto, siendo avisado el visorrey de su venida por las atalayas que tenía en una isla, creyendo que venían de guerra, salió al puerto con mucha gente de caballo, donde Jerónimo Zurbano les comenzó a tirar con su artillería, y ellos amainaron las velas y salieron en el batel y le entregaron los navíos, con gran placer suyo y de toda la ciudad, por haberse asegurado del peligro que dellos recelaban.

Capítulo VIII

De lo que hizo en este tiempo Gonzalo Pizarro en el Cuzco

En este tiempo Gonzalo Pizarro estaba en el Cuzco haciendo y pagando la gente con gran diligencia y proveyendo las otras cosas necesarias para la guerra, y pudo juntar hasta quinientos hombres, de los cuales hizo maestre de campo al capitán Alonso de Toro, y de los de caballo hizo capitán a don Pedro de Puertocarrero, y tomó para sí parte dellos debajo de su estandarte e hizo capitanes de piqueros al capitán Gumiel y al bachiller Juan Vélez de Guevara, y nombró por capitán de arcabuceros a Pedro Cermeño. Llevaba tres estandartes, el uno de las armas reales en poder de don Pedro Puertocarrero, y el otro de la ciudad del Cuzco que fue entregado a Antonio Altamirano, regidor de aquella ciudad, natural de Ontiveros, a quien después degolló Gonzalo Pizarro por servidor de su majestad, como adelante se dirá. Y otro estandarte de sus armas traía su alférez, y después le entregó al capitán Pedro de Puelles.

Nombró por capitán de artillería a Hernando Bachicao, que juntó veinte piezas de campo muy buenas y las aparejó de pólvora y pelotas[131] y toda la otra munición necesaria y, teniendo junta su gente en el Cuzco, general y particularmente justificaba o coloraba la causa de aquella tan mala[132] empresa con que él y sus hermanos habían descubierto aquella tierra y puéstola debajo del señorío de su majestad a su costa y comisión[133], y enviado della tanto oro y plata a su majestad como era notorio. Y que después de la muerte del marqués no solamente no había enviado la gobernación para su hijo ni para él, como había quedado capitulado, mas aun ahora les enviaba a quitar a todos sus haciendas, pues no había ninguno que por una vía o por otra no se comprendiese debajo de las ordenanzas, enviando para la ejecución dellas a Blasco Núñez Vela, que tan rigurosamente las ejecutaba, no otorgándoles la suplicación y diciéndoles palabras muy injuriosas y ásperas, como de todo esto y de otras muchas cosas ellos eran testigos. Y que sobre todo era público que le enviaba a cortar la cabeza sin haber él hecho cosa en deservicio de su majestad, antes servídole tanto como era notorio.

Por tanto, que él había determinado, con parecer de aquella ciudad, de ir a la ciudad de Los Reyes y suplicar en el audiencia real de las ordenanzas y enviar a su majestad procuradores en nombre de todo el reino, informándole de la verdad de lo que pasaba y convenía, y que tenía esperanza que su majestad lo remediaría. Y donde no, que después de haber hecho sus diligencias obedecerían pecho por tierra lo que su majestad mandase. Y que por no estar seguro del visorrey por las amenazas que les había hecho y por la gente que contra ellos habían juntado, acordaron que también él fuese con ejército para sola su seguridad, sin llevar inten-

---

[131] 1577: balas.
[132] 1577: injusta.
[133] 1577: misión.

to de hacer con él daño alguno no siendo acometido. Por tanto que les rogaba que tuviesen por bien de ir con él y guardar orden y regla militar, que él y aquellos caballeros les gratificarían su trabajo, pues iban en justa defensa de sus haciendas. Y con estas palabras persuadía aquella gente a que creyesen la justificación de la junta, y se ofrecieron de ir con él y defenderle hasta la muerte.

Y así salió de la ciudad del Cuzco, acompañándole todos los vecinos y puesta su gente en orden, aunque hubo algunos dellos entre los cuales estaba ya hecho concierto que le demandaron aquella noche licencia para volver al Cuzco a aderezar algunas cosas de su viaje. Y otro día de mañana se juntaron hasta veinte y cinco personas de las principales de la ciudad que, aunque a los principios habían dado consentimiento en que viniesen a suplicar de las ordenanzas, después, viendo cómo se iba dañando el negocio y encaminándose en deservicio de su majestad y alteración de la tierra, determinaron de apartarse de Gonzalo Pizarro e irse a servir al visorrey (como se fueron) haciendo muy grandes jornadas por despoblados y caminos apartados, porque sabían que Gonzalo Pizarro los había de enviar a seguir (como lo hizo). Y los principales deste concierto fueron Gabriel de Rojas, Gómez de Rojas, su sobrino, y Garcilaso de la Vega y Pedro del Barco y Martín de Florencia y Jerónimo de Soria y Juan de Sayavedra y Jerónimo Costilla y Gómez de León y Luis de León y Pedro Manjares y otros, hasta número de veinte y cinco personas, llevando consigo las provisiones que del audiencia real habían recibido, en que se les mandaba que so pena de traidores acudiesen luego.

Y cuando Gonzalo Pizarro otro día lo supo, tuvo tan alterado el ejército que muchas veces estuvo en determinación de tornarse a los Charcas con cincuenta de caballo amigos suyos, y hacerse allí fuerte, pero en fin ninguna cosa halló de menos peligro para su vida que seguir el viaje comenzado y animar su gente diciendo que si aquellos caballeros se habían ido era por no saber el estado en que estaban los negocios de Los Reyes, porque había recibido cartas de los principales vecinos della en que le certificaban que con cincuenta hombres de caballo que él allí llevase concluiría el negocio comenzado sin riesgo ninguno, porque todos estaban de su opinión. Y así continuó su camino, aunque muy despacio, porque no sufría otra cosa el grande embarazo de la artillería, que la llevaba en hombros de indios con unos palos atravesados en los tiros, quitados de las curueñas y carretones, y cada tiro llevaban doce indios, que no andaban con él más de cien pasos, y luego entraban otros doce, y así remudaban trescientos indios que iban diputados para cada cañón, porque a causa de la aspereza de los caminos no se podían tirar en los carretones. Y así iban más de seis mil indios para solamente llevar el artillería y las municiones della.

Capítulo IX

De cómo Gaspar Rojas[134] y otros del real
de Gonzalo Pizarro se quisieron pasar a servir al visorrey
y enviaron por salvoconducto

Muchos caballeros y personas particulares venían en compañía de Gonzalo Pizarro (como está dicho en el capítulo precedente) que aunque a los principios fueron de parecer que viniesen a suplicar de las ordenanzas, y para ello ofrecieron sus personas y haciendas, después, visto cómo el negocio se iba enconando y poco a poco Gonzalo Pizarro iba usurpando señorío y mando, y que por su autoridad quebró la caja de su majestad y sacó della los dineros que había contra voluntad de los oficiales y justicias, antes que saliesen del Cuzco se arrepintieron de haberse entremetido en estas co-

---

[134] 1577: Rodríguez.

sas, que daban de sí muy ciertas señales del mal suceso que habían de tener. Y así, siendo el principal del concierto Gaspar Rodríguez de Camporredondo (hermano del capitán Pedro Anzures, cuyos indios le habían sido encomendados por su muerte), se trató entre algunas personas principales del ejército de dejar a Gonzalo Pizarro y pasarse a servir al visorrey, aunque por otra parte no lo osaban hacer, diciendo que era de muy áspera condición y que no los dejaría de castigar por lo pasado, aunque se viniesen a su servicio.

Y así determinaron de hacer lo uno y prevenir en lo otro, enviando por caminos muy secretos y apartados a Baltasar de Loaysa, clérigo natural de la villa de Madrid, con cartas y despachos suyos para el visorrey y audiencia, diciéndoles que si les enviaban perdón de lo pasado y salvoconducto, se pasarían a su campo, y que pasándose ellos, por ser capitanes y personas tan principales, todos sus amigos y criados se huirían, y así podría ser que se deshiciese el campo de Gonzalo Pizarro. Los principales que escribieron esto fueron Gaspar Rojas[135] y Felipe Gutiérrez y Arias Maldonado y Francisco Maldonado y Pedro de Villacastín y otros, hasta veinte y cinco personas.

Baltasar de Loaysa vino a Los Reyes caminando con gran diligencia, y por procurar de esconderse no topó con Gabriel de Rojas y Garcilaso y con los demás que hemos dicho que se huyeron del Cuzco. Llegado a Los Reyes, muy secretamente dio los despachos al visorrey y audiencia, y ellos le dieron el salvoconducto que pedía, del cual luego en toda la ciudad se tuvo noticia y muchos vecinos y otras personas que secretamente eran aficionados a Gonzalo Pizarro y a la empresa que traía, por lo que a ellos les importaba, lo sintieron, teniendo por cierto que con la venida de aquellos caballeros se desharía el campo y así quedaría el visorrey sin ninguna contradicción para ejecutar las ordenanzas.

---

[135] 1577: Rodríguez.

Capítulo X

De cómo Pedro de Puelles, teniente de Guánuco,
se pasó a Gonzalo Pizarro y tras él la gente
que el visorrey envió en su seguimiento

Cuando el visorrey fue recibido en la ciudad de Los Reyes le vino a besar las manos Pedro de Puelles, natural de Sevilla, que era a la sazón teniente de gobernador en la villa de Guánuco por el licenciado Vaca de Castro, y por ser tan antiguo en las Indias era tenido en mucho. Y así el visorrey le dio nuevos poderes para que tornase a ser teniente en Guánuco, mandándole que le tuviese presta la gente de aquella ciudad, para que si creciese la necesidad, enviándole a llamar, le acudiesen todos los vecinos con sus armas y caballos. Pedro de Puelles lo hizo como el visorrey se lo mandó, y no solamente tuvo aparejada la gente de la ciudad, mas aun detuvo allí ciertos soldados que habían acudido de la provincia de los Chachapoyas, en compañía de Gómez de Solís y de Bonifaz, y estuvo esperando el mandado del visorrey, el cual cuando le pareció tiempo envió a Jerónimo de Villegas, natural de Burgos, con una carta para Pedro de Puelles que luego le acudiese con toda la gente.

Y llegado a Guánuco, trataron todos juntos sobre el negocio, pareciéndoles que si se pasaban al visorrey serían parte para que tuviese buen fin su negocio y que, habiendo vencido y desbaratado a Gonzalo Pizarro, ejecutaría las ordenanzas que tan gran daño traían a todos, pues quitando los indios a los que los poseían no solamente recibían perjuicio los vecinos cuyos eran, mas también los soldados y gente de guerra, pues había de cesar el mantenimiento que les daban los que tenían los indios. Y así todos juntos acordaron de pasarse a servir a Gonzalo Pizarro y se partieron para le alcanzar donde quiera que le topasen.

Luego el visorrey fue avisado desta jornada por medio de un capitán indio llamado Illatopa, que andaba de guerra, y, sabido por el visorrey, sintió mucho este mal suceso y, pareciéndole que había lugar para ir a atajar esta gente en el valle de Jauja, por donde necesariamente habían de pasar, despachó con gran presteza a Vela Núñez, su hermano, que con hasta cuarenta personas que fuesen a la ligera a atajar el paso a Pedro de Puelles y su gente. Y con Vela Núñez envió a Gonzalo Díaz, capitán de arcabuceros, y llevó treinta hombres de su compañía, y por que fuesen más presto el visorrey les mandó comprar de la hacienda real hasta treinta y cinco machos en que hiciesen la jornada, que costaron más de doce mil ducados. Y los otros diez soldados a cumplimiento de los cuarenta llevó Vela Núñez de parientes y amigos suyos y, yendo bien aderezados, se partieron de Los Reyes y siguieron su camino hasta que de Guadachili (que es veinte leguas de la ciudad) diz que llevaban concertado de matar a Vela Núñez y pasarse a Gonzalo Pizarro.

Y yendo ciertos corredores delante cuatro leguas de Guadachili, en la provincia de Pariacaca, toparon a fray Tomás de San Martín, provincial de Santo Domingo, a quien el visorrey había enviado al Cuzco para tratar de medios con Gonzalo Pizarro y, apartándole un soldado natural de Ávila, le dijo los tratos que estaban hechos de aquella gente para que él avisase dellos a Vela Núñez y se pusiese a recaudo, porque de otra manera le matarían aquella noche. El provincial se dio gran priesa a andar, tornando consigo los corregidores[136] del campo, porque les dijo que Pedro de Puelles y su gente había dos días que eran pasados por Jauja y que en ninguna manera los podrían alcanzar. Y llegados a Guadachili dijo lo mesmo a la demás gente y que era trabajar en vano si procedían en el camino, y secretamente apercibió a Vela Núñez del peligro en que estaba para que

---

[136] 1577: corredores.

se pusiese a recaudo, el cual avisó a cuatro o cinco deudos suyos que con él iban de lo que pasaba y en anocheciendo sacaron los caballos como que los iban a dar agua y, guiándolos el provincial, con la oscuridad [de la noche] escaparon.

Y en sabiendo que eran idos, un Juan de la Torre y Piedrahita y Jorge Griego y otros soldados del concierto se levantaron a la guardia de la [media] noche y dieron sobre toda la gente uno a uno, poniéndoles los arcabuces a los pechos si no determinaban irse con ellos. Y casi todos lo otorgaron, especialmente el capitán Gonzalo Díaz, que aunque se le puso el mesmo temor y le ataron las manos e hicieron otras apariencias de miedo, se cree que era del concierto y aun el principal de él, y así se entendió por todos los de la ciudad que lo había de hacer, porque era[137] yerno de Pedro de Puelles, tras quien le enviaban, y no era de creer que había de prender a su suegro estando bien con él.

Y así, levantándose todos y subiendo en sus machos, que tan caro habían costado, se fueron a Gonzalo Pizarro, al cual hallaron cerca de Guamanga, y había dos días que era llegado Pedro de Puelles con su gente, y halló tan desmayado el campo con la tibieza que ya iban mostrando Gaspar Rodríguez y sus aliados, que si tardara tres días en llegar se deshiciera la gente. Pero Pedro de Puelles les puso tanto ánimo con su socorro y con las palabras que les dijo, que determinaron de seguir el viaje, porque se profirió que si Gonzalo Pizarro y su gente no querían ir, él con los suyos sería parte para prender al visorrey y echarle de la tierra, según estaba malquisto. Llevaba Pedro de Puelles poco menos de cuarenta de caballo y hasta veinte arcabuceros, y los unos y los otros se acabaron de confirmar en su propósito con la llegada de Gonzalo Díaz y su compañía. Vela Núñez llegó a Los Reyes e hizo saber al visorrey lo que pasaba y él lo sintió como era razón, porque veía que sus negocios se iban empeorando cada día.

---

[137] 1577: había sido.

Otro día llegó a Los Reyes Rodrigo Niño, hijo de Hernando Niño, regidor de Toledo, con otros tres o cuatro que no quisieron ir con Gonzalo Díaz. Por lo cual demás de hacerles cuantas afrentas pudieron, les quitaron las armas y los caballos y vestidos, y así venía Rodrigo Niño con un jubón y con unos muslos viejos, sin medias calzas, con solos sus alpargates y una caña en la mano, habiendo venido a pie todo el camino. Y el visorrey le recibió con grande amor, loando su fidelidad y constancia y diciéndole que mejor parecía en aquel hábito que si viniera vestido de brocado, atenta la causa por donde le traía.

Capítulo XI

De la gente que salió para prender y tomar los despachos a Baltasar de Loaysa

Cobrados los despachos, Baltasar de Loaysa se partió con ellos la vía del ejército de Gonzalo Pizarro y, entendido en el pueblo que con lo que llevaba muy fácilmente se desharía la gente y el visorrey gobernaría pacíficamente y ellos recibirían sin ningún remedio el daño que esperaban, determinaron algunos vecinos y soldados de ir muy a la ligera en seguimiento de Loaysa hasta alcanzarle y tomarle los despachos que llevaba. Y habiéndose salido Loaysa un sábado en la tarde del mes de septiembre del año de cuarenta y cinco, y con él el capitán Hernando de Caballos[138], en sendos machos y sin ninguna otra compañía ni embarazo que los pudiese detener, el domingo siguiente en la noche salieron en su seguimiento hasta veinte y cinco de caballo muy a la ligera, con determinación de no parar días ni noches hasta alcanzar a Loaysa.

---

[138] Todas las veces que se cita a este personaje en 1577 leemos «Çaballos». Se trata del apellido «Zeballos», probablemente.

Los principales que concertaron este trato fueron don Baltasar de Castro[139], hijo del conde de la Gomera, y Lorenzo Mejía y Rodrigo de Salazar y Diego de Carvajal, que llamaban el Galán, y Francisco de Escobedo y Jerónimo de Carvajal y Pedro Martín de Cecilia y otros, hasta el número que está dicho. Los cuales a prima noche comenzaron a caminar y continuaron su camino con tanta priesa hasta que a menos de cuarenta leguas de la ciudad de Los Reyes alcanzaron a Loaysa y a Caballos, y los hallaron durmiendo en un tambo y, tomándoles las provisiones y despachos que llevaban, los enviaron a Gonzalo Pizarro con un soldado que fue a la mayor priesa que pudo por ciertos atajos, quedando los mensajeros con Pedro Martín y sus compañeros, que los llevaban presos y a buen recaudo, continuando también su camino en demanda del campo de Gonzalo Pizarro.

Y recibidas por él las provisiones y despachos que el mensajero le llevó, las comunicó muy en secreto con el capitán Carvajal, a quien pocos días antes había hecho su maestre de campo por enfermedad de Alonso de Toro, que salió del Cuzco con aquel cargo. Y asimesmo dio parte del negocio a otros capitanes y personas principales de su campo, de los que no habían sido, en enviar a pedir el salvoconducto. Y algunos por enemistades particulares, y otros por envidias, y otros por codicia de ser mejorados en indios, aconsejaron a Gonzalo Pizarro que le convenía castigar este negocio tan ejempladamente que escarmentasen los demás para no inventar semejantes motines y alteraciones. Y entre todos los que por el mesmo salvoconducto parecía haber sido participantes en este negocio se resumieron en matar al capitán Gaspar Rojas[140] y a Felipe Gutiérrez, hijo de Alonso Gutiérrez, tesorero de su majestad, vecino de la villa de Madrid, y a un caballero gallego llamado Arias Maldo-

---

[139]   1577, todas las veces: Castilla.
[140]   1577: Rodríguez.

nado, el cual con Felipe Gutiérrez se había quedado una o dos jornadas atrás, en la villa de Guamanga, so color de aderezar ciertas cosas para el camino. Y envió Gonzalo Pizarro al capitán Pedro de Puelles con cierta gente de caballo que en Guamanga los prendió y cortó las cabezas.

Gaspar Rojas estaba en el mesmo campo por capitán de casi doscientos piqueros y, por ser persona tan principal y rico y bienquisto, no osaron ejecutar abiertamente en su persona lo que tenían acordado, y usaron desta forma: que después de tener prevenidos Gonzalo Pizarro ciento y cincuenta arcabuceros de la compañía de Cermeño, y dádoles una arma secreta y encabalgada, y puesta a punto la artillería, envió a llamar a todos los capitanes a sueldo[141], diciendo que les quería comunicar ciertos despachos que había recibido de Los Reyes. Y viniendo todos, y entre ellos Gaspar Rodríguez[142], cuando entendió que estaba cercada la tienda y asestada a ella toda la artillería, él se salió, fingiendo que iba a otro negocio. Y quedando todos los capitanes juntos, se llegó el maestre de campo Carvajal a Gaspar Rodríguez y con disimulación él puso la mano en la guarnición de la espada y se la sacó de la vaina y le dijo que se confesase con un clérigo que allí llamaron, porque había de morir allí[143]. Y aunque Gaspar Rodríguez lo rehusó cuanto pudo y se ofreció a dar grandes disculpas de cualquier culpa que se le imputase, ninguna cosa aprovechó y así le cortaron la cabeza.

Estas muertes atemorizaron mucho todo el campo, especialmente a los que sabían que eran consortes suyos en la causa por que los mataban, porque fueron las primeras que Gonzalo Pizarro hizo desde que comenzó su tiranía. Pocos días después llegaron al campo don Baltasar y sus compa-

---

[141] 1577: a su toldo.
[142] En 1555 aparece aquí por primera vez «Rodríguez», en lugar de «Rojas».
[143] 1577: luego.

ñeros, que traían preso a Baltasar de Loaysa y a Hernando de Çaballos[144], como está dicho. Y el día que supo Gonzalo Pizarro que habían de entrar en el real, envió al maestre de campo Carvajal, según fue fama pública[145], por el camino por donde entendió que venían para que en topándolos hiciese dar garrote a Loaysa y Caballos, y quiso su fortuna que se desviaron del camino real por una senda, de manera que el maestre de campo los erró. Y así, llegados a la presencia de Gonzalo Pizarro, hubo tantos intercesores en su favor que los perdonó las vidas y a Loaysa le envió a pie y sin ningún bastimento de su real, y a Hernando de Çaballos trajo consigo, hasta que desde en más de un año, estando en la provincia de Quito, le encargó que fuese con los mineros que sacaban oro de las minas, por veedor dellos, y porque le dijeron que se había aprovechado demasiadamente en aquel cargo, juntándose el odio que con él tenía de lo pasado, le hizo ahorcar.

Pues tornando a la orden de la historia, pocas horas después que salieron de la ciudad de Los Reyes don Baltasar de Castro y sus compañeros, que fueron en seguimiento de Loaysa, como está dicho, no pudo ser tan oculto que no viniese a noticia del capitán Diego de Urbina, maestre de campo del visorrey, que andando rodeando la ciudad y yendo a las posadas de algunos destos que se huyeron, ni los halló a ellos ni sus armas ni caballos, ni a los indios yanaconas de su servicio. Lo cual le dio sospecha de lo que era y, yendo a la posada del visorrey, que estaba ya acostado, le certificó que los más de la ciudad se le habían huido, porque él así lo creía. El visorrey se alteró como era razón y, levantándose de la cama, mandó tocar arma y llamó a sus capitanes y con gran diligencia les hizo ir discurriendo de casa en casa por toda la ciudad, hasta que averiguó quiénes eran los que faltaban.

---

[144] En 1555 aparece aquí por primera vez Çaballos, en lugar de Caballos.
[145] En 1577 falta «según fue fama pública».

Y como entre los otros se hallasen ausentes Diego de Carvajal y Jerónimo de Carvajal y Francisco de Escobedo, sobrinos del factor Illán Suárez de Carvajal, de quien él tenía ya concebida sospecha que favorecía a Gonzalo Pizarro y a sus negocios, teniendo por cierto que la ida de sus sobrinos se había hecho por su mandado, o a lo menos que no había podido ser sin que él tuviese noticia dello, porque posaban dentro en su casa, caso que se mandaban por una puerta diferente, apartada de la principal. Y para la averiguación desta sospecha envió el visorrey a Vela Núñez, su hermano, con ciertos arcabuceros, que fuese a traer preso al factor y, hallándole en su cama, le hizo vestir y le llevó a la posada del visorrey que, por no haber dormido casi en toda la noche, estaba reposando sobre su cama vestido y armado. Y en entrando el factor por la puerta de su cuadra, dicen algunos de los que se hallaron presentes que se levantó en pie el visorrey y le dijo así: «¿Traidor, que habéis enviado vuestros sobrinos a servir a Gonzalo Pizarro?»[146]. El factor le respondió: «No me llame vuestra señoría traidor, que en verdad no lo soy». El visorrey diz que replicó: «Juro a Dios que sois traidor al Rey». A lo cual el factor dijo: «Juro a Dios que soy tan buen servidor al Rey como vuestra señoría». De lo cual el visorrey se enojó tanto que arremetió a él, poniendo mano a una daga, y algunos dicen que le hirió con ella por los pechos, aunque él afirmaba no haberle herido, salvo que sus criados y alabarderos, viendo cuán desacatadamente le había hablado, con ciertas roncas y partesanas y alabardas que allí había le dieron tantas heridas que le mataron sin que pudiese confesarse ni hablar palabra ninguna.

Y el visorrey le mandó luego llevar a enterrar aunque, temiendo que el factor era muy bienquisto y que si le baja-

---

[146] En 1577 la pregunta está formulada de manera ligeramente distinta: «se levantó en pie el visorrey y le dijo: "¿Así, don traidor, que habéis enviado vuestros sobrinos a servir a Gonzalo Pizarro?"».

ban por delante de la gente de guerra, porque cada noche le hacían guardia cien soldados en el patio de su casa, podría haber algún escándalo, mandó descolgar el cuerpo por un corredor de la casa que salía a la plaza, donde le recibieron ciertos indios y negros y le enterraron en la iglesia que estaba junto, sin amortajarle, salvo envuelto en una ropa larga de grana que llevaba vestida. Y así dende a tres días, cuando los oidores prendieron al visorrey, como abajo se dirá, una de las primeras cosas que hicieron fue averiguar la muerte del factor, comenzando el proceso de que habían sabido que a la media noche le llevaron en casa del visorrey y que nunca más había parecido, y le desenterraron y averiguaron las heridas. Sabida esta muerte por el pueblo, causó muy grande escándalo, porque entendían todos cuánto el factor había favorecido las cosas del visorrey, especialmente en la diligencia que puso para que fuese recibido en la ciudad de Los Reyes contra el parecer de los más de los regidores. Estos sucesos acaecieron domingo en la noche, que se contaron trece días del mes de septiembre del año de mil y quinientos y cuarenta y cuatro.

Y luego, el lunes de mañana, el visorrey envió a don Alonso de Montemayor con hasta treinta de caballo que fuese en seguimiento de don Baltasar y de los demás que, como tenemos dicho, fueron en rastro de Loaysa y Çaballos, aunque después de haber andado una jornada o dos entendieron que sus contrarios iban tan lejos que era imposible alcanzarlos y así se tornaron a la ciudad. Y en el camino tuvieron noticia que Jerónimo de Carvajal, uno de los sobrinos del factor, se perdió de la compañía una noche y no acertando el camino se escondió en un cañaveral y, buscándole, le llevaron preso al visorrey, aunque por estar ya preso cuando volvieron, como abajo se dirá, excusó el riesgo que corriera.

Después de habérsele pasado la ira y enojo al visorrey, no entendía en otra cosa sino en dar particular cuenta a todos aquellos con quien hablaba de las cosas que le habían mo-

273

vido a tener [la] sospecha [que tuvo] del factor y de cómo había sucedido su muerte. Y para la justificación dello hizo que el licenciado Cepeda[147] recibiese cierta información sobre las culpas que él imputaba al factor, la principal de las cuales era fundar, como verosímilmente se creía, que había tenido noticia de la huida de sus sobrinos, y que no podía ser menos por vivir dentro de su mesma casa, y que en otras muchas cosas que él había encomendado tocantes a la guerra no entendía con el calor y diligencia que le parecía que era razón, fundando siempre el interés que al factor se le seguía de que no se ejecutasen las ordenanzas reales, pues por virtud de una dellas se le habían de quitar los indios que tenía como oficial de su majestad, lo cual excusaba mientras la tierra andaba alborotada. Y también le culpaba de que, habiéndole dado ciertos despachos que enviase al licenciado Carvajal, su hermano, que al tiempo destas revueltas se halló en el Cuzco, para que le avisase de lo que allá pasaba, no le había vuelto respuesta, pudiéndolo también hacer por estar en el camino los indios de ambos hermanos y los de su majestad, que estaban a cargo del factor, aunque en lo uno ni en lo otro nunca pareció culpado.

Viendo el visorrey cuán mal le habían sucedido todos estos negocios y que por causa desta muerte la gente mostraba tanta tibieza y descontento, le pareció mudar el designio que hasta allí había tenido de esperar a Gonzalo Pizarro y pelear con él dentro en la ciudad, para lo cual la había hecho fortificar con ciertos bastiones y traveses, y determinó de retirarse ochenta leguas atrás, en la ciudad de Trujillo, despoblando aquella de Los Reyes y llevando por mar los hombres viejos e impedidos y las mujeres y haciendas, porque tenía copia de navíos para ello, y por tierra toda la gente de guerra, despoblando de camino todos los llanos y haciendo subir los indios a la sierra. El fin que tuvo en esta

---

[147] 1577: Álvarez.

274

determinación fue parecerle que, llegando Gonzalo Pizarro a Los Reyes y viniendo su ejército de tan largo camino con tanta artillería e impedimentos, y hallando despoblada aquella ciudad, sin ninguno de los refrigerios que en ella esperaba hallar, se le desharía el campo, viendo que aún le quedaba tan larga jornada como desde allí a Trujillo, y el camino despoblado y sin ninguna comida. Y demás desto le movía ver que cada día se le iba gente de su campo al del enemigo, por creer que estaba ya tan cerca.

Y así, queriendo ejecutar su determinación, el martes siguiente mandó a Diego Álvarez de Cueto que con cierta gente de a caballo llevase a la mar los hijos del marqués don Francisco Pizarro y los metiese en un navío, y él se quedase en guarda dellos y del licenciado Vaca de Castro y por general de la armada, porque temió que don Antonio de Ribera y su mujer, que tenía a cargo a don Gonzalo y sus hermanos, se los esconderían. Lo cual causó muy gran alteración en el pueblo y sintieron dello muy mal los oidores, especialmente el licenciado Zárate, que con gran instancia particularmente fue a suplicar al visorrey que sacase a doña Francisca de la mar, por ser ya doncella crecida y hermosa y rica, y que no era cosa decente traerla entre los marineros y soldados. Y ninguna cosa pudo acabar con el visorrey, antes ya claramente él les declaró su intención cerca de lo que tenía determinado en retirarse y los halló muy lejos de su parecer, porque le respondieron que su majestad les había mandado residir en aquella ciudad, de que por su voluntad no saldrían della hasta que viesen mandamiento en contrario. Y visto esto por el visorrey, determinó de tomar en su poder el sello real y llevarle consigo a Trujillo, porque los oidores, caso que no le quisieren seguir, quedasen allí como personas privadas, sin que pudiesen librar ni hacer audiencia.

Sabido esto por los oidores, enviaron a llamar el chanciller y, quitándole el sello, le depositaron en poder del licenciado Cepeda como oidor más antiguo, lo cual acordaron los tres oidores sin el licenciado Zárate. Y a la tarde se juntaron todos cuatro en casa del licenciado Cepeda y determinaron de hacer un requerimiento al visorrey para que sacase de la mar los hijos del marqués y, después de asentado el acuerdo en el libro, el licenciado Zárate se fue a su posada, porque estaba mal dispuesto, y los demás oidores quedaron tratando sobre la forma que tendrían para su defensa si el visorrey quisiese ejecutar su determinación y embarcarlos por fuerza, como se publicaba que lo había de hacer. Y acordaron de despachar una provisión, requiriendo y mandando por ella a los vecinos y capitanes y gente de guerra que si el visorrey los quisiese embarcar y sacar de aquella ciudad por fuerza y contra su voluntad, se juntasen con ellos y les diesen favor y ayuda para resistir la ejecución del tal mandado, como cosa que se hacía de hecho y contra lo que su majestad tenía expresamente mandado por las nuevas leyes y ordenanzas y por las mismas provisiones y títulos de sus oficios.

Y teniendo despachada la provisión, la comunicaron secretamente con el capitán Martín de Robles, rogándole que estuviese apercibido con su gente para que cuando fuese llamado acudiese a los favorecer. Martín de Robles [se] ofreció de hacerlo, porque estaba diferente con el visorrey, aunque era capitán suyo, y así mesmo se ofrecieron a darles el mesmo favor otros vecinos y personas principales de aquella ciudad con quien comunicaron su determinación. Y así estuvieron todos apercibidos aquella noche y no pudo ser tan secreto lo que había pasado que no se entendiese o sospechase por el visorrey. Y poco después de anochecido, Martín de Robles fue a la posada del licenciado Cepeda y le dijo que mirase lo que había comenzado, y que si dilataban el remedio podría ser que a todos les costase las vidas, porque ya el visorrey había entendido el negocio. Luego el licenciado Cepeda envió a llamar al licenciado Álvarez y al doctor Tejada, y determinaron de defenderse descubiertamente del visorrey si tentase de prenderlos, y comenzaron

[a] acudir algunos de sus amigos y otros de la compañía de Martín de Robles que estaban apercibidos.

Y porque el maestre de campo Diego de Urbina, a quien tocaba la ronda de aquella noche, encontró algunos destos soldados y sospechó lo que podía ser, fue al visorrey y le dijo lo que pasaba y lo que él colegía dello para que lo remediase. El visorrey respondió que no temiese, porque a la fin eran bachilleres, y no tendrían ánimo para cometer cosa ninguna. Y con esto Diego de Urbina se tornó a su ronda y topó alguna gente de caballo que acudían en casa de Cepeda y visto esto se tornó al visorrey y le dijo lo que pasaba, y le aconsejó con grande instancia que pusiese medio en ello antes que creciese el daño. El visorrey se armó y mandó tocar arma y salió a la plaza con determinación de irse en casa del licenciado Cepeda con cien soldados que le hacían la guardia aquella noche y con los criados y gente de su casa, y prender los oidores y castigar el alboroto y apaciguar la ciudad. Y puesto en la plaza junto a su puerta, vio cómo no podía tener los soldados que por allí pasaban, que todos se iban hacia la casa de Cepeda porque la gente de a caballo que andaba por las calles los encaminaban para allá.

Y si el visorrey en aquella sazón ejecutara su determinación no tuviera dificultad ni resistencia, porque era mucha más la gente que él llevaba que la que en casa de Cepeda estaba junta. Lo cual dejó de hacer porque Alonso Palomino, que era alcalde en aquella ciudad, le dijo que toda la gente de guerra estaba en casa de Cepeda y querían venir sobre él, por tanto que se hiciese fuerte en su posada, pues tenía aparejo y le faltaba gente con que poder acometer a los oidores. Y él, dando crédito a lo que Alonso Palomino le dijo, se metió en su aposento con los capitanes Vela Núñez, su hermano, y Paulo de Meneses y Jerónimo de la Serna y Alonso de Cáceres y Diego de Urbina, y con otros criados y deudos suyos, dejando a la puerta de la calle los cien hombres de la guardia que arriba tenemos dicho para que no dejasen entrar a nadie.

En este tiempo también les fue dicho a los oidores que el visorrey estaba en la plaza con determinación de venir sobre ellos y, caso que tenía[n] muy poca gente, determinaron de salir de casa, porque si el visorrey los cercaba se les quitaría la posibilidad de juntar consigo más gente. Y así se fueron a la plaza y con la que en el camino se les juntó llevaban ya número de doscientos hombres y para su justificación hicieron pregonar la provisión, la cual con el gran ruido fue de pocos entendida. Y llegando a la plaza ya que amanecía se comenzaron a tirar algunos arcabuces desde el corredor del visorrey y ocupar toda la delantera de la plaza, de lo cual se enojaron tanto los soldados que iban con los oidores que determinaron de entrar la casa por fuerza y matar a todos los que se le resistiesen. Y los oidores los apaciguaron y enviaron a fray Gaspar de Carvajal, su prior de Santo Domingo, y a Antonio de Robles, hermano de Martín de Robles, para que dijesen al visorrey que no querían de él otra cosa sino que no los embarcase por fuerza y contra lo que su majestad mandaba, y que sin ponerse en resistencia se viniese a la iglesia mayor, donde se metieron a esperarle, porque de otra manera pondrían en riesgo a sí y a los que con él estaban.

Y yendo estos mensajeros, los cien soldados que estaban a la puerta se pasaron a la parte de los oidores, habiendo la entrada libre, todos los soldados entraron en casa del visorrey y comenzaron a robar los aposentos de sus criados, que estaban en el patio. En este tiempo el licenciado Zárate salió de su posada por irse a juntar con el visorrey y, topando en el camino a los otros oidores y viendo que no podía pasar, se metió en la iglesia con ellos. Oído por el visorrey lo que le enviaban a decir y viendo la casa llena de gente de guerra y que la suya mesma en quien él confiaba[148] le había dejado, se vino a la iglesia donde los oidores estaban y se

---

[148] En 1577 falta «en quien él confiaba».

entregó a ellos, los cuales le trajeron en casa del licenciado Cepeda, armado como estaba con una cota y unas coracinas. Y viendo él al licenciado Zárate con los otros oidores, le dijo: «¿También vos, licenciado Zárate, fuistes en prenderme teniendo yo de vos tanta confianza?». Y él le respondió que quien quiera que se lo había dicho que mentía, que notorio estaba quién le había prendido y si él se había hallado en ello o no.

Luego se proveyó que el visorrey se embarcase y se fuese a España, porque si llegando Gonzalo Pizarro, le hallase preso, le mataría. Y también temían que algunos deudos del factor le habían de matar en venganza de la muerte del factor y que de cualquiera forma se echaría a ellos la culpa del daño y también les parecía que si le enviaban solo que tornaría a saltar en mal[149] y volvería sobre ellos. Y andaban tan confusos que no se entendían y mostraban pesarles de lo hecho, e hicieron capitán general al licenciado Cepeda y todos llevaron a la mar al visorrey con determinación de ponerle en un navío. Lo cual no pudieron bien hacer porque, viendo Diego Álvarez de Cueto, que a la sazón estaba por general de la armada, la mucha gente que venía y que traían preso al visorrey, envió a Jerónimo Zurbano, su capitán de la mar, en un batel con ciertos arcabuceros y tiros de artillería, para que con él recogiese todos los bateles de las naos a bordo de la capitana y él fuese a requerir a los oidores que soltasen al visorrey, lo cual hizo, caso que no le quisieron oír, antes le tiraron ciertos arcabuceros desde tierra y les respondió con otros desde la mar y se volvió.

Los oidores enviaron en balsas a decir a Cueto que entregase la armada y los hijos del marqués y que los entregarían al visorrey en un navío y que si no lo hacían correría riesgo. La cual embajada llevó con consentimiento del visorrey fray Gaspar de Carvajal, que fue en una balsa a ello y, llega-

---

149 1577: en tierra.

do a la nao capitana, dijo a lo que venía a Diego Álvarez de Cueto en presencia del licenciado Vaca de Castro que, como tenemos dicho, estaba preso en el mesmo navío. Y viendo Cueto el peligro en que quedaba el visorrey, echó en tierra en las mesmas balsas los hijos del marqués y a don Antonio y a su mujer, no embargante que los oidores por entonces no cumplieron lo que de su parte se había prometido, amenazando todavía que si no entregaba la armada, cortaría[n] la cabeza al visorrey. Y dado caso que el capitán Vela Núñez, hermano del visorrey, fue y vino de su parte[150] algunas veces, nunca los capitanes lo quisieron hacer.

Y con esto se tornaron los oidores con el visorrey a la ciudad con mucha guarda y dende a dos días, porque entendieron que los oidores y los otros capitanes que los seguían buscaban formas para entrar con balsas con gran copia de arcabuceros a tomarles los navíos, y viendo que no había podido acabar con Jerónimo Zurbano que se les entregase, caso que le enviaron a hacer grandes ofertas sobre ello, porque vieron que era más parte que Cueto por tener a su voluntad todos los soldados y marineros que eran vizcaínos, los capitanes de los navíos se determinaron en salir del puerto de Los Reyes y andarse por aquella costa enteniéndose hasta que viniese despacho o mandamiento de su majestad sobre lo que debían hacer, considerando que había en la ciudad y por todo el reino criados y servidores del visorrey y otras personas que no se habían hallado en su prisión y muchos servidores de su majestad que cada día se les iban recogiendo en los navíos. Los cuales estaban medianamente armados y proveídos, porque tenían diez o doce versos de hierro y cuatro tiros de bronce, con más de cuarenta quintales de pólvora, y tenían, demás desto, más de cuatrocientos quintales de bizcocho y quinientas hanegas de maíz y harta carne salada, que era bastimento con

---

[150] En 1577 falta «de su parte».

que por gran tiempo se pudieran sustentar, especialmente no se les pudiendo prohibir las aguas, porque en cualquier parte de la costa podían surgir (como está dicho) y no tenían más de hasta veinte y cinco soldados.

Y considerando que no tenían copia de marineros para poder gobernar diez navíos que estaban en su poder y que no les era seguro dejar allí ninguno porque no los siguiesen, otro día después de la prisión del visorrey pusieron fuego a cuatro navíos [de] los más pequeños, porque no los podían llevar, y a dos barcos de pescadores que estaban varados en tierra, y con los seis navíos restantes se hicieron a la vela. Los cuatro navíos se quemaron todos porque no hubo en qué entrar a los remediar. Los dos barcos se salvaron, apagando el fuego dellos, aunque quedaron con algún daño y los navíos se fueron a surgir al puerto de Guaura, que es diez y ocho leguas más abajo del puerto de Los Reyes, para proveerse allí de agua y leña, de que tenían necesidad. Y llevaron consigo al licenciado Vaca de Castro y allí en Guaura determinaron de esperar el suceso de la provisión[151] del visorrey. Y entendiendo esto los oidores y considerando que no se apartarían los navíos mucho de aquel puerto por dejar preso al visorrey y en tanto riesgo de la vida, determinaron de enviar gente por mar y por tierra para tomar los navíos por cualquier forma que pudiesen. Y para esto dieron cargo de reparar y aderezar los dos barcos que estaban en tierra a Diego García de Alfaro, vecino de aquella ciudad, que era muy práctico en las cosas de la mar y, teniéndolos reparados y echados al agua, se metió en ellos con hasta treinta arcabuceros y se fue la costa abajo, y por tierra enviaron a don Juan de Mendoza y a Ventura Beltrán con otra cierta gente.

Y habiendo reconocido los unos y los otros que los navíos estaban surtos en Guaura, Diego García se metió de

---

[151] 1577: prisión.

noche con sus barcas tras un farallón que estaba en el puerto muy cerca de los navíos, aunque no los podían ver y los de tierra comenzaron a disparar. Y creyendo cierto que eran algunos criados del visorrey o gente que se quería embarcar, proveyó que Vela Núñez fuese en tierra con un batel a informarse de lo que pasaba. Y llegando a la costa sin saltar en tierra, dio sobre él de través Diego García con su gente y le comenzó a tirar, apretándole tanto que se hubo de rendir y entregar el batel. Y desde allí enviaron a hacer saber a Cueto lo que pasaba, diciéndole que si no entregaba la armada matarían al visorrey y a Vela Núñez. Y temiendo Cueto que se haría así, entregó la armada contra el parecer de Jerónimo Zurbano, que con un navío de que era capitán se hizo a la vela y se fue a Tierra Firme dos días antes que viniese Diego García, porque le mandó Cueto que con su navío se viniese la costa abajo a recoger a todos los navíos que hallase, por que no los tomasen los oidores.

Y ellos, desque la armada se fue de Los Reyes, temiendo que los deudos del factor matarían al visorrey (como lo habían intentado de hacer), acordaron de llevarlo a una isla que está dos leguas del puerto, metiéndole a él y otras veinte personas que le guardasen en unas balsas de espadañas secas, que los indios llaman enea. Y sabida la entrega de la armada, determinaron de enviar a su majestad al visorrey con cierta información que contra él recibieron, y se concertaron con el licenciado Álvarez, oidor, para que le llevase en forma de preso, y para su salario le dieron ocho mil castellanos. Y haciendo los despachos necesarios, en los cuales no firmó el licenciado Zárate, Álvarez se fue por tierra y al visorrey llevaron por la mar en uno de los barcos de Diego García y se le entregaron en Guaura al licenciado Álvarez con tres navíos, y con ellos, sin esperar los despachos de la audiencia, que aún no eran llegados, se hizo a la vela. Y al licenciado Vaca de Castro tornaron en un navío, preso como antes estaba, al puerto de Los Reyes.

Capítulo XII

De cierta conjuración[152] que hubo en Lima
para soltar al visorrey y lo que sobre ello acaeció[153]

En el tiempo que el visorrey estaba en la isla volvieron a Los Reyes don Alonso de Montemayor y los demás que con él habían ido en seguimiento de los que fueron a prender al padre Loaysa, a los cuales los oidores prendieron y [a] algunos quitaron las armas y, juntamente con algunos capitanes del visorrey y con los que se habían venido del Cuzco, los pusieron presos en casa del capitán Martín de Robles y de otros vecinos. Y pareciéndoles a estos presos que si el visorrey estuviese suelto y en su libertad sería parte para defender la venida de Gonzalo Pizarro y la opresión y daños que se esperaban con ella, especialmente el deservicio de su majestad y la alteración de la tierra, se concertaron entre sí de juntarse con mano armada y sacar al visorrey de la isla y ponerle en su libertad y cargo. Y si para la efectuación deste negocio fuese necesario prender a los oidores y aun en caso que no se pudiese hacer de otra manera matarlos y alzar la ciudad por su majestad, y con los medios que para ello tenían dados, fuera fácil cosa ejecutar su intento, si no se descubriera por un soldado al licenciado Cepeda, el cual con sus compañeros prendió los principales deste concierto, que fueron don Alonso de Montemayor, Pablo de Meneses, Alonso de Cáceres y Alonso de Barrionuevo, y otros algunos.

---

[152] 1577: De cierto trato.
[153] En el anexo I ofrecemos la transcripción completa de este capítulo siguiendo la versión primera, correspondiente a la edición de la BNF (ejemplar A1, según la clasificación de Roche [1978], véase la introducción).

Y haciendo diligencia sobre el negocio, dieron tormento a algunos dellos que por tener buen ánimo no confesaron, caso que Alonso de Barrionuevo confesó alguna parte del negocio, creyendo que con tanto se satisfarían los oidores y no atormentarían a más. Y por medio desta confesión los oidores condenaron a muerte en vista a Alonso de Barrionuevo, aunque después en revista le cortaron la mano derecha, y a don Alonso de Montemayor y a los demás desterraron de la ciudad y tierra. Don Alonso fue padeciendo grandes trabajos hasta juntarse con el visorrey en Tumbez, como abajo se dirá. Después de lo cual cada día hacían saber a Gonzalo Pizarro lo que había pasado, porque creyeron que con ello desharía su gente, de lo cual él estaba muy apartado, porque creía que todo cuanto había pasado sobre esta prisión era ruido hechizo, a efecto de hacerle derramar su campo y después prenderle y castigarle cuando le viesen solo. Y así caminaba siempre en ordenanza y aun más recatadamente que antes.

Después de hecho a la vela el licenciado Álvarez con el visorrey y sus hermanos, el mismo día subió a su cámara y, queriendo reconciliarse con el visorrey de las cosas pasadas, porque él había sido el principal promovedor dellas y el que con más diligencia entendió en su prisión y en el castigo de los que le querían restituir en su libertad y gobernación, y le dijo que su intención de haber aceptado aquella jornada había sido por servirle y por sacarle de poder del licenciado Cepeda, y por que no cayese en el de Gonzalo Pizarro, que tan en breve se esperaba. Y para que lo entendiese así dende entonces le entregaba el navío y le ponía en su libertad, y se metió debajo de su mano y querer, y le suplicaba que le perdonase el yerro pasado de haber entendido en su prisión y en las otras cosas que después habían sucedido, pues también lo había enmendado con asegurarle la vida y libertad. Y mandó a diez hombres que consigo llevaba para la guarda del visorrey que hiciesen lo que él les mandase. El visorrey le agradeció lo hecho y le aceptó y se apoderó del navío y armas, aunque poco después le comenzó a tratar mal de palabra. Y así se fueron la costa abajo hacia la ciudad de Trujillo, donde les sucedió lo que adelante se dirá.

Capítulo XIII

[De] cómo los oidores enviaron una embajada
a Gonzalo Pizarro para que deshiciese su campo y
de lo que sobre esto acaeció

En haciéndose a la vela el licenciado Álvarez, se entendió en Los Reyes que iba de concierto con el visorrey, así por algunas muestras que dello dio antes que se embarcase, como porque se fue sin esperar los despachos que los oidores habían de dar, que por no venir en ellos el licenciado Zárate se habían dilatado y se le habían de enviar otro día. Lo cual los oidores sintieron mucho, sabiendo que Álvarez había sido el inventor de la prisión del visorrey y el que más lo trató y dio la orden[anza] para ello.

Y entretanto que esperaban a saber el verdadero suceso de aquel hecho, les pareció enviar a Gonzalo Pizarro a le hacer saber lo pasado y a le requerir con la provisión real para que, pues ellos estaban en nombre de su majestad, para proveer lo que conviniese a la administración de la justicia y buena gobernación de la tierra, y habían suspendido la ejecución de las ordenanzas y otorgado la suplicación dellas y enviado el visorrey a España, que era mucho más de lo que ellos siempre dijeron que pretendían para cobrar[154] la alteración de la tierra, le mandaban que luego deshiciese el campo y gente de guerra, y si quería venir a aquella ciudad viniese de paz y sin forma de ejército. Y que si para la segu-

---

[154] 1577: colorar.

ridad de su persona quisiese traer alguna gente, podría venir con hasta quince o veinte de caballo, para lo cual se le daba licencia.

Despachada esta provisión, mandaron a algunos vecinos los oidores que la fuesen a notificar a Gonzalo Pizarro donde quiera que le topasen en el camino, y ninguno hubo que lo quisiese aceptar, así por el peligro que en ello había como porque decían que Gonzalo Pizarro y sus capitanes les culparían, respondiéndoles que viniendo ellos a defender las haciendas de todos les eran contrarios. Y así, viendo esto los oidores, mandaron por un acuerdo a Agustín de Zárate, contador de cuentas de aquel reino, que juntamente con don Antonio de Ribera, vecino de aquella ciudad, fuese a hacer esta notificación. Y les dieron su carta de creencia y con ella se partieron hasta llegar al valle de Jauja, donde a la sazón estaba alojado el campo de Gonzalo Pizarro, el cual ya había sido avisado del mensaje que se le enviaba.

Y temiendo que si le llegasen a notificar se le amotinaría la gente por el gran deseo que llevaban de llegar a Lima en forma de ejército y aun para saquear la ciudad con cualquiera ocasión que hallasen y queriéndolo proveer, envió al camino por donde venían estos mensajeros a Jerónimo de Villegas, su capitán, con hasta treinta arcabuceros a caballo, el cual los topó, y a don Antonio de Ribera le dejó pasar al campo, y a Agustín de Zárate le prendió y le tomó las provisiones que llevaba y le volvió por el camino que había venido, hasta llegar a la provincia de Pariacaca, donde le tuvo diez días preso, poniéndole su gente todos los temores que podían a efecto de que no dejase su embajada.

Y así estuvo allí hasta que llegó Gonzalo Pizarro con su campo y le mandó llamar para que le dijese a lo que había venido. Y porque ya Zárate estaba avisado del riesgo que corría en su vida si trataba de notificar la provisión, después de hablado aparte a Gonzalo Pizarro y díchole lo que se le había mandado, le metió en un toldo donde estaban juntos todos sus capitanes y le mandó que les dijese a ellos todo lo que a él le había dicho. Y Zárate, entendiendo su intención, les dijo de parte de los oidores otras algunas cosas tocantes al servicio de su majestad y al bien de la tierra, usando de la creencia que se le había tomado, especialmente que, pues el visorrey era embarcado y otorgada la suplicación de las ordenanzas, pagasen a su majestad lo que el visorrey Blasco Núñez Vela le había gastado, como se habían ofrecido por sus cartas de lo hacer, y que perdonasen los vecinos del Cuzco que se habían pasado desde su campo a servir al visorrey, pues habían tenido tan justa causa para ello, y que enviasen mensajeros a su majestad para disculparse de todo lo acaecido, y otras cosas desta calidad. A las cuales todas ninguna otra respuesta se le dio sino que dijese a los oidores que convenía al bien de la tierra que hiciesen gobernador della a Gonzalo Pizarro, y que con hacerlo se proveería luego en todas las cosas que se les habían dicho de su parte y que si no lo hacían meterían a saco la ciudad.

Y con esta respuesta volvió Zárate a los oidores, aunque algunas veces la rehusó de llevar, y a ellos les pesó mucho de oír tan abiertamente el intento de Pizarro, porque hasta entonces no había dicho que pretendía otra cosa sino la ida del visorrey y la suspensión de las ordenanzas. Y con todo esto les enviaron a decir a los capitanes que ellos habían oído lo que pedían, pero que ellos por aquella vía no lo podían conceder ni aun tratar dello, si no parecía quien lo pidiese por escrito y en la forma ordinaria que se suelen pedir otras cosas. Y sabido esto se adelantaron del camino todos los procuradores de las ciudades que venían en el campo y, juntando consigo los de las otras ciudades que estaban en Los Reyes, dieron una petición en el audiencia, pidiendo lo que habían enviado a decir de palabra.

Y los oidores, pareciéndoles que era cosa tan peligrosa y para que ellos no tenían comisión ni tampoco libertad para dejarlo de hacer, porque ya en aquella sazón estaba Gonzalo Pizarro muy cerca de la ciudad y les tenía tomados todos los pasos y caminos para que nadie pudiese salir della, determinaron dar parte del negocio a las personas de más autoridad que había en la ciudad y pedirles su parecer. Y sobre ello hicieron un acuerdo mandando que se notificase a don fray Jerónimo de Loaysa, arzobispo de Los Reyes, y a don fray Juan Solano, arzobispo del Cuzco, y a don Garci Díaz, obispo del Quito, y a fray Tomás de San Martín, provincial de los domingos, y a Agustín de Zárate y al tesorero, contador y veedor de su majestad, que viesen esto que los procuradores del reino pedían y les dieron sobre ello su parecer, expresando muy a la larga las razones que a ello les movían. Lo cual hacían no para seguir ni dejar su parecer, porque bien entendían que en los unos ni en los otros no había libertad para dejar de hacer lo que Gonzalo Pizarro y sus capitanes querían, sino para tener testigos de la opresión en que todos estaban.

Y entretanto que se trataba deste negocio, Gonzalo Pizarro llegó un cuarto de legua de la ciudad y asentó sobre ella su campo y artillería. Y como vio que se dilató aquel día el despacho de la provisión, la noche siguiente envió su maestre de campo con treinta arcabuceros, el cual prendió hasta veinte y ocho personas de los que se habían venido del Cuzco, y de otros de quien tenía queja porque habían favorecido al visorrey, entre los cuales eran Gabriel de Rojas y Garcilaso de la Vega y Melchor Verdugo y el licenciado Carvajal y Pedro del Barco y Machín de Florencia y Alonso de Cáceres y Pedro de Manjares y Luis de León y Antón Ruiz de Guevara, y otras personas que eran de las principales de la tierra. A los cuales puso en la cárcel pública y, apoderándose della y quitando el alcalde[155] y tomando las llaves, sin ser parte para se lo defender ni contradecir los oidores, aunque lo veían porque en toda la ciudad no había cincuenta hombres de guerra, porque todos los soldados del visorrey y de los oidores se habían pasado al real de Gonzalo Pizarro,

---

[155] 1577: alcaide.

con los cuales y con los que él antes traía tenía número de mil y doscientos hombres muy bien armados.

Y otro día de mañana vinieron algunos capitanes de Gonzalo Pizarro a la ciudad, y dijeron a los oidores que luego despachasen la provisión, si no, que meterían a fuego y a sangre la ciudad, y serían ellos los primeros por quien comenzasen. Los oidores se excusaron cuanto podían, diciendo que no tenían poder para lo hacer, por lo cual el maestre de campo Carvajal en su presencia sacó de la cárcel cuatro personas de los que tenía presos, y a los tres dellos, que fueron Pedro del Barco y Machín de Florencia y Juan de Sayavedra, los ahorcó de un árbol que estaba junto de la ciudad, diciéndoles muchas cosas de burla y escarnio al tiempo de la muerte sobre no haberles dado término de media hora a todos tres para confesarse y ordenar sus ánimas. Y especialmente a Pedro del Barco, que fue el último de los tres que ahorcó, le dijo que por haber sido capitán y conquistador y persona tan principal en la tierra, y aun casi el más rico della, le quería dar su muerte con una preeminencia señalada, que escogiese en cuál de las ramas de aquel árbol quería que le colgasen. Y a Luis de León salvó la vida un hermano suyo que venía por soldado de Gonzalo Pizarro, y se lo pidió por especial merced.

Y viendo esto los oidores, y que les amenazaba el maestre de campo que si encontinente[156] no se les despachaba la provisión ahorcaría los demás que estaban presos y entrarían los soldados saqueando, mandaron que las personas a quien se había comunicado el negocio trajesen sus pareceres. Los cuales, sin discrepar ninguno, los dieron luego para que se le diese la provisión de gobernación, la cual los oidores despacharon para que Gonzalo Pizarro fuese gobernador de aquella provincia hasta tanto que su majestad otra

---

[156] «Incontinenti», adverbio en desuso que significa «prontamente, al instante» *(DRAE)*.

cosa mandase, dejando la superioridad de la audiencia y haciendo pleito homenaje de la obedecer y deponer el cargo cada y cuando que por su majestad y por los oidores le fuese mandado, y dando fianzas de hacer residencia y estar a justicia con los que de él hubiese querellosos.

Y habiéndose llevado y entregado la provisión, entró en la ciudad ordenado su campo en forma de guerra desta manera: que la avanguardia llevaba el capitán Bachicao con veinte y dos piezas de artillería de campo, con más de seis mil indios que traían en hombros los cañones (como está dicho) y las municiones dellos, e íbalos disparando por las calles. Llevaba treinta arcabuceros para la guarda del artillería y cincuenta artilleros. Luego iba la compañía del capitán Diego Gumiel, en que había doscientos piqueros, y tras ella la compañía del capitán Guevara, en que había ciento y cincuenta arcabuceros, y tras ella la compañía del capitán Pedro Cermeño, de doscientos arcabuceros. Y luego se siguió el mesmo Gonzalo Pizarro trayendo delante de sí las tres capitanías de infantería que están dichas, como por lacayos. Él venía en un muy poderoso caballo, con sola la cota de malla y encima una ropeta de brocado. Y tras él venían tres capitanes de caballo, en medio don Pedro Puertocarrero con el estandarte de su compañía en la mano, que era de las armas reales, y a la mano derecha Antonio Altamirano con el estandarte del Cuzco, y a la mano izquierda Pedro de Puelles, con el estandarte de las armas de Gonzalo Pizarro. Y tras ellos se seguía toda la gente de caballo armados a punto de guerra.

Y en esta orden fue a casa del licenciado Zárate, oidor, donde estaban juntos los demás oidores, porque él se había hecho malo por no ir a la audiencia a le recibir y, dejando ordenado su escuadrón en la plaza, subió a los oidores y le recibieron haciendo su juramento y dando sus fianzas. Y de allí se fue a las casas de cabildo, donde estaban juntos los regidores, y le recibieron con las solemnidades acostumbradas. Y de allí se fue a su posada y su maestre de campo aposentó la gente de pie y de caballo por sus cuarteles en las casas de los vecinos, mandándoles que les diesen de comer. Esta entrada y recibimiento pasó en fin del mes de octubre del año de cuarenta y cuatro, cuarenta días después de la prisión del visorrey, y de ahí adelante Gonzalo Pizarro se quedó ejercitando su cargo en lo que tocaba a la guerra y cosas dependientes della sin entremeterse en cosa ninguna de justicia, la cual administraban los oidores, que hacían su audiencia en las casas del tesorero Alonso Riquelme. Y luego Gonzalo Pizarro envió al Cuzco por su teniente a Alonso de Toro, y a Pedro de Fuentes a Arequipa, y a Francisco de Almendras a la villa de Plata, y a las otras ciudades a otras personas.

Capítulo XIV

Que trata de la edad y condiciones de Gonzalo Pizarro y su maestre de campo, y de lo que hicieron los vecinos de los Charcas que venían a servir al visorrey

Porque lo más que de aquí adelante se tratará en esta historia es sobre lo tocante a Gonzalo Pizarro y a su maestre de campo, hasta que fueron vencidos y muertos, convendrá para mejor inteligencia dello escribir sus edades y condiciones. Gonzalo Pizarro, cuando comenzó a introducirse en esta tiranía, era hombre de hasta cuarenta años, alto de cuerpo y de bien proporcionados miembros, era moreno de rostro y la barba negra y muy larga. Era inclinado a las cosas de la guerra y gran sufridor de los trabajos della, era muy buen hombre de caballo de ambas sillas y gran arcabucero y, con ser hombre de bajo entendimiento, declaraba bien sus consejos[157], aunque por muy groseras palabras.

---

[157] 1577: conceptos.

Sabía guardar mal secreto, de que se le siguieron muchos inconvenientes en sus guerras. Era enemigo de dar, que también le hizo mucho daño. Dábase demasiadamente a mujeres, así a indias como de Castilla.

El capitán Carvajal era natural de un lugar de tierra de Arévalo llamado Rágama, de linaje de pecheros. Fue soldado en Italia mucho tiempo, desde el conde Pedro Navarro. Hallose en la prisión del rey de Francia en Pavía y de allí se vino con él una mujer de buen linaje llamada doña Catalina de Leyton y, aunque publicaban ser casados, comúnmente decían que no lo eran, antes algunos afirmaban que había sido fraile y aun de evangelio. Venido en España, residió algún tiempo en la encomienda de Heliche por mayordomo della. De allí pasó a la Nueva España, llevando consigo esta que llamaba su mujer. Proveyole el visorrey de un corregimiento en aquella provincia, con que se mantuvo algún tiempo, hasta que sucedió en el Perú el alzamiento de los indios, para lo cual le envió el visorrey con las armas y socorro que arriba tenemos dicho y, por llegar en tal coyuntura, el marqués le dio unos indios en el Cuzco, donde residió hasta que vino el visorrey Blasco Núñez Vela, que estaba a punto de venirse a Castilla con hasta quince mil pesos que había habido de sus indios y, por no tener en qué embarcarse, se quedó en la tierra.

Era de edad de ochenta años, según él decía. Era hombre de mediana estatura, muy grueso y colorado, diestro en las cosas de la guerra, por el grande uso que della tenía. Fue mayor sufridor de trabajo que requería su edad, porque a maravilla no se quitaba las armas de día ni de noche, y cuando era necesario tampoco se acostaba ni dormía más de cuanto recostado en una silla se le cansaba la mano en que arrimaba la cabeza. Fue muy amigo del vino, tanto que cuando no hallaba de lo de Castilla bebía de aquel brebaje de los indios más que ningún otro español que se haya visto. Fue muy cruel de condición, mató mucha gente por causas muy livianas y algunos sin ninguna culpa, salvo

292

por parecerle que convenía así para conservación de la disciplina militar. Y a los que mataba era sin tener dellos ninguna piedad, antes diciéndoles donaires y cosas de burla y mostrándose con ellos muy bien criado y comedido [en forma de irrisión o escarnio]. Fue muy mal cristiano y así lo mostraba de obra y de palabra. Era muy codicioso y robó las haciendas a muchos, tanto que, poniéndolos en estrecho de muerte, los rescataba las vidas, y así acabó la suya tan miserablemente y sin esperanza de su salvación, como adelante se dirá.

Pues tornando a la historia ya dijimos arriba haber salido de la villa de Plata el capitán Luis de Ribera, teniente de gobernador, y Antonio Álvarez, alcalde ordinario, con toda la gente de la villa, en busca del visorrey, los cuales anduvieron por el despoblado mucho tiempo, sin saber nueva ninguna de lo sucedido, y después supieron nuevas de la prisión del visorrey y del buen suceso de Gonzalo Pizarro. Lo cual sabido después de muchos acuerdos que tomaron Luis de Ribera y Antonio Álvarez, como más principales en el negocio, no se osaron tornar a la villa de Plata y metiéronse entre los montes con los indios y otros se tornaron a la villa y otros se fueron a la ciudad de Los Reyes y fueron perdonados por Gonzalo Pizarro, aunque todos los repartimientos dellos los puso en su cabeza y mandó que Francisco de Almendras los cobrase para los gastos de la guerra. Y llegando Francisco de Almendras a los Charcas, perdonando a algunos de los huidos, se recogieron a la villa, y allí vivían, aunque desposeídos de sus haciendas, algo maltratados de Francisco de Almendras, hasta que sucedió lo que adelante haremos relación.

También dijimos arriba cómo el licenciado Álvarez, después que se hizo a la vela con el visorrey y le puso en su libertad, luego se juntaron entrambos navíos, en los cuales iba su hermano y muchos criados suyos y otros amigos que también echaban de la tierra con el visorrey. Y hecho esto, fueron su camino hasta que aportaron al puerto de Tumbez y el visorrey con el licenciado Álvarez saltó en tierra, dejando guarda en los navíos, y luego en aquel puerto comenzaron a hacer audiencia y despachar provisiones por todas partes, haciendo relación de su prisión y de la venida de Gonzalo Pizarro y de todo lo más acontecido, mandando en ellas que todos le acudiesen, las cuales provisiones envió a Quito y a San Miguel y a Puerto Viejo y Trujillo. Proveyó también capitanes que fuesen a todas partes, entre los cuales proveyó a Jerónimo de Pereira para que fuese a los Bracamoros. Y desta manera estaba en aquel puerto, acudiéndole de todas partes gente y fortaleciéndose lo mejor que podía, enviando a todas partes por bastimentos, mandando que le trujesen los dineros de las cajas del Rey, lo cual también se hacía con mucha diligencia, porque de todas las partes le acudían con todo lo que había, aunque en los pueblos adonde enviaba también había discordias, porque algunos se huían a Gonzalo Pizarro a dalle las nuevas de lo que pasaba, otros se metían en los montes, huyendo de sus casas.

De manera que así estaba el visorrey en el puerto de Tumbez tratando sus negocios en la forma sobredicha, la cual luego supo Gonzalo Pizarro, que estaba en la ciudad de Los Reyes, y vio muchos mandamientos y provisiones de los que el visorrey hacía y primeramente proveyó sobre este caso que el capitán Gonzalo Díaz y el capitán Jerónimo Villegas y el capitán Hernando de Alvarado, que estaba en Trujillo por teniente de Gonzalo Pizarro, fuesen a recoger toda la gente que hallasen por aquellas partes para que no acudiesen al visorrey, y porque con ella le pudiesen estorbar que no estuviese tan despacio y dalle algún desasosiego y aun, según entonces se entendió, se les mandó que aunque tuviesen copia de gente no le diesen batalla.

Capítulo XV

*Cómo Gonzalo Pizarro y sus capitanes acordaron de enviar
al doctor Tejada a España para dar cuenta a su majestad
del estado de los negocios, y cómo el licenciado Vaca de Castro
se alzó con un navío en que estaba preso,
en que el capitán Bachicao había de llevar a Tierra Firme
a Tejada, y cómo Bachicao se embarcó con él
en ciertos bergantines y de camino tomó al visorrey
su armada, que tenía en Tumbez, y a él y a su gente
hizo retirar a Quito y él se fue a Tierra Firme*

Muchos días había que se trataba [de] enviar procuradores a su majestad en nombre de Gonzalo Pizarro y de todo el reino para que le diesen cuenta de lo acaecido, porque esto deseaban algunos porque los negocios no fuesen desvergonzados contra su majestad; otros, especialmente el maestre de campo y el capitán Bachicao, lo contradecían, diciendo que era mejor para cualquier efecto esperar que su majestad enviase a saber cómo no le enviaban dineros de su hacienda, porque entonces se le daría cuenta de todo lo acaecido, cuanto más que el visorrey se la había dado muy larga, porque estaba claro que su majestad le daría más crédito que a lo que ellos le dijesen. Estaban ya muy arrepentidos de no haber preso a los oidores y enviádolos a dar cuenta a su majestad de la prisión del visorrey.

Después de muchos acuerdos que sobre lo arriba dicho se tuvieron, se determinó que el doctor Tejada fuese a España en nombre de la audiencia a dar cuenta de la prisión del visorrey y dar relación a su majestad de lo demás acaecido, y que también fuese Francisco Maldonado, maestresala de Gonzalo Pizarro, con algunas cartas suyas, sin que llevase otros recaudos ni poderes, considerando que en todo esto se hacían dos cosas: lo uno, cumplirse con lo que decían que enviase procuradores, y la otra, deshacer el audiencia. Porque enviando el doctor Tejada oidor (como lo pretendía hacer), el licenciado Zárate no podía hacer audiencia solo, lo cual comunicaron con Tejada y él se concertó que dándole seis mil castellanos era contento de ir a hacer la jornada. Luego entre él y el licenciado Cepeda ordenaron los despachos, los cuales ellos dos firmaron.

Después de hecho todo, se determinó que en un navío que estaba en el puerto, en que el licenciado Vaca de Castro estaba preso, fuese Hernando Bachicao con buena artillería a llevar al doctor Tejada y Francisco Maldonado, y que llevasen sesenta hombres de su guarda y que tomasen todos los navíos que hallasen en la costa, lo cual determinado y puesto a punto, y el doctor Tejada asimesmo para embarcarse, el licenciado Vaca de Castro se dio tal maña que con un deudo suyo llamado García de Montalvo que le fue a visitar, sobornó los marineros, a unos por fuerza y a otros con halagos, y se hizo a la vela en el navío. Lo cual como fue sabido por Gonzalo Pizarro, se alborotó en gran manera, así por haber estorbado aquel viaje, como porque se sospechó que algunas personas hubiesen dado ayuda al licenciado. Y luego tocaron arma y empezaron a prender todos cuantos caballeros sospechosos había en el pueblo, así de los que se habían huido del Cuzco como de los que no habían acudido a Gonzalo Pizarro de otras partes. Todos los echaron presos en la cárcel pública y entre ellos llevaron al licenciado Carvajal, al cual Francisco de Carvajal, maestre de campo, mandó que se confesase e hiciese su testamento, porque ya estaba determinado que muriese. Él con buen ánimo comenzó a hacer lo que le mandaba y aunque le daban tanta priesa que acabase, estando el verdugo presente con un cabestro y garrote en la mano, que sin duda se pensó que muriera y, considerando la calidad de su persona, que no era para ponelle en aquellos términos para dejalle vivo, también se entendía que, muerto el licenciado Carvajal, había de haber gran mortandad de los demás que estaban presos, que fuera gran pérdida, por ser la más principal gente de aquel reino y los que habían acudido al servicio de su majestad.

Estando en estos términos el licenciado Carvajal, algunos iban a hablar con Gonzalo Pizarro, diciéndole que mirase la gran parte que el licenciado Carvajal era en la tierra y que, habiéndole muerto el visorrey su hermano tan sin culpa como era notorio, pues la más principal culpa por donde decía haberle muerto era porque el licenciado Carvajal andaba con Gonzalo Pizarro, lo cual estaba claro no ser así, pues como el mesmo Gonzalo Pizarro lo sabía por cartas del factor, se había huido de su campo y venido a servir al visorrey, y que no era justo que le matase, considerando todo esto y que le había de servir, aunque no fuese por más de por vengar la muerte de su hermano, y en cuanto a la huida de Vaca de Castro, ya estaban satisfechos que él ni los otros no habían entendido en ello sino que tras cada ocasión los prendían y molestaban, sin tener consideración más de que era gente sospechosa en el negocio en que andaban. Gonzalo Pizarro en todo esto estaba tan enojado que a ninguno quería oír ni le podían sacar más palabra de que no le hablase nadie en ello.

Visto esto, el licenciado Carvajal y sus amigos acordaron llevar el negocio por otra vía, y dieron al maestre de campo un tejuelo de oro de dos mil pesos y prometiéronle mucho más muy secretamente, lo cual aceptó. Y luego comenzó de aflojar en el negocio y fue y vino a Gonzalo Pizarro, en fin que el licenciado Carvajal y los demás fueron sueltos y luego tornaron a aderezar la partida de Hernando Bachicao, y allegó entonces al puerto un bergantín de Arequipa y con otros que se aderezaron metiendo en ellos cantidad de artillería de lo que Gonzalo Pizarro trajo del Cuzco, Bachicao se partió con el doctor Tejada y Francisco Maldonado y sesenta arcabuceros que se pudieron haber y quisieron ir con él. Y desta manera se fue por la costa sobre aviso que el visorrey estaba en el puerto de Tumbez. Y una mañana llegó al puerto y luego fue visto por la gente del visorrey y diose alarma. Y pensando el visorrey que Gonzalo Pizarro venía por la mar con mucha gente, a más priesa con ciento y cincuenta hombres que tenía, se fue huyendo la vía de Quito, y algunos dellos se le quedaron que recibió Bachicao y tomó dos navíos que halló en el puerto y fue a Puerto Viejo y a otras partes y recogió ciento y cincuenta hombres en sus navíos y el visorrey se fue sin parar hasta Quito.

Capítulo XVI

Cómo Bachicao llegó a Panamá y [de] lo que allí hizo

Habiéndose entregado Bachicao de la armada del visorrey[158] (como está dicho), prosiguió su camino para el puerto de Panamá y, pasando por Puerto Viejo, tomó consigo alguna gente de aquella tierra y entre ellos a Bartolomé Pérez y a Juan Dolmos, vecino[s] de Puerto Viejo, y deteniéndose a tomar refrescos en las islas de las Perlas, que están veinte leguas de Panamá, fueron avisados los de la ciudad de su venida, y enviáronle dos vecinos a saber su intento y a requerirle no entrase con gente de guerra en la jurisdicción. El cual respondió que, en caso que él venía con gente de guerra, la traía para su defensa contra el visorrey, y que él no venía a hacer daño ninguno en aquella tierra, sino solamente a traer al doctor Tejada, oidor de su majestad, que con provisión de su real audiencia le iba a dar cuenta de todo lo sucedido en el Perú, y que no haría más de ponerle en tierra y proveerse de lo necesario y volverse.

Y con esto los aseguró de manera que no hicieron defensa en su entrada y, llegando al puerto, dos navíos que en él estaban alzaron velas para irse y al uno dellos alcanzó con

---

[158] En 1577 falta «del visorrey».

un bergantín y le hizo volver al puerto, trayendo ahorcados de la antena al maestre y contramaestre de él, lo cual causó muy gran escándalo en la ciudad porque [no] entendieron cuán diferente intento traía de lo que había publicado y, porque les pareció ya muy tarde para la defensa, no se pusieron en ella. Y así quedaron con harto temor, sometidos ellos en sus haciendas a la voluntad de Bachicao, que era tanto y más cruel que el maestre de campo, y gran renegador y blasfemador y hombre sin ninguna virtud. Y así entró en la ciudad sin que le osase esperar el capitán Juan de Guzmán, que allí estaba haciendo gente por el visorrey, la cual toda se le pasó luego a Bachicao, y él se apoderó de la artillería que allí había traído Vaca de Castro en el navío con que se huyó, y comenzó a tiranizar en la república usando de las haciendas de todos a su voluntad, teniendo tan opresa la justicia que no osaba hacer más de lo que él quería, y a dos capitanes suyos que concertaron de matarle los prendió y degolló públicamente e hizo otras justicias con públicos pregones en que decían: «Manda hacer el capitán Hernando Bachicao», usando llanamente la jurisdicción.

El licenciado Vaca de Castro, que a la sazón estaba en Panamá, en sabiendo su venida se huyó para Nombre de Dios y se embarcó en la mar del Norte, y lo mesmo Diego[159] Álvarez de Cueto y Jerónimo Zurbano, y también se pasaron al Nombre de Dios el doctor Tejada y Francisco Maldonado, y todos juntos se vinieron a España, y el doctor Tejada murió en el camino, en la canal de Bahama. Y en llegando a España Francisco Maldonado y Diego Álvarez de Cueto se fueron por la posta a Alemania a dar cuenta a su majestad cada uno de su embajada. El licenciado Vaca de Castro se quedó en la isla tercera de los Azores y de allí se vino a Lisboa y después a la corte, diciendo que no se había atrevido a venir por Sevilla por no entrar en poder y

---

[159] 1577: Gonzalo.

tierra donde eran tanta parte los hermanos y deudos del capitán Juan Tello, a quien arriba hemos dicho que hizo degollar al tiempo del vencimiento de don Diego de Almagro el mozo. Y en llegando a la corte fue detenido en su casa por mandado de los señores del Consejo de las Indias, y le pusieron cierta acusación y después le tuvieron preso mientras se trató la causa en la fortaleza de Arévalo por espacio de más de cinco años, y después le señalaron una casa en Simancas y de ahí, con la mudanza de la corte, le señalaron por cárcel la villa de Pinto con sus términos, hasta que se sentenció el negocio.

Capítulo XVII

Cómo el visorrey llegó a Quito y juntó su ejército
y vino con él la tierra arriba la vía de San Miguel

Habiéndose retirado el visorrey con hasta ciento y cincuenta hombres al tiempo que Bachicao le tomó la armada en Tumbez, caminó con ellos hasta que llegó a la ciudad de Quito, donde le recibieron de buena voluntad, y allí se rehízo de hasta doscientos hombres, con los cuales estaba en aquella tierra por ser muy fértil y abundante de comida, donde determinó aguardar lo que su majestad proveería después de sabido de Diego Álvarez de Cueto lo que en la tierra pasaba, teniendo siempre buenas guardas y espías en los caminos para saber lo que Gonzalo Pizarro hacía, caso que desde Quito a Los Reyes hay más de trescientas leguas, como tenemos dicho.

Y en este tiempo cuatro soldados de Gonzalo Pizarro, por cierto desabrimiento que de él tuvieron, hurtaron un barco y con él se fueron huyendo la costa abajo, desde el puerto de Los Reyes remando hasta que le pusieron en buen paraje para ir por tierra a Quito. Y llegados dijeron al visorrey el descontento que los vecinos de Los Reyes y de las otras partes tenían con Gonzalo Pizarro por las grandes molestias que les hacía, trayendo a los unos fuera de sus casas y haciendas y a los otros echándoles huéspedes e imponiéndoles otras cargas que no podían sufrir, de las cuales estaban tan cansados que en viendo cualquiera persona que tuviese la voz de su majestad, holgarían de salir (juntándose con él) de tan gran tiranía y opresión. Con lo cual y con otras muchas cosas que los soldados le dijeron, le encendieron a que saliese de Quito con la gente que tenía y se viniese la vía de la ciudad de San Miguel, llevando por su general un vecino de Quito llamado Diego de Ocampo, que desde que el visorrey vino a Tumbez le había acudido y ayudádole con su persona y hacienda en todas las cosas necesarias, en que gastó más de cuarenta mil pesos que tenía suyos.

Y en todas estas jornadas seguía al visorrey el licenciado Álvarez, con el cual se hacía audiencia por virtud de una cédula de su majestad que el visorrey llevaba, para que, llegado él a Los Reyes, pudiese hacer audiencia con uno o dos oidores, los primeros que llegasen, hasta que viniesen todos, y lo mesmo en caso que los dos o tres dellos muriesen. Y para este efecto hizo abrir un sello nuevo, el cual entregó a Juan de León, regidor de la ciudad de Los Reyes, que por nombramiento del marqués de Camarasa, adelantado de Cazorla, que es chanciller mayor de las Indias, iba elegido por chanciller de aquella audiencia y se había venido huyendo de Gonzalo Pizarro. Y así despachaba sus provisiones para todo lo que le convenía por título de don Carlos y selladas con el sello real, firmándolas él y el licenciado Álvarez. De manera que había dos audiencias en el Perú: una en la ciudad de Los Reyes y otra con el visorrey. Y aconteció muchas veces venir dos provisiones sobre un mesmo negocio, una en contrario de otra.

Cuando el visorrey quiso partir de Quito envió a Diego Álvarez de Cueto, su cuñado, a España a informar a su majestad de todo lo pasado y a pedirle socorro para tornar a entrar en el Perú y hacer la guerra a Gonzalo Pizarro poderosamente. Cueto pasó en España en la mesma armada en que vinieron el licenciado Vaca de Castro y el doctor Tejada, como tenemos dicho arriba. Y así llegó el visorrey a la ciudad de San Miguel, que es ciento y cincuenta leguas de Quito, con determinación de residir allí hasta ver mandato de su majestad, teniendo siempre en pie su real nombre y voz, porque le pareció muy conveniente sitio para poder recoger consigo toda la gente que así de España como de las otras partes de las Indias viniesen al Perú. Porque, como está dicho, es paso forzoso y que no se pueden excusar de pasar por él viniendo por tierra, especialmente los que traen caballos y otras bestias, y que desta manera iría cada día engrosando su ejército y cobrando nuevas fuerzas. Allí los más de los vecinos acogieron al visorrey de buena voluntad y le hicieron buen hospedaje, proveyéndole de todo lo necesario según su posibilidad. Y así iba cada día recogiendo gente y caballos y armas, tanto que llegó al pie de quinientos hombres medianamente aderezados, aunque algunos tenían falta de armas defensivas y hacían coseletes de hierro y de cueros de vaca secos.

Capítulo XVIII

Cómo Gonzalo Pizarro envió ciertos capitanes a recoger gente y estar en frontera contra el visorrey

Al tiempo que Gonzalo Pizarro envió en los bergantines al capitán Bachicao para tomar la armada del visorrey, despachó así mismo dos capitanes suyos llamados Gonzalo Díaz de Pinera y Jerónimo de Villegas que fuesen por tierra a recoger la gente de guerra que hallasen en las ciudades de Trujillo y San Miguel, y se estuviesen en frontera contra el visorrey. Y ellos con hasta ochenta hombres que pudieron juntar se estuvieron en San Miguel hasta tanto que supieron la venida del visorrey y, no le osando esperar, se metieron la tierra adentro hacia Trujillo y alojaron en una provincia que se dice Collique, que es cuarenta leguas de San Miguel, e hicieron saber a Gonzalo Pizarro la venida del visorrey y cómo juntaba gente cada día y engrosaba su ejército, dando a entender el gran daño que le venía en no remediarlo con tiempo.

Y a esta sazón supieron estos capitanes que el visorrey había enviado un capitán suyo llamado Juan de Pereira a la provincia de los Chachapoyas, a convocar y juntar todas las gentes que por aquellas partes pudiesen haber, caso que en esta tierra residen pocos españoles. Y pareciéndoles a estos capitanes de Pizarro que Pereira y los que con él viniesen estarían muy descuidados dellos, determinaron de salirles al camino por donde venían y una noche les prendieron las centinelas y dieron sobre ellos y, tomándolos durmiendo y sin recelo de enemigos, a Pereira y dos principales que con él venían les cortaron las cabezas. Y toda la demás gente, que eran hasta sesenta hombres de caballo, la redujeron al servicio de Gonzalo Pizarro con temor de la muerte, y así se tornaron a su aposento.

Y deste acontecimiento tuvo gran pesar el visorrey y determinó tomar ocasión en que vengarse. Y así salió muy ocultamente de San Miguel con hasta ciento y cincuenta de caballo y se fue adonde los capitanes Gonzalo Díaz y Villegas estaban, con menos cuidado y guarda de la que debían tener, como personas que pocos días antes habían hecho tal [a]salto en la gente de sus contrarios. Y así llegó el visorrey a Collique una noche y casi sin que fuese sentido, con la mucha turbación de los capitanes, no tuvieron lugar de ponerse en orden ni dar batalla, antes se huyeron cada uno como mejor pudo, tan derramados que Gonzalo Díaz casi solo fue a dar en una provincia de indios de guerra, los cuales fueron contra él y le mataron, y lo mesmo hizo Fernando de Alvarado. Y Jerónimo de Villegas juntó después consigo alguna gente y se metió la tierra adentro hacia Trujillo, y el visorrey se fue a San Miguel.

CAPÍTULO XIX

Cómo Gonzalo Pizarro salió con su ejército contra el visorrey
Blasco Núñez Vela, y de lo que hizo en el camino; y cómo,
sabida el visorrey su venida, se retiró desde San Miguel
con su gente a la vía [de Quito] y Pizarro le siguió
más de cien leguas, y en el alcance le tomó
más de trescientos hombres que se le quedaron [rezagados]

Viendo Gonzalo Pizarro que cada día crecía la fuerza y gente de su enemigo, y especialmente entendiendo el desbarato que en sus capitanes se había hecho, determinó de ocurrir con toda la presteza posible a deshacer las fuerzas al visorrey por la certidumbre que tenía de que cada día se le allegaba gente y armas y caballos que venían de España y de las otras partes de las Indias, que casi necesariamente desembarcaban en el puerto de Tumbez, como es dicho. Y también temiendo que en esta sazón viniese algún despacho de su majestad en favor del visorrey, lo cual sería parte para quebrar los ánimos a la gente que con él andaba, y así [se] determinó de juntar su ejército e ir a desbaratar a los enemigos y poner el negocio a riesgo de batalla si le quisiesen esperar, y así ordenó sus capitanes e hizo paga y comenzó a enviar adelante a Trujillo los caballos y otros impedimentos, quedando él y los principales de su campo solos para salir a la postre.

En esta sazón vino un bergantín de Arequipa con más de cien mil castellanos para Gonzalo Pizarro, y también llegó otro navío de Tierra Firme de Gonzalo Martel de la Puente, el cual enviaba su mujer para que se fuese a su casa. Y con este buen suceso estaban Gonzalo Pizarro y su gente tan soberbios que casi decían blasfemias en su opinión, y metieron en los navíos gran número de arcabuces, picas y otras municiones y aderezos de guerra, y se embarcaron en ellos más de ciento y cincuenta personas principales, llevando consigo por dar más autoridad al negocio al licenciado Cepeda, oidor, y Juan de Cáceres, contador de su majestad. Y con la ida de Cepeda tuvo Gonzalo Pizarro ocasión de deshacer el audiencia, porque no quedaba en la ciudad de Los Reyes sino solo el licenciado Zárate, de quien hacía poca cuenta por estar enfermo y tener casado a Blas de Soto, su hermano, con una hija suya, el cual casamiento se hizo contra voluntad del licenciado Zárate.

Y no embargante este deudo y la confianza que era razón que hiciera de él, por consejo de algunos de sus capitanes, por más se asegurar llevó consigo el sello real y desta manera se fue por la mar, dejando por su teniente de gobernador en la ciudad de Los Reyes el capitán Lorenzo de Aldana con hasta ochenta hombres de guardia, con que estuviese segura y pacífica la ciudad, para lo cual bastaban porque casi todos los vecinos iban la jornada con Gonzalo Pizarro. Y embarcado por marzo del año de cuarenta y cinco, fue por mar hasta el puerto de Santa, que es quince leguas de Trujillo, y allí salió en tierra y tuvo en Trujillo la Pascua de flores aguardando a que se le juntase la gente por quien había enviado a diversas partes. Y viendo que tardaba por sacar su ejército de poblado, se fue a la provincia de Collique, donde estuvo algunos días hasta que vino la gente que esperaba. Y hecha su reseña della, halló que llevaba más de seiscientos hombres de pie y de caballo y, aunque en el número no llevaba gran ventaja al visorrey, pero teníasela cuanto a las armas y otros aparejos de guerra, y en que los que iban con Gonzalo Pizarro eran soldados viejos y muy prácticos en las cosas de la guerra y se habían hallado en otras batallas y sabían la tierra y los pasos dificultosos della. Y los que estaban con el visorrey los más eran recién venidos de Castilla y no habituados en las cosas de guerra y mal armados y con muy ruin pólvora.

Y allí se puso muy gran diligencia por Gonzalo Pizarro en proveer de comida y cosas necesarias para el real, especialmente cerca de allí había un despoblado que dura desde la provincia de Motupe hasta la ciudad de San Miguel, en espacio de veinte y dos leguas, que en todas ellas no hay agua ni poblado ni otro refrigerio alguno, sino arenales y mucho calor, y por ser paso tan peligroso era necesario hacerse gran diligencia en proveerse de agua y otras cosas convenientes para el camino. Y así mandó a todos los indios comarcanos que trajesen gran cantidad de cántaros y tinajas, y dejando allí la gente de guerra todas las cargas de vestidos y ropas y camas que no les eran necesarias, proveyó que los indios que habían de llevar aquellas fuesen cargados de agua para el bastimento deste despoblado, así para los caballos y bestias como para sus personas, cargando los indios y poniéndose todos a la ligera, sin llevar ningún servicio, por que el agua no les faltase.

Y puestos a punto enviaron veinte y cinco de a caballo delante por el despoblado, que es lugar ordinario por donde se suele pasar, para declararse al visorrey y que las espías le dijesen que venía por allí, y todo el ejército caminó por otra parte también despoblada. Y desta manera caminaron, llevando la comida encima de los caballos, y poco antes que llegase supo el visorrey la venida del ejército y mandó tocar al arma, diciendo que les quería salir al camino y dar batalla. Y ya que tuvo la gente junta y fuera de la ciudad, comenzó a caminar por otra parte hasta la cuesta de Caxas, por la cual fue a muy gran priesa, y obra de cuatro horas después que salió supo Gonzalo Pizarro su ida, y sin estar[160] en la ciudad de San Miguel ni tomar más bastimentos mandó que guiasen por el camino por donde el visorrey había huido y caminaron aquella noche tras él ocho leguas y tomaron alguna gente en el camino. Y desta manera le fue dando muchos alcances, tomándole en ellos mucha gente y todo cuanto llevaba en el real, ahorcando algunos que le parecía, y así cami-

---

[160] 1577: entrar.

naban por lugares ásperos y sin comida, tomándoles cada día gente y echándoles cartas con indios para las personas principales de real del visorrey para que le matasen, perdonándoles Gonzalo Pizarro y prometiéndoles muchas mercedes.

Y desta manera fueron más de cincuenta leguas, que ni los caballos los podían llevar ni los hombres los podían seguir, así por el mucho trabajo que llevaban como por la falta de comida que había. Y así llegaron a Ayabaca, donde se reformaron y dejaron de seguir al visorrey tan apriesa como antes, por dejar concertada su gente y también porque sabían que el visorrey iba ya muy adelante y que en ninguna manera le podían alcanzar, juntamente con algunos avisos que tenían de algunos principales del visorrey, en que prometían a Gonzalo Pizarro de matarlo o traérselo preso. De lo cual sucedió después que el visorrey mató a muchos caballeros capitanes de los suyos, como adelante parecerá. Y allí en Ayabaca se proveyó de todo lo demás necesario y salió de allí con buena orden por las mismas pisadas que el visorrey había ido, aunque por el mucho cansancio de algunos y otros por ir descontentos no los pudo llevar todos sin quedarse alguna gente, donde le dejaremos al visorrey caminando hacia las provincias de Quito, y Gonzalo Pizarro tras él, por decir lo que aconteció en este tiempo en lo de arriba.

Capítulo XX

*Cómo en la ciudad de Los Reyes hubo cierto motín
y alboroto, el cual aplacó Lorenzo de Aldana,
que allí era teniente, sin declararse de todo punto
por su majestad, aunque los parciales de Pizarro
le tenían por sospechoso*

Casi a ninguno de los soldados del visorrey que se quedaron rezagados y vinieron a poder de Gonzalo Pizarro quiso él llevar consigo, así por no fiarse dellos como porque le parecía que llevaba demasiada gente, según la poca que el enemigo tenía, especialmente yendo siguiendo alcance, y por falta de comida, porque el visorrey les alzaba los bastimentos por donde quiera que iba. Y a toda esta gente rezagada envió Gonzalo Pizarro la tierra adentro, a Trujillo y a Los Reyes y a otras partes, donde cada uno quiso, aunque a algunos principales de quien tenía particular queja los ahorcó.

Estos comenzaron a sembrar por los lugares donde iban nuevas en favor del visorrey y en contradicción de la tiranía de Gonzalo Pizarro, a lo cual muchas personas favorecían, así por parecerles la empresa justa, como porque la gente que reside en aquella provincia son más amigos de novedades que en otra ninguna parte, en especial los soldados y gente ociosa, porque los vecinos y personas principales siempre pretenden la paz como negocio en que tanto les va, pues con la guerra son molestados y apremiados y los hacen pechar por diversas vías, y si no muestran buen rostro a ello corren más riesgo que los otros, porque cualquiera ocasión basta para matarlos el que gobierna, por gratificar con sus haciendas a los que los siguen. Pues estas pláticas no podían ser tan secretas que no viniesen a noticia de los tenientes de Gonzalo Pizarro, los cuales cada uno en su jurisdicción los castigaba como les parecía que convenía para el sosiego de su opinión, y especialmente en la ciudad de Los Reyes, donde la más desta gente se acogió, fueron ahorcados muchos por mano de un alcalde ordinario llamado Pedro Martín de Cecilia, gran favorecedor de Gonzalo Pizarro y de sus cosas.

Porque Lorenzo de Aldana, que allí era teniente, estuvo siempre muy recatado para no entremeterse en cosa sobre que pudiese haber después querella de parte contra él, antes estorbaba todo cuanto podía que no se hiciesen muertes ni daños, y así se rigió todo el tiempo que allí estuvo. Que aunque tenía la justicia por Gonzalo Pizarro nunca quiso hacer cosa tan señalada en su favor que sus secuaces le tuviesen por prendado, antes acogía con buena gracia toda la gente aficionada al visorrey. Por lo cual todos los que desta opinión residían en las otras provincias se acogían a aquella, teniéndola por más segura. Y desto mostraban tener gran queja los apasionados por Gonzalo Pizarro, especialmente un regidor de aquella ciudad llamado Cristóbal de Burgos, que Lorenzo de Aldana llegó a reprenderle sobre esto tan abiertamente que le trató mal de palabra y aun puso las manos en él y le tuvo preso cierto tiempo. Y así siempre escribían a Gonzalo Pizarro esta sospecha, y aunque él la tuvo por cierta nunca dejó de hacer de él toda confianza, porque estando tan lejos no le pareció que sería parte para quitarle el cargo, a causa que tenía consigo mucha gente de guerra y ganada la voluntad a los principales vecinos de aquella ciudad. Y así los dejaremos por contar lo que en este tiempo sucedió en la provincia de los Charcas.

Capítulo XXI

De cómo Diego Centeno y otros vecinos de los Charcas
mataron al teniente de Gonzalo Pizarro
y alzaron bandera por su majestad

Ya está dicho arriba cómo muchos vecinos de la villa de Plata vinieron a servir al visorrey llamados por su provisión aunque, sabida en el camino la prisión[161] del visorrey, se volvieron a sus casas. De los cuales siempre quedó muy gran queja a Gonzalo Pizarro y, enviándoles por teniente a aquella villa uno de los mayores ministros de su tiranía llamado Francisco de Almendras, hombre áspero y de mala conciencia, le dio por particular instrucción que se recatase mucho de aquellos que habían venido a servir al visorrey

---

[161] 1577: provisión.

y que en los negocios que se les ofreciesen les diese a entender la queja que dellos tenía, demás que a los principales dellos les había quitado los indios y les llevaba los tributos dellos para sustentación de la guerra.

Este Francisco de Almendras guardó tan estrechamente lo que sobre este caso se le mandó que, demás de otros muchos malos tratamientos que hizo a aquellos caballeros, porque supo que uno de los principales de aquella villa llamado don Gómez de Luna había dicho en su casa que no era posible que algún día no reinase el rey en aquella tierra, le prendió y puso en la cárcel pública con guardas. Y porque los del cabildo de aquella ciudad le rogaron un día que soltase a don Gómez y a lo menos le pusiese en prisión conforme a la calidad de su persona, y no dándoles sobre ello buena respuesta, hubo alguno dellos que le dijo que si él no le soltaba, ellos le soltarían. El teniente disimuló y a la media noche fue a la cárcel y dio un garrote a don Gómez y, sacándole luego a la plaza, le hizo cortar la cabeza. Lo cual sintieron mucho todos los vecinos, pareciéndoles que a cada uno tocaba aquel agravio, y especialmente lo sintió un vecino de aquella ciudad llamado Diego Centeno, natural de Ciudad Rodrigo, por ser muy grande amigo de don Gómez.

Y aunque este Diego Centeno, en el primer levantamiento de Gonzalo Pizarro, le siguió y vino con él desde el Cuzco a Los Reyes siendo de los principales votos del ejército como procurador de la provincia de los Charcas, después viendo que la mala intención de Gonzalo Pizarro se extendía a mucho más de lo que a los principios había publicado, con su licencia se volvió a su casa e indios, donde residía al tiempo que aconteció esta muerte de don Gómez, la cual él se determinó vengar por la mejor vía que él pudo, así por la amistad que tenemos dicha, como porque entendían la poca seguridad que las vidas de todos tenían debajo de la gobernación de hombre tan cruel y de mala conciencia y condición como lo era Francisco de Almendras, al cual ante todas cosas determinó matar y reducir la tierra al servicio de su majestad. Lo cual comunicó con los más principales vecinos de aquella tierra, especialmente con Lope de Mendoza y Alonso Pérez de Esquivel y Alonso de Camargo y Hernán Núñez de Segura, y con Lope de Mendieta y Juan Ortiz de Zárate, su hermano, y otros de cuyas intenciones tuvo confianza.

Y hallándolos a todos prestos para emprender este hecho sobre concierto que entre sí hicieron, fueron un domingo de mañana a casa del teniente para le acompañar a la iglesia como solían y, viéndose juntos, caso que Francisco de Almendras tenía mucha gente de guardia, se llegó a él Diego Centeno como que le quería hablar en algún negocio y, dándole ciertas puñaladas con una daga, le prendieron y públicamente le sacaron a la plaza y le cortaron la cabeza por traidor, y alzaron bandera por su majestad, sin que hubiese dificultad en apaciguar el pueblo, según Francisco de Almendras estaba malquisto. Y así todos se redujeron al servicio de su majestad y se pusieron en orden de guerra con intento de la restauración de aquel reino, y este era el apellido que traían. Y juraron por capitán general desta empresa a Diego Centeno, el cual nombró capitanes de pie y de caballo y comenzó a juntar gente, haciendo pagas de su hacienda, porque era el más rico hombre de aquella tierra en aquella sazón y para ello le ayudaban los otros vecinos.

Era Diego Centeno persona de muy buena casta, descendiente de aquel alcalde Hernán Centeno, tan nombrado en Castilla. Sería en aquel tiempo de edad de treinta y cinco años, hombre gracioso y liberal y de muy buena disposición y condición, y muy valiente por su persona. Tenía en aquella sazón más de treinta mil castellanos de renta, aunque dende en dos años que se descubrieron las minas de Potosí, como adelante se dirá, llegaron a rentarle sus indios de cien mil castellanos arriba, por caer muy cerca de aquellas minas. Juntó su ejército, comenzó a proveerse de armas y otras cosas necesarias con gran diligencia, poniendo guardas en los caminos por que no se supiese lo acaecido hasta estar bien apercibidos, y envió un capitán suyo a las minas de Porco y Arequipa para recoger la gente que allí estaba y prender si pudiese a Pedro de Puentes[162], que allí era teniente de Gonzalo Pizarro, el cual desque supo lo que en los Charcas había pasado por lengua de indios se huyó y dejó desamparada la ciudad, de manera que Lope de Mendoza entró en ella sin contradicción alguna y trayendo toda la gente y armas y caballos, y aun los dineros que allí pudo recoger, se volvió a juntar con Diego Centeno en la villa de Plata para dar orden en lo que adelante se había de hacer.

Capítulo XXII

De cómo Diego Centeno acabó de juntar su gente
y del recibimiento[163] que les hizo

Después de llegado Lope de Mendoza se hallaron en la villa de Plata con hasta doscientos y cincuenta hombres bien aderezados y, después de haberles dado Diego Centeno de lo que tenía cumplidamente, les juntó y trajo a la memoria las cosas pasadas en lo tocante a la empresa que Gonzalo Pizarro tomó, diciéndoles haber salido de la ciudad del Cuzco con título de suplicar de las ordenanzas que su majestad enviaba y después de haber muerto en el camino al capitán Gaspar Rojas[164] y a Felipe Gutiérrez y Arias Maldonado. Y antes desto, haber tratado con los oidores y con algunos de los vecinos que prendiesen al visorrey y haberle ellos prendido y embarcado, y cómo en llegando a la ciudad de Los Reyes, sin estar recibido en ella, envió su maestre de campo y delante de los oidores prendió hasta

---

[162] 1577: Fuentes.
[163] 1577: razonamiento.
[164] 1577: Rodríguez.

veinte y cinco personas de los más principales y más ricos de la tierra, porque habían acudido al visorrey, y dellos ahorcó a Pedro del Barco y a Machín de Florencia y a Juan de Sayavedra. Y cómo había quitado los oidores, enviándoles a cada uno por su parte, habiéndoles primero hecho[165] con mano armada que le enviasen provisión de gobernador.

También les dijo haber muerto después muchas personas, sospechando dellos que servirían al visorrey. Y no contento con esto, tomando todo el oro y plata que había hallado en las cajas de su majestad, echando tributos excesivos por el reino, hasta en cantidad de ciento y cincuenta mil ducados, repartiéndolos y cobrándolos de los vecinos y moradores. Y no contento con esto, haber hecho segunda vez gente contra su majestad en la ciudad de Los Reyes e ido contra el visorrey y alborotado el reino por diversas vías. También les puso delante el haber quitado tantos repartimientos y puéstolos sobre su cabeza y consentido que públicamente se dijesen palabras en deservicio y perjuicio de su majestad, y otras muchas cosas que serían largas de contar, y juntamente con traerles a la memoria la obligación que tenían como vasallos de su majestad a su corona real y a servir a su rey, y el mal renombre de traidores que cobraban de hacer lo contrario.

Y con estas razones y con otras muchas que les dijo, les inclinó a que de buena voluntad tomasen la empresa y fuesen debajo de su bandera dondequiera que les fuese mandado. Y así todos juntamente se ofrecieron de hacerlo de buena voluntad, con lo cual Diego Centeno envió cierto capitán con mucha parte de la gente que residiese en Chucuito, que son los pueblos del rey entre Orcuza y los Charcas, para que estuviese allí en el paso en tanto que él se aderezaba para salir a cumplir el fin de todo su viaje. Donde lo dejaremos por decir lo que en este tiempo sucedió en

---

[165] 1577: compelido.

el Cuzco, donde algunos días antes habían tenido relación de lo susodicho.

Capítulo XXIII

Cómo el capitán Alonso de Toro, teniente del Cuzco por Gonzalo Pizarro, juntó la gente que pudo para ir contra Diego Centeno, y el razonamiento que les hizo

No se pudo tener tan secreto en el real de Diego Centeno, ni tantas guardas en el camino, especialmente después de la venida de Lope de Mendoza de Arequipa, que por indios y españoles no se tuviese muy cierta relación del alzamiento de los Charcas y cantidad de gente que el capitán Diego Centeno tenía hecha, y la suma de arcabuces y caballos y todo lo demás que en la razón se quisiesen informar. Lo cual sabido por el capitán Alonso de Toro (tomándole la nueva fuera del Cuzco con cien hombres, porque estaba cien leguas de allí guardando un paso, creyendo que el visorrey se había subido por la sierra por unas cartas que de Gonzalo Pizarro habían tenido sobre ello), se volvió al Cuzco y comenzó a hacer gente.

Y juntos los vecinos y regidores de la ciudad del Cuzco, les hizo saber las nuevas que había de los Charcas y el modo con que el capitán Diego Centeno se había alterado, y diciéndoles primero que pues en el Cuzco había gente armada y caballos para poder ir contra él, que había determinado de tomar la empresa, porque le parecía ser justa. Y para ello les dijo algunas razones en que se fundaba, especialmente que Diego Centeno había hecho el alboroto sin título que para ello tuviese, sino de su propia autoridad, pretendiendo en ello más particular interés que el servicio de su majestad. Porque siendo como era Gonzalo Pizarro gobernador de aquellos reinos, y estando habido y tenido por tal, teniéndolos pacíficos y quietos y estando esperando lo que su majestad sobre ello proveía para obedecerlo, el levantamiento había sido injusto y con muy buen título se podría resistir y castigar.

También les trajo a la memoria haberse puesto Gonzalo Pizarro por todos a la demanda de la revocación de las ordenanzas, y aventurado su persona y bienes por las de todos, pues era notorio que si las ordenanzas se cumplieran y ejecutaran a ninguno le quedaba hacienda. Y que en esto, allende de haberles hecho provecho y serle todos obligados por esta razón, era notorio que no había ido contra lo que su majestad proveía, ni declarádose contra él en ninguna cosa, pues yendo a suplicar de las ordenanzas, al tiempo que llegó a la ciudad de Los Reyes halló que el audiencia había prendido al visorrey y desterrádole del reino, el cual Gonzalo Pizarro como gobernador tenía, y que si había ido contra el visorrey había sido por seguir su justicia ante la audiencia real. Y para más [les] justificar la causa les ponía delante haber ido con él el licenciado Cepeda, oidor de su majestad, y el más antiguo de la audiencia, diciéndoles también que nadie era parte para tratar si los oidores habían podido dar la gobernación o no, pues aquel era caso para que su majestad lo determinase y que hasta entonces no habían visto cosa en contrario.

Con estas cosas que les dijo y con otras muchas que serían largas de contar, todos lo aprobaron y dijeron que parecía cosa justa, y le ofrecieron sus personas y haciendas, porque a la verdad el capitán Alonso de Toro había ahorcado algunas personas desatinadamente y habíanle cobrado gran miedo. Y demás desto porque era áspero y desabrido y mal acondicionado, y aun demasiado súbito, por lo cual no le osaban contradecir en ninguna cosa de cuantas proponía. Y visto esto se hizo un acto por el cabildo, por el cual habiéndose hecho relación de lo sucedido en los Charcas por medio del capitán Diego Centeno, decían que no contento con haber muerto al capitán Francisco de Almendras, había salido con gente armada fuera de los términos de los Charcas.

Estos cumplimientos más se hacían, a la verdad, para satisfacción de la gente común y darles a entender que lo que se hacía llevaba razón, que no porque ellos no entendiesen el negocio. Porque dejados aparte los ayuntamientos públicos y tiempos de necesidades en los cuales procuraban siempre de justificar las causas con razones coloradas que pareciesen bastantes, fuera de allí los que eran más parte en los negocios delante de Gonzalo Pizarro y en su ausencia siempre decían que le había de dar el rey la gobernación, si no que no habían de obedecer ni admitir a hombre que enviase, porque esto era la voluntad e intención de Gonzalo Pizarro.

Capítulo XXIV

Cómo Alonso de Toro salió del Cuzco con su gente contra Diego Centeno, el cual con la suya se metió la tierra adentro, y Alonso de Toro le siguió hasta la villa de Plata y de allí se tornó al Cuzco, dejando a Alonso de Mendoza en la villa de Plata con cierta gente

Después de lo cual con este título comenzó a mucha priesa el capitán Alonso de Toro a hacer gente y, llamándose capitán general, hizo capitanes, y a la verdad procuró de hacer más el negocio por rigor que por dineros ni buenos tratamientos, jurando públicamente de hacer ahorcar al que rehusase de ir a la empresa, poniéndolos a algunos al pie de la horca y dejándolos por ruegos, diciendo palabras injuriosas a otros. De manera que con poca cantidad de dineros (porque, según pareció por las cuentas, no gastó más de veinte mil castellanos en el negocio), no dejó caballo en poder de hombre para ir a la jornada, y los vecinos hábiles para la guerra los hacía ir personalmente, de manera que pudo allegar hasta trescientos hombres, con los cuales medianamente armados y apercibidos se salió seis leguas del Cuzco a un asiento que se llama Urcos, adonde estuvo tres semanas teniendo tan cerrado el camino que no podía saber nueva de lo que hiciesen sus contrarios, porque todas las parcialidades de los indios ayudaban a Diego Centeno y le guardaban muy bien los caminos, con lo cual cada día pensaban que estaban sobre ellos, guardándose muy a punto de guerra para lo que sucediese. Y si algunos hablaban palabra en contradicción o perjuicio de los negocios, los castigaba muy ásperamente, de manera que con este miedo todos mostraban muy gran voluntad a seguirle.

Y con esto alzó su real, con acuerdo de ir a buscar al enemigo y, poniéndolo por obra, caminó hasta llegar al pueblo del rey. Diego Centeno se retrajo porque estaba dividida su gente en dos partes, y asentaron su real doce leguas los unos de los otros, y enviáronse mensajeros y rehenes para tratar del negocio y, visto que no tenía medio ni se podían concertar, Alonso de Toro alzó su real para ir a dar la batalla. Lo cual sabido por los contrarios acordaron entre sí que no era bien aventurar el negocio, porque a no tener buen suceso la jornada se cobraría grande ánimo en el reino, y era bien que su majestad tuviese en la tierra gente presta para cualquier cosa que sucediese. Y con este recaudo se retrajeron poco a poco, poniendo gran diligencia de llevar consigo gran cantidad de carneros cargados de comida y los caciques principales de la provincia.

Y así se metieron por un despoblado de más de cuarenta leguas hasta llegar a un sitio que se llama Casabindo, por donde Diego de Rojas entró al río de la Plata y Alonso de Toro los fue siguiendo hasta la villa de Plata, que son ciento ochenta leguas de la ciudad del Cuzco, y entró dentro y como la vio tan sola consideró el mal aparejo que tenía para residir allí, por no haber comida y estar la tierra alzada por la ausencia de los caciques. Y así acordó de no seguirlos más y, tomando consigo cincuenta hombres, se adelantó para la ciudad del Cuzco, mandando a la otra gente que poco a poco le siguiese, aunque para mayor seguridad dejó en la retaguardia a un capitán suyo, Alonso de Mendoza, con treinta hombres en muy buenos caballos, para que si acaso sintiesen que Diego Centeno volvía, recogiese la gente poco a poco hasta llegar con ella adonde él estaba.

Capítulo XXV

[De] cómo Diego Centeno volvió sobre Alonso de Toro
y le tomó mucha gente y recogió su campo
en la villa de Plata

No pudo ser tan secreta la vuelta de Alonso de Toro[166] que por lengua de indios no viniese luego a noticia de Diego Centeno, el cual, vista tan gran novedad y cómo Alonso de Toro se volvía tan de priesa, y desconcertada su gente, consideró que no podía ser aquello sin que hubiese sentido en los suyos desconfianza o mala voluntad, y pareciole que, siendo esto así, con facilidad yendo él sobre ellos se le pasarían muchos. Y así envió luego al capitán Lope de Mendoza con cincuenta hombres bien encabalgados a la ligera, el cual llegó en breve tiempo al Collao. Y dado caso que el capitán Alonso de Toro y la más parte de su gente había ya pasado, atajó hasta cincuenta hombres de los suyos y les tomó algunos caballos y armas, aunque después se los tornó con cada quinientos pesos de oro, porque juraron y prometieron de le servir en la jornada. Y algunos que le parecieron demasiadamente sospechosos y amigos de Alonso de Toro los ahorcó.

Y de allí se volvió con su gente a la villa de Plata sobre Alonso de Mendoza, el cual, sabido el suceso, se volvió por otro camino a gran priesa y dende a poco vino allí Diego

---

[166] 1577, se invierte el orden de la oración: La vuelta de Alonso de Toro no pudo ser tan secreta...

Centeno con el resto de su ejército y se juntaron todos y asentaron su campo, pertrechándose cada día más de todos los aparejos necesarios para la guerra, especialmente de arcabuces que cada día se hacían. Y Alonso de Toro llegó al Cuzco con harto temor de que viniesen sobre él, porque si lo hicieran con gran facilidad se apoderaran de la ciudad. Pero Diego Centeno tomó acuerdo de residir de asiento en la villa de Plata, allegando cada día más gente y dineros, lo cual podía hacer en abundancia a causa de la mucha plata que había en aquella provincia. Y así le dejaremos por contar lo que pasó en esta sazón en Los Reyes.

Capítulo XXVI

De cierto movimiento que hubo en Los Reyes
y cómo le aplacó Lorenzo de Aldana[167]

En la ciudad de Los Reyes se supo luego todo lo que arriba había sucedido y cómo allí estaban juntos muchos soldados, y dellos aficionados al visorrey ya casi en público trataban de irse a juntar con Diego Centeno. Y aun viendo la poca diligencia que Lorenzo de Aldana ponía en castigarlo, se temía que había de ser él la cabeza, y lo mismo se sospechaba de don Antonio de Ribera, que aunque era cuñado de Pizarro y hacía algunas muestras como los demás de seguirle, bien se entendía ser servidor de su majestad en lo secreto, como después lo mostró. Y con este temor los amigos de Pizarro andaban muy alterados, por manera que este motivo en favor de su majestad la gente lo dejaba de intentar, creyendo que se haría a menos costa y con mejor

---

[167] En el anexo I ofrecemos la transcripción completa de este capítulo siguiendo la versión primera, correspondiente a la edición de la BNF (ejemplar A1, según la clasificación de Roche [1978], véase la introducción).

orden, porque sentían favor en Lorenzo de Aldana que, según era bienquisto, sabían que saldría con cualquier cosa en que se pusiese, aunque él estaba tan cerrado continuando siempre el buen tratamiento que hacía a todos, que ninguno podía tener certidumbre de su determinación.

Y en este tiempo llegaron a Los Reyes nuevas de cómo el visorrey se había retirado con la poca gente que le pudo seguir hasta la provincia de Popayán. Y que en el camino había muerto algunos capitanes y personas señaladas de su campo, especialmente a Rodrigo de Ocampo y a Jerónimo de la Serna y a Gaspar Gil y a Olivera y a Gómez Estacio. Unos porque se querían huir de su campo, otros porque se carteaban con Gonzalo Pizarro y le querían matar, sobre las cuales culpas hizo sus averiguaciones y por ellas le pareció que se les debía dar aquella pena. Con las cuales nuevas se sosegó algo la gente que deseaba servir a su majestad en la ciudad de Los Reyes. Y los amigos de Gonzalo Pizarro y que favorecían su opinión y tiranía tomaron tanto ánimo viendo los buenos sucesos que le avenían, que les pareció que se podían ya declarar con Lorenzo de Aldana, y le dijeron que en aquella ciudad había personas sospechosas y que no se querían quietar, por lo cual convenía desterrarlos y aun castigarlos de algunas palabras escandalosas que habían dicho. De lo cual se ofrecieron a dar información y le pidieron que hiciese sobre ello las diligencias necesarias. Y él respondió que no había venido a su noticia tal cosa, porque lo hubiera castigado, y que, sabidos quiénes eran, haría lo que conviniese.

Y con este acuerdo, poniéndose en orden los principales, prendieron hasta quince personas sospechosas y entre ellos a Diego López de Zúñiga, y presos les quisieron dar tormento y hacer dellos justicia por mano del alcalde Pedro Martín. Y corrieran todos gran riesgo si Lorenzo de Aldana no acudiera a sacárselos de entre las manos, llevándolos a su posada, so color que en ella estarían mejor guardados. Y allí les dio todo lo que habían menester, y sobre concierto que

320

con ellos hizo les dio un navío con que se salieron del puerto, quedando harto descontentos los regidores porque no habían visto más castigo en aquel negocio, y que no quiso Lorenzo de Aldana que sobre ello se hiciese ninguna averiguación. Y les quedó gran sospecha de que se hubiese descubierto a los presos y dejase con ellos algún trato, y daban dello noticia a Gonzalo Pizarro por sus cartas, avisándole que proveyese en ello, aunque él nunca quiso hacer novedad ni enviar con[tra] Lorenzo de Aldana, temiendo que no saldría con ello, como arriba está dicho.

Capítulo XXVII

Cómo Gonzalo Pizarro envió contra Diego Centeno al capitán Carvajal, su maestre de campo

Sabida por Gonzalo Pizarro la alteración de la provincia de los Charcas y el levantamiento de Diego Centeno y las cosas que le habían sucedido, le pareció que no debía diferir el remedio ni dejar cobrar más fuerzas al enemigo, porque no le faltaba otra cosa sino deshacer a Diego Centeno para quedar de todo punto señor en el reino pacíficamente. Y tratose entre los principales de su campo la orden que se tenía en la provisión y, después de muchos acuerdos, atenta la importancia del negocio y que Gonzalo Pizarro no podía ir en persona a ello por no tener concluidas las cosas del visorrey, y que lo de arriba requería brevedad, proveyeron que el capitán Carvajal fuese a hacer esta jornada. Y así fue despachado con las comisiones y poderes de Gonzalo Pizarro que le parecieron necesarias, aunque las principales eran para recoger dineros y hacer gente, en cuya confianza Carvajal aceptó el cargo porque le pareció negocio en que fácilmente podía ser aprovechado.

Y así se partió de Quito con solas veinte personas de confianza que le acompañaron, aunque en esta determinación hubo otras muchas cosas que ayudaron, porque los principales del campo de Gonzalo Pizarro hicieron en ello gran instancia, los unos por gobernar ellos a solas y los otros por el gran temor que tenían de la mala y cruel condición de Francisco de Carvajal, que por cualquier sospecha mataba a quien le parecía que no le estaba muy sujeto, aunque los unos y los otros coloraban estos pareceres con decir que la calidad del negocio requería la experiencia y consejo de tal persona como el maestre de campo.

Y así se partió de Quito y llegó a la ciudad de San Miguel, donde le salieron a recibir los principales del pueblo y, llevándole a su posada que le tenían señalada, él hizo apear a seis regidores principales del pueblo diciendo que les quería comunicar una creencia del gobernador. Y estando en su aposento y cerradas y guardadas las puertas de la casa con gente de guerra, les dijo la gran queja que dellos tenía Gonzalo Pizarro por haber sido tan contrarios suyos en todas las cosas pasadas, especialmente en haber recogido y favorecido al visorrey y proveídole con tanto calor de las cosas necesarias a su ejército. Por lo cual había determinado de meter a fuego y a sangre la ciudad y no dejar hombre a vida. Pero que después, considerando que los que habían hecho aquel daño eran los regidores y gente principal, a quien por fuerza o por miedo había de seguir la gente plebeya, se había resumido en que se castigasen los principales sin hacer cuenta de los demás, y aun de aquellos le había parecido disimular con algunos por causas que a ello le movían.

Y había escogido los que allí estaban presentes como a cabezas en quien hacer el castigo para dar ejemplo a los demás de todo el reino, y así les mandó que se confesasen porque todos habían de morir luego. Y aunque ellos daban sus disculpas, ninguna cosa aprovechaba, y así hizo dar garrote a uno dellos, de quien él tenía muy gran queja porque había ayudado y dado industria como se abriese el sello real con que el visorrey despachaba, porque era práctico en aquella arte. Y entretanto se divulgó por la ciudad lo que pasaba y las mujeres de los regidores juntaron consigo los clérigos y frailes del lugar y fueron a la posada de Carvajal y, entrando en ella por una puerta falsa que su gente no había visto para guardarla, subieron al aposento y, echándose a los pies del maestre de campo, le pidieron las vidas de sus maridos con grandes lágrimas y sentimiento, y al fin se las hubo de otorgar con condición que reservó en sí facultad de castigarles en lo demás a su voluntad. Y así lo hizo, porque los desterró de la provincia y los condenó en privación de sus indios y en cada cuatro mil pesos para ayuda de la guerra.

Y habiéndolo ejecutado todo, se pasó a la ciudad de Trujillo, recogiendo siempre por donde iba toda la gente y los dineros que en cualquier manera podía haber. Y allí llevaba determinación de matar un vecino llamado Melchor Verdugo, porque se había siempre mostrado por el visorrey, y él, siendo avisado, se había acogido a la provincia de Cajamarca, que eran los indios de su encomienda. Y por la priesa que el maestre de campo llevaba no se quiso detener a seguirle y así echando cierto empréstito y cobrándole, se pasó a la ciudad de Los Reyes, juntando siempre la más gente que podía. A los cuales ninguna paga daba más de los caballos y armas que robaba donde quiera que los hallaba, usurpando para sí todo el dinero, robando las cajas del rey y de los difuntos y los depósitos públicos. Y en Los Reyes se acabó de aparejar con cerca de doscientos hombres bien aderezados y con más de cincuenta mil pesos que hasta entonces se había recogido y se partió la vía del Cuzco en la sierra y llegó a la villa de Guamanga, donde también echó tributo y le cobró.

Y siete u ocho días después de él partido se descubrió cierto motín[168] que en la ciudad de Los Reyes se trataba,

---

[168] 1577: cierta conjuración.

sobre el cual fueron presos hasta quince personas, los principales de los cuales eran un Juan Velázquez, Vela Núñez, sobrino del visorrey, y otro caballero de su casa llamado Francisco Girón, y Francisco Rodríguez, natural de Villalpando. Y habiéndoles dado muy crueles tormentos, se averiguó el negocio y que tenían concertado con Pedro Manjares, vecino de los Charcas, de matar a Lorenzo de Aldana y al alcalde Pedro Martín y a otros amigos de Gonzalo Pizarro, y alzar la ciudad por el rey, creyendo que la más gente que iba con el capitán Carvajal, por ir tan descontentos de él, les acudirían, y todos juntos se irían a juntar con el capitán Diego Centeno. Y luego dieron garrote a Girón y a otro, y a Juan Velázquez por intercesión de muchos le perdonaron la vida y le cortaron la mano derecha, y a los demás dieron tan bravos tormentos que perpetuamente quedaron mancos. Manjares se huyó y anduvo más de un año escondido por los montes, aunque después vino a poder de los capitanes de Gonzalo Pizarro y le ahorcaron.

Y sospechando todavía Pedro Martín que eran en estos tratos algunos de los que iban en el campo del capitán Carvajal, dio sobre ello tormento a Francisco de Guzmán, que era uno de los presos y, no confesando nada, le preguntó Pedro Martín señaladamente si un soldado que iba con Carvajal llamado Perucho de Aguirre, natural de Talavera, y otros amigos suyos sabían de aquel trato, el cual Guzmán, por librarse de los tormentos, dijo que sí. Y con tanto Pedro Martín de Sicilia le condenó por sentencia pública que se metiese fraile en el monasterio de la Merced y así lo ejecutó, y le hizo tomar el hábito y pidió al escribano ante quien había pasado aquel proceso cautelosamente que le diese por fe cómo de la confesión de Guzmán resultaban culpados en aquel motín Perucho de Aguirre y los demás que le nombró. Y creyendo el escribano que era para otro fin se le dio, y Pedro Martín le envió por vía de indios a Carvajal, que a la sazón llegaba una jornada antes de Guamanga y, en recibiéndole, sin otra diligencia ni averiguación ninguna ahorcó a

Perucho de Aguirre y a otros cinco con él en un mesmo árbol. Caso que, poco después, visto el escribano el yerro que había hecho en dar aquel testimonio, le envió el traslado de la confesión que Guzmán había hecho y la revocación della, diciendo que lo había confesado por librarse del tormento, aunque fue de poco fruto por estar ya ejecutado el castigo. Y en las escaleras protestaron que morían sin culpa y los confesores lo dijeron a voces al maestre de campo.

Capítulo XXVIII

Cómo, sabido por el capitán Carvajal la huida de Diego Centeno, se volvió a Los Reyes

En tanto que estas muertes se hicieron en Guamanga, llegaron al capitán Carvajal las nuevas de lo que arriba tenemos dicho, que Diego Centeno, rehusando la batalla con Alonso de Toro, se retrajo por el despoblado a la provincia de Casabindo. Y viendo el maestre de campo que las cosas iban en tan buenos términos, le pareció que su presencia era excusada. Y así por esto como porque entre él y Alonso de Toro había habido los tiempos pasados algunas diferencias sobre que cuando Gonzalo Pizarro salió del Cuzco con su gente vino por maestre de campo della Alonso de Toro, y por cierta enfermedad que tuvo en el camino dieron el cargo a Francisco de Carvajal, y así se quedó siempre con él, y temió que, hallándole victorioso y con más gente que él llevaba, podría ser que se quisiese satisfacer de la queja que de él tenía, determinó volverse a la ciudad de Los Reyes, porque también de allá le habían escrito algunos vecinos la tibieza con que Lorenzo de Aldana trataba los negocios de Gonzalo Pizarro y la necesidad que había de que él viniese a darles calor, y así se volvió luego.

Y pocos días después de llegado le vino la nueva de la vuelta de Diego Centeno sobre Alonso de Toro, con la cual se tornó a apercibir y juntar su gente. Y echando nuevas derramas se partió de Los Reyes, habiendo hecho bendecir sus banderas e intitulando su campo «El felicísimo ejército de la libertad contra el tirano Diego Centeno», y despachando mensajeros para el Cuzco por la sierra, él se fue por los llanos la vía de Arequipa. Y allí sacó mucho dinero y recibió cartas, así del cabildo del Cuzco como del capitán Alonso de Toro, por las cuales le pedían con gran instancia que fuese personalmente allá, porque no era razón que, siendo la ciudad del Cuzco [la] cabeza del reino, saliese el ejército de otra parte sino de allí, prometiéndole de ayudar con mucha gente y armas y caballos, e ir con él muchas personas principales, poniéndole también delante que él era vecino de aquella ciudad y que era justo que le diese aquella preeminencia. Con lo cual y con otras muchas cosas[169] le persuadieron a que fuese al Cuzco, aunque en alguna manera temía al capitán Alonso de Toro, porque le referían algunas palabras que en su ausencia había dicho contra él, y así se fue al Cuzco.

Y cuando Alonso de Toro supo que venía se apercibió de todo lo que le pareció necesario para la jornada que Carvajal quería hacer, aunque siempre mostró gran descontento de que habiendo él comenzado aquella guerra y trabajado tanto en ella y habido tan prósperos sucesos, hubiese proveído Gonzalo Pizarro nuevo capitán a quien él estuviese sujeto, y que este fuese Carvajal, con quien él sabía que tenía enemistades privadas. Pero todo lo disimulaba lo mejor que podía, diciendo que no pretendía otra cosa sino el buen suceso de los negocios por quienquiera que los guiase, aunque no podía estar tan recatado sobre ello que algunas veces no se le soltasen palabras descuidadas que manifestaban lo que en su pecho tenía. Y con saber todas estas cosas los vecinos esperaban que con la venida de Carvajal había de haber alguna novedad.

---

[169] 1577: razones.

Y estando en estos términos, llegó nueva cómo Carvajal entraría otro día en el Cuzco con doscientos hombres arcabuceros y de a caballo, y Alonso de Toro puso gran diligencia que todos los que había en la ciudad se armasen y saliesen a punto de guerra. Y así por la gran diligencia que puso en los juntar y lo mucho que procuraba que fuesen en orden y lo mucho que sentía si salían della, se creyó que llevaban mala intención, aunque él no lo había dicho a nadie. Y así se metió en una emboscada al través del camino por donde Carvajal había de pasar. Y sabido por Carvajal, ordenó su gente y mandó echar pelotas[170] en los arcabuces, y Alonso de Toro le salió al través y, viendo que ninguno acometía, se llegaron a juntar. Y aunque Carvajal sintió mucho este ademán, lo disimuló hasta llegar al Cuzco, donde fue recibido. Y poco después una tarde prendió a cuatro vecinos de los principales del pueblo y encontinente los ahorcó sin comunicarlo con Alonso de Toro ni dar para ello razón ninguna. Y Alonso de Toro disimuló el sentimiento que desto tuvo, porque algunos eran sus amigos.

Y con el temor que todos tomaron de una cosa tan súbita y cruel, ninguno rehusó ir con él, y así sacó de la ciudad hasta cumplimiento de trescientos hombres bien aderezados y se partió camino del Collao hacia los Charcas, donde estaba Diego Centeno. Y aunque le era superior en el número de la gente, todos pensaron que no acabara la jornada, porque los más iban de mala gana, porque no les daba ninguna paga y les hacía muy malos tratamientos, y era muy desabrido y mal acondicionado y enemigo de buenos y mal cristiano y blasfemo y cruel. Por manera que todos pensaban que la mesma gente le había de matar porque sobre todo entendía el mal título que llevaba, y cuán mejor le tenía Diego Centeno, que era caballero virtuoso y liberal y que tenía mucho más que dar, por la gran riqueza que en

---

[170] 1577: balas.

los Charcas había. Y así le dejaremos caminando por el Collao, por contar lo que en este tiempo sucedió en Quito al visorrey Blasco Núñez Vela.

Capítulo XXIX

De lo que pasó Gonzalo Pizarro en seguimiento del visorrey, que se retiró a la provincia de Benalcázar, y Gonzalo Pizarro quedó en Quito en frontera contra él

Ya tenemos dicho en los capítulos precedentes cómo Gonzalo Pizarro siguió al visorrey desde la ciudad de San Miguel, de donde se retiró, hasta la ciudad de Quito, que son ciento y cincuenta leguas, llevando tan a porfía el alcance que casi ningún día se pasó en que no se viesen y hablasen los corredores, y sin que en todo el camino los unos ni los otros quitasen las sillas a los caballos, aunque en este caso estaba más alerta la gente del visorrey. Porque si algún pequeño rato de la noche reposaban era vestidos y teniendo siempre los caballos del cabestro, sin esperar a poner toldos ni a aderezar las otras formas que se suelen tener para atar los caballos de noche, mayormente por los arenales donde no hay árbol ninguno. Y la necesidad ha enseñado el remedio y es que se llevan unas talegas o costales pequeños, los cuales, en llegando al sitio donde han de hacer noche, se hinchen de arena y cavando un hoyo grande se meten dentro y, después de atado el caballo, se torna a cubrir el hoyo pisando y apretando la arena.

Demás desto, ambos ejércitos pasaron gran necesidad de comida, en especial el de Gonzalo Pizarro, que iba a la postre, porque el visorrey ponía gran diligencia en alzar los indios y caciques para que el enemigo hallase el camino desproveído. Y era tanta la priesa con que se retiraba el visorrey, que llevaba consigo ocho o diez caballos, los mejores de la tierra que había podido recoger, llevándolos algunos indios de diestro y, en cansándose el caballo, le desjarretaba y le dejaba por que sus contrarios no se aprovechasen de él. En este camino juntó consigo Gonzalo Pizarro al capitán Bachicao, que vino de Tierra Firme de la jornada que tenemos dicho con trescientos y cincuenta hombres y veinte navíos y gran copia de artillería, y tomando la costa más cercana a Quito fue a salir al camino a Gonzalo Pizarro. Llegados a Quito, tuvo juntos Gonzalo Pizarro en su campo más de ochocientos hombres, entre los cuales estaban los principales de la tierra, así vecinos como soldados, con tanta prosperidad y quietud cuanta jamás se vio tener hombre que tiránicamente gobernase, porque aquella provincia es muy abundante de comida.

Y con haber descubierto muy ricas minas de oro en ella y haber puesto Gonzalo Pizarro en su cabeza los indios de los principales de la tierra, unos porque se habían ido con el visorrey y otros porque le habían seguido y favorecido el tiempo que allí residió, sacaba cada día gran cantidad de oro. Tanto que de solos los indios del tesorero Rodrigo Núñez de Bonilla sacó en ocho meses cerca de cuarenta mil pesos de oro, con haber otros muy mejores y tener en su cabeza más de otros veinte repartimientos tan buenos como él. Y allende desto, se apoderó de todos los quintos y dineros pertenecientes a su majestad y robó las cajas de los difuntos. Y allí supo que el visorrey estaba cuarenta leguas de allí en la villa del Pasto, que entra en la gobernación de Benalcázar, y determinó de irlo a buscar, aunque todo este alcance se hizo sucesivamente y casi sin que hubiese dilación entre uno y otro, porque Gonzalo Pizarro se detuvo en Quito muy poco. Tanto que saliendo contra él de Quito hubo refriegas entre la gente de ambos campos en un sitio que se dice Río Caliente.

Y sabido por el visorrey en Pasto la venida de Gonzalo Pizarro, con gran priesa se salió de la ciudad y se metió la tierra adentro hasta llegar a la ciudad de Popayán. Y habiéndole seguido Gonzalo Pizarro veinte leguas más adelante de Pasto, determinó de volverse a Quito, porque de allí adelante la tierra era muy despoblada y falta de comida. Y así se tornó a Quito habiendo seguido el alcance del virrey tanto tiempo y por tanto espacio de tierra, pues se puede afirmar que le siguió desde la villa de Plata, donde la primera vez salió contra él, hasta la villa del Pasto, en que hay espacio de sietecientas leguas, tan largas que ocuparían más de mil leguas de las ordinarias de Castilla. Y vuelto a Quito, estaba tan soberbio con tantas victorias y prósperos sucesos como había tenido, que comenzaba a decir palabras desacatadas contra su majestad, diciendo que de fuerza o de grado le había de dar la gobernación del Perú, dando razones por donde era obligado a ello, y cómo si hiciese lo contrario se lo pensaba resistir. Y aunque él lo disimulaba algunas veces, se lo persuadían públicamente sus capitanes y le hacían publicar esta tan desacatada pretensión.

Y así residió algún tiempo en la ciudad de Quito, haciendo cada día grandes regocijos y fiestas y banquetes, y aun dándose él y los suyos al vicio de mujeres tan desenfrenadamente que se tuvo por cierto haber hecho matar a un vecino de Quito, cuya mujer él tenía por manceba, dando gran cantidad de dineros al que lo mató, que fue un soldado húngaro llamado Vicencio Pablo, a quien después los señores del Consejo de las Indias mandaron ahorcar en la villa de Valladolid el año de cincuenta y uno. Y así teniendo tanta gente junta y que tan buena voluntad le mostraba, unos por fuerza y otros por temor y otros por su voluntad, le parecía imposible haber quien le hiciese contradicción, y que si su majestad algún concierto quisiese con él hacer, había de ser enviándoselo a pedir y requerir sobre ello, hasta que le sucedió el levantamiento de Diego Centeno, a lo cual envió al capitán Carvajal, como arriba está dicho.

Capítulo XXX

*Cómo Gonzalo Pizarro envió a Pedro Alonso de Hinojosa
con su armada a Tierra Firme*

Desta manera que hemos contado estuvo Gonzalo Pizarro en Quito mucho tiempo, sin saber nuevas del visorrey ni el designio que tomaba en sus negocios, porque unos decían que se quería ir a España por la vía de Cartagena, y otros que se iría a Tierra Firme para tener tomado el paso y juntar gente y armas para ejecutar lo que su majestad enviase a mandar, y otros que esperaría este mandato en la mesma tierra de Popayán, que nunca nadie pensó que allí tuviera aparejo de rehacerse de gente para innovar ninguna cosa en los negocios. Y para cualquiera de todos estos fines pareció a Gonzalo Pizarro y a sus capitanes cosa conveniente estar apoderado de la provincia de Tierra Firme, por tener tomado el paso para cualquier suceso que aviniese. Y así para esto como para estorbar al visorrey que no fuese a ella, mandó volver la armada que había traído Hernando Bachicao y que fuese por general della Pedro Alonso de Hinojosa con hasta doscientos y cincuenta hombres, y que de camino fuese costeando la tierra por la Buenaventura y río de San Juan.

Y luego se partió y desde Puerto Viejo envió un navío y en él al capitán Rodrigo de Carvajal que fuese derecho al puerto de Panamá y diese a ciertos vecinos principales della las cartas que llevaba de Gonzalo Pizarro, por las cuales les rogaba que favoreciesen sus cosas, y daba color al enviar del armada con decirles que él había sabido los robos y desafueros que Bachicao hizo a los vecinos en el tiempo que allí residió, lo cual había sido muy fuera de su voluntad, porque él ni lo había mandado ni había pretendido otra cosa más de que llana y pacíficamente llevase a aquella tierra al

331

doctor Tejada y se volviese. Y que así enviaba ahora a Pedro Alonso de Hinojosa con dineros para satisfacer a todos los agraviados de sus daños, y que si llevaba alguna forma de ejército era por asegurarse del visorrey y de ciertos capitanes suyos que le habían dicho que estaban haciendo gentes en aquella tierra para irle a favorecer.

Con estas cartas llegó Rodrigo de Carvajal en su navío con hasta quince personas cerca de Panamá y, tomando tierra tres leguas antes de la ciudad, donde dicen el Ancón, supo de ciertos estancieros que allí residían cómo estaban en Panamá dos capitanes del visorrey llamados el uno Juan de Guzmán y el otro Juan de Illanes, que habían venido con ciertas comisiones suyas para juntar allí gente y armas y llevarlo en su socorro a la provincia de Benalcázar, donde los esperaba. Y que tenían juntos más de cien soldados y buena cantidad de armas y cinco o seis piezas de artillería de campo, y que, aunque había días que lo tenían todo apercibido, habían mudado propósito y no habían querido acudir al visorrey, sino residir en aquella ciudad para defenderla de la gente de Gonzalo Pizarro, que tenían por cierto que había de enviar a ocuparla.

Y sabido esto por Rodrigo de Carvajal, no le pareció seguro saltar en tierra y envió aquella noche secretamente un soldado suyo para que diese las cartas a quien venían. Y el soldado fue a darlas a ciertos vecinos, los cuales dieron noticia dello a la justicia y a los capitanes del visorrey y, habiendo prendido al soldado y sabida de él la orden de la venida de Hinojosa y su intento, se puso la ciudad en arma y, armando dos bergantines, los enviaron a tomar la nao de Carvajal. El cual, como vio la tardanza de su soldado, sospechó lo que podía ser y se hizo a la vela la vuelta de las islas de las Perlas a esperar a Hinojosa que se juntase con él. Y así los bergantines, no le pudiendo hallar, se volvieron.

Y el gobernador de aquella provincia, llamado Pedro de Casaos, natural de Sevilla, fue con gran diligencia a la ciudad de Nombre de Dios y mandó apercibir a toda la gente que en ella estaba y, juntando todas las armas y arcabuces que pudo haber, los llevó consigo a Panamá y se apercibió de todo lo que le pareció necesario para la resistencia de Hinojosa, en lo cual asimesmo entendían los capitanes del visorrey. Y aunque hubo entre Pedro de Casaos y ellos alguna competencia sobre la superioridad, en fin se concluyó que Pedro de Casaos fuese general y ellos tuviesen aparte su gente y bandera. Y así quedaron conformes para la resistencia, caso que antes estaban muy diferentes porque Pedro de Casaos les prohibía algunos desórdenes que intentaban hacer y les aconsejaba que se fuesen con su gente a servir al visorrey, pues era aquel el fin para que se había hecho. Y ellos no lo quisieron hacer, antes, como se veían ya poderosos con la gente que tenían junta, se desacataban al gobernador y no le obedecían en cosa que les mandase.

Capítulo XXXI

De la venida de Hinojosa a Panamá y de los sucesos que tuvo en el camino

Habiendo enviado Pedro Alonso de Hinojosa al capitán Rodrigo de Carvajal a Panamá, en la forma y para el efecto que tenemos dicho, él se hizo a la vela con diez navíos y vino costeando la tierra hasta llegar a la Buenaventura, que es una pequeña población en la boca del río de San Juan por donde suben a la gobernación de Benalcázar. Su designio fue saber allí nuevas de lo que el visorrey hacía y, si hubiese algunos navíos en aquel puerto, llevárselos y quitarle todo el aparejo de poderse salir de la tierra por aquella vía. Y llegado al puerto, mandó saltar en tierra ciertos soldados y prendieron ocho o diez vecinos que había en aquella población e, inquiriendo dellos lo que sabían del visorrey, halló uno que le dijo cómo el visorrey estaba en Popayán apercibiéndose de la más gente y armas que podía para tomar la tierra adentro del Perú.

Y viendo que Juan de Illanes y Juan de Guzmán, a quien él había enviado a Tierra Firme para lo mesmo, se tardaban tanto, determinó de enviar al capitán Vela Núñez, su hermano, con ciertos caporales de su campo para que fuese a Panamá y diesen conclusión en la junta de la gente y la trajese consigo, por que el negocio se hiciese con más autoridad y para ello le había dado todos los dineros que pudo juntar de la hacienda real. Y allende dellos le entregó un hijo bastardo de Gonzalo Pizarro que había tomado en Quito, de edad de once o doce años, creyendo que habría en Panamá mercaderes que, viéndole maltratado, lo rescatarían por haber algún interés o favor de Gonzalo Pizarro. Y teniendo por cierto que la armada de Bachicao había recogido todos los navíos que hallase en aquel puerto, proveyó que los indios hiciesen y labrasen la madera que era necesaria para un bergantín y que con la brea y estopas que se requería lo llevasen en hombros a aquel puerto para que los calafates y carpinteros en tres o cuatro días lo pudiesen echar al agua. Y que con este aparejo se había partido Vela Núñez de Popayán hasta llegar una jornada de allí, y que le había enviado a él delante para que espiase si tenía el puerto seguro.

Sabido esto por Hinojosa, envió dos capitanes suyos con cierta gente, que fueron cada uno por su camino (según los guio la espía) hasta que los unos toparon con Vela Núñez y los otros con Rodrigo Mejía, natural de Villacastín, y con Sayavedra, que traían al hijo de Gonzalo Pizarro. Y los unos y los otros traían gran cantidad de dineros, los cuales fueron robados por los soldados de Hinojosa y, llevándolos todos presos a los navíos, se hicieron grandes regocijos por tan próspero suceso como en tan breve tiempo les había venido. Porque, aunque tuvieron en mucho la prisión de Vela Núñez y estorbarle con ella que no fuese a Panamá, donde, juntándose con su gente, les podía hacer tanta contradicción en su entrada, en mucho más estimaban haber recobrado al hijo de Gonzalo Pizarro, por el servicio que en

ello le hacían y el cargo que le echarían con tal contentamiento. Y así se hicieron a la vela, llevando a buen recaudo
los prisioneros.

Capítulo XXXII

De la entrada de Hinojosa en Panamá
y de lo que sobre ello le aconteció

Navegando Hinojosa la vía de Panamá le salió al camino
Rodrigo de Carvajal con su navío y le hizo saber lo que en
Panamá le había acaecido y cómo la ciudad se había alborotado con su venida y estaban puestos en resistencia, por
tanto que convenía ir apercibidos. Y así, poniéndose en orden de guerra un día del mes de octubre del año de cuarenta y cinco, pareció sobre el puerto de Panamá con once
navíos y en ellos los doscientos y cincuenta hombres que
tenemos dicho. En la ciudad hubo gran alboroto con su
venida y todos se pusieron a punto de guerra y se recogieron a sus banderas y, llevando por general a Pedro de Casaos, acudieron al puerto a defender la salida.

Había en este campo algo más de quinientos hombres
medianamente apercibidos de armas, aunque los más
dellos eran mercaderes y oficiales y personas tan poco prácticas en la guerra que ni sabían tirar ni regir los arcabuces
que llevaban. Y entre ellos había muchos que ninguna voluntad tenían de romper, porque les parecía que de la venida de la gente del Perú ningún daño les podía resultar, antes muy gran provecho, porque los mercaderes entendían
despachar sus mercaderías con mucha ventaja y los oficiales
ser muy aprovechados cada uno en su oficio y trato. Y aun
los más caudalosos mercaderes consideraban que tenían sus
haciendas y factores y compañeros en el Perú y que, sabida
por Gonzalo Pizarro la contradicción que allí le hiciesen, se
vengaría dellos tomándoles sus haciendas y maltratando

sus compañeros y factores. Pero no embargante esto, pusieron tanta diligencia los que no corrían ninguno destos riesgos en juntar y sacar la gente, que los hicieron sacar[171] y poner a punto de defensa. Y los que principalmente los gobernaban eran el general Pedro de Casaos y Arias Dacevedo y Juan Fernández de Rebollido y Andrés Darayza[172] y Juan de Zabala y Juan de Guzmán y Juan de Illanes y Juan Vendrel y otros algunos principales de Panamá, que pretendían la defensa de la entrada, unos por ser servidores de su majestad y otros por quedar escarmentados de los agravios que habían recibido de Bachicao y temiendo que Hinojosa seguiría el mismo camino.

Vista por Hinojosa la resistencia, saltó en tierra en el Ancón, dos leguas de Panamá, teniendo por reparo a las espaldas unas peñas que los defendían de la gente de caballo. Y marchando la vía de Panamá caminaron por la costa llevando junto a la tierra los bateles de los navíos con mucha artillería, con que descubrían los enemigos si los acometiesen por el avanguardia. La gente de Hinojosa era hasta doscientos hombres, porque los cincuenta quedaron en guarda de los navíos con orden que a la hora que viesen romper la batalla ahorcasen a Vela Núñez y a los otros prisioneros. Pedro de Casaos salió al encuentro con su gente y estando los unos y los otros a poco más de tiro de arcabuz, acudieron los clérigos y frailes del lugar, trayendo las cruces cubiertas y otras insignias de gran sentimiento y tristeza, y comenzaron a tratar entre los unos y los otros que no rompiesen, y tentaron dar medios entre ellos. Y para los tratar se pusieron treguas por aquel día y se dieron rehenes de una parte a otra.

E Hinojosa envió de su parte para tratar el negocio a don Baltasar de Castilla, hijo del conde de la Gomera, y los de

---

171 1577: salir.
172 1577: Andrés de Areyza.

Panamá enviaron a don Pedro de Cabrera. De parte de Hinojosa decían que no sabían ellos la causa por que les habían de resistir la entrada, pues no venían a hacerles daño ninguno, antes a satisfacerlos del que de Bachicao habían recibido y a comprar por sus dineros las ropas y mantenimientos necesarios, y que traían orden de Gonzalo Pizarro para no hacer daño ni agravio ninguno a nadie, ni pelear si no fuese siendo provocados y compelidos a ello, y que no harían otra cosa más de proveerse y reparar sus navíos y volverse. Y que el intento de su venida era buscar al visorrey y compelirle que se fuese a España, como había sido enviado por los oidores, porque andaba inquietando y alterando la tierra. Y que pues no le hallaban allí, no tenían para qué reparar ni hacer asiento como ellos pensaban, y que les rogaban que no les forzasen a romper con ellos, porque hasta venir a esto harían todos los comedimientos posibles por cumplir con la orden que traían de Gonzalo Pizarro, porque de otra manera, siendo forzados a pelear, habrían de hacer su posible para no ser vencidos. De parte de Pedro de Casaos se daban otras razones, por donde fundaban la injusticia y mal sonido que traía entrar con forma de ejército en aquella tierra. Que aunque Gonzalo Pizarro gobernase jurídicamente como ellos pretendían, era fuera de su jurisdicción, donde no tenía color ninguna de entremeterse, y que lo mesmo que él decía había dicho Bachicao y, después de apoderado de la tierra, había hecho los daños y robos que él decía que venía a remediar.

Vistas las razones de los unos y de los otros por los comisarios que para los tratos se habían nombrado, dieron forma en los medios ordenando a su parecer cómo se cumpliese con lo que los unos pedían y se proveyese en lo que los otros temían. Y el asiento fue que Hinojosa pudiese saltar en tierra y residir en la ciudad por término de treinta días y que para seguridad de lo susodicho pudiese tener cincuenta soldados de los suyos, y que la armada con el resto de la gente se volviese a las islas de las Perlas y allí llevasen los maestros y materiales necesarios para el reparo della, y que pasados los treinta días se volviesen al Perú. Firmadas estas paces y habiéndose hecho juramento y pleito homenaje sobre la guarda dellas por ambas partes, y dádose rehenes de un cabo a otro, Hinojosa se fue a la ciudad con sus cincuenta hombres y tomó una casa donde comenzó a dar de comer a todos los que venían y a permitir que jugasen y conversasen. Con lo cual dentro de tres días se le pasaron casi todos los soldados de Juan de Illanes y la demás gente baldía de la tierra, los cuales todos afirmaban que antes de aquello habían asegurado por sus cartas a Hinojosa que el día de la batalla se le pasarían todos.

Y esta fue la principal causa que movió a los capitanes de Panamá que viniesen en hacer los conciertos, por la poca seguridad que tenían de su gente, toda la cual sabían que estaban esperando oportunidad para pasar al Perú y era cosa muy creíble que, hallándola tan aventajada, pues les daban pasaje y sueldo y comida, lo aceptarían. Y así poco a poco de su gente y de la tierra juntó Hinojosa gran copia de soldados. Y viéndose Juan de Illanes y Juan de Guzmán desamparados de su gente y que ninguna cosa de lo capitulado se guardaba, secretamente tomaron un barco y se fueron huyendo con hasta quince personas que les habían quedado y con cuatro piezas de artillería la vía de Cartagena, aunque después Juan de Illanes fue preso por un capitán de Hinojosa, que le siguió por la mar y prometió de andar en su servicio, como lo hizo, y se halló de su parte en la batalla que allí en el nombre de Dios se dio a Melchor Verdugo, como adelante se contará. E Hinojosa quedó pacíficamente y sin ninguna contradicción en la tierra, sustentando y acrecentando su ejército, sin consentirles que hiciesen agravio a nadie ni entremeterse en otra cosa fuera dello. Y envió a don Pedro de Cabrera y a Hernán Mejía de Guzmán, su yerno, que allí había hallado desterrados por el visorrey (como tenemos dicho), con cierta gente al Nombre de Dios para que estuviesen en guarda de aquel puerto y tuviesen los avisos que les convenía para su seguridad, así de España como de otras partes.

Capítulo XXXIII

De cómo Melchor Verdugo se alzó en Trujillo por su majestad y de lo que hizo en seguimiento desta opinión

En la ciudad de Trujillo había un conquistador cuya era la provincia de Cajamarca llamado Melchor Verdugo, natural de la ciudad de Ávila, el cual desque el visorrey Blasco Núñez Vela vino a la tierra, pretendió servirle y favorecerle por ser natural de la mesma ciudad de Ávila. Y así fue en su servicio a la ciudad de Los Reyes y estuvo allí hasta aquel día que arriba tenemos dicho que el visorrey determinó de despoblar aquella ciudad y retirarse a la de Trujillo. Mandó a Melchor Verdugo que fuese delante para asegurar la ciudad y tener recogida la gente y armas que en ella hubiese, y para todo ello le dio muy bastantes comisiones. Y teniendo ya embarcada Melchor Verdugo su ropa para se ir por mar, el mesmo día que se había de hacer a la vela sucedió la prisión del visorrey y, como se embarazaron los navíos de la manera que tenemos dicho, cesó su partida.

Por todo lo cual [a] Gonzalo Pizarro y sus capitanes les quedó muy gran odio con él y así fue Melchor Verdugo uno de los veinte y cinco que prendió el capitán Carvajal la primera noche que entró en Los Reyes, cuando ahorcó a Pedro del Barco y a los otros que hemos contado, y por estas causas estuvo muchas veces en peligro de muerte. Y aunque después le redujo en su gracia Gonzalo Pizarro, nunca fue tan enteramente que no le quedase de él sospecha, aunque nunca tuvo espacio ni oportunidad para ejecutar en él lo que hacía [e]n los otros, hasta que el capitán Carvajal [se] fue de Quito contra Centeno, que en el camino le quisiera haber en su poder si él no se recogiera a sus indios de Cajamarca, que tenemos dicho. Y en pasando Carvajal, se volvió a su casa a Trujillo, teniendo entendido que cada y cuando que Gonzalo Pizarro lo pudiese haber ejecutaría en él el enojo que tenía. Y así determinó salir de la tierra haciendo de camino alguna cosa señalada en contradicción de la opinión de Gonzalo Pizarro y, esperando esta ocasión, comenzó a juntar en su casa la más gente que podía y comprar secretamente armas, y a un herrero que tenía dentro en su casa hizo hacer algunos arcabuces y algunas cadenas y grillos y otras prisiones.

Y estando esperando la oportunidad sucedió que un navío que bajaba de Lima surgió en el puerto de Trujillo y luego Melchor Verdugo envió a llamar al maestre y piloto de él, so color que quería cargar cierta ropa en él y maíz para enviar a Panamá, y ellos vinieron luego y, metiéndolos en lo interior de su aposento, los hizo llevar a una cámara honda y oscura que para aquel efecto tenía preparada y, dejándolos allí, se subió a su aposento y en vendándose las piernas fingió que estaba malo de ciertas verrugas que solía tener en ellas. Y desde la ventana de su posada, cerca de la cual se juntaban los alcaldes y otros vecinos cada día (porque era en una esquina de la plaza), cuando los alcaldes vinieron les rogó que subiesen a su aposento para hacer ciertos autos ante ellos, pues él no podía bajar por su indisposición y, habiendo subido con el escribano, los metió poco a poco hasta la pieza donde tenía presos al maestre y piloto y allí les quitó las varas y los echó en una cadena y se tornó a su aposento, dejando guardada la puerta de la prisión con seis arcabuceros. Y tornando a la ventana, en viniendo cada vecino le llamaba, fingiendo que quería tratar con él algún negocio y en subiendo le metía en la prisión sin que ninguno de los que venían supiese de los que antes estaban presos.

Y así en pocas horas tuvo en su poder hasta veinte personas, que eran los principales de la ciudad, porque a todos los demás había llevado consigo Gonzalo Pizarro a Quito. Y dejándolos a recaudo salió con cierta gente por el pueblo, apellidando la voz del rey, y algunos que se le defendieron los prendió y, entrando a los presos, les dijo la queja que dellos tenía por haber seguido la opinión de Gonzalo Pizarro, y que él había determinado por salir de su tiranía irse de la tierra en busca del visorrey y llevarle toda la gente que pudiese y armas[173], y que para los juntar tenía necesidad de dineros, por tanto que ellos le ayudasen cada uno como pudiese, pues era justo que contribuyesen en algo para el servicio de su majestad, pues tantas veces lo habían hecho para el de Gonzalo Pizarro, y que cada uno escribiese lo que podía dar, con propósito que lo había de dar luego, donde no, que los llevaría consigo presos. Y así cada uno se escribió en cierta cantidad, la cual pagaron luego.

Y concertándose con el maestre aderezó y proveyó el navío, llevando los presos hasta la mar en carretas con sus prisiones, se embarcó con hasta veinte soldados, habiendo recogido gran copia de dineros, así del empréstito de los vecinos como de la caja del rey y de su propia hacienda, que era hombre rico. Y salido del puerto, dejando entrambos presos[174], fue por la mar costeando y topó con un navío en que traían al capitán Bachicao gran cantidad de ropa de la que él había robado en Tierra Firme, el cual lo metió a saco y lo repartió entre sí y sus soldados. Y aunque algunas veces quiso ir a la Buenaventura para entrar por allí en busca del visorrey, no la tuvo por segura jornada, atenta la poca gente que llevaba, porque temió encontrar con el armada de Gonzalo Pizarro. Y así, mudando propósito, se fue a la provincia de Nicaragua y saltando en tierra dio noticia de su jornada a los gobernadores de la provincia, pidiéndoles socorro para su defensa. Y visto el mal aparejo que allí halló para ello, se fue a la audiencia de los confines de Nicaragua, donde pidió al presidente y oidores la mesma ayuda y favor, y ellos se la prometieron y enviaron a hacérsela dar al

---

[173] 1577: llevarle toda la gente y armas que pudiese.
[174] 1577: dejando en los carros los presos.

licenciado Ramírez de Alarcón, oidor de aquella audiencia, el cual fue a Nicaragua y apercibió los vecinos para que estuviesen prestos con sus armas y caballos.

Ya en este tiempo se tuvo noticia en Panamá de lo que Verdugo había hecho en Trujillo y cómo había ido la vuelta de Nicaragua y, temiendo Hinojosa no juntase gente y le hiciese alguna contradicción con ella, envió al capitán Juan Alonso Palomino con dos navíos y en ellos ciento y veinte arcabuceros, y con ellos fue a la costa de Nicaragua y, topando el navío de Verdugo, se apoderó de él. Y queriendo saltar en tierra halló juntos los vecinos de las ciudades Granada y León, que son los principales pueblos de aquella provincia, y con ellos al licenciado Ramírez y al mesmo Verdugo, que le resistieron la entrada. Y viendo Juan Alonso Palomino que los enemigos le eran superiores, así en número de gente como en tener caballos para correr la tierra, determinó estarse quedo en la mar, y allí se detuvo algunos días esperando oportunidad para hacer algún salto. Y como no la halló, llevando consigo algunos navíos y quemando los otros que no pudo llevar, se volvió a Panamá.

Y Melchor Verdugo, teniendo en su compañía hasta cien hombres bien aderezados y considerando que toda la fuerza de Hinojosa estaba en Panamá, y que si alguna gente tenía en el Nombre de Dios era poca y descuidada que por aquella vía le pudiese venir contraste ninguno, y así determinó de hacer en ellos un [a]salto y, aderezando tres o cuatro fragatas, se embarcó en ellas con su gente y se fue por el desaguadero de la laguna de Nicaragua a salir a la mar del Norte. Y antes que llegase al Nombre de Dios, en la boca del río Chagre, tomó de un barco ciertos negros ladinos, de quien se informó particularmente de todo lo que en [el] Nombre de Dios pasaba y de la gente y capitanes que allí estaban y adónde posaban. Y guiándole alguno de los negros, a la media noche saltó en tierra y se fue derecho a la casa de Juan de Zavala, donde posaban los capitanes don Pedro de Cabrera y Hernán Mejía con algunos soldados, los cuales al ruido de la gente despertaron y se pusieron en defensa de la casa. Y viendo aquello los soldados de Verdugo pusieron fuego en ella y se quemó hasta que, llegando el fuego a una escalera que defendía Hernán Mejía con algunos soldados, les fue forzado salir rompiendo por medio de los enemigos.

Y así salieron con harto peligro ayudándoles la oscuridad de la noche a salvar las vidas, y se fueron a pie camino de Panamá y estuvieron escondidos en una espesura de montes hasta que tuvieron aparejo para irse a Panamá, donde contaron a Hinojosa todo lo que pasaba. Lo cual él sintió mucho y determinó vengarse, dando color a la venganza con título jurídico. Y esto fue que ciertos vecinos del Nombre de Dios se quejaron al doctor Ribera, que allí era gobernador, encareciéndole la entrada de Verdugo en su jurisdicción sin traer título ni provisión para ello, y que por su propia autoridad había cobrado dineros y tenía presos los alcaldes y asonada y alborotada la ciudad, pidiéndole que él en persona lo fuese a castigar, y ofreciéndose Hinojosa de ir con su gente a le dar favor y ayuda para el castigo, pues tenía necesidad de gente de guerra que le favoreciese. Y el doctor Ribera determinó de lo hacer así[175] y, recibiendo juramento y pleito homenaje de Hinojosa y sus capitanes que no saldrían de su mandado y le obedecerían como su general, y poniendo la gente en orden, se partió de Panamá.

Lo cual sabido por Melchor Verdugo asimesmo puso en orden su gente e hizo aderezar los vecinos con sus armas y, hecho un escuadrón en la plaza del Nombre de Dios, determinó aguardar los enemigos. Aunque después, viendo la poca gana que mostraban de pelear los vecinos y que si la batalla se daba en la plaza se le meterían por las casas y le dejarían en peligro, acordó sacar su gente al campo cerca de la mar, donde hizo traer sus fragatas y, tomando por fuerte ciertos barcos

---

[175] En 1577 falta esta parte de la oración: Y el doctor Ribera determinó de lo hacer así.

que allí en la playa estaban varados, aguardó a Hinojosa, el cual lo acometió y se comenzó la batalla, y de las primeras rociadas murió alguna gente, y entre ellos personas señaladas. Y viendo los vecinos del Nombre de Dios que estaban con Verdugo cómo venía por general de sus contrarios el doctor Ribera, su gobernador, se fueron retrayendo todos a un arcabuco que estaba junto a ellos, y los soldados de Verdugo, por detener a los vecinos, se desbarataron por manera que a Verdugo le fue forzado retraerse a sus fragatas y, entrándose por el agua, se metió en una dellas y se acogió a los navíos que estaban en la mar del Norte. Y tomando el mayor dellos lo armó con la artillería de los otros y comenzó a dar batería al pueblo, aunque por estar muy hondo no podían coger las casas desde la mar. Y visto aquello y que le faltaban bastimentos y que la mayor parte de su gente se le había quedado en tierra, se retiró con sus fragatas y con aquel navío al puerto de Cartagena para esperar oportunidad para dañar al enemigo. El doctor Ribera e Hinojosa, habiendo pacificado el pueblo del Nombre de Dios y dejando en el agua más guarnición de la que de antes había, con los mesmos capitanes don Pedro de Cabrera y Hernando Mejía, ellos se volvieron a Panamá, aguardando lo que de España su majestad proveería.

Capítulo XXXIV

De cómo el visorrey se rehízo de gente y vino a Quito
y dio la batalla a Gonzalo Pizarro, en la cual
fue vencido y muerto[176]

Después que el visorrey llegó a Popayán (como está contado), proveyó que se trajese allí todo el hierro que se pudo haber en la provincia y buscó maestros e hizo aderezar fra-

---

[176] En el anexo I ofrecemos la transcripción de la última parte de este capítulo siguiendo la versión primera, correspondiente a la edición de la

guas, y en breve tiempo se forjaron en ellas doscientos arcabuces con todos sus aparejos. Y demás desto se pertrechó de armas y de las otras cosas necesarias para la guerra. Y sabiendo que el gobernador Benalcázar había enviado un capitán suyo muy valiente y práctico en las cosas de la guerra llamado Juan Cabrera, que con ciento y cincuenta hombres conquistase una provincia de indios que estaba de guerra la tierra adentro, despachó sus mensajeros con cartas en que le hacía saber muy por extenso todas las cosas que le habían sucedido desde que entró en el Perú, y la tiranía y alzamiento de Gonzalo Pizarro y cómo le había echado de la tierra, y que estaba determinado que, en teniendo ejército conveniente para ello, le iría a buscar.

Por tanto le rogaba con toda la instancia posible que luego a la hora se viniese con su gente allí a Popayán, adonde estaba, a se juntar con él para que ambos se fuesen la vía de Quito en busca del tirano, encareciéndole el grande y señalado servicio que a su majestad se haría en aquella jornada, y cuán más fructuosa sería cuanto al interese que el descubrimiento en que él andaba. Pues sucediéndoles los negocios de suerte que Gonzalo Pizarro fuese deshecho, se había de repartir la tierra que él y sus secuaces poseían y les prometía de dar de comer en la mejor parte della a él y a su gente, haciéndole asimismo saber cómo por la otra parte del Perú se había alzado por su majestad Diego Centeno, y la mucha gente que se le iba juntando cada día y que, haciéndole contradicción por la otra parte, no podía dejar de recibir gran detrimento Gonzalo Pizarro, de cuyas tiranías y extorsiones estaban tan cansados los vecinos de la tierra que con cualquier ocasión se levantarían contra él. Y para que de mejor voluntad la gente viniese, le envió comisión para que de las cajas de su majestad de Cartago y Encelma y Cali

BNF (ejemplar A1, según la clasificación de Roche [1978], véase la introducción).

y Antioquia y otras partes pudiese tomar hasta treinta mil pesos de oro y hacer con ellos socorro a los soldados. Y demás destos recados hizo que el gobernador Benalcázar, como superior suyo y que le había enviado a la conquista, le escribiese mandándole luego venir.

Y recibidos por Juan Cabrera todos estos despachos, tomó luego los treinta mil pesos de la comisión y repartiéndolos entre sus soldados con ellos acudió a Popayán y se juntó con el visorrey, que serían hasta cien soldados medianamente aderezados. Y allende desto, el visorrey envió sus despachos al Nuevo Reino de Granada al mesmo tenor que los de Juan Cabrera, y otros a la provincia de Cartagena, pidiendo de todas partes socorro, y así cada día se le iba juntando gente. Y en este tiempo supo la prisión de su hermano Vela Núñez y el desbarato de Juan de Illanes y de su gente, por manera que ya no esperaba socorro de ninguna parte.

Y en esta sazón Gonzalo Pizarro deseaba haber a las manos al visorrey, no teniendo hora de seguridad mientras él fuese vivo y tuviese ejército. Y para le incitar a que le viniese a buscar inventó un ardid, y este fue que echó fama de quererse ir la tierra adentro hacia la provincia de los Charcas a apaciguar el alzamiento de Centeno y dejar allí en Quito al capitán Pedro de Puelles con hasta trescientos hombres que estuviesen en frontera contra el visorrey. Y esta fama la puso en ejecución escogiendo entre su gente y nombrando los que habían de ir y los que habían de quedar, y dando socorros a los unos y a los otros. Y así de hecho se partió, haciendo alardes del campo que iba y del que quedaba, lo cual proveyó que viniese a noticia del visorrey por medio de una espía del visorrey que allí había enviado para que le avisase de lo que pasaba, la cual se descubrió a Gonzalo Pizarro y le manifestó la cifra que para esto traía. Por lo cual le escribió todas estas nuevas y también hizo que Pedro de Puelles escribiese a ciertos amigos suyos de Popayán diciéndoles cómo él quedaba allí con trescientos hombres, con los cuales entendía resistir al visorrey por mucha gente que trujese. Y estas cartas envió de suerte que fuesen tomadas por las guardas del visorrey, y sobre todo esto se enviaron indios que habían estado presentes al tiempo de los alardes y vieron partir a Gonzalo Pizarro y contaron la gente que dejó. Caso que Gonzalo Pizarro se detuvo dos o tres jornadas de Quito, fingiendo enfermedad por no pasar adelante.

Recibidos por el visorrey estos avisos, considerando la ventaja que tenía a Pedro de Puelles y que ya no esperaba ningún socorro de ninguna parte, determinó partirse de Popayán la vía de Quito, sin que en todo el camino pudiese saber nueva alguna de Gonzalo Pizarro y de su gente por el gran recado que tenía puesto por los caminos y atajados todos los pasos, así para cristianos como para indios, caso que él tenía cada día nuevas de las jornadas que el visorrey hacía, y dónde y cómo llegaba, por vía de los indios Cañares, que son muy cursados en toda la tierra. Y así cuando le pareció tiempo se vino a Quito a juntar con Pedro de Puelles, y con ambos campos salieron de la ciudad en busca del visorrey, que estaba en Otavalo, doce leguas de Quito. De lo cual Gonzalo Pizarro mostraba gran contentamiento, aunque tenía relación que traía ochocientos hombres, porque siempre se lo decían así, y aun cuanto más se iba acercando le crecía el número del ejército.

Pero él tenía gran confianza en los suyos, así por ser los principales de la tierra como por haber sido victoriosos tantas veces y por ser gente experimentada en las cosas de la guerra. Y en todos aquellos días siempre les decía la razón que tenía para seguir aquella empresa, por haber conquistado la tierra él y sus hermanos, y contándoles las crueldades que el visorrey había hecho, así en la muerte del factor Illán Suárez como en sus mesmos capitanes, y cómo después de haber sido desterrado por los oidores y haberlo enviado a dar cuenta a su majestad, no solamente no había querido ir, mas aun andaba alterando la tierra y había hecho gente en jurisdicción extraña y otras cosas desta calidad para indignar su gente contra el visorrey. Y así todos se ofrecieron con buen ánimo de ir contra él y darle la batalla, unos por el interés que pretendían en que no se ejecutasen las ordenanzas, y otros su propia venganza, y otros por miedo que tenían al visorrey, por haberse hallado siempre contra él, y los más por el temor que tenían de Gonzalo Pizarro y de sus capitanes, porque le habían visto ahorcar mucho número de gentes por mostrar tibieza en su servicio.

Y así mandó ordenar su gente y asentarla por lista en sus compañías, y halló tener ciento y treinta de caballo muy bien aderezados y doscientos arcabuceros y trescientos y cincuenta piqueros, que serían por todos setecientos hombres. Tenía muy gran cantidad de pólvora bien refinada. Y desta manera, sabiendo que el visorrey había asentado el real dos leguas de la ciudad de Quito junto al río, salió con toda su gente de la ciudad llevando por capitanes de arcabuceros a Juan de Acosta y a Juan Vélez de Guevara, y por capitán de piqueros a Hernando Bachicao, y por capitanes de caballo a Pedro de Puelles y Gómez de Alvarado, y no hubo maestre de campo en esta batalla. Hizo sacar Gonzalo Pizarro su estandarte, debajo del cual iban setenta hombres de caballo. Y así se adelantó a tomar un paso que estaba en el río, donde pensó desbaratar al visorrey, sábado a quince de enero del año de cuarenta y seis.

Y desta manera estuvieron allí aquella noche, teniendo muy gran recado en su real, y el visorrey tenía asentado el suyo tan cerca dellos que se llegaron a hablar los corredores de ambas partes, llamándose traidores los unos a los otros, fundando que cada uno sustentaba la voz del rey. Y así estuvieron toda aquella noche aguardando. Y demás de los capitanes que arriba hemos dicho que traía Gonzalo Pizarro, venía con él el licenciado Benito Suárez de Carvajal, hermano del factor Illán Suárez de Carvajal, el cual había venido de la ciudad del Cuzco desde los principios de la guerra, huyendo de Gonzalo Pizarro para se juntar con el visorrey. Y llegando veinte leguas de Los Reyes supo la muerte de su hermano y así se detuvo sin osar entrar en la ciudad hasta que supo que el visorrey era preso y embarcado, y después Gonzalo Pizarro le prendió y tuvo a punto de degollarle, y cuando hubo de ir a la guerra de Quito le redujo en su gracia y él aceptó ir la jornada en venganza de la muerte del factor, su hermano, llevando consigo hasta treinta personas, todos parientes y criados suyos por compañía aparte, de que se nombraba capitán.

Capítulo XXXV

De cómo rompió la batalla de Quito[177]

Sabiendo el visorrey en un pueblo que se llama Tuza, que es veinte leguas antes de llegar a Quito, cómo Gonzalo Pizarro estaba allí con ejército de ochocientos hombres, caso que no lo descubrió sino a solos sus capitanes, dio la orden que se había de tener en pelear. Y cuando llegó al pie de la cuesta donde estaba Pizarro determinó acometerle por la retaguardia, yendo por otro camino diferente del que el enemigo guardaba. Lo cual se creía que fuera de grande efecto, porque los arcabuceros y la fuerza de los de Pizarro estaban sembrados por aquella cuesta hacia el camino por donde creían que había de venir el visorrey, y en la retaguardia estaba la caballería muy sin recelo de acometimiento.

Y para este efecto el visorrey se había alojado tan cerca de los enemigos como está dicho. Y dejando a prima noche su campo y tiendas y perros e indios como antes estaban, con muchos fuegos por descuidar los enemigos, él con toda la

---

[177] En el anexo I ofrecemos la transcripción completa de este capítulo siguiendo la versión primera, correspondiente a la edición de la BNF (ejemplar A1, según la clasificación de Roche [1978], véase la introducción).

gente se partió muy sin ruido por aquel camino oculto, en que le informaron que habría cuatro leguas aunque, como había días que no se hollaba, estaban en él tan malos pasos que le amaneció primero que pudiese hacer el efecto que pensó. Y viendo que estaba una legua de su contrario y que no podía dar en él sin ser sentido, acordó ir a la ciudad de Quito para juntar consigo algunos servidores de su majestad que habrían buscado ocasiones para no ir con el tirano, y recoger las armas que él allí hubiese dejado. Y llegada la gente a la ciudad, supieron estar en el campo Gonzalo Pizarro, que era lo que con tanta diligencia se les había encubierto. A la mañana los corredores de Pizarro, yendo a correr y no viendo ruido en el real del visorrey, entraron dentro y, sabiendo de los indios lo que pasaba, dieron noticia dello a Pizarro y poco después supo cómo estaba en Quito, para donde caminó con gran priesa con intento de darle la batalla doquier que le topase.

El visorrey, caso que vio la gran ventaja que el enemigo le tenía, determinó con grande esfuerzo poner el negocio a riesgo de batalla y así salió a dársela fuera de la ciudad, y fue marchando con su campo tan animosamente como si tuviera por cierta la victoria. Los capitanes de su campo fueron don Alonso de Montemayor, de la compañía del estandarte real, al cual mandó el visorrey que todos obedeciesen aquel día. Fueron capitanes de caballo Cepeda y Bazán, fue alférez general Ahumada, fueron de pie Sancho Sánchez de Ávila, Francisco Hernández Girón y Pedro de Heredia y Rodrigo Núñez de Bonilla, fue maestre de campo Juan Cabrera, que peleó a pie.

Todos los principales suplicaron al visorrey que no rompiese como quería en los delanteros, y que se quedase atrás con quince de caballo para socorrer en la mayor necesidad, pero al tiempo que los escuadrones se acercaron para romper, él se puso al lado de don Alonso, delante del estandarte. Iba en un caballo rucio crecido, llevaba una ropeta de telilla blanca de indios, con unas cuchilladas largas por donde se descubrían unas coracinas de raso carmesí con franjas de oro. Y viéndose ya junto a los enemigos, dijo a su gente: «Caballeros, bien veo que tenéis ánimo para ponérmele a mí, y en esto hacéis lo que debéis a quien sois, y por tanto no os quiero decir otra cosa pues sois tan leales a vuestro rey, sino que de Dios es la causa, de Dios es la causa, de Dios es la causa». Y luego arremetieron él y don Alonso y Bazán, que iban una pieza delante el escuadrón hacia la parte donde estaba el licenciado Carvajal, el cual les salió al encuentro.

También Gonzalo Pizarro se quiso poner en el avanguardia y los suyos le hicieron poner con siete u ocho de caballo al un lado del escuadrón. Llegó la caballería a romper las lanzas y pelear con hachas y porras y estoques. La caballería del visorrey recibió gran daño de una manga de arcabuceros. El visorrey derribó del caballo a un Montalvo y a él le encontró Hernando de Torres, y después le dio un golpe en la cabeza con una hacha, de que le aturdió y dio con él en tierra, porque él y su caballo andaban tan cansados del trabajo de aquella noche, en que habían siempre caminado sin comer ni dormir, que no hubo mucha dificultad en derribarle. A esta hora la infantería estaba trabada con tantas voces y ruido que parecía mucha más gente, y de los primeros golpes fue muerto Juan Cabrera. Sancho Sánchez de Ávila acometió al escuadrón yendo delante los suyos con un montante en la mano, e hízolo tan valerosamente que había rompido hasta la mitad del escuadrón pero, como la gente de Pizarro era mucha más en número, le rodearon por todas partes hasta que le mataron a él y a los más de los suyos. Y aunque todavía la batalla andaba bien reñida entre la infantería, en viendo caído al visorrey los de su parte aflojaron y fueron vencidos, y mucha parte dellos muertos.

Andando en este tiempo el licenciado Carvajal discurriendo por el campo, halló que el capitán Pedro de Puelles quería acabar de matar al visorrey, aunque él estaba ya sin sentido y casi muerto de la caída y de un arcabuzazo que le habían dado. Y Carvajal le hizo cortar la cabeza, diciendo que era en satisfacción de la muerte de su hermano que diz que era el fin de aquella su jornada y no por seguir a Pizarro. Hecho esto, Gonzalo Pizarro mandó tocar las trompetas para recoger, porque andaba la gente derramada siguiendo el alcance, en el cual y en la batalla fueron muertos de [la] parte del visorrey doscientos hombres poco más o menos, y de parte de Pizarro siete.

A los muertos hizo enterrar echando siete u ocho en cada hoyo. Mandó llevar a Quito los cuerpos del visorrey y Sancho Sánchez, e hízolos enterrar con gran solemnidad, yendo él al enterramiento y poniendo luto por ellos. Y dende a pocos días hizo ahorcar otras diez o doce personas que se habían escondido por iglesias y otras partes. El licenciado Álvarez salió herido de la batalla y lo mismo el capitán Benalcázar y don Alonso de Montemayor. Y queriendo Pizarro cortar la cabeza a don Alonso, hubo personas en su campo que rogaron por él, por ser muy bienquisto, haciendo entender a Pizarro que no podía escapar de las heridas. Caso que después Gómez de Alvarado avisó a él y a Benalcázar cómo tenían acordado de matarlos con ponzoña, por lo cual hacían tener gran recaudo y aviso en las medicinas y mantenimientos que les daban. Y por no poder prevenir en esto al licenciado Álvarez, porque posaba en casa del licenciado Cepeda, se tuvo por cierto que le dieron ponzoña en una almendrada, de que murió.

Viendo Pizarro que no había podido salir con su intento en lo que tocaba a don Alonso y no teniendo esperanza de traerle a su amistad, acordó desterrarle para Chili, que era más de mil leguas de allí, y con él a Rodrigo Núñez de Bonilla, tesorero de Quito, y a otros siete u ocho que habían siempre seguido al visorrey y hallándose de su parte en todas las batallas, a los cuales no quiso matar porque hubo muchos que rogaron por ellos, ni tampoco se fio de tenerlos consigo ni se contentó de desterrarlos del Perú, porque en todas partes le podían hacer daño. Y así acordó de desterrarlos para Chili, y encomendolos a un capitán llamado Antonio de Ulloa, que enviaba a Chili con gente y, habiéndolos llevado más de cuatrocientas leguas por tierra, y muchos dellos a pie y sin acabar de sanar las heridas, acordaron entre sí de dar sobre el capitán que los llevaba y en su gente, y morir o alcanzar libertad. Y encomendándose a Dios acometieron el hecho con tanto ánimo que les sucedió conforme a su deseo, y prendieron a Antonio de Ulloa y a los más de los que con él iban y, poniéndolos don Alonso a recado, envió cuatro de los de su compañía al más cercano puerto de adonde aconteció este hecho, y hallaron un navío, el cual tomaron con la buena maña y orden que sobre ello se dieron, aunque no les faltó contradicción porque dentro de él había personas y soldados secuaces de Gonzalo Pizarro y de su opinión. Y avisando a don Alonso de lo que pasaba, él y los de su compañía, dejando los presos en tierra, se acogieron al navío y comenzaron a navegar sin piloto ni marineros que supiesen la navegación, y con grandes trabajos fueron a la Nueva España.

Demás desto, envió al capitán Guevara con cierta gente a la villa del Pasto a traer presos algunos de quien tenía enojo, y dellos ahorcó uno y los demás desterró. Perdonó a Benalcázar con pleito homenaje que le hizo de favorecerle siempre, y diole cierta gente de la que había traído con que se volviese a su gobernación. Recogió toda la gente del visorrey que pudo haber de los que se escaparon de la batalla, a los cuales propuso la razón que tenía de estar dellos quejoso, pero que él les perdonaba, atento que habían venido allí los unos engañados y los otros forzados, prometiéndoles que si le seguían y hacían su deber los tendría en el mesmo lugar y reputación que a los demás que habían andado con él y les haría igual gratificación. Y así los mandó quedar en su campo, prohibiendo que nadie los maltratase de obra ni palabra, aunque siempre se tuvo dellos algún recelo.

Despachó mensajeros por todas partes, haciendo saber la victoria para animar los suyos y confirmar su tiranía.

Despachó al capitán Alarcón en un navío que llevase la nueva del vencimiento a Hinojosa y a la vuelta trajese a Vela Núñez y a los que con él estaban presos. Algunos pareceres hubo que enviase su armada por las costas de Nueva España y de Nicaragua a quemar y recoger todos los navíos que allí hubiese, por quitar cualquier aparejo de ser acometido por mar, haciendo después recoger toda la armada a la ciudad de Los Reyes, porque viniendo despacho de su majestad a Tierra Firme y no hallando allí en qué ni cómo los pasar al Perú, lo tenían por bastante torcedor para hacer los partidos muy a su ventaja. Pero, atenta la confianza que tenía Gonzalo Pizarro de Hinojosa y los que con él estaban, y la soberbia que le había quedado con la victoria del visorrey, le pareció no mostrar aquella flaqueza, porque entendía poder resistir abiertamente cualquiera contradicción que se le hiciese.

Y así se partió Alarcón e hizo su viaje trayendo los presos y con ellos al hijo de Gonzalo Pizarro, y cerca de Puerto Viejo ahorcó a Sayavedra y a Lerma, que eran dos soldados principales entre los presos, por ciertas palabras escandalosas que supo que habían dicho. Y también quiso ahorcar a Rodrigo Mejía, el cual salvó el hijo de Gonzalo Pizarro diciendo que aquel le trataba con muy buena crianza y comedimiento. A Vela Núñez llevó a Quito, donde Gonzalo Pizarro le perdonó todo lo pasado, amonestándole que en lo porvenir estuviese muy sobre el aviso, porque cualquiera sospecha le sería muy peligrosa. Y así le traía consigo con alguna libertad y le llevó cuando se fue a la ciudad de Los Reyes.

En toda esta jornada siguió y acompañó a Gonzalo Pizarro el licenciado Cepeda, oidor, al cual sacó de la ciudad de Los Reyes a efecto de deshacer la audiencia real porque, de cuatro oidores que había, el licenciado Álvarez fue con el visorrey y al doctor Tejada envió a España, como está dicho, y llevando consigo a Cepeda el licenciado Zárate solo no podía hacer audiencia, cuanto más que estaba siempre enfermo y se tenía de él alguna más confianza que antes, después que Gonzalo Pizarro le tomó casi por fuerza una hija suya y la casó con Blas de Soto, su hermano, aunque a la verdad el licenciado Zárate siempre estuvo muy entero en el servicio de su majestad, caso que hacía algunos cumplimientos con el tirano necesarios a la opresión del tiempo.

Libro sexto

*Que trata de la ida del licenciado De la Gasca al Perú
y cómo venció a Gonzalo Pizarro y apaciguó la tierra*

Capítulo I

*De cómo el capitán Carvajal siguió su camino
contra Diego Centeno y le venció en diversas partes*

Ya se hizo relación en el libro pasado cómo el capitán
Carvajal salió del Cuzco con trescientos hombres y con
mucho número de caballos y arcabuces y otras armas, y
caminó por el Collao la vía de la provincia de Paria, donde
estaba Diego Centeno con hasta doscientos y cincuenta
hombres, el cual cuando supo su venida le aguardó con
determinación de darle la batalla. Pues llegado Carvajal dos
leguas de Paria, Diego Centeno alzó su real y se pasó algún
trecho de la otra parte de Paria junto al río, porque le pareció más conveniente y seguro sitio[178]. El capitán Carvajal
asentó su campo en el mesmo tambo de Paria, una legua
del enemigo, y Diego Centeno el día siguiente envió quince arcabuceros en muy buenos caballos para que represen-
tasen la batalla, los cuales corrieron hasta llegar un tiro de

---

[178] En 1577 falta «y seguro».

piedra de Carvajal y allí se hablaron los unos a los otros. Y los corredores le dijeron que Diego Centeno estaba presto de darles la batalla en nombre de su majestad, y que si el capitán Carvajal se quería reducir a su real servicio todos estarían al suyo, y que mirase el mal título que traía. Carvajal estaba delante los suyos riéndose mucho de lo que decían y luego se comenzaron a decir palabras descomedidas, llamándose traidores los unos a los otros y, soltando los arcabuces, dieron una vuelta al real y reconocieron la gente que podía haber y con tanto se tornaron. Esto fue viernes de la Cruz del año de quinientos y cuarenta y seis.

Luego Carvajal alzó su campo y fue marchando hacia sus enemigos, los cuales acordaron alzar su real e irle a [a]sentar aquella noche donde Carvajal no los pudiese alcanzar, con intento de no esperar batalla rompida sino darles armas y asaltos de noche, porque tenían relación del descontento que traían la más de la gente de Carvajal, y que de aquella manera se les pasaría muy a su salvo y le dejarían el campo sin riesgo de batalla, dudando del suceso della por los muchos arcabuces que Carvajal traía, aunque ellos le tenían gran ventaja en la gente de caballo. Aunque esta determinación no fue del parecer de Diego Centeno porque él quisiera dar la batalla, salvo que como todos los vecinos de la villa de [la] Plata que con él venían fueron de opinión contraria, determinó seguirlos, aunque siempre con presupuesto de no rehusar la batalla viniendo en ocasión. Y así caminó aquel día y noche quince leguas, siguiendo siempre sus pisadas Carvajal con la misma priesa, y asentó su real cuanto más cerca pudo de sus contrarios, poniendo aquella noche guardas de gran confianza.

Y a la media noche vinieron de parte de Diego Centeno ochenta de caballo a darles arma y les tiraron muchos arcabuces, y Carvajal ordenó su gente y la tuvo toda la noche en escuadrón sin consentir que ninguno se demandase, porque él también temía que se le habían de huir algunos. Y desta manera pasó aquella noche sin que ninguno se le pasase. Y a la mañana Diego Centeno levantó su real y caminó aquel día diez leguas con la misma priesa que solía, y Carvajal le iba siguiendo sin perderle punto y alcanzó en el camino un hombre que se había quedado cansado y le ahorcó, jurando que a todos cuantos topase había de hacer lo mesmo. Y así le siguió hasta llegar al mesmo asiento de Paria, de donde Diego Centeno se volvió la vía del Collao, siguiéndole siempre Carvajal con más priesa que se sufre llevar gente de guerra, porque aconteció caminar algunos días doce o quince leguas siempre a vista los unos de los otros, hasta que llegaron a Hayohayo, donde el capitán Carvajal alcanzó doce hombres de Diego Centeno y los ahorcó todos juntos y pasó adelante.

Y como las jornadas eran tan demasiadas, a los unos y a los otros se les quedaba gente escondida y cansada. Y viendo Diego Centeno que ya no era parte para resistir a Carvajal, quejándose siempre de sus capitanes y amigos por no le haber dejado dar la batalla cuando él quería y viendo que ya toda la tierra estaba por Gonzalo Pizarro, enderezó la vía de la mar a la costa de Arequipa, enviando delante al capitán Rivadeneyra para que si hallase algún navío por la costa le tomase por dinero o por engaño y le trajese a Arequipa, para embarcarse en él en llegando. El cual por gran ventura halló un navío que iba a Chili y, entrando de noche en una balsa, fácilmente le tomó e iba bien proveído de matalotaje.

Diego Centeno llegó en este tiempo a Arequipa, y poco menos de dos días después llegó tras él Carvajal. Y Diego Centeno estaba esperando el navío y, viendo que no venía nueva de él y que el enemigo se le acercaba y él no se hallaba con más de ochenta hombres, determinó derramar aquellos y él con solos dos amigos se fue a los montes y se escondió en una cueva, donde estuvo sin que pudiese ser hallado hasta la venida del licenciado De la Gasca, dándole de comer el cacique cuya era la tierra por su persona, sin descubrirlo a nadie. Carvajal llegó a la costa de Arequipa y como supo que Centeno era escondido y su gente derramada por diversas partes, envió un capitán con veinte arcabuceros en seguimiento de Lope de Mendoza, que supo que iba cerca de allí con siete u ocho soldados, con los cuales se dio tanta priesa a andar que en más de ochenta leguas que le siguieron no le pudieron dar alcance. Y así se tornaron los que iban tras él y él siguió el camino de la entrada del río de la Plata, donde le aconteció lo que adelante se dirá.

Y otro día, entrado Carvajal en Arequipa, pareció por la costa el navío que traía Rivadeneyra y habiendo sabido Carvajal de algunos soldados que se quedaron a Centeno el fin para que se había tomado y quién venía en él, supo también la seña que estaba concertada para recebir a Diego Centeno y, haciendo poner en una caleta escondidos veinte arcabuceros, hizo hacer la mesma seña del concierto, pensando apoderarse del navío. Y creyendo Rivadeneyra que se hacía por mandado de Centeno, mandó ir el batel en tierra aunque, recelando lo que podía ser, mandó a los que lo llevaban que fuesen muy sobre el aviso y primero que llegasen a tierra reconociesen si había algún engaño. Y los suyos lo hicieron así y no quisieron saltar en tierra hasta ver a Diego Centeno y, entendiendo el engaño, se hicieron a la vela y se fueron a la provincia de Nicaragua, dejando escondido a Diego Centeno con sus dos compañeros y algunos de los suyos que huyeron. Y se escondieron por los montes, donde fueron muertos a mano de los indios, porque así se lo mandó el capitán Carvajal que lo hiciesen.

Y así de todo el campo de Diego Centeno no había de quién temer, por lo cual Carvajal se determinó de ir a residir a la villa de Plata, así porque supo que Diego Centeno y los que con él andaban habían dejado allí escondidas grandes riquezas y haciendas de granjería, como para hacer sacar y recoger plata de las minas y para proveer dello a Gonzalo Pizarro para los gastos de la guerra y aprovecharse él particularmente porque (como hemos dicho) era hombre muy codicioso. Y así siguió su camino hasta llegar a la villa de Plata, la cual se le dio sin resistencia ninguna y él se estuvo en ella algún tiempo, procurando juntar dineros de todas partes hasta que le fue forzado salir della por la careza[179] que en el capítulo siguiente se contará.

Capítulo II

[De] cómo yendo Lope de Mendoza huyendo de Carvajal encontró cierta gente que venía del río de la Plata y todos juntos volvieron contra Carvajal

Habiendo Lope de Mendoza escapado del maestre de campo y de los que por su mandado fueron en su alcance, caminó con cinco o seis vecinos de la villa de Plata, que el uno se llamaba Alonso de Camargo y el otro Luis Perdomo, por la costa arriba algún trecho, hasta que pareciéndoles que todo el reino estaba pacíficamente por Gonzalo Pizarro y que no había en él lugar seguro para ellos, determinaron meterse la tierra adentro a la gobernación de Diego de Rojas. Y así caminaron por la vía que arriba tenemos dicho que Diego Centeno se fue cuando le hacía la guerra Alonso de Toro, porque creían que nadie les seguiría por allí, y también porque en aquel término estaban los indios del mesmo Lope de Mendoza y de Diego Centeno y llevaban confianza que los favorecerían y proveerían de lo necesario.

Y desta manera caminando por aquellos despoblados toparon con Gabriel Bermúdez, natural de la villa de Cuéllar, que había ido en compañía del capitán Diego de Rojas cuando fue a la conquista del río de la Plata y, maravillándose de topar por allí españoles, se llegó a ellos y habiéndose conocido les contó cómo yendo Diego de Rojas y Felipe Gutiérrez y Pedro de Heredia a hacer aquel descubrimiento, peleando en el camino con los indios, habían muerto a

---

[179] 1577: razón.

Diego de Rojas, por cuya muerte habían sucedido grandes diferencias entre Francisco de Mendoza, su sucesor, y los demás, de lo cual había resultado desterrar a Felipe Gutiérrez, y cómo continuando el descubrimiento hallaron al río de la Plata y tuvieron noticia de la riqueza de la tierra adentro y dónde estaban los españoles que por la mar del Norte habían entrado por el río de la Plata, y cómo hallaron las fortalezas de Sebastián Gaboto y otras cosas maravillosas de la tierra.

Y que estando con determinación de pasar adelante, Pedro de Heredia mató a puñaladas a Francisco de Mendoza, por cuya muerte se recrecieron grandes disensiones en el campo, por las cuales y por haber menos gente de la que requería tan grande conquista, se concertaron los unos y los otros de volverse al Perú, así para que por su majestad o el que gobernase la tierra se les diese capitán con quien fuesen en conformidad, como porque teniéndose noticia de la riqueza de la tierra se les juntaría gente que fuese bastante para hacer la conquista sin dificultad ninguna. Y así se volvían dejando descubiertas seiscientas leguas de la villa de Plata adelante, de tierra muy llana y fácil de caminar y medianamente proveída de comida y aguas. Y pocos días antes habían sabido de indios que contrataban en los Charcas la revuelta del Perú, aunque no les supieron decir la razón della ni la ocasión donde había sucedido, por lo cual él venía delante a satisfacer[se] de todo lo que pasaba y traía comisión de los capitanes y gente principal para ofrecer su ayuda a la parte que tuviese la voz de su majestad, si buenamente se pudiese juntar con él, diciéndoles cuán buenos caballos y abundancia de armas traían.

Lo cual oído por Lope de Mendoza, le contó originalmente toda la revuelta del Perú hasta el punto en que estaban y los sucesos que sobre ello habían habido. Y así, viendo Gabriel Bermúdez la oportunidad que había para efectuar su comisión, se ofreció en nombre de todos de volver contra el maestre de campo. Y así se tornaron hasta encontrar [con] la gente que cerca de allí venía y, sabido lo que pasaba, recibieron todos alegremente a Lope de Mendoza y se ofrecieron de tomar la empresa en servicio[180] de su majestad contra Gonzalo Pizarro y sus secuaces. Lo cual Lope de Mendoza les agradeció mucho, encareciéndoles cuán bien cumplían con quien eran en favorecer la parte de su rey y señor natural, demás de lo cual era cierto tendrían de comer, pues restaurando ellos la tierra a su majestad les daría la mejor parte della.

Y así lo llevó hasta el pueblo de Pocona, que es cuarenta leguas de la villa de Plata, y de allí envió a ciertos lugares ocultos donde él y Diego Centeno habían dejado enterrados más de cincuenta mil pesos en barras de plata. Y traídos los quiso repartir entre la gente y los más dellos no quisieron tomar cosa ninguna, así porque ellos venían ricos, como porque entre la gente de guerra del Perú en todas las revueltas que están contadas nunca se ha podido acabar con ningún soldado que reciba sueldo temporal señaladamente, y algunos que toman dineros es por nombre de socorro para proveerse de armas y caballos. La razón que para esto dan es que no hay soldado, por ruin que sea, que no piense merecer por su servicio que aquel a quien sirve saliendo con la empresa le dé el mejor repartimiento de la tierra, según son grandes las esperanzas que la riqueza de la tierra hace concebir a los hombres.

Y así se quedó Lope de Mendoza con la gente del río de la Plata, que eran ciento y cincuenta hombres, todos de caballo bien armados, donde se puede considerar la gran desgracia de Diego Centeno, que si no se escondiera y siguiera su camino por donde Lope de Mendoza (como era creíble que lo había de hacer) como lo había hecho antes, era cierto que tuvieran los negocios otros sucesos del que adelante se contará que les avino.

---

[180] 1577: en nombre.

CAPÍTULO III

Cómo Carvajal fue contra Lope de Mendoza y su gente,
y peleó con ellos y los venció y mató los principales

Yendo Carvajal por sus jornadas desde Arequipa a la villa
de Plata (como hemos contado) con determinación de residir
allí, porque ya había sabido el suceso de la muerte del visorrey
y que Gonzalo Pizarro se lo había escrito, y como no tenía ya
contradicción en todo el reino, llegando a Paria le vinieron
nuevas de la gente que salía del río de la Plata y cómo se habían juntado con Lope de Mendoza. Y tuvo relación cómo
no estaban conformes ni venían juntos, sino en cuadrillas, sin
obedecer la mayor parte dellos a capitán ni superior alguno.
Y así le pareció que todo su buen suceso consistía en darles
algún asalto con mucha brevedad antes que tuviesen lugar de
conformarse y meterse debajo de banderas conocidas.

Y así en dos días aderezó su gente lo mejor que pudo y
allí se le juntaron los veinte arcabuceros que volvían del
alcance de Lope de Mendoza, y con todos juntos se partió
haciendo muy demasiadas jornadas, animando su gente y
ofreciéndose que les daría la victoria en las manos sin peligro de un solo hombre de los suyos, certificándoles que
tenía cartas de ofrecimiento de los principales capitanes de
la entrada, y que todo el trabajo consistía en llegar adonde
estaba el enemigo, y en los que sentía menos ánimo los
amenazaba. Y así caminó recogiendo otros treinta hombres
en el camino, con los cuales hizo número de doscientos y
cincuenta hasta llegar al asiento de Pocona, que está ochenta leguas de Paria. Y un día, a hora de las cuatro de la tarde,
pareció por encima de una cuesta en buena orden con sus
banderas.

Y en aquella sazón estaba Lope de Mendoza repartiendo
barras de plata a quien las quería y luego que vio a Carvajal

(del cual ya tenía nuevas por vía de sus corredores) apercibió la gente y, considerando que toda su fuerza consistía en los de caballo por ser personas señaladas y de muy buenas armas y caballos, los sacó a un llano a vista del pueblo, dejando en él toda su ropa y más de veinte mil pesos que tenía por repartir, diciendo que brevemente cobrarían aquello y lo que sus contrarios traían. Y abajando Carvajal asentó su campo en el mismo lugar donde Lope de Mendoza había levantado el suyo, que era una plaza muy grande cercada de paredes altas y sus portillos hechos en algunas partes de la plaza, y allí se quedó aquella noche porque le pareció que, aunque fuese acometido, tenía buen fuerte para no ser dañado[181]. Aunque luego que entró la gente, teniendo noticia que Lope de Mendoza y los suyos habiendo dejado su ropa en el pueblo, se ocuparon en irlo a robar tan desordenadamente que no quedaron en la plaza ochenta hombres con las banderas. Tanto que si Lope de Mendoza les acometiera entonces, con gran facilidad los desbaratara y hubiera sido de gran efecto la industria de dejar la ropa, por cuyo medio se han alcanzado muchas victorias.

A esta sazón Carvajal salió a la plaza y como vio la gente tan dividida mandó tocar una arma falsa, con la cual se juntó la mayor parte, aunque era tanta la codicia de robar que hasta gran parte de la noche no los pudo recoger a todos. En este tiempo había algunos tratos entre la gente de Carvajal para le matar, porque veían los malos tratamientos que les hacía en las guerras pasadas después de las victorias. El principal deste trato era un Pedro de [A]vendaño, secretario suyo, de quien él hacía mucha confianza, y para lo poder efectuar envió un indio ladino a Lope de Mendoza, avisándole del concierto para que aquella noche acometiese con su gente para que hubiese lugar de efectuarse. Lope de Mendoza apercibió su gente para dar el asalto después de puesta la luna, caso que

---

[181] 1577: ofendido.

estaba determinado de retraerse cuatro o cinco leguas a tomar un buen llano donde se diese la batalla.

Y así, en viendo que hacía oscuro, por evitar alguna parte del peligro de los arcabuces se fue con su gente en orden a la parte donde estaban los contrarios y envió sus corredores delante, los cuales prendieron uno de los de Carvajal y de él se informaron de todo lo que les convino. Y llegaron a los portillos de la plaza grande, donde estaba puesta guardia de arcabuceros y piqueros, y comenzaron a combatir con gran diligencia y ánimo, sin perder un punto los de dentro en la defensa. Y era tanto el ruido de los arcabuces y las voces que de ambas partes se daban, que no se entendían los unos ni los otros con la gran oscuridad de la noche. El maestre de campo andaba discurriendo por todas partes, animando su gente y proveyendo en lo necesario. Y en esto Pedro de Avendaño tomó consigo un arcabucero con quien estaba concertado y, mostrándole a Carvajal, le hizo tirar y le dio al soslayo por una nalga, porque como no tenía lumbre no acertó a darle más en lleno.

Y como Carvajal se sintió herido y entendió que le habían tirado los de su parte, disimuló y, tomando consigo a [A]vendaño, de quien él ningún recelo tenía, se retrajo entre unas paredes y, tomando una capa parda vieja y un sombrero, por manera que no lo pudiesen conocer, se tornó allí adonde se daba el combate. Y Pedro de Avendaño le tornó a mostrar a otro arcabucero, el cual le tiró y no le acertó. Y en esto los de fuera daban grandes voces preguntando si era muerto Carvajal y como no les respondieron y veían que se defendían los portillos sin dar muestra de poderlos entrar, se retiró Lope de Mendoza y los suyos, y Carvajal quedó en el cercado, hallándose muertos de ambas partes hasta catorce personas, sin otros que quedaron heridos. Carvajal disimuló su herida y se la curó de suerte que no vino a noticia de la gente por entonces.

En esta hora salió del campo de Carvajal un soldado llamado Palencia y se fue donde Lope de Mendoza estaba y le dijo todo lo acaecido y le dio aviso cómo el capitán Carvajal dejaba su ropa cinco o seis leguas de allí, en que había cantidad de oro y plata y algunos caballos y arcabuces y pólvora. Y luego se partió Lope de Mendoza con su gente antes que amaneciese adonde el soldado le guio y llegó donde estaba la ropa sin ser sentido. Y como era de noche y hacía muy oscuro, se le perdieron y quedaron rezagados más de sesenta hombres y él y los que consigo llevaba robaron el real sin que hubiese resistencia, dando en él al cuarto del alba. Y viendo Lope de Mendoza que no tenía gente para poder esperar ni resistir a Carvajal, se determinó retirar por aquel despoblado con los que le pudieron seguir, que fueron hasta cincuenta hombres porque todos los demás se le habían quedado. Y así llegaron a un río, dos leguas y media de Pocona.

Sabido por Carvajal lo que pasaba, levantó su real y los fue siguiendo por sus mesmas pisadas, y diose tanta priesa que los alcanzó en el río adonde habían alojado. Y unos estaban durmiendo y otros comiendo por la gran fatiga y trabajo que habían tenido aquella noche, y con solos cincuenta hombres que le pudieron seguir por la aspereza del camino les dio el asalto a hora de mediodía. Y creyendo los de Lope de Mendoza que venía sobre ellos todo el campo, se derramaron y pusieron en huida cada uno por su parte. Y allí fue preso Lope de Mendoza y Pedro de Heredia y luego les cortaron las cabezas con otros seis o siete más principales del campo. Y recogiendo todo el fardaje, así lo que ellos traían como lo que habían tomado, se tornó a Pocona prometiendo de no hacer mal a todos los que habían quedado vivos de los de la entrada, antes les hizo restituir las armas y caballos y lo demás que les había sido tomado.

Y dejando a muy pocos dellos en su compañía, a los demás envió cada uno por sí a Gonzalo Pizarro y él se partió con su campo, llevando consigo a Alonso de Camargo y Luis Perdomo, que son los que hemos dicho que huyeron con Lope de Mendoza, y los otorgó las vidas porque le descubrieron cierta plata que Diego Centeno dejó enterrada en el asiento de Paria. Y hallando más de cincuenta mil castellanos se fue con todo ello y con su gente a la villa de Plata, con determinación de residir allí algún tiempo, y puso los alcaldes y regidores de su mano y despachó mensajeros a todo el reino, dando noticia de su buen suceso. Y quedó entendiendo con gran diligencia en juntar dineros de todas partes, so color de enviar socorros a Gonzalo Pizarro, aunque la mayor parte dejaba para sí.

Capítulo IV

De cómo se descubrieron las minas de Potosí y se apoderó dellas el capitán Carvajal

Habiendo sido la fortuna tan próspera al capitán Carvajal en todos los sucesos que hemos contado, que ya no le quedaba contradicción ninguna en aquellas partes, le ofreció con que pareciese que le había puesto en la cumbre de la prosperidad, y esto fue que dende a pocos días andando unos indios yanaconas de Juan de Villarroel, vecino de la villa de Plata, diez y ocho leguas della, toparon un cerro muy alto asentado en un llano y conocieron en él señales de plata y, comenzando a fundir la vena, hallaron tanta riqueza que doquiera que ensayaban sacaban toda o la mayor parte de plata fina, y donde menos les salía eran ochenta marcos por quintal, que es la mayor riqueza que se ha visto ni leído de ninguna mina seguida.

Y dándose noticia desto en la villa de Plata, fue la justicia al término y comenzó a repartir por minas y estacarlas entre los vecinos de la villa, tomando cada uno como mejor podía. Y fueron tantos los indios yanaconas que allí fueron a labrar, que en breve tiempo se pobló aquel asiento de más de siete mil indios yanaconas, los cuales entendieron tan

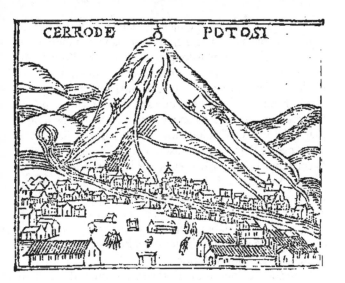

CERRO DE   POTOSI

bien el negocio que por concierto daban a sus señores dos marcos de plata, cada uno en cada semana con tanta facilidad que era mucho más lo que retenían para sí que lo que daban. Y la vena es de tal calidad que no sufre fundirse con fuelles ni cendradas como se hace en las otras minas, salvo que se funde en las guairas, que son unos hornillos pequeños encendidos con carbón y estiércol de ovejas, con la fuerza del aire, sin otro instrumento ninguno. Y llamáronse las minas de Potosí porque así se nombraba aquel término. Y era tanta la facilidad y el provecho con que los indios labra[ba]n, que con dar el concierto que está dicho hay indio que tiene tres y cuatro mil pesos suyos, sin poderlos echar de allí cuando una vez entran, porque cesan todos los peligros que en la labor de las otras minas suele haber por causa del trabajo de los fuelles y del humo del carbón y de la mesma vena que se funde.

Y luego se comenzaron a proveer las minas de los mantenimientos necesarios, aunque no pudieron ser tantos, según la mucha gente acudía, que creciendo la necesidad no llegase a valer una hanega de maíz veinte castellanos, y otro tanto el trigo, y un costal de coca treinta pesos, y aun después llegó a encarecerse mucho más. Y por la gran riqueza que se halló se despoblaron todas las otras minas de la comarca, especialmente la de Porco, donde Hernando Pizarro tenía una suerte de que se sacó gran riqueza. Y también los mineros que andaban sacando oro en Carabaya y otros ríos lo dejaron todo y acudieron allí, porque hallaban sin comparación muy mayor provecho. Y los que entienden en aquel trato hallan grandes señales de la perpetuidad y continuación de la mina.

Con este tan buen suceso comenzó Carvajal a juntar dineros, en lo cual se dio tan buena maña que con poner en su cabeza todos los indios yanaconas de los vecinos muertos y huidos que le habían sido contrarios, y con hacer llevar más de diez mil carneros cargados de comida de los indios de su majestad y otras partes, en breve tiempo juntó más de setecientos mil pesos, sin dar parte ninguna dellos a los soldados que le habían seguido, de lo cual se comenzaron tanto a desabrir que trataron de lo matar. Y las cabezas del motín[182] eran Luis Perdomo y Alonso de Camargo y Diego de Balmaseda y Diego de Luján. Y estando juntos más de treinta personas con determinación de ejecutar el concierto poco más de un mes después que Carvajal llegó a la villa de Plata, por cierto impedimento que les sucedió lo difirieron para otro día. Y no se sabe por qué forma vino a su noticia y sobre ello hizo cuartos a Luis Perdomo y a Camargo y a Orbaneja y a Balmaseda y a otras diez o doce personas de los principales, y a otros desterró.

Y con hacer tan crueles justicias en este caso de motines, andaba tan temerosa la gente que no había quien osase tratar de allí adelante cosa desta calidad, porque en sintiendo no solamente determinación, pero la más liviana sospecha, no daba menos pena que la muerte. Y así un hermano no se osaba fiar de otro, con lo cual se puede satisfacer a la culpa que muchas personas principales destos reinos han imputado a los servidores de su majestad por no haber muerto a Carvajal, aunque no fuera por más de sacar sus personas de tan dura y peligrosa servidumbre, porque nunca motín se hizo contra él de que no tuviese noticia. Y así cuatro o cinco que averiguó costaron las vidas a más de cincuenta personas. Y con tanto la gente andaba tan acobardada por el gran peligro de los movedores y por el gran premio que daba a los descubridores, que se tenía por más seguro temporizar con el tirano hasta que sucediese alguna oportunidad o coyuntura conveniente. Y así tornó a quedar pacífico, enviando nuevas muy a menudo a Gonzalo Pizarro de los sucesos y con ellas mucha cantidad de plata, así de su hacienda como de los quintos reales que tomaba, y de las rentas de los indios de aquellos a quien justiciaba,

---

[182] 1577: concierto.

los cuales ponían su cabeza[183] para ayuda de la sustentación de la guerra.

Capítulo V

De cómo Gonzalo Pizarro vino a la ciudad de Los Reyes desde Quito y lo que allí hizo

Desbaratado y muerto el visorrey en la ciudad de Quito en la forma que tenemos contada, Gonzalo Pizarro comenzó a despedir mucha de la gente de guerra, enviando a unos con el adelantado Benalcázar, a quien perdonó y redujo en su gracia, y a otros con el capitán Ulloa, que de parte de Pedro de Valdivia vino de Chili a pedir socorro de gente para conquistar la tierra, y a otros envió a otras partes. Y así se quedó con hasta quinientos hombres, donde estaba holgando y festejando desde diez y ocho de enero del año de cuarenta y seis, en que se dio la batalla del visorrey, hasta mediado el mes de julio de aquel año.

Las razones de tan gran detenimiento se sentían diversamente, unos decían que lo hacían por saber con más brevedad lo que de España se proveía, otros por el gran provecho que se había de las minas de oro que allí se descubrieron, y a algunos les pareció que le detenían los amores de aquella mujer de quien arriba tenemos dicho, cuyo marido mató por mano de aquel Vicencio Pablo, que fue justiciado por ello en Valladolid. La cual después quedó preñada y su padre mató un hijo que ella parió y por ello Pedro de Puelles ahorcó al mismo padre. Finalmente, Gonzalo Pizarro determinó su partida para Los Reyes para residir allí algún tiempo. Y decíase haberlo hecho por la sospecha que tenía del capitán Lorenzo de Aldana, su teniente, que según esta-

---

[183] 1577: los cuales ponía en su cabeza.

ba bienquisto para cualquiera cosa que intentara fuera parte. Y también se recelaba del capitán Carvajal, que se ensoberbecería con tantas victorias viéndose tan apartado de él. Y así se partió de Quito dejando por teniente y capitán general a Pedro de Puelles con hasta trescientos hombres, por la gran confianza que de él tenía, pues demás de haberle socorrido a tan buen tiempo cuando venía del Cuzco, que no yendo se le desharía[184] su campo, había metido otras muchas prendas que prometían gran seguridad, pareciéndole que si su majestad enviase alguna gente por la gobernación de Benalcázar, sería parte Pedro de Puelles para resistirles la entrada.

En todo el camino se trataba ya Gonzalo Pizarro como hombre pacífico y seguro, y que le parecía que no podía haber contradicción en sus negocios y que su majestad haría con él partidos muy aventajados. Y sus criados y gente le obedecían y acataban tanto que creían haber de vivir perpetuamente por su mano, teniendo por firmes las cédulas de indios que daba. Y él y sus principales fingían y publicaban que recibían muchas cartas de los grandes de Castilla, en que le loaban y aprobaban lo hecho, justificándolo con que no se le guardaban privilegios y cédulas, ofreciéndole favor para su conservación, aunque entre la gente entendida siempre se conoció ser falsa esta invención y sin ningún fundamento de verdad.

Llegando a la ciudad de San Miguel y sabiendo que en los términos della había muchos indios de guerra, mandó que para la conquista dellos se hiciese una nueva población en la provincia de Garrochamba, para hacer desde allí las entradas, y dejó por cabeza al capitán Mercadillo con ciento y treinta hombres, repartiendo entre ellos la población. Y despachó al capitán Porcel que con sesenta hombres continuase su conquista de los Bracamoros, y aunque daba a

---

[184] 1577: deshiciera.

entender que lo hacía por el beneficio de la tierra, su intento principal era tener junta aquella gente para cuando la hubiese menester. Y demás desto, envió al licenciado Carvajal con ciertos soldados que fuese por mar en los navíos que había traído de Nicaragua el capitán Juan Alonso Palomino, de vuelta del seguimiento de Verdugo, mandándole que de camino proveyese las cosas necesarias para la seguridad de la costa. Y se vino a juntar con Gonzalo Pizarro en la ciudad de Trujillo y ambos juntos con hasta doscientos hombres se fueron a la ciudad de Los Reyes por tierra.

Y en la entrada hubo diversas opiniones sobre la[s] ceremonia[s] con que se haría. Porque sus capitanes decían que le habían de salir a recibir con palio como a rey, y otros que más comedidamente lo trataban aconsejaban que se derrocasen ciertos solares y se hiciese calle nueva para la entrada, por que quedase memoria de su victoria, de la manera que se hacía a los que triunfaban en Roma. Gonzalo Pizarro siguió en esto el parecer del licenciado Carvajal, como lo hacía en todas las cosas de importancia, y entró a caballo llevando sus capitanes delante de sí a pie y con sus caballos de diestro, llevándole en medio el arzobispo de Los Reyes y el obispo del Cuzco y el obispo de Quito y el obispo de Bogotá, que había venido por la vía de Cartagena a recibir la consagración al Perú, acompañándole asimismo Lorenzo de Aldana, su teniente, con todo el cabildo de la ciudad y los vecinos della sin faltar ninguno, teniendo para este acto las calles muy bien aderezadas y enramadas, y repicándose las campanas de la iglesia y monasterios, llevando delante mucha música de trompetas y atabales y menestriles.

Y con esta solemnidad fue a la iglesia mayor y de allí a su casa, donde dende en adelante se comenzó a tratar con mucha más estima que hasta allí, por la grande impresión que había hecho la soberbia en su bajo entendimiento. Traía guarda de ochenta alabarderos y otros muchos de caballo que le acompañaban, y ya en su presencia ninguno se sentaba y a muy pocos quitaba la gorra, con las cuales ceremonias y con otros malos tratamientos de palabra y con no dar pagas a la gente de guerra, todos andaban descontentos y así lo quedaron hasta que vieron ocasión de mostrarlo, como adelante se dirá.

Capítulo VI

De cómo el licenciado De la Gasca fue proveído
por su majestad para la pacificación del Perú
y cómo se embarcó y llegó a Tierra Firme

Teniendo su majestad relación de las cosas del Perú en Alemania (donde a la sazón residía con su corte entendiendo en desarraigar[185] las herejías de Lutero y otros heresiarcas, y reducir los secuaces dellos a la unión y obediencia de la Iglesia romana), y habiéndose informado personalmente de Diego Álvarez de Cueto, cuñado del visorrey, y de Francisco Maldonado, criado de Gonzalo Pizarro, que fueron a darle cuenta de lo acaecido, caso que de la muerte y vencimiento del visorrey no sabía ni podía saber a la sazón, comenzó a tratar sobre el remedio de todo lo sucedido, aunque en la provisión hubo alguna dilación por estar su majestad ausente de Castilla y algunas veces impedido con enfermedades.

Y la resolución fue enviar al Perú al licenciado Pedro de la Gasca, que a la sazón era del Consejo de la Santa y General Inquisición, de cuyas letras y prudencia se tenían grandes experiencias en diversos negocios, especialmente en la preparación que hizo en el reino de Valencia pocos años antes contra la armada de turcos y moros que se esperaba, y en otras cosas tocantes a los nuevamente converti-

---

[185] 1577: entendiendo y desarraigando.

dos de aquel reino que sucedieron durante el tiempo que allí residió, entendiendo en el despacho de ciertos negocios tocantes al Santo Oficio que por su majestad le fueron cometidos. El título que llevó fue de presidente de la audiencia real del Perú, con plenario poder para todo lo que tocase a la gobernación de la tierra y a la pacificación de las alteraciones della, y comisión de poder [para] perdonar todos los delitos y casos sucedidos o que sucediesen durante su estada. Y llevó consigo por oidores al licenciado Andrés de Ganas[186] y al licenciado Rentería, y demás de todo esto llevó las cédulas y recaudos necesarios en caso que conviniese hacer gente de guerra, aunque estos fueron secretos porque no publicaba ni trataba sino de los perdones y de los otros medios pacíficos que entendía tener. Y con tanto se hizo a la vela sin llevar más gente de sus criados por el mes de mayo del año de cuarenta y seis.

Y llegando a Santa Marta tuvo nueva cómo Melchor Verdugo había sido vencido y desbaratado por la gente de Hinojosa y que con los que quedaron le estaba aguardando en el puerto de Cartagena. Y él determinó pasar al Nombre de Dios sin verse con él, considerando que si le llevaba consigo causaría gran escándalo en la gente de Hinojosa por el grande odio que con él tenían, y podría ser que no le recibiesen. Y así fue a surgir al Nombre de Dios, donde Hinojosa había dejado a Hernán Mejía de Guzmán con ciento y ochenta hombres que guardase la tierra contra Melchor Verdugo[187]. El presidente hizo saltar en tierra al mariscal Alonso de Alvarado, que desde Castilla había ido con él, y habló a Hernán Mejía y le dio noticia de la venida del presidente, diciéndole quién era y a lo que venía, y después de largas pláticas se despidieron sin haberse declarado el uno al otro sus ánimos, porque ambos estaban sospechosos.

---

186 1577: Andrés de Cianca.
187 1577: que guardase la tierra con Melchor Verdugo.

Alonso de Alvarado se tornó a la mar y Hernán Mejía envió a suplicar al presidente que saltase en tierra, y así lo hizo. Y Hernán Mejía le salió a recibir en una fragata con veinte arcabuceros, dejando su escuadrón hecho en la marina, y saltó en el batel del presidente y le trajo hasta tierra, donde le hizo hacer muy gran salva y recibimiento. Y habiéndole hablado aparte el presidente y díchole la razón de su venida, Hernán Mejía le descubrió su voluntad y le dijo la intención que tenía de servir a su majestad y el mucho tiempo que había que deseaba su venida para poner en ejecución su ánimo, y cómo por gran ventura se habían aparejado los tiempos de manera que él lo pudiese hacer sin contradicción de nadie, por haber sido su venida a tiempo que la más gente de Gonzalo Pizarro estaba toda junta en aquella ciudad y él solo por capitán della, porque Hinojosa y los otros capitanes eran idos a Panamá. Y que si quería que llanamente se alzase bandera por su majestad, lo haría y podían ir a Panamá y tomar la armada, lo cual sería fácil de hacer por las razones que le dijo. Y que creía que, sabidas las particularidades de su venida, Hinojosa y sus capitanes no le harían contradicción por ciertas conjeturas que él tenía para ello.

De todo esto le dio las gracias el presidente, diciéndole que el negocio se debería ordenar de otra manera, porque la intención de su majestad era pacificar la tierra sin riesgo ninguno y que a este fin él enderezaría la ejecución, y quería darlo a entender a todos, así porque habida consideración al principio y causa de la alteración de la tierra, y que decían haber sucedido por el rigor con que el visorrey había entrado en ella, era justo dar noticia del remedio que su majestad en todo mandaba poner. Y que esperaba que, sabida enteramente la seguridad que habría en el negocio, no habría quien no holgase de servir a su majestad y cumplir su mandamiento, antes que cobrar renombre de traidor, y que hasta que esto les diese a entender, no convenía que hiciese ningún alboroto ni novedad. Hernán Mejía obedeció su mandado, aunque le advirtió que la gente estaba allí debajo de su bandera y el negocio se podía hacer sin ningún riesgo, y que idos a Panamá y puesta en poder de Hinojosa, no había tanta seguridad del buen suceso. Y tomada por resolución la orden del presidente, se guardó el secreto della entre los dos hasta su tiempo, como adelante se dirá.

Capítulo VII

De lo que hizo Hinojosa sabida la venida del presidente y el recibimiento que Hernán Mejía le había hecho

Pedro Alonso de Hinojosa, general por Gonzalo Pizarro en Panamá, sabido el recibimiento que Hernán Mejía había hecho al presidente, lo sintió mucho, así porque él no sabía los despachos que traía, como por haberse hecho sin darle parte. Y así le escribió algo ásperamente sobre ello y algunos amigos de Hernán Mejía le avisaron que no viniese a Panamá, porque Hinojosa estaba desabrido contra él. Y no embargante todo esto, habiéndolo comunicado con el presidente y por que con la dilación[188] no se diese lugar a que se arraigase en los ánimos de los soldados algún mal concepto de la venida del presidente, se acordó que Hernán Mejía se partiese luego a Panamá a comunicar con Hinojosa el negocio, pospuestos los temores de que le certificaban, confiando en la gran amistad que con Hinojosa tenía y en que conocía su condición. Y así fue y trató con él la causa del recibimiento, disculpándose con que para cualquier camino que se hubiese de seguir perjudicaba poco lo que él había hecho.

Y así Hinojosa quedó satisfecho y Hernán Mejía se tornó al Nombre de Dios y el presidente se fue a Panamá,

---

[188] 1577: falta «con la dilación».

378

donde [se] trató el negocio de su venida con Hinojosa y con todos sus capitanes con tanta prudencia y secreto que, sin que supiese uno de otro, los tuvo ganadas las voluntades de tal suerte que ya se atrevía a hablar públicamente a todos persuadiéndoles su opinión e intento, y proveyendo a muchos soldados de lo que habían menester, teniendo por principal medio para su buen suceso el gran comedimiento y crianza con que hablaba y trataba a todos, que es la cosa de que más se ceban los soldados de aquella tierra. Y esto hacía compadecer con no perder punto de su dignidad y autoridad, y en todos estos tratos y medios fue gran parte y ayuda la persona del mariscal Alonso de Alvarado, así por los muchos amigos que allí tenía como porque viendo los que no lo eran que una persona tan antigua en las Indias y que tan grande obligación y amistad había tenido al marqués y a sus hermanos contradecía ahora su opinión, parecíales causa bastante para reprobar ellos la opinión de Gonzalo Pizarro.

Aunque hasta aquel punto Pedro Alonso de Hinojosa no se había del todo allegado ni declarado por el presidente, antes había enviado a hacer saber a Gonzalo Pizarro la venida del presidente. Y hubo algunos de sus capitanes y gente principal que antes que el presidente llegase a Panamá escribieron a Gonzalo Pizarro que no les parecía convenir que el presidente entrase en el Perú, aunque después con los medios que tenemos dicho mudaron el parecer. Y el presidente comenzó a visitar tan a menudo y granjear a Hinojosa, que le permitió que enviase una persona de las que traía de Castilla con cartas a Gonzalo Pizarro, en que le diese noticia de su venida y del intento que traía, escribiéndole sobre ello la carta que en el siguiente capítulo se pondrá y enviándole otra que su majestad escribió al mesmo Gonzalo Pizarro. Y con estos despachos se embarcó Pedro Hernández Paniagua, natural de la ciudad de Plasencia, y llegado al Perú le acontecieron diversos sucesos que abajo serán contados, los cuales dejaremos por decir lo que hizo Gonzalo Pizarro sabida la venida del presidente.

La carta que su majestad escribió a Gonzalo Pizarro decía desta manera:

El Rey.

Gonzalo Pizarro, por vuestras letras y por otras relaciones he entendido las alteraciones y cosas acaecidas en esas provincias del Perú después que a ellas llegó Blasco Núñez Vela, nuestro visorrey dellas, y los oidores de la audiencia real que con él fueron, a causa de haber querido poner en ejecución las nuevas leyes y ordenanzas por nos hechas para el buen gobierno desas partes y buen tratamiento de los naturales dellas. Y bien tengo por cierto que en ello vos ni los que os han seguido no habéis tenido intención a nos deservir, sino a excusar la aspereza y rigor que el dicho visorrey quería usar, sin admitir suplicación alguna.

Y así estando bien informado de todo y habiendo oído a Francisco Maldonado lo que de vuestra parte y de los vecinos desas provincias nos quiso decir, habemos acordado de enviar a ellas por nuestro presidente al licenciado De la Gasca, del nuestro Consejo de la santa y general Inquisición, al cual habemos dado comisión y poderes para que ponga sosiego y quietud en esa tierra y provea y ordene en ella lo que viere que conviene al servicio de Dios nuestro Señor y ennoblecimiento desas provincias, y al beneficio de los pobladores vasallos nuestros que las han ido a poblar, y de los naturales dellas.

Por ende yo os encargo y mando que todo lo que de nuestra parte el dicho licenciado os mandare lo hagáis y cumpláis como si por nos os fuese mandado, y le dad todo el favor y ayuda que os pidiere y menester hubiere para hacer y cumplir lo que por nos le ha sido cometido, según y por la orden y de la manera que él de nuestra parte os lo mandare. Y de vos confiamos, que yo tengo y tendré memoria de vuestros servicios y de lo que el marqués don Francisco Pizarro, vuestro hermano, nos sirvió, para que sus hijos y hermanos reciban merced. De Venelo, a diez y

seis días del mes febrero de mil y quinientos y cuarenta
y seis años.

Yo el Rey.

Por mandado de su majestad.

Francisco de Eraso.

La carta que el presidente escribió a Gonzalo Pizarro decía desta manera:

Ilustre señor:

Creyendo que mi partida a esa tierra hubiera sido más
breve, no he enviado a vuestra merced la carta del emperador nuestro señor que con esta va, ni he escrito yo de mi
llegada a esta tierra, pareciendo que no cumplía con el aca-
to que a la de su majestad se debe sino dándola por mi
mano, y que no se sufría que carta mía fuese antes de la de
su majestad. Pero viendo que había dilación en mi ida y
porque me dicen que vuestra merced junta los pueblos en
esa ciudad de Lima para hablar en los negocios pasados,
me pareció que con mensajero propio la debía enviar. Y así
envío solo a llevar la de su majestad y esta a Pedro Hernández Paniagua, por ser persona de la calidad que requiere la
carta de su majestad y tan principal en aquella tierra de
vuestra merced y uno de los que mucho son entre sus amigos y servidores.

Y lo de más que yo en esta puedo decir es que España se
alteró sobre cómo se deberían tomar las alteraciones que
en esas partes ha habido después que el visorrey Blasco
Núñez (que Dios perdone) entró en ellas. Y después de
bien mirados y entendidos por su majestad los pareceres
que en esto hubo, le pareció que en las alteraciones no
había habido hasta ahora cosa por que se debiese pensar
que se habían causado por deservirle ni desobedecerle,
sino por defenderse los desa provincia del rigor y aspereza
contra el derecho que estaba debajo de la suplicación que
para su majestad tenían dellas interpuesta, y para poder
tener tiempo en que su rey les oyese sobre su suplicación
antes de la ejecución. Y así parecía por la carta que vuestra

merced a su majestad escribió, haciéndole relación de cómo había aceptado el cargo de gobernador por habérselo encargado la audiencia en nombre y debajo del sello de su majestad y diciendo que en aquello serviría, y que de no lo aceptar sería deservido, y que por esto lo había aceptado hasta tanto que su majestad otra cosa mandase, lo cual vuestra merced, como bueno y leal vasallo, obedecería y cumpliría.

Y así entendido esto por su majestad, me mandó venir a pacificar esta tierra con la revocación de las ordenanzas de que para antes[189] se había suplicado, y con poder de perdonar en lo sucedido y de ordenar y tomar el parecer de los pueblos en lo que más conviniese al servicio de Dios y bien de la tierra y beneficio de los pobladores y vecinos della, y para remediar y emplear los españoles a quien no se pudiesen dar repartimientos, enviándolos a nuevos descubrimientos, que es el verdadero remedio con que los que no tuvieren de comer en lo descubierto lo tengan en lo que se descubriere, y ganen honra y riqueza como lo hicieron los conquistadores de lo descubierto y conquistado.

A vuestra merced suplico mande mirar esta cosa con ánimo de cristiano y de caballero e hijodalgo y de prudente, y con el amor y voluntad que debe y siempre ha mostrado tener al bien desa tierra y de los que en ella viven, con ánimo de cristiano, dando gracias a Dios y a nuestra Señora, de quien es devoto, que una negociación tan grave y pesada como es en la que vuestra merced se metió y hasta ahora ha tratado se haya entendido por su majestad y por los demás de España, no por género de revelación ni infidelidad contra su rey, sino por defensa de su justicia derecha, que debajo de la suplicación que para su príncipe se había interpuesto tenían, y que pues su rey como católico y justo ha dado a vuestra merced y a los desa tierra lo que suyo era y pretendían en su suplicación, deshaciéndoles el agravio que por ella decían habérseles hecho con las ordenanzas, vuestra merced dé llanamente a su rey lo suyo, que es la obediencia, cumpliendo en todo lo que por él se le manda.

---

[189] 1577: ante él.

Pues no solo en esto cumplirá con la natural obligación de fidelidad que como vasallo a su rey tiene, pero aun también con lo que debe a Dios, que en ley de natura y de escritura y de gracia siempre mandó que se diese a cada uno lo suyo, especial a los reyes la obediencia, so pena de no poder[se] salvar el que con este mandamiento no cumpliere, y lo considere así mismo con ánimo de caballero hijodalgo, pues sabe que este ilustre nombre le dejaron y ganaron sus antepasados con ser buenos a la corona real, adelantándose más en servirla que otros que no merecieron quedar con nombre de hijosdalgo. Y que sería cosa grave que le perdiese vuestra merced por no ser cuales fueron los suyos, y pusiese nota y oscuridad en lo bueno de su linaje, degenerando de él. Y pues después del alma ninguna cosa es entre los hombres más preciosa (especialmente entre los buenos) que la honra, se ha de estimar la pérdida della por mayor que de otra cosa ninguna, fuera la del alma, por una persona como vuestra merced, que tan obligado es a mirar por ella, le dejaron sus mayores y obligan sus deudos[190], cuya honra, juntamente con la de vuestra merced, recibiría quiebra, no haciendo él lo que con su rey debe. Porque el que a Dios en la fe o al rey en la fidelidad no corresponde como es justo, no solo pierde su fama, mas aun oscurece y deshace la de su linaje y deudos.

Y así mismo lo considere con ánimo y consideración de prudente, conociendo la grandeza de su rey y la poca posibilidad suya para poder conservarse contra la voluntad de su príncipe. Y que ya que por no haber andado en su corte ni en sus ejércitos no haya visto su poder y determinación que suele mostrar contra los que le enojan, vuelva sobre lo que de él ha oído y considere quién es el Gran Turco y cómo vino en persona con trescientos y tantos mil hombres de guerra y otra muy gran muchedumbre de gastadores a dar la batalla, y que cuando se halló cerca de su majestad junto a Viena entendió bien que no era parte para darla, y que se perdería si la diese. Y se vio en tan gran

---

[190] 1577: ...que tan obligado a mirar por ella le dejaron sus mayores y obligan sus deudos...

necesidad que, olvidada su autoridad, le fue forzado retirarse, y para poderlo hacer tuvo necesidad de perder tantos mil hombres de caballo que delante echó para que, ocupado en ello su majestad, no viese ni supiese cómo se retraía él con la otra parte de su ejército.

Y[191] así mismo considere quién es el rey de Francia, con su casa y estado, y cómo bajó a Italia en persona y con todo su poder quería sojuzgar todo lo que su majestad en aquellas partes tenía, y que después de haber puesto todas fuerzas muchos días insistiendo en su porfía, solo el ejército y capitanes de nuestro rey bastaron a darle batalla y a romper su campo y prender al rey y traerle en España. Y considere la grandeza de Roma y cuán fácil fue al ejército de nuestro rey entrarla y saquearla y hacerse señor de los que en ella estaban. Y considere que después de haber visto el Turco que por sí no había bastado a dar batalla a su majestad, antes le había sido necesario retirarse afrentosamente, y viendo así mismo el rey de Francia lo poco que bastaba por ser contra el poder de su majestad, acordaron entrambos de conformarse contra nuestro rey, y pusieron en la mar la mayor armada de galeras y galeotas y fustas y otros navíos, que ha grandes años que se juntó, y que el poder de su majestad y el valor de su persona se mostró tan grande que en dos años que esta armada estuvo junta, no bastó a tomar una almena de tierra de su majestad.

Antes el primero año su majestad ocupó y tomó los ducados de Güeldres y Iuliers y otras plazas de la frontera de Flandes, y se conoció por tan inferior el rey de Francia que aunque con todo su poder anduvo hacia aquella parte, no osó llegar a socorrerlo ni ponerse tan cerca que su majestad le pudiese necesitar a la batalla, y que confiando en ser tiempo de invierno, osó dar muestra della para que con aquello su majestad se descuidase del cerco de cierta plaza, y después no osó aguardarle, antes se retrajo y metió en un fuerte que tenía para ello hecho, de donde aquella noche

---

[191] Este párrafo y los dos que siguen (hasta «se puede bien creer que una de las cosas que más desea es que su majestad quiera conservarla con él») no se encuentran en la edición de 1577.

384

sabiendo que su majestad mandaba dar asalto dentro del fuerte, se salió de él afrentosamente y con más priesa que su autoridad requería, con algunos de caballo, dejando mandado a su hijo que cuando él hubiese caminado algún trecho saliese del fuerte y le siguiese con el resto del ejército. Y caminó aquella noche y otro día tan a furia que cuando entró en la ciudad de San Quintín solos tres de caballo habían podido tener con él.

Y el segundo año su majestad entró y ocupó gran parte de Francia, sin osar el rey ni su ejército resistirle. Y así estos dos príncipes tan grandes como el Turco y el rey de Francia, no habiendo podido hacer nada con su confederación y junta contra las cosas de su majestad, antes habiendo recibido el de Francia el daño que he dicho, deshicieron la armada y el Turco hizo treguas con su majestad y el rey de Francia ha procurado paz, que según el estado en que ha quedado y está, se puede bien creer que una de las cosas que más desea es que su majestad quiera conservarla con él.

He representado esto porque entiendo que muchas veces se mira y tiene en mucho lo que se ve, aunque sea poco, y lo que no se ha visto ni experimentado, por no se advertir, no se entiende ni tiene en lo que es, aunque sea mucho. Y deseo con ánimo de buen prójimo que vuestra merced y cualquier otro de los que en esa tierra están no se engañasen teniendo en algo lo que pueden en respeto de quien es el poder de su majestad, que es tanto que cuando se hubiese de venir a allanar esa tierra, no por el camino de clemencia y benignidad que Dios y su majestad han sido servidos se tenga en pacificarla, sino por rigor, habría más necesidad que no se metiese en esa tierra más gente de la que para ello fuese menester, por no la destruir, que no de procurar que fuese la que bastase.

Y también debe vuestra merced considerar cuán otra sería la negociación de aquí adelante de lo que ha sido hasta ahora, porque en lo pasado los que a vuestra merced se allegaban le eran buenos por el enemigo con quien lo había y por la causa que trataba por[192] el enemigo, que era

---

[192] 1577: contra.

Blasco Núñez, a quien cada uno de los que a vuestra merced seguían tenía por propio enemigo, por tener creído que Blasco Núñez no solo la hacienda, pero la vida deseaba quitar a todos los que le eran contrarios. Y cualquiera que se ayudase de vuestra merced para defenderse de su enemigo era forzado que le fuese bueno en aquella cosa y por la causa que trataba, porque cualquiera de los vecinos del Perú que con vuestra merced se juntó no fue por defender lo de vuestra merced, sino su propio derecho. Y en tanto que para defender su cosa propia uno se ayudase de vuestra merced, forzado es que le había de ser bueno, no por ser bueno a vuestra merced, sino a su propia negociación. Pero de aquí adelante, como a los del Perú se asegura la vida por el perdón y la hacienda por la revocación de las ordenanzas, y en lugar de un enemigo común a los del Perú, se ponga el más natural amigo que los españoles tenemos (que es nuestro rey) al cual tenemos natural obligación de amar y guardar lealtad, porque nacimos en ella y la heredamos de nuestros padres y abuelos y antepasados de más de mil y trescientos años a esta parte, que guardamos este amor y lealtad a nuestros reyes.

Y ha vuestra merced de tener entendido y pensar que en el estado que ya las cosas tienen y han de tener, de ninguno se podría fiar, antes de su propio hermano se habría de recatar y pensar que habría de poner en vuestra merced las manos. Porque como el padre y el hermano y cualquier otro tenga más obligación a mirar por su ánima y conciencia que no a la vida y voluntad de su hijo y hermano ni amigo, viendo su hermano que negando la obediencia a su rey perdía el alma, no solo en esto no le seguiría, pero le sería contrario, como lo vimos en las comunidades de España, considerando en cuánta más obligación era a su honra y a la de su linaje que no a seguir el querer de vuestra merced, y dar a entender a su rey y a todo el mundo que su fidelidad y bondad bastaba para limpiar cualquier mancilla que en su linaje se hubiese puesto, y se puede pensar que lo que con más rigor[193] procuraría satisfacer[se] de vuestra merced.

---

[193] 1577: con muy mayor rigor.

Como estos días aconteció a dos hermanos españoles, los cuales el uno estaba en Roma y entendiendo allí cómo el otro, que residía en Sajonia, era luterano, vivía muy afrentado pareciéndole que su hermano deshonraba a él y a su linaje. Y queriendo remediar esto se partió de Roma y fue hasta Sajonia con determinación de convertir a su hermano y, cuando no pudiese, matarle, y así lo hizo. Que después de haber procurado mucho quince o veinte días que con él estuvo que se convirtiese y quitase la infamia que en su linaje tenía puesta, y no lo pudiendo acabar, lo mató sin que le estorbase el deudo ni amor de hermano, ni el temor de perder la vida matando aquel por ser luterano en pueblo y tierra donde todos lo eran. Porque entre buenos este apetito que a la honra se tiene es tan grande, que vence a todo deudo y al deseo de vivir, especialmente conociendo su hermano que no solo a su alma y honra, mas a la conservación de la vida y hacienda tenía más obligación, que no seguir la voluntad de vuestra merced mayormente no siendo esta ordenada como debía, y conociendo que siguiéndola no solo perdería el alma y honra, mas al fin habría de venir a perder la persona y la hacienda y, finalmente, quien más a vuestra merced hubiese seguido, teniéndose por ello por más culpado y entendiendo que para volver en gracia de su rey y que no solo le perdonase, pero aun le hiciese mercedes, le convenía señalarse, sería el que primero y con más diligencia procurase faltar a vuestra merced y hacer plato de su persona.

De manera que sería negociación la que vuestra merced tomase queriendo llevar este desasosiego adelante, en que los más amigos le serían más peligrosos y que ninguna palabra ni sacramento ante Dios ni el mundo tendría fuerza, pues darla sería feo en ley de cristiano y guardarla mucho más. Y no solo los amigos, mas aun la hacienda en tal caso le dañaría, pues por codicia della le harían con más instancia contradicción los que pensasen que les podría caber parte della. Y considere cómo el día que su majestad o el que sus veces tuviere perdonare a los del Perú, si viniese a méritos de exceptuar alguno, cuán solo y en peligro quedaría el tal exceptuado, quedando los otros perdonados y desagraviados. Y así mismo le suplico mire y considere esta cosa con el amor que debe y ha mostrado tener al bien desa tierra y vecinos della, porque con dar fin a los desasosiegos y alteraciones que ahí ha habido, dejará vuestra merced encargados a todos los vecinos della por haberles ayudado en que contra el derecho de sus suplicaciones no se ejecutasen las ordenanzas, y su majestad haya sido servido de mandarles oír y desagraviar, como lo ha hecho.

Y a llevar vuestra merced este desasosiego adelante no solo pierde todo el mérito que cerca de los vecinos en lo pasado parece haber ganado, pues queriendo que dure el desasosiego después de haberse conseguido lo que conviene al bien dellos, daría a entender que no por el bien dellos, sino por su propia pretendencia, se puso en lo pasado. Pero aún les haría tan gran daño que con muy gran razón le tendrían por enemigo, viendo que los quería tener en continua fatiga e inquietud y peligro de sus vidas y gastos de sus haciendas, y que no los quería dejar gozar dellas con el sosiego de que tienen necesidad para granjearlas y gozarlas y aprovecharse dellas, conforme a la merced que su rey les hace. Y aun parece que no con menos causa sino con mayor le podrían tener por tal cual tuvieron a Blasco Núñez, pues si él les quería quitar las vidas y haciendas, quien quisiere tenerlos en continuo desasosiego y fuera de la obediencia de su príncipe parecía quererles hacer perder las almas y honras y vidas y haciendas.

Y también es de considerar la causa que se daría yendo a esa tierra gente en el número que irá de destruir a ella y a las haciendas que los vecinos della tienen en gran cargo de conciencia de los que a esto diesen ocasión, y no solo se haría este daño y daría vuestra merced causa de ser desamado de los vecinos y mercaderes y de las otras personas que en esa tierra tienen oficios y granjerías, de que se hacen ricos, pero aun a las gentes baldías y que no tienen repartimientos y otros tratos de que vivir se haría gran daño porque, ocupándolos en estas disensiones y desventuras, no solo pierden la vida los que dellos en ellas mueren, pero aun los que quedan. Pues habiendo venido tantas leguas desterrados de sus naturalezas y a tan diferentes climas y tan destempladas regiones con tanto riesgo de la salud, no gastan sus vidas en aquello para que vinieron, que fue ganar con que vuelvan a sus tierras ricos y remediados, o vivan en estas honrados, lo cual no se puede hacer sino yendo a nuevos descubrimientos, pues no caben todos en lo descubierto. Lo cual no se hace entretanto que gastan su tiempo en el ejercicio que traen, que es de tan corto provecho que si quisiesen volver a España muchos dellos han de buscar para el flete y matalotaje.

A vuestra merced suplico que, aunque me haya entendido a representar más cosas de las que son necesarias para que vuestra merced, como quien es, haga en esta negociación lo que debe a cristiano y caballero hijodalgo y a su mucha prudencia y al amor que a los vecinos desta tierra y a las cosas della tiene, no se reciba ni atribuya lo que he dicho a desconfianza que yo tengo de la bondad, cristiandad y fidelidad de vuestra merced, porque cierto yo no tengo sino entera confianza por haber siempre oído que todas estas partes caben en vuestra merced, sino que se eche al deseo y amor con que amo, como buen prójimo y servidor de vuestra merced, a los que en esa tierra están, y deseo su bien y acrecentamiento y aborrezco y temo su mal y peligro. Y lo reciba como quien vuestra merced es de mí como de hombre que ninguna cosa en esta jornada pretende sino servir a Dios procurando la paz que su benditísimo Hijo tanto nos encomendó, y a mi rey cumpliendo su mandado, y cumplir con la obligación que como prójimo a vuestra merced y a todos los desa tierra tengo, procurándoles que vivan con estado tan seguro para las almas, honras, vidas y haciendas como es la paz, pues fuera desto ninguna cosa que buena sea para esta vida ni para la otra puede haber.

Y con este celo y amor he sido en esta negociación el mejor solicitador que vuestras mercedes todos han tenido, y determiné de poner mi persona en trabajo para sacar [de él] las de vuestras mercedes, y mi vida en peligro por quitar dellos[194] las suyas, pareciéndome que si acabase esta jorna-

---

[194] 1577: de él.

da volvería a España alegre y, cuando no, consolado de
haber hecho lo que en mí era para cumplir con Dios en la
deuda de cristiano, y con mi rey en la de vasallo, y con
vuestras mercedes en la de prójimo y natural suyo. Que si
Dios en este trabajo me llevase, me llevaría sirviendo a él y
a mi príncipe y procurando de hacer bien y quitar de mal a
mis prójimos. Y pues tanta fe y amor me debe vuestra merced y todos los desa tierra, justo es que se advierta en lo
que digo, que solo en esto quiero de vuestras mercedes el
pago de lo que me deben.

Y también suplico a vuestra merced cuan afectuosa-
mente puedo que lo que en esta he dicho lo comunique
con personas celosas del servicio de Dios, pues el parecer y
consejo destos es el seguro y sano y el que se debe seguir sin
sospecha que se dé por interés propio ni otro mal respeto.
Nuestro Señor por su infinita bondad alumbre a vuestra
merced y a todos los demás para que acierten a hacer en
este negocio lo que conviene a sus almas, honras, vidas y
haciendas, y guarde en su santo servicio la ilustre persona
de vuestra merced. De Panamá, a veinte y seis de septiembre de quinientos y cuarenta y seis años.

Servidor de vuestra merced, que sus manos besa.

El licenciado Pedro Gasca.

En el sobrescrito desta carta decía: «Al ilustre señor
Gonzalo Pizarro, en la ciudad de Los Reyes».

Capítulo VIII

De lo que proveyó e hizo Gonzalo Pizarro
en la ciudad de Los Reyes y en toda la provincia del Perú,
sabida la venida del presidente

Llegado Gonzalo Pizarro a la ciudad de Los Reyes, donde era su teniente Lorenzo de Aldana (como hemos dicho),
le vinieron las primeras nuevas que Pedro Alonso de Hinojosa había despachado cuando supo la venida del presiden-

te, con la cual recibió gran turbación. Y comunicándolo con sus capitanes y gente principal, hubo entre ellos diversos pareceres, porque unos decían que pública o encubiertamente le enviase a matar, otros que le trajesen al Perú, porque venido sería fácil cosa hacerle conceder todo lo que ellos quisiesen, y que cuando esto no hubiese lugar le podrían entretener largo tiempo con decir que querían juntar todas las ciudades del reino en Los Reyes y llamar allí los procuradores de todas partes para que tratasen de recibirle. Y que por haber tanta distancia de unos lugares a otros se podía dilatar esta junta más de dos años, y que entretanto el presidente podía estar en la isla del Puma[195] con soldados de confianza que le guardasen, y así excusaría de no avisar a su majestad de desobediencia ninguna, teniéndole siempre suspenso con que la junta se hacía para recibirle, y que no se podían juntar con más brevedad. Y los que más mansamente aconsejaban era que le tornasen a enviar a España.

Y ante todas cosas se resumió entre ellos que se enviasen procuradores a su majestad para negociar las cosas de aquel reino y darle cuenta de las cosas nuevamente sucedidas, especialmente para justificar el rompimiento y muerte del visorrey, echándole siempre la culpa por haber sido agresor y venídolos a buscar. Y también para suplicar a su majestad proveyese a Gonzalo Pizarro por gobernador de aquella provincia, y que estos procuradores para este efecto llevasen poderes especiales de las ciudades, y que de camino se informasen con diligencia en la ciudad de Panamá de los poderes que traía el presidente y le requiriesen que no entrase en la tierra hasta que, informado por ellos su majestad, enviase segunda jusión sobre lo que fuere servido proveer. Y que si con todo esto el presidente quisiese pasar, le llevasen a buen recaudo a Los Reyes. Unos decían que le matasen en el camino, otros que le diesen un bocado en Panamá y

---

[195] 1577: isla de Puna.

matasen a Alonso de Alvarado y otras cosas semejantes que por haber pasado en sus ayuntamientos secretos no se certifican.

Demás desto se acordó que se escribiese una carta con estos mensajeros al presidente por los principales vecinos de aquella ciudad, tratando contra la determinación que traía con palabras muy desacatadas y atrevidas. Y después de haber pasado diversas determinaciones sobre señalar las personas que habían de venir a España por mensajeros, se resumieron en que viniese don fray Jerónimo de Loaysa, arzobispo de Los Reyes, y Lorenzo de Aldana y fray Tomás de San Martín, provincial de la orden de Santo Domingo, y Gómez Solís, natural de la villa de Cáceres[196]. Aunque al provincial le tenían por sospechoso en su opinión por haber hecho y dicho, así en sermones públicos como en pláticas y conversaciones privadas, muchas cosas en que lo manifestaba, tuvieron por cosa conveniente fiarse de él y de los demás a quien tenían en la misma posesión, por dar autoridad a su embajada y porque no se hallaran otros en la tierra que se atrevieran a ir a la presencia real sin escrúpulo de haber ofendido gravemente en las alteraciones pasadas, y temían el castigo dellos si acá viniesen.

Y también se consideró en esta elección que, caso que estos mensajeros declarasen en España sus ánimos contra ellos, si por ventura eran tales como sospechaban, tenían por cosa conveniente echarlos de la tierra con este título, porque estando presentes si venía el negocio en riesgo, serían partes para hacerles mucho daño, por ser personas tan principales y calificadas. Juntamente con ellos Gonzalo Pizarro envió a Gómez de Solís, su maestresala. Unos decían que para llevar ciertos dineros y provisión a Hinojosa y su gente, y otros para que viniese a España juntamente con los

---

[196] En 1577 falta «y Gómez Solís, natural de la villa de Cáceres», probablemente porque unas líneas más abajo se vuelve a mencionar, explicando que Gonzalo Pizarro también lo envió a él.

procuradores. Demás de los cuales rogaron al obispo de Santa Marta que viniese a España con la misma embajada y proveyeron a los unos y a los otros de dineros para hacer la jornada. Y Lorenzo de Aldana se embarcó luego a gran priesa, entretanto que los demás se aprestaban, llevando mandado de Gonzalo Pizarro para que con toda brevedad le avisase del suceso, pareciéndole que saliendo como salió Lorenzo de Aldana del puerto de Los Reyes por el mes de octubre, a más tardar le vendría el aviso por Navidad, entrante el año de cuarenta y siete. Y proveyó por tierra muchas postas, así de cristianos como de indios, para que en llegando la nueva a la costa del Perú se le llevase con mucha brevedad.

Pocos días después se embarcaron los obispos y llegaron a Panamá sin haber en su viaje ninguna contradicción. Ya hemos dicho cómo Vela Núñez, hermano del visorrey, andaba en el campo de Gonzalo Pizarro en prisión tan libre que le dejaban ir a caza y pasear por el pueblo a mula y sin armas, habiéndosele hecho grandes apercibimientos sobre el sosiego y quietud de sus pensamientos. Y en este tiempo le sucedió una ocasión que le trajo a perder la vida en esta forma: que un soldado llamado Juan de la Torre, natural de Madrid, de quien arriba hemos hecho mención, que se pasó del visorrey a Gonzalo Pizarro con Gonzalo Díaz y su gente cuando los enviaron a prender a Pedro de Puelles y a los vecinos de Guánuco, por cierta industria que tuvo descubrió en el valle de Hica un cierto hoyo donde los indios ofrecían oro y plata de tiempos muy antiguos a un ídolo que ellos llamaban Guaca. Y afírmase haber sacado de allí más de sesenta mil pesos en oro, sin mucha copia de esmeraldas y turquesas, todo lo cual entregó al guardián de San Francisco para que se lo guardase. Y un día le dijo en confesión que deseaba venir a España a gozar de aquella prosperidad que su buena ventura le había encaminado, pero que, considerando haber sido tan parcial a Gonzalo Pizarro y haber ofendido a su majestad en casos tan señalados, no se atrevía a venir hasta hacer a su majestad servicios con que tuviese por bien de olvidar lo pasado, lo cual tenía pensado emprender desta manera: que se alzaría con uno de los navíos que había en el puerto y se iría con todo su dinero a Nicaragua y allí juntaría gente y armaría un navío o dos para salir de co[r]so contra Gonzalo Pizarro y su armada, y saltaría en tierra y haría sus correrías en los lugares que hallase desembarazados, y que para todo esto, por no tener él edad ni autoridad, le convenía buscar una persona en que concurriesen las calidades necesarias a la empresa, que fuese capitán y cabeza della, y que ninguno se le ofrecía que más justa causa tuviese para ello que Vela Núñez, por ser caballero tan práctico en la guerra y que era obligado desear la venganza [de la muerte] del visorrey, su hermano, y de tantos deudos y amigos como Gonzalo Pizarro le había muerto. Y que él le entregaría su persona y hacienda y sería el primero que le obedeciese, y que él hablase [a] algunos criados del visorrey que había en aquella ciudad para los llevar consigo. Y rogó al guardián que todo esto lo comunicase con Vela Núñez y así lo hizo.

Y porque Vela Núñez temió alguna encubierta, Juan de la Torre le satisfizo en presencia del guardián jurando la verdad de su determinación sobre una ara consagrada, con lo cual Vela Núñez aceptó el partido. Y en comenzando a tratar con algunos criados del visorrey, no se sabe por qué vía se descubrió, de forma que Gonzalo Pizarro le prendió y, habiéndose hecho contra él proceso, le hizo degollar públicamente, diciendo el pregón «por traidor del rey». Causó esta muerte grande y general lástima en todo el reino por ser Vela Núñez muy virtuoso caballero y bienquisto de todos.

Por este mismo tiempo sucedió que Alonso de Toro, teniente de gobernador del Cuzco, fue muerto a puñaladas por su mismo suegro sobre ciertas palabras que con él hubo, lo cual sintió mucho Gonzalo Pizarro por la falta que le había de hacer, y por su muerte nombró por teniente del Cuzco a Alonso de Hinojosa, al cual ya había elegido el cabildo. Y en su tiempo[197] sucedió cierto motín en el Cuzco por el cual fueron muertos Lope Sánchez de Valenzuela y Diego Pérez Becerra, promovedores de él, y otros fueron desterrados por el mismo Hinojosa y por Pedro de Villacastín, alcalde ordinario, que entendieron en la pacificación de la ciudad.

Capítulo IX

De lo que sucedió en Panamá con la llegada de los embajadores

Siendo señaladas las personas que habían de venir a Castilla a los negocios de la tierra, Gonzalo Pizarro despachó luego a Lorenzo de Aldana, que era uno dellos, y le dio los despachos necesarios, y se tuvo noticia que así él como algunos de sus capitanes habían escrito cartas muy desacatadas, caso que nunca parecieron, y se creyó que como Lorenzo de Aldana llevaba buena intención las rompió y no quiso indignar los negocios mostrándolas. Llegado a Panamá, se aposentó con Hinojosa porque tenían muy antigua amistad y algún deudo, y luego fue a besar las manos del presidente, tratando de cosas generales en aquella visitación, sin tocar en el negocio principal, sin descubrirse en aquellos dos días. Lo cual hizo como hombre recatado para entender las intenciones de los capitanes y, teniéndolas entendidas, se declaró con el presidente y se ofreció al servicio de su majestad y en su confianza se acordó que ya se tratase descubiertamente el negocio con Hinojosa.

Y tomándole aparte Hernán Mejía, le trajo a la memoria todas las cosas pasadas y cómo estaba[n] en términos de ponerse todo remedio con la venida del presidente, favore-

---

[197] 1577: Y en este tiempo.

ciéndole y sirviéndole conforme a la obligación que tenían a su majestad, y que si se les pasaba aquella ocasión podría ser que en muchos tiempos no la cobrasen. A todo lo cual Hinojosa respondió que él era muy servidor del presidente y le había dado a entender la intención que tenía, y que si su majestad, habiendo oído lo que Gonzalo Pizarro pedía, no fuese servido de lo proveer en tal caso, él cumpliría la voluntad de su rey y señor, sin poder caer en nota de traidor. Porque a la verdad Hinojosa (como hombre poco práctico en negocios de lo de la guerra) creía que todo lo pasado llevaba buen título y que las suplicaciones que se interponían se podían hacer de derecho y en seguimiento dellas todas las diligencias necesarias. Y no faltaban letrados que lo fundaban y sustentaban. Y así estuvo siempre muy recatado para no exceder en su cargo fuera del intento principal, sin matar y castigar hombre ninguno ni tomar a nadie su hacienda, como otros capitanes hacían.

Hernando Mejía, entendido el engaño en que estaba, se declaró más con él diciéndole que, sabida la voluntad de su majestad, que venía cometida al presidente, no había para qué esperar otra nueva declaración ni respuesta, y que le hacía saber que toda la gente estaba determinada de hacer lo que el presidente mandase, y que él sería el primero. Por tanto que no se dejase engañar colorando el mal camino en que andaban con pareceres de letrados que eran de la misma liga, pues no había nadie que no entendiese la verdad del negocio. Hinojosa le pidió término para responderle otro día y así le envió a llamar y se determinó de hacer lo que le aconsejaba, y juntos se fueron a la posada del presidente, donde Hinojosa se ofreció a su servicio en nombre de su majestad y le entregó la obediencia. Y allí fueron llamados todos los capitanes y juntos hicieron pleito homenaje de obedecer al presidente y tener secreto de lo que pasaba hasta que les fuese mandado otra cosa. Y así se hizo, sin que los soldados supiesen descubiertamente lo que pasaba, aunque algunos lo entendían por conjeturas, porque veían que el presidente proveía en todos los negocios y que los capitanes iban y venían a su casa muy a menudo y le trataban en público y en secreto como a superior.

Y viendo el presidente los inconvenientes que podían suceder de la dilación, determinó despachar al mismo Lorenzo de Aldana que con tres o cuatro navíos, y en ellos hasta trescientos hombres, fuese a correr la costa del Perú y a tomar el puerto de la ciudad de Los Reyes para recoger los servidores de su majestad. Por que, sabido por Gonzalo Pizarro lo que pasaba, no tuviese lugar de proveerse de espacio ni de matar a los que él tenía por sospechosos en favor de su majestad como muchas veces entre sus capitanes se trataba. Y así con gran presteza fueron despachados cuatro navíos, yendo por general dellos Lorenzo de Aldana y por capitanes Hernando Mejía y Juan Alonso Palomino y Juan de Illanes. Y para esto se hizo reseña general y públicamente en ella se entregaron las banderas al presidente, y él las tornó a los mismos capitanes que las tenían, nombrándolos de nuevo por su majestad y dejando por general de todo el ejército a Hinojosa, como antes lo era. Y embarcaron los trescientos hombres y se dio pago a los que dellos fue necesario y se hicieron a la vela, llevando consigo al provincial de Santo Domingo, por ser persona tan señalada que con sola su autoridad bastaba para que todas las personas dudosas le diesen crédito.

Así mismo llevaban muchos traslados de las provisiones reales y del perdón con orden que si fuese posible que no tocasen en tierra ni fuesen sentidos hasta que llegasen al puerto de Los Reyes, por lo mucho que importaba tomar de sobresalto a Gonzalo Pizarro, aunque esto no se pudo hacer por la causa que adelante se dirá. Y a esta sazón llegó el arzobispo de Los Reyes y Gómez de Solís, que holgaron de todo lo sucedido y se profirieron al favor y servicio del presidente, el cual envió a don Juan de Mendoza a la Nueva España con cartas para el visorrey don Antonio de Mendoza para que le socorriese con toda la gente que se pudiese juntar en aquella provincia, y a don Baltasar de Castilla para Guatemala y Nicaragua para lo mismo, y a otras personas a Santo Domingo, para que de todas partes le viniese el socorro que fuese posible, creyendo que había de ser necesario.

Capítulo X

*De lo que sucedió a Pedro Hernández Paniagua
en su mensaje y de lo que Gonzalo Pizarro proveyó
sabida la entrega de la armada*

Pedro Hernández Paniagua (a quien tenemos dicho que el presidente despachó con cartas para Gonzalo Pizarro) llegó al Perú al tiempo que esperaba nuevas de lo que en Panamá había sucedido con la ida de Lorenzo de Aldana, que fue mediado el mes de enero del año de cuarenta y siete. Y tomando tierra en Tumbez llegó a San Miguel, y un Villalobos que allí era teniente por Gonzalo Pizarro le prendió y tomó los despachos y a muy gran priesa los envió a Los Reyes por vía de Diego de Mora, que también era teniente en Trujillo.

Visto todo por Gonzalo Pizarro, despachó una persona de confianza que trajese consigo a Paniagua, avisándole que no le dejase hablar con nadie por el camino. El cual fue y le trajo, y dadas sus creencias y despachos a Gonzalo Pizarro en presencia de todos los capitanes, le mandó que dijese todo lo que se le había mandado, demás de las cartas, certificándole que por cosa de las que allí pasase no recibiría daño ni perjuicio [ninguno], y apercibiéndole con esto que si fuera de allí trataba con ninguna persona en público ni en secreto sobre cosa tocante al presidente, cualquier indicio bastaría para le cortar la cabeza. Y luego Paniagua declaró osadamente su embajada y, dicha, le mandaron salir y hubo algunos votos para que lo matasen, porque decían que trataba con algunos de quien se fiaba las cosas de su opinión.

Y con todo esto Gonzalo Pizarro no mostró a ninguno de sus capitanes la carta que el presidente le escribió ni la que de su majestad le dieron. Todos sus parciales le decían que no convenía que el presidente entrase en el Perú y algunos en su presencia decían contra su majestad y contra él palabras muy desacatadas, porque desto mostraba holgarse Gonzalo Pizarro. Y luego escribió a la villa de Plata al capitán Carvajal para que con brevedad se viniese a Los Reyes y trajese todo el oro y plata y arcabuceros[198] y otras armas que tenía. Lo cual se proveyó, no tanto porque se entendiese que sería necesario para defensa ni aparejo ninguno de guerra (pues ni se sabía ni se podía saber la entrega del armada, ni lo demás sucedido en Panamá), como por remediar las grandes quejas que había del capitán Carvajal en toda la tierra, por las muertes y robos que [a] cada paso hacía. Unos decían que era para castigarle en su persona y otros por tomarle más de ciento y cincuenta mil pesos suyos que había robado en aquella conquista.

En este tiempo se trataban las cosas en Lima tan estrechamente que nadie se osaba fiar de otro ni decir palabra que tocase a los negocios, porque cualquiera ocasión por liviana que fuese bastaba para ser muertos. Y ya Gonzalo Pizarro andaba tan recatado que, estando enfermo el licenciado Zárate (cuya intención había sentido en muchos negocios ser contra él), aunque tuvo su hija casada con su hermano, le hizo dar unos polvos para remedio de su enfermedad, con los cuales, según se tuvo por cierto y lo dijeron después algunos criados de Gonzalo Pizarro, le mató. Comoquier[a] que sea, mostró haberse holgado con su muerte.

Luego Pedro Hernández Paniagua comenzó a negociar su vuelta por medio del licenciado Carvajal, contra opi-

---

[198] 1577: arcabuces.

nión de los otros capitanes que no quisieran que saliera de allí, lo cual fuera para él gran peligro especialmente si no fuera partido cuando llegó la nueva de la entrega de la armada que, aunque entonces no se sabía en Los Reyes, se tenía dello muy mal concepto por la mucha tardanza que había en venir nuevas de Panamá. Y con sola esta sospecha, Gonzalo Pizarro escribió a Pedro de Puelles, que estaba por él en Quito, y a todos los otros sus capitanes, apercibiéndoles que no se descuidasen y tuviesen a punto su gente. Y a esta sazón llegó el capitán Carvajal de los Charcas con ciento y cincuenta soldados y trescientos arcabuces y más de trescientos mil pesos, y el día que entró en Los Reyes se le hizo muy solemne recibimiento, saliendo en él Gonzalo Pizarro y todos los de la ciudad, sin faltar ninguno, con mucha música y fiesta. Y en aquel tiempo vinieron nuevas de Puerto Viejo cómo habían visto los cuatro navíos y que en reconociendo la tierra habían vuelto de otro bordo a la mar, sin tomar puerto ni proveerse de cosa ninguna, como los otros navíos lo solían hacer ordinariamente, lo cual se tuvo por mala señal y que eran de guerra.

Capítulo XI

Cómo la armada del presidente llegó al puerto de Trujillo y la recibieron Diego de Mora y otros, reduciéndose al servicio de su majestad

Desde que Gonzalo Pizarro tuvo las nuevas de los navíos que tenemos dichos, pasó algún tiempo que no se pudo certificar más de la verdad, o porque ellos se apartaban de tierra cuanto podían, o porque Diego de Mora, teniente de Gonzalo Pizarro en Trujillo, retenía las cartas que sobre ello se escribían. Con lo cual ninguno en Los Reyes podía atinar qué cosa fuese, aunque se puso con esto Gonzalo Pizarro [en] gran cuidado. Y de día y de noche le hacían guardia los vecinos y los soldados, como cada uno podía, mostrando contentamiento como si de voluntad lo hicieran.

Y a este tiempo Lorenzo de Aldana llegó con los navíos al puerto que llaman de Mal Abrigo, que es cinco o seis leguas antes de Trujillo. Y como Diego de Mora había sabido la venida destos navíos por el mensajero que trajo la nueva dellos de Puerto Viejo, aunque no entendían certificadamente quién venía en ellos ni para qué efecto, con otros muchos vecinos de la ciudad de Trujillo se embarcó en un navío que estaba en su puerto, llevando muchos bastimentos de armas y comida con designio de ir a buscar los navíos y juntarse con ellos a doquier que los hallase. Porque de cualquier opinión que fuese lo podía hacer muy a su salvo, pues siendo de Gonzalo Pizarro podía decir que salía a saber nuevas y llevarles bastimentos, y siendo de su majestad cumplía mejor su voluntad juntándose sus capitanes con ellos. Y así quiso su ventura que el mismo día que salieron del puerto los toparon y, sabida la verdad de la jornada, con gran placer de todos se juntaron y redujeron en uno. Y habiendo proveído Diego de Mora a toda la armada del refresco necesario, aquella noche se vinieron al puerto y sin saltar en tierra se ordenó que Diego de Mora, con toda aquella gente, se fuese a la provincia de Cajamarca para que allí con más seguridad pudiesen esperar el tiempo en que fuese necesaria su ayuda y en el entretanto recoger la gente que por allí acudiese.

Y despacharon mensajeros con cartas y provisiones para los Chachapoyas y a Guánuco y a Quito y a las entradas de Mercadillo y Porcel, para que todos acudiesen al servicio de su majestad. Estas nuevas de lo sucedido en Trujillo llegaron con mucha brevedad a noticia de Gonzalo Pizarro por medio de un fraile de la Merced, que siempre lo había seguido y favorecido, diciendo solamente la salida de Diego de Mora y de los vecinos, sin afirmar ni poder saber que se habían juntado con la armada. Por lo cual Gonzalo Pizarro creyó que se iban a Panamá a juntar con el presidente, por lo cual proveyó[199] con brevedad por teniente de aquella ciudad de Trujillo al licenciado García de León, que hasta entonces había traído consigo, y le envió en un navío con hasta quince o veinte soldados, a los cuales proveyó de los indios de todos aquellos que se habían ido con Diego de Mora y juntamente envió al comendador de la Merced de aquella ciudad para que en aquel mismo navío tomase consigo las mujeres de los huidos y las llevase a Panamá a sus maridos para se las entregar. Y las que había viudas enviaba señaladas personas con quien se casasen y, si no quisiesen, las llevasen con las otras a Panamá. Y aunque para tan desordenada provisión se daban diversas razones y colores, la verdadera era quererse apoderar Gonzalo Pizarro no solamente de los indios de los huidos, pero también de sus casas y granjerías, sin que estuviesen presentes las mujeres que lo habían de defender por la mejor vía que pudiesen, y a lo menos les habían de dar dellos alimentos y las cosas necesarias.

Pues saliendo el licenciado León con el navío, dende a pocos días toparon con el armada y, juntándose con ella, se redujeron al servicio de su majestad, unos porque deseaban esta ocasión mucho tiempo había, otros porque no pudieron hacer menos sin que Lorenzo de Aldana los justiciase. Y enviaron al comendador de la Merced por tierra a Los Reyes a hacer saber a Gonzalo Pizarro la razón de su venida y para que hablase so este color a las personas particulares en quien conociese buena intención, avisándolos que se saliesen al puerto porque siempre acudirían los bateles a recoger gente. Sabido esto por Gonzalo Pizarro, mandó recoger al comendador y que no hablase ni tratase en público ni en secreto con ninguna persona, mostrando siempre muy gran queja de Lorenzo de Aldana por la burla que le había hecho y diciendo que si él siguiera la voluntad de los prin-

---

[199] 1577: «y así proveyó», en lugar de «por lo cual proveyó».

cipales de su campo le hubiera muerto mucho tiempo había y todos públicamente le decían que él tenía la culpa por no lo haber hecho.

Y sabida tan a la clara la venida de la armada y la necesidad que tenían de prepararse para la guerra que esperaban, que entretanto que la armada subía desde Trujillo a Los Reyes, que aunque la distancia no es más de ochenta leguas la navegación dellas es de la dilación que tenemos dicho, Gonzalo Pizarro comenzó a poner en orden y juntar su gente y meterla debajo de banderas, porque hasta entonces la seguridad que pensaba tener le había hecho descuidar. Y así nombró nuevos capitanes y les repartió la gente desta manera: señaló por capitanes de gente de caballo al licenciado Carvajal y al licenciado Cepeda, porque le pareció que estos estaban muy prendados en su favor. Y señaló por capitanes de arcabuceros a Juan de Acosta y Juan Vélez de Guevara y a Juan de la Torre, y por capitanes de piqueros a Hernando Bachicao y a Martín de Robles y a Martín de Almendras, y proveyose que Francisco de Carvajal fuese maestre de campo, como hasta allí lo había sido, y que tuviese para su guardia cien arcabuceros de los que él había traído de los Charcas, que todos estaban bien encabalgados. Tocáronse atambores para este efecto y diéronse pregones para que todos los estantes y habitantes de la ciudad, de cualquier suerte que fuesen, se recogiesen a las banderas y fuesen a recibir pagas, so pena de muerte.

Y repartiéronse las pagas entre los capitanes desta manera: a los dos capitanes de caballo[s] se dieron cincuenta mil castellanos para que hiciesen cada uno cincuenta de caballo, demás de los cuales se pusieron debajo de sus estandartes muchos mercaderes y personas pacíficas que, aunque se entendía que no habían de pelear, se concertó con ellos que se librasen con dar cada uno unas armas y un caballo, y así las dieron, y otros que no las tenían lo reducían a dineros. A Martín de Robles se dieron veinte y cinco mil castellanos para ciento y treinta piqueros que recogió, a Hernando Bachicao se dieron otros veinte mil castellanos para ciento y doce piqueros, a Juan Vélez de Guevara se dieron otros veinte y cinco mil castellanos para ciento y cuarenta arcabuceros, y otro tanto a Juan de Acosta para otros tantos arcabuceros, y a Juan de la Torre se dieron doce mil castellanos para cincuenta arcabuceros con que hacía guardia ordinaria a Gonzalo Pizarro, y a Martín de Almendras se dieron otros doce mil castellanos para cuarenta y cinco piqueros. Nombrose por alférez general del estandarte Antonio Altamirano, vecino y regidor de la ciudad del Cuzco, con ochenta de caballo que le aguardaban, y diéronsele doce mil castellanos para socorro de algunas necesidades, porque la gente de ninguna paga ni socorro tenía necesidad, por ser todos vecinos y los más ricos de la tierra.

Luego sacaron todos sus banderas e hicieron reseña de la gente. El licenciado Cepeda sacó en su estandarte a nuestra Señora, el licenciado Carvajal puso a Santiago, el capitán Carvajal sacó la misma bandera que trajo en la guerra de los Charcas, el capitán Guevara sacó unos corazones con una cifra dentro en ellos que decía «Pizarro», el capitán Bachicao sacó una cifra que era una G grande revuelta en una P, que decía «Gonzalo Pizarro», con una corona de rey encima. Y así los otros de diferentes maneras y en solo el estandarte había las insignias reales. Luego repartieron su guardia y velaron la ciudad de noche con mucha diligencia. Gonzalo Pizarro entendía por su parte en dar socorros a muchos soldados que no estaban debajo de bandera y a otros que [lo] estaban daba ventajas de más de lo que habían recibido, de a mil y a dos mil castellanos, según los méritos él conocía de cada uno. Hizo reseña general y salió él a pie con la infantería. Juntáronse entre todos mil hombres tan bien armados y aderezados como se han visto en Italia en la mayor prosperidad, porque ninguno había, demás de las armas, que no llevase calzas y jubón de seda y muchos de tela de oro y de brocado, y otros bordados y recamados de oro y plata, con mucha chapería de oro por los sombreros, y especialmente por los frascos y cajas de arcabuces. Había mucha cantidad de pólvora. Trató luego que todos los soldados se encabalgasen y para este efecto compró todas las yeguas y machos y caballos que pudo haber, y muchos tomó sin paga. Gastose en toda la costa número de más de quinientos mil castellanos.

Despachó a Martín Silvera[200] para que fuese a la villa de Plata a traer la gente y dineros que allí había; envió a Antonio de Robles al Cuzco para traer la gente que allí tenía Alonso de Hinojosa, su teniente; escribió a Lucas Martín, teniente de Arequipa, que luego viniese con la gente de aquella villa; envió a mandar a Pedro de Puelles, teniente de Quito, que acudiese con la gente de aquella provincia; despachó para que los capitanes Mercadillo y Porcel, dejadas las entradas en que entendían, trajesen toda la gente a Lima y lo mismo el capitán Saavedra, que era teniente de Guamanga. Y desta manera fueron mensajeros a todas partes, convocando la gente y enviando instrucciones para los capitanes de la forma en que la habían de traer, mandando en suma que no dejasen en todas sus jurisdicciones armas ni caballo ni otro ningún aparejo que diese ocasión a la gente de acudir al presidente, justificando con todos su causa por las más coloradas razones que él podía, diciéndoles cómo, habiendo él enviado al capitán Lorenzo de Aldana en nombre suyo y de todo el reino a informar a su majestad de todo lo sucedido en la tierra, se había confederado con el presidente y venía contra él con su misma armada, con que se le había alzado, la cual le costó más de ochenta mil castellanos. Y que, enviando su majestad al presidente para que entendiese en la quietud y sosiego del reino, de su propia autoridad había hecho gente y venía con toda la que había podido juntar a castigar los que habían excedido en los negocios pasados.

---

[200] 1577: Juan Silveyra.

Y que, pues todos habían entendido en ellos, mirasen que tanto le iba a cada uno dellos como a él, pues no había habido nadie que no le tocase, y que el perdón que decían que traía para los que le favoreciesen era fingido, porque ya que alguno hubiese decía que perdonaba lo pasado, lo cual no comprendía la batalla y muerte del visorrey, pues sucedió después de la partida del presidente. Y hasta que su majestad, informado de todo, proveyese de nuevo, él se determinaba resistir la entrada al presidente, cuanto más que él estaba informado de muchas personas que se lo habían escrito de España, que su majestad no enviaba al presidente para quitarle la gobernación salvo a que presidiese en la audiencia real, y que estaba él muy cierto dello porque Francisco Maldonado, a quien él había enviado a su majestad, se lo había escrito, y que lo mismo había dado a entender el mismo presidente en la carta que le escribió con Pedro Hernández Paniagua, sino que después sus mismos capitanes le habían engañado y héchole entrar en la tierra con mano armada. De lo cual sería su majestad muy deservido cuando lo supiese y pretendía fundar por estas y otras razones que el presidente había cometido gran delito en detener los mensajeros, y que por ello se le podía hacer justamente la guerra.

Capítulo XII

Cómo se acordó que el licenciado Carvajal fuese a correr la costa con cierta gente y después no lo enviaron por tenerle por sospechoso

En este tiempo Gonzalo Pizarro y su maestre de campo y otros que le aconsejaban determinaron buscar nueva forma para justificar su causa con los soldados y con el pueblo, y esta fue que, llamando todos los letrados que había en aquella ciudad de Los Reyes, les propuso el delito que decían haber cometido el presidente en el detenimiento de los navíos y en entrar en la tierra con gente de guerra, contra la comisión y mandato que de su majestad traía, persuadiéndoles que sería justo y conforme a justicia hacer proceso contra el presidente y contra sus capitanes y los demás que le seguían. Y los letrados, no osando contradecir la voluntad de Gonzalo Pizarro, concedieron en ella y así se hizo el proceso. Y dende a pocos días ordenó una sentencia cuya sustancia era que, vistos los delitos que resultaban de aquella información contra el licenciado De la Gasca y sus capitanes, hallaba que le debía condenar y condenaba a que le fuese cortada la cabeza, y Lorenzo de Aldana e Hinojosa fuesen hechos cuartos, y desta manera condenaron a cada capitán en el género de muerte que le parecía.

La cual sentencia hizo firmar al licenciado Cepeda, oidor, y, enviándolo a firmar a los otros letrados, uno dellos llamado el licenciado Polo Ondegardo, natural de Valladolid, fue a Gonzalo Pizarro y le dijo que no convenía pronunciarse aquella sentencia porque podría ser que sus capitanes que ayudaban al presidente se quisiesen después reducir, lo cual no osarían hacer si supiesen que estaban tan cruelmente condenados. Y que, demás desto, el presidente era clérigo de misa y que incurrían en pena de excomunión mayor los que firmasen tal sentencia. Y con estas razones se sobreseyó y no se acabó de despachar.

En este tiempo tuvo Gonzalo Pizarro noticia cómo los navíos de Lorenzo de Aldana eran salidos de Trujillo y venían la costa arriba, y luego proveyó que Juan de Acosta fuese con cincuenta arcabuceros de caballo a correr la costa y estorbarles que no tomasen agua en los puertos. Y así fue hasta la ciudad de Trujillo donde estuvo un solo día, temiendo que Diego de Mora vendría sobre él desde Cajamarca y también porque supo que los navíos estaban en el puerto de Santa. Y determinó ir allá y de su venida tuvo noticia Lorenzo de Aldana por ciertos españoles que en balsas le dieron aviso dello. E hizo una emboscada de ciento y cincuenta arcabuceros que estaban escondidos en unos cañaverales por donde Juan de Acosta había de pasar, de lo cual él iba bien descuidado si no topara ciertas espías de la armada y, queriéndolos ahorcar, le descubrieron la celada y le avisaron que, si dejando aquel camino tomaba el de la mar, toparía algunos marineros que estaban tomando agua, y los envió presos a Gonzalo Pizarro. Y aunque los de la emboscada lo sintieron, no fueron parte para quitarles la presa por estar a pie y sus contrarios a caballo y ser la tierra muy arenosa.

Y con tanto se tornó Juan de Acosta al puerto de Guaura y esperó allí lo que Gonzalo Pizarro mandaba, el cual recibió muy bien los presos y les restituyó sus armas y los mandó dar de vestir y posadas y los asentó a cada uno en la compañía que quiso, y dellos tuvo entera relación de la gente que venía en la armada y de todo lo demás sucedido en Panamá, y de los socorros por que el presidente había enviado a diversas partes de las Indias. Y dellos también supo cómo Lorenzo de Aldana había echado en tierra a fray Pedro de Ulloa, fraile dominico en hábito de lego, para que publicase por todas partes el perdón. Y, enviándolo a buscar, le hallaron. Y traído a Gonzalo Pizarro, le hizo meter en una sima que tenía hecha junto al alberca de su huerta, donde había abundancia de sapos y culebras, hasta que con la ocasión de la venida del armada se soltó, como adelante se dirá.

Y luego se determinó que el licenciado Carvajal fuese con trescientos arcabuceros de caballo y con la gente de Juan de Acosta la costa abajo hasta llegar a Cajamarca y deshacer a Diego de Mora. El licenciado se aderezó para ello y, teniendo toda su gente apercibida para se partir, otro día de mañana el maestre de campo Carvajal habló a Gonzalo Pizarro y le dijo que en ninguna manera le convenía que el licenciado Carvajal hiciese aquella jornada, porque no tenía de él entera confianza, y que si hasta entonces le había seguido era para efecto de vengarse del visorrey, lo cual ya estaba hecho, pero[201] que se acordase que todos sus hermanos eran criados de su majestad, especialmente el obispo de Lugo, que le servía en cargos tan preeminentes, y que no creyese que se atrevería a tener la opinión contraria de todos ellos, cuanto más que debía tener memoria cómo le tuvo preso sin causa ninguna y puesto en términos que lo hicieron confesar y hacer testamento para le matar. Con las cuales razones hizo mudar de parecer a Gonzalo Pizarro y en su lugar envió al mismo Juan de Acosta, con doscientos y ochenta hombres, que fuese a hacer lo que estaba cometido al licenciado Carvajal.

Y llegado camino de Trujillo a la Barranca, que es veinte y cuatro leguas de Los Reyes, no pasó de allí por lo que adelante se dirá. En este tiempo el capitán Saavedra, teniente de Guánuco, recibió cartas de Lorenzo de Aldana en que le persuadía se redujese al servicio de su majestad y, determinado hacerlo así, so color de juntar su gente para acudir con ella a Gonzalo Pizarro (porque, como está dicho, le había enviado a llamar con Hernando Alonso, vecino de aquella villa), y salió con ellos diciéndoles su voluntad de ir a servir a su majestad y todos se ofrecieron a lo seguir, excepto tres o cuatro que se le huyeron y fueron a dar noticia de lo que pasaba a Gonzalo Pizarro. Y él envió treinta soldados con un capitán que destruyese y talase el pueblo y, cuando ellos llegaron, los indios de la tierra se habían alzado por mandado de sus amos[202] y estaban de guerra y defendieron la entrada a los españoles, los cuales se tornaron a Los Reyes recogiendo las yeguas y ganados que pudieron haber. El capitán Saavedra, con hasta cuarenta de caballo que le quisieron seguir, llegó a Cajamarca y se juntó con Diego de Mora y con los demás que estaban allí en servicio de su majestad.

---

201 1577: para.
202 1577: amigos.

Capítulo XIII

*De cómo Antonio de Robles fue al Cuzco por teniente
y Diego Centeno salió de la cueva y juntó gente
y fue sobre él y le mató y tomó la ciudad*

Llegado Antonio de Robles al Cuzco, a quien como arriba tenemos dicho que Gonzalo Pizarro enviaba por su capitán general a aquella ciudad, Alonso de Hinojosa, que hasta allí lo había sido, le entregó la jurisdicción y el ejército, aunque no pudo dejar de recibir desabrimiento dello, según se creyó. Antonio de Robles comenzó a recoger toda la gente y dineros que pudo y, saliendo con ella hasta Xaquixaguana, que son cuatro leguas del Cuzco, tuvo allí nuevas cómo, después de haber estado Diego Centeno por más de un año escondido en una cueva (como arriba está dicho), tuvo allí noticia de la venida del presidente y de las cosas más señaladas que en la tierra pasaban, por lo cual salió luego y comenzó a recoger alguna gente de los que con él habían andado, que estaban escondidos en arcabucos por huir de la furia de Gonzalo Pizarro y de su maestre de campo. Y así se le juntaron hasta cuarenta hombres y algunos dellos en los caballos que habían escapado[203], y los demás a pie y no tan bien armados como era necesario, y determinó dar un asalto en el Cuzco con tanto ánimo como si llevara quinientos hombres. Los principales que con él iban eran Luis de Ribera y Alonso Pérez de Esquivel y Diego Álvarez y Francisco Negral y Pedro Ortiz de Zárate y Domingo Ruiz, clérigo (a quien comúnmente llamaban el Padre Vizcaíno). Y desta manera caminó hasta llegar cerca del Cuzco.

---

[203] 1577: quedado.

Túvose por cierto que algunos principales de la ciudad, por salir de la sujeción de Antonio de Robles, que era hombre de baja suerte y entendimiento y de poca edad, escribieron a Diego Centeno que viniese a esta empresa, que ellos le harían espaldas como tuviese buen suceso. Y otros afirmaban que el mismo Alonso de Hinojosa, sentido de lo que Gonzalo Pizarro con él había hecho, le envió a ofrecer su favor. Y débese creer lo uno o lo otro porque, a no ser así, fuera gran temeridad la de Diego Centeno acometer a tomar una ciudad en que por lo menos había quinientos soldados a punto de guerra, sin los vecinos, con cuarenta hombres tan mal apercibidos que los más dellos llevaban las dagas atadas en puntas de varas por falta de lanzas o picas[204]. Comoquier que fuese, sabido por Antonio de Robles la venida de Centeno, se tornó al Cuzco y se comenzó [a] apercibir y, cuando supo que estaba una jornada de allí, se puso en arma juntando un escuadrón de trescientos hombres en la entrada de la plaza y envió a correr el campo a Francisco de Aguirre, hermano de Perucho de Aguirre, a quien dijimos haber ahorcado el capitán Carvajal. Y él se fue a topar con Diego Centeno y allí se juntó con él dándole relación de todo lo que pasaba, y en la noche, que fue víspera de Corpus Christi del año de cuarenta y siete, le metió por otra calle diferente por donde estaba hecho el escuadrón, y dieron en él por un lado con tanto ánimo como quien iba determinado de vencer o morir. Y como era de noche y el ruido muy grande, no se entendían los unos ni los otros, tanto que entre los del Cuzco se mataban entre sí mismos por no tener espacio de preguntar el nombre.

A Diego Centeno le sucedió bien para este efecto un ardid de que usó, que fue quitar los frenos y sillas a los caballos que llevaba y echarlos por la calle donde estaba he-

[204] 1577: falta «con cuarenta hombres tan mal apercibidos», por lo que la oración queda así: «...sin los vecinos, que los más dellos llevaban las dagas atadas en puntas de varas por falta de lanzas o picas».

cho el escuadrón con indios tras ellos que los siguiesen. Y como iban corriendo a toda furia, primero desbarataron y rompieron por la gente, que tuviesen lugar de matarlos ni aun de entender si venía alguno encima dellos. Lo cual pareció mucho a lo que hizo aquel capitán de Cartago que, estando cercado en un valle, buscó salida echando los toros delante y vacas que tenía con haces de paja encendida atados a los cuernos. Finalmente que Diego Centeno y los suyos pelearon con tanto ánimo que los del Cuzco se desbarataron y huyeron, quedando Centeno con tanta gloria que pocas veces se ha visto tan pequeño número de gente vencer a tanto, especialmente dentro de su propia ciudad, que peleaban (como suelen decir los historiadores) por sus fuegos y altares. Túvose por cierto que los que primero huyeron fue alguna gente de Alonso de Hinojosa, a quien él lo había así mandado, pero ni ellos lo dicen, por no confesar su cobardía, ni Centeno lo admite, por no disminuir la victoria.

Luego fue Diego Centeno elegido por capitán general del Cuzco en nombre de su majestad y otro día cortó la cabeza a Antonio de Robles públicamente y repartió entre la gente hasta cien mil pesos que allí halló de Gonzalo Pizarro, haciéndolos todo buen tratamiento. Nombró por capitanes de infantería a Pedro de los Ríos y a Juan de Vargas, hermano de Garcilaso, y de gente de caballo al capitán Negral, e hizo su maestre de campo a Luis de Ribera. Y así se salió del Cuzco con hasta cuatrocientos hombres la vía de la villa de Plata, con intención de requerir a Alonso de Mendoza, que allí tenía la tierra por Gonzalo Pizarro, que se redujese al servicio de su majestad; donde no, tomar la villa por fuerza de armas.

En esta sazón Lucas Martín, a quien Gonzalo Pizarro envió a Arequipa por la gente que allí había, salió para le llevar ciento y treinta hombres a la ciudad de Los Reyes y, cuatro leguas de Arequipa, su misma gente le prendió y, tomando por capitán a Jerónimo de Villegas, siguieron su

412

camino hasta juntarse con Diego Centeno, que estaba en el Collao aguardando los conciertos que era ido a tratar Pedro González de Zárate, maestrescuela del Cuzco, y halló que era ya llegado a los Charcas Juan de Silveira, sargento mayor de Gonzalo Pizarro, a quien tenemos dicho que envió por la gente de aquella provincia, habiendo ahorcado cinco o seis hombres en el camino de los que habían seguido a Diego Centeno, y tenía juntos hasta trescientos hombres, y lo que dellos sucedió se dirá adelante.

Capítulo XIV

Cómo Gonzalo Pizarro envió a llamar a Juan de Acosta
para que fuese sobre Diego Centeno al Cuzco y degolló
a Antonio Altamirano y a Lorenzo Mejía, y el juramento
que hizo hacer a los vecinos de Los Reyes

Llegando a Gonzalo Pizarro las nuevas de todo lo sucedido en el Cuzco y el alzamiento de Centeno y muerte de Antonio de Robles, y viendo por algunas conjeturas que para ello tenía que la gente de San Miguel había alzado bandera por su majestad, y que los capitanes Mercadillo y Porcel se habían juntado con Diego de Mora en Cajamarca, por manera que no le quedaba sino solamente la gente que tenía en Los Reyes y la de Pedro de Puelles, que estaba en Quito, de quien él tenía seguridad no le faltaría, determinó enviar sobre Diego Centeno al capitán Juan de Acosta con la gente que tenía y con la que más fuese menester, con determinación de seguirle con todo el resto de su campo, que eran novecientos hombres, y entre ellos los vecinos más principales de la tierra, y con ellos allanar la tierra de arriba y después hacer la guerra a todos los demás, y cuando se viese muy apretado irse al descubrimiento del río de la Plata o al de Chili, o a otros muchos que tenían las entradas por la parte superior de la tierra.

Y esto se entendía por diversas muestras que para ello daba, aunque no mostró tan poco ánimo que lo dijese a nadie. Y así envió a llamar a Juan de Acosta y como su gente vio tan gran novedad se alborotaron y huyeron siete u ocho dellos, llevando por cabeza a Jerónimo de Soria, vecino del Cuzco, y se huyeran muchos más si no los previniera cortando la cabeza a Lorenzo Mejía, yerno del conde de la Gomera, y a otro soldado de quien tuvo sospecha que se quería ir, y a otros trajo presos a Los Reyes. Y pocos días antes que llegase, pareciéndole a Gonzalo Pizarro que Antonio Altamirano, vecino y regidor de la ciudad del Cuzco y alférez general de su campo, andaba algo tibio en los negocios, sin que de él supiese contradicción ni sospecha señalada, le hizo dar garrote una noche y después le ahorcó públicamente en El Rollo, repartiendo todos sus bienes, porque era de los más ricos de la tierra. Y dio el estandarte real a don Antonio de Ribera, que poco antes había venido de Guamanga con hasta treinta hombres y algunas armas y bestias que había recogido de los vecinos que allí quedaron.

Pues viendo Gonzalo Pizarro que sus negocios se empeoraban cada día y que no le quedaba ya más fuerza de la que tenía con Los Reyes, con no tener pocos días antes contradicción en todo el reino y que si venían a noticia de la gente que le quedaba las provisiones y el perdón y revocación de ordenanzas que traía el presidente (lo cual hasta entonces no había querido mostrar a nadie), todos le dejarían, determinó buscar la mejor forma que pudo para asegurarse dellos. Y esto fue que hizo juntar todos los vecinos y personas señaladas en su posada y les hizo proponer el gran cargo en que todos le eran por haberse puesto en tantas guerras y trabajos por defenderles sus haciendas, que tenían y poseían por mano del marqués don Francisco Pizarro, su hermano, y que mirasen cuán justificada tenían su causa con haber enviado mensajeros a dar cuenta a su majestad de todo lo sucedido en la tierra para esperar la provisión después de ser informado de todo. Los cuales mensajeros había detenido el presidente en Panamá y se había concertado con sus capitanes y tomádoles su armada, que le había costado muy gran cantidad de pesos de oro. Lo cual hacía por su particular interés, pues estaba notorio que si trajera provisión u orden de su majestad para hacer guerra se la enviara con Pedro Hernández Paniagua. Y que no contento con todo aquello le entraba en su jurisdicción y le hacía guerra y echaba por el reino cartas muy perjudiciales, como era notorio.

Por lo cual él tenía determinado resistirle la entrada, lo cual a cada uno de todos convenía como a él, pues estaba claro que gobernando la tierra por rigor de justicia había de tomar cuenta de tantas batallas y muertes y robos como habían sucedido. Y conforme a esto, tanto interés le iba a cada uno dellos como a él mismo, y que hasta entonces habían tratado de la defensa de las haciendas y que de allí adelante se trataba de las honras y personas y haciendas, y que a él le había parecido hacerlos juntar donde estaban para que, entendido el negocio y su determinación, cada uno le diese su parecer sobre lo que pretendía hacer libremente, porque él les prometía como caballero hijodalgo, y si menester era lo juraría solemnemente, que no les vendría daño en sus personas ni en sus bienes por cualquier determinación que tomasen, salvo dejarlos ir libremente donde quisiesen. Y que a quien pareciese seguirle se lo dijese claro, porque se lo había de prometer y firmar de su nombre y que les apercibía que mirase cada uno lo que prometía, porque el que quebrantase su palabra habiéndosela dado o le viese tibio en los negocios hasta la conclusión de la guerra contra quienquiera que la hiciese, le cortaría la cabeza, y que bastaría muy poca sospecha para ello.

Luego todos le dijeron juntamente que le seguirían y harían todo lo que les mandase con toda posibilidad, y que pondrían en ello sus personas y haciendas y vidas. Y otros, pasando más adelante, decían que perderían las ánimas por su servicio, y todos daban grandes razones para fundar la justificación de la guerra, encareciendo la merced que Gonzalo Pizarro les hacía en tomar a su cargo esta empresa. Y otros decían otras vanidades y lisonjas no dignas de escribirse por contentar [y] asegurar el tirano. Y luego Gonzalo Pizarro sacó escrita en un papel más a la larga esta proposición e hizo que el licenciado Cepeda jurase al pie della de la cumplir y obedecer a Gonzalo Pizarro en todo cuanto le mandase, y se lo mandó firmar y tras él firmaron todos los demás. Y hecho esto, se acordó que Juan de Acosta se partiese la vía del Cuzco por la sierra con trescientos hombres, de los cuales fue por maestre de campo Páez de Sotomayor, y por capitán de gente de caballo Martín Dolmos, y por capitán de arcabuceros Diego de Gumiel, y de piqueros Martín de Almendras, y dieron el estandarte a Martín de Alarcón. Y desta manera prosiguió su camino la vía del Cuzco contra Diego Centeno.

Capítulo XV

De cómo Juan de Acosta acabó de sacar su gente
para el Cuzco y de lo que Gonzalo Pizarro hizo en la llegada
de los navíos del presidente al puerto de Los Reyes

Teniendo Juan de Acosta su gente en orden y apercibida de todo lo necesario, la sacó de la ciudad de Los Reyes y caminó la vía del Cuzco por el camino de la sierra, y en este tiempo Gonzalo Pizarro tuvo nuevas que la armada de Lorenzo de Aldana había parecido quince leguas del puerto de Los Reyes y, después de haber consultado el negocio con sus capitanes, se acordó que Gonzalo Pizarro sacase de la ciudad toda la gente y se fuese a poner cerca de la mar con ella, temiendo que si una vez llegasen los navíos al puerto habría tan grande turbación en la ciudad por la priesa de lo que se habría de proveer que tendrían lugar los que quisiesen de irse a embarcar, o que faltaría tiempo para compeler a que saliesen los que estuviesen de por medio[205]. Y así se hizo, dándose muchos pregones para que ninguno, de cualquier oficio o edad que fuese, se quedase en la ciudad so pena de muerte, apercibiendo que había de cortar la cabeza a quien se quisiese quedar. Y que para este efecto iría él delante y dejaría en la ciudad al maestre de campo con cien arcabuceros para ejecutar la pena de los pregones. Andaba la gente tan asombrada y turbada[206] con el temor de la muerte que no se podían entender ni tenían ánimo para huir, y algunos que hallaron mejor aparejo se escondieron por los cañaverales y cuevas, enterrando sus haciendas.

Y habiendo Gonzalo Pizarro de salir otro día con la gente que pudiese llevar, se descubrieron en el puerto de Los Reyes tres velas, con lo cual se alborotó la gente y se comenzó a tocar arma y Gonzalo Pizarro salió de la ciudad con todos los que pudo llevar y asentó su real en medio del camino, por manera que estaba una legua de la mar y otra de la ciudad, por hacer rostro a que los de la mar no saltasen en tierra e impedir que los suyos no se fuesen a embarcar, y también porque no pareciese que desamparaba la ciudad, y porque antes que se apartase della quería saber la intención de Lorenzo de Aldana y tentar si por negociación o cautela se podía tomar la armada, pues no había otro remedio para resistirles que no tomasen puerto. Porque uno de los capitanes de Gonzalo Pizarro había echado a fondo cinco navíos que estaban surtos en el puerto en contradicción de los principales del real.

Y con esta determinación se juntó toda la gente de pie y de caballo en la plaza de Los Reyes y Gonzalo Pizarro salió con sus banderas tendidas con hasta quinientos y cincuenta hombres y fue a [a]sentar su real en el asiento ya dicho,

---

[205] 1577: los que estuviesen sin determinarse.
[206] 1577: falta «y turbada».

y proveyó que ocho de caballo se estuviesen en celada junto a la mar, para que ninguno[207] de los navíos que hubiese saltado en tierra pudiese tornar ni echar cartas ni hacer otra diligencia. Y así estuvieron hasta otro día, que Gonzalo Pizarro proveyó que Juan Hernández[208], vecino de Los Reyes, fuese en una balsa a los navíos y dijese a Lorenzo de Aldana que le enviase un caballero de los suyos y que él se quedaría en rehenes, para tratar la razón de la venida. Y como Juan Fernández pareció solo en la costa, luego del armada enviaron a Juan Alonso Palomino en un batel que le recibió y le llevó a la nao capitana donde, entendido por Lorenzo de Aldana lo que quería, envió al capitán Peña, dejando en su poder a Juan Fernández.

Y Gonzalo Pizarro mandó que Peña no entrase en el real hasta ser de noche, por que no pudiese hablar con nadie. Y entrando en su toldo le dio el poder del presidente y el perdón general que su majestad hacía y la revocación de las ordenanzas. Y dijo de palabra lo mucho que aquel reino ganaba en obedecer lo que su majestad enviaba a mandar, y que su real voluntad no era que él gobernase, y que para ello enviaba al presidente con poderes tan bastantes, sabiendo lo sucedido en la tierra. A lo cual le respondió que prometía de hacer cuartos a todos cuantos venían en el armada y castigar al presidente por su atrevimiento, encareciéndole la gran traición que le habían hecho en detener sus procuradores, y también la de Lorenzo de Aldana en venir contra él, habiéndole él enviado y dado dineros con que fuese a España.

Y dicho esto y otras muchas cosas, todos los capitanes se salieron fuera y Gonzalo Pizarro se quedó solo con el capitán Peña. Y después de haber tratado con él muy a la larga

---

[207] 1577: ningún soldado.
[208] Este personaje aparece aquí como Juan Hernández tanto en la edición de 1555 como en la de 1577, pero todas las veces que siguen se le llama Juan Fernández en ambas ediciones.

sobre la justificación de sus negocios, le prometió cien mil castellanos si diese forma como pudiese tomar el galeón de la armada, en quien estaba toda la fuerza della. Peña le respondió que no era él persona que por ningún interés había de hacer semejante traición, ni él le debiera cometer sobre ello. Y así aquella noche le entregaron a don Antonio de Ribera para que durmiese en su toldo, sin dejarle hablar con persona ninguna, y a la mañana se tornó a la armada y vino Juan Fernández en tierra, con determinación y promesa de servir a su majestad en todo lo que pudiese. Y pareciéndole a Lorenzo de Aldana que todo su buen suceso consistía en traer a noticia de los soldados el perdón de su majestad, se dio orden como se hiciese por mandado de Juan Fernández, con una cautela tan avisada como peligrosa.

Y esta fue que Lorenzo de Aldana le dio todos sus despachos duplicados y cartas para algunas personas señaladas del campo y, escondiendo las unas en los borceguíes, trajo las otras a Gonzalo Pizarro y, tomándole aparte, le dijo cómo Lorenzo de Aldana le había persuadido que publicase el perdón en el campo y que él le había tomado con todos los otros despachos, así para entretener a Lorenzo de Aldana con esperanza que él lo había de hacer, como para traerle los despachos y que los viese, dando a entender Juan Fernández que no sabía que hasta entonces hubiesen venido a noticia de Gonzalo Pizarro, ni él lo había dicho jamás. Gonzalo Pizarro le agradeció mucho su buen aviso, concibiendo de él gran crédito, y luego que tomó todos los despachos, haciendo grandes amenazas y juramentos de castigar muy ásperamente a quien los había enviado, como lo había hecho a los demás que hasta entonces lo habían ofendido. Y luego Juan Fernández, debajo desta seguridad, pudo dar algunas de las cartas que traía y otras hizo perdidizas, por manera que vinieron a noticia y poder de sus dueños, y así estuvo Gonzalo en el real miércoles y jueves siguiente, sin acontecer otra novedad.

Capítulo XVI

*Cómo se huyeron algunas personas del real
de Gonzalo Pizarro y de lo que enviando
en pos dellos aconteció*

Cuando Gonzalo Pizarro salió de Los Reyes para ir a
[a]sentar el real en el campo, dejó por alcalde mayor[209] de
aquella ciudad a Pedro Martín de Sicilia, que le había seguido desde el principio con gran afición. Era este Pedro
Martín hombre viejo, de edad de setenta años, pero muy
robusto, recio, cruel y poco temeroso de Dios, villano, natural del lugar de Don Benito, tierra de Medellín. A este
dejó por orden que a cualquiera que hallase haberse quedado en la ciudad, o que se viniese del real no mostrando licencia suya, luego sin ninguna dilación le ahorcasen. Lo
cual él guardó tan precisamente que a un hombre que topó
aun no aguardó ahorcarle, sino que él por su propia mano
le dio de puñaladas, y traía tras sí al verdugo cargado de
cabestros, jurando que ninguno toparía a quien no ahor-
case. Y algunos venían del real con licencia de Gonzalo
Pizarro a proveerse de lo necesario.

En este tiempo vinieron con esta licencia a la ciudad
ciertos vecinos a proveerse de lo que habían menester, los
principales de los cuales eran Nicolás de Ribera, regidor y
vecino de Los Reyes, y Vasco de Guevara y Hernán Bravo
de Lagunas y Francisco de Ampuero y Diego Tinoco
y Alonso Ramírez de Sosa y Francisco de Barrionuevo y
Alonso de Barrionuevo[210] y Martín de Meneses y Diego de
Escobar, y otros algunos salieron con sus armas y caballos

[209] 1577: falta «mayor».
[210] En 1577 no se menciona a Alonso de Barrionuevo.

la vía de Trujillo. Y luego que fueron vistos por las espías dieron mandado a Gonzalo Pizarro y él proveyó que el capitán Juan de la Torre los siguiese con algunos arcabuceros a caballo, el cual los siguió por espacio de ocho leguas, hasta que topó con Vasco de Guevara y Francisco Ampuero, que se habían quedado en la retaguardia para dar aviso a los delanteros de lo que sucediese. Y ellos, viéndose en aprieto, se defendieron animosamente, y por ser de noche no los pudieron herir los arcabuceros y al fin huyeron. Y como Juan de la Torre y los suyos traían los caballos cansados de lo mucho que habían corrido en su seguimiento, no los pudieron alcanzar.

Y así Juan de la Torre se volvió, considerando que aunque alcanzase juntos a los huidos sería él poca parte para dañarlos, y que eran personas de calidad que antes se dejarían matar que venir en su poder y, volviéndose al real, topó a Hernán Bravo de Lagunas que, por no salir junto con los demás o por otra causa, se quedó rezagado y, llevándole a Gonzalo Pizarro, le mandó ahorcar. Y sabiendo de la prisión doña Inés Bravo, mujer de Nicolás de Ribera, uno de los huidos, que era su prima hermana, llevando consigo a su padre se fue al real de Gonzalo Pizarro, donde se hincó de rodillas delante de él y le pidió con muchas lágrimas la vida de Hernán Bravo. Y aunque al principio le fue denegada, después cargaron tanto los capitanes de Gonzalo Pizarro en el negocio y ella hizo tan grande instancia, que al fin le fue otorgado por ser ella de las más hermosas y honradas mujeres de la tierra. Hácese mención deste paso así porque lo mereció el ánimo desta señora, como para apuntar que, entre todos cuantos hicieron alguna cosa contra Gonzalo Pizarro durante su tiranía, ninguno quedó sin castigo sabiéndolo él, sino solo este Hernán Bravo.

Y aconteció sobre el perdón otro paso digno de notar: que un capitán del mismo Gonzalo Pizarro llamado Alonso de Cáceres, que se halló junto a él al tiempo que concedió la vida a Hernán Bravo, le besó en el carrillo diciendo a grandes voces: «¡Oh, príncipe del mundo, mal haya quien te negare hasta la muerte!», comoquiera que dentro de tres horas él y el mismo Hernán Bravo y otros algunos se huyeron. Lo cual se tuvo por cosa maravillosa, porque parecía que aún no había tenido tiempo Hernán Bravo para respirar del trance en que se había visto, teniendo la soga a la garganta. Con la huida desta gente se causó gran alboroto en el real, porque entre ellos había personas que habían seguido a Gonzalo Pizarro desde el principio y metido con él grandes prendas y en que nunca se puso sospecha que le habían de faltar. Y con esto Gonzalo Pizarro estaba tan alterado que no había nadie que se osase parar delante. Y mandó a las guardas que al que tomasen fuera del real le alanceasen luego.

Y aquella misma noche el capitán Martín de Robles envió avisar a Diego Maldonado, regidor del Cuzco (llamado comúnmente El Rico), que Gonzalo Pizarro le quería matar y que así lo había consultado con sus capitanes, lo cual él tuvo por cierto, así porque fue uno de los que se pasaron a servir al visorrey desde el Cuzco, como porque después de perdonado sobre esto, yendo con Gonzalo Pizarro a Quito a la guerra del visorrey, le dio un muy recio tormento sobre sospecha que había sido en escribir una carta que se echó a los pies de Gonzalo Pizarro, en que se le decían muchas verdades de que a él le pesó, comoquiera que después parecieron los que entendieron en aquel negocio. Y también por haber muy estrecha amistad entre él y Antonio Altamirano, a quien Gonzalo Pizarro había justiciado (como está dicho). Y con esta credulidad, sin esperar a que le ensillasen caballo (caso que los tenía muy buenos), y sin decirlo a ningún criado suyo, se salió luego de su toldo con sola su capa y espada, con ser hombre de días, y caminó a pie toda la noche hasta llegar a unos cañaverales donde se pudo esconder, junto a la mar, tres leguas de donde estaban los navíos. Y temiendo que por la mañana le irían a buscar, se descubrió a un indio con quien topó y le hizo hacer una balsa de solo un haz de pajas y, caballero en él con el indio que remaba con un palo, se fue a los navíos con muy gran peligro de su vida, porque cuando llegó ya iba casi deshecha la paja y él a punto de ahogarse.

Luego por la mañana Martín de Robles fue al toldo de Diego Maldonado y, como no le halló, se fue a Gonzalo Pizarro y le dijo cómo Diego Maldonado era huido y que le parecía que, pues veía la diminución de su campo, debía alzar de allí el real y caminar hacia donde tenía intento de ir sin dar licencia a persona alguna para que fuese a la ciudad, porque todos se huirían. Y por evitar que la gente de la compañía de Martín de Robles no se la pidiese, él quería ir con algunos dellos que estaban desproveídos a la ciudad para que en su presencia se proveyesen de lo necesario sin perderlos de vista, y que de camino pensaba ir a sacar del monasterio de Santo Domingo a Diego Maldonado, porque le habían dicho que estaba allí retraído y se le traería para que, justiciándole públicamente, nadie se atrevería a huir. A Gonzalo Pizarro le pareció que Martín de Robles decía bien y, confiándose de él por las muchas prendas que había metido en aquellos negocios, le mandó que así lo hiciese. Y tomando ante todas cosas los caballos de Diego Maldonado y los suyos propios, llevó consigo a todos los de su compañía de quien él se fiaba y, en llegando a la ciudad de Los Reyes, se salió con hasta treinta de caballo la vía de Trujillo públicamente, diciendo que iba en busca del presidente y que Gonzalo Pizarro era tirano y que todos debían ir a servir a su majestad.

Luego llegaron estas nuevas al campo, donde fue tanto el alboroto que hubo que parecía imposible aquel día no huirse todos o matar a Gonzalo Pizarro, el cual lo apaciguó lo mejor que pudo, mostrando tener en poco todos los que se le habían huido, y determinó levantar el real otro día por la mañana. Y aquella noche huyó Lope Martín, vecino del Cuzco, saliendo a vista de todo el real. Y por la mañana mandó Gonzalo Pizarro que la gente caminase hasta una acequia dos leguas de allí y puso muchas guardias y corredores para que nadie se pudiese huir, pareciéndole que toda la dificultad estaba en sacar la gente doce leguas de la ciudad de Los Reyes. Y mandó al licenciado Carvajal que estuviese en vela toda la noche para que nadie se fuese y, cuando sintió que la gente estaba sosegada, el licenciado Carvajal se fue la vuelta de la ciudad de Los Reyes y de ahí camino de Trujillo, yendo con el Polo Ondegardo y Marcos de Retamoso, su alférez, y Pedro Suárez de Escobedo y Francisco de Miranda y Hernando de Vargas, y otros muchos de su compañía. Y pocas horas después se fue el capitán Gabriel de Rojas, a quien Gonzalo Pizarro había dado el estandarte, por dejar a don Antonio de Ribera (de quien él mucho se fiaba) en guarda de la ciudad. Y con Gabriel de Rojas se huyeron Gabriel Bermúdez y Gómez de Rojas, sus sobrinos, y otras muchas personas de calidad, sin que nadie lo sintiese, porque estaba desembarazado el cuartel donde velaba el licenciado Carvajal.

Sabido a la mañana por Gonzalo Pizarro lo que pasaba, lo sintió como era razón, especialmente la ausencia del licenciado Carvajal, haciendo grandes conjeturas sobre qué podría haber sido la causa de su desabrimiento y culpábase a sí por haberle quitado la jornada adonde envió a Juan de Acosta, creyendo quedar sentido desde entonces. Y arrepentíase mucho de no haberle casado con doña Francisca Pizarro, su sobrina, hija del marqués, como lo trató algunas veces, porque con esto le obligaría a nunca dejarle. Y los soldados comenzaron a desmayar con la ida del licenciado Carvajal, considerando que pues él se iba sabiendo todos los secretos de Gonzalo Pizarro y habiendo metido tantas prendas en su favor, especialmente sobre la muerte del visorrey, y dejando en el campo más de quince mil pesos en caballos y oro y plata que luego fueron repartidos, que debía estar muy de quiebra el negocio de Pizarro, así en la fuerza como en la justificación, y los más determinaban irse.

Y llegó a tanta rotura el negocio que otro día, yendo marchando el campo a vista de todos y del mismo Gonzalo Pizarro, pusieron las piernas a los caballos dos soldados, el uno llamado Juan López y el otro Villadán, dando voces y apellidando la voz de su majestad y que muriese Gonzalo Pizarro, que era tirano. Lo cual hicieron confiados en llevar buenos caballos, y era tanto lo que ya se recelaba Gonzalo Pizarro de todos, que a nadie consintió que los siguiese, temiéndose que todos se le huirían. Y así se dio gran priesa a caminar por los llanos la vía de Arequipa, huyéndosele en el camino muchos soldados y arcabuceros, caso que en tres o cuatro días ahorcó hasta diez o doce personas señaladas de quien tuvo sospecha que se querían ir, sin dejarlos confesar. Y llegó a términos que ya no llevaba más de doscientos hombres, recelándose siempre no le diesen alguna arma fingida con que se le acabase de pasar toda la gente. Y así llegó a la provincia de la Nasca, que son cincuenta leguas de Los Reyes.

Capítulo XVII

De cómo la ciudad de Los Reyes se alzó por su majestad y lo que sobre esto sucedió

Habiendo caminado Gonzalo Pizarro con su campo en la forma que tenemos contado, don Antonio de Ribera y el alcalde Martín Pizarro y Antonio de León y otros algunos vecinos que por viejos y enfermos se habían quedado en la ciudad con licencia que hubieron de Gonzalo Pizarro para ello, dándoles sus armas y caballos, sacaron el pendón de la ciudad de Los Reyes y, juntando consigo la gente que pudieron, públicamente en la plaza alzaron la ciudad por su majestad y pregonaron públicamente las provisiones del presidente que de la mar les enviaron. Y luego lo hicieron saber a Lorenzo de Aldana, el cual se estaba en la mar con todo buen recado recogiendo todos los que se iban a juntar.

Y para este efecto tenía en la costa al capitán Juan Alonso Palomino con cincuenta hombres y los bateles a punto para recogerse, siendo necesario. Porque siempre temió que Gonzalo Pizarro revolvería sobre la ciudad, sabiendo lo que en ella pasaba. Y para ser avisado dello proveyó doce de caballo, de los que se habían huido del campo, que estuviesen en el camino para venir luego a toda furia con cualquiera novedad que hubiese, y mandó que el capitán Alonso de Cáceres estuviese en la ciudad de Los Reyes recogiendo la gente. Proveyó que Juan de Illanes subiese en una fragata la costa arriba hasta echar en tierra en lugar seguro un fraile y un soldado que llevasen al capitán Diego Centeno los despachos del presidente y le hiciesen relación de todo lo que en la tierra pasaba, y lo mismo en la ciudad de Arequipa. Y envió por tierra mensajeros, personas prácticas que fuesen a Arequipa con ciertas cartas particulares para diversas personas y, pasando más adelante, llevasen otras al capitán Alonso de Mendoza y Juan de Silve[i]ra. Proveyó por medio de los indios de Jauja, que son del mismo Lorenzo de Aldana, cómo se echasen en el real de Juan de Acosta cartas para muchas personas y traslados del perdón, por manera que en todo el reino se tuviese noticia de la clemencia de que su majestad usaba en aquel reino. Casi todas estas provisiones sucedieron bien y resultó dellas el provecho de que adelante se hará relación.

En todo este tiempo Lorenzo de Aldana no salió de la mar, teniendo consigo los ciento y cincuenta hombres que trajo en el armada, salvo que desde allí proveía lo necesario. Y tuvo noticia cómo se enviaban avisos a Gonzalo Pizarro de todo lo que pasaba, y cada día iban y venían corredores para estorbarlo y tomar lengua de lo que se hacía en el campo. Y un día trajeron relación que Gonzalo Pizarro volvía con su gente, lo cual les puso en gran rebato y pareció después haber sido divulgada esta nueva por el mismo

Gonzalo Pizarro y su maestre de campo a efecto de entretener y embarazar la gente de Lorenzo de Aldana para que no fuesen tras él, de lo cual él tenía gran temor porque llevaba tan poca confianza de los suyos que cualquier rebato le pareció que sería parte para huírsele todos. Y luego, en sabiéndolo, visto que no tenían fuerza para resistir al enemigo, los que tenían caballos se fueron la vía de Trujillo y otros se acogieron a las naos y se escondieron por los cañaverales y lugares secretos que hallaban, hasta que después supieron de cierto que Gonzalo Pizarro iba prosiguiendo su camino, y aun muy de priesa. Y luego todos se recogieron a la ciudad y cada día venía gente huida y se tenía nuevas de lo que pasaba en el real.

Y la última fue que Gonzalo Pizarro llevaba gran temor que su misma gente le había de matar y ponía grandes guardas en su seguridad, y para que no se huyese nadie. Y llevaba tendida la bandera de sus armas solamente, porque desde el día que se huyeron el licenciado Carvajal y Gabriel de Rojas no consintieron traer armas reales. Iba matando cada día y haciendo nuevas crueldades, de lo cual todo Lorenzo de Aldana daba noticia al presidente por mar y por tierra, avisándole cuánto convenía apresurar su venida por ir tan de caída el enemigo, que con cualquier novedad se desharía. Y sabido por Lorenzo de Aldana que Gonzalo Pizarro iba ya ochenta leguas desviado de la ciudad de Los Reyes, a nueve de septiembre de quinientos y cuarenta y siete saltó en tierra con todos sus capitanes y gente de la ciudad, y le salieron a recibir con gran solemnidad los capitanes y gente de guerra que había allí puestos en orden. Dejó el armada a cargo de Juan Fernández, alcalde ordinario de la ciudad, con las solemnidades que se requerían, y él repartió la gente por sus compañías, apercibiéndose de todos los pertrechos y armas necesarias, donde le dejaremos por contar lo que en este tiempo sucedió en el real de Juan de Acosta.

Capítulo XVIII

*Cómo Gonzalo Pizarro envió a mandar
a Juan de Acosta que se fuese a juntar con él,
y de la gente que se le huyó y el castigo que sobre ello hizo,
y cómo fue al Cuzco y de ahí a Arequipa,
donde se juntó con Gonzalo Pizarro*

Juan de Acosta salió de la ciudad de Los Reyes (como tenemos contado) caminando por la sierra la vía del Cuzco con trescientos hombres bien aderezados, hasta que en el camino supo la venida de Gonzalo Pizarro de Los Reyes y luego envió a fray Pedro, fraile de la Merced, para que le enviase a mandar con él lo que convenía a hacer. Y con el mismo fraile Gonzalo Pizarro le envió orden para que viniese a juntarse con él por cierta parte que le pareció conveniente y, llegado fray Pedro a Juan de Acosta, le dio el recado que llevaba juntamente con un Gonzalo Muñoz, y le hicieron relación de todo lo que había pasado en el real de Gonzalo Pizarro y de la mucha gente que se le había huido. De lo cual todo no tenía noticia Juan de Acosta y, aunque lo sabían algunos soldados por cartas que los indios habían echado en el campo, no lo osaban comunicar unos con otros. Y encargaron los mensajeros a Juan de Acosta que tuviese secreto hasta juntarse con Gonzalo Pizarro.

Y así comenzó a publicar nuevas que dijo haberle traído fray Pedro, fingiendo en ellas sucesos prósperos de Gonzalo Pizarro y de la gente que se le juntaba, y que había enviado personas de quien él se fiaba para que, fingiendo que se huían e iban descontentos, se alzasen con la armada de Lorenzo de Aldana. Pero no pudo encubrirse tanto la verdad que no viniese a noticia de Páez de Sotomayor, maestre de campo, y del capitán Martín Dolmos. Y, sabido por ellos, determinaron cada uno por sí de matar a Juan de Acosta, sin osarse declarar el uno al otro hasta que por ciertos términos vinieron a entenderse. Y, comunicado entre ellos, dieron parte a algunos soldados de quien se fiaban y, a la hora concertada que habían de ejecutar su determinación, supo Sotomayor que Juan de Acosta estaba en su toldo hablando en secreto con dos capitanes suyos, llamado el uno Diego Gil y el otro Martín de Almendras, y que tenía doblada gente de guardia que solía. Lo cual le dio ocasión de creer que hubiese venido su concierto a noticia de Juan de Acosta por haberse comunicado con tantos y, temiéndose de lo que podría suceder, se puso a caballo con sus armas y avisó a mucha priesa a todos los del concierto y los hizo cabalgar, y a vista de todos salieron del real hasta treinta y cinco personas, los principales de los cuales eran Páez de Sotomayor y Martín Dolmos y Martín de Alarcón, alférez general, y Hernando de Alvarado y Alonso Re[n]gel y Antonio de Ávila y García Gutiérrez de Escobedo[211] y Martín Monje, y todas las demás personas señaladas y prácticas en la tierra.

Y así caminaron la vía de Guamanga y, viéndolos ir Juan de Acosta, envió tras ellos sesenta arcabuceros de caballo, los cuales, no pudiéndolos alcanzar, se volvieron. Y Juan de Acosta hizo información y ahorcó algunos que entendió que sabían del negocio y otros prendió y con otros disimuló. Y desta manera caminó la vía del Cuzco, matando siempre en el campo algunos de quien tenía sospecha y a otros que se querían huir. Y, llegado al Cuzco, quitó las varas de la justicia que estaban puestas por Diego Centeno y dejó allí por alcalde a Juan Vázquez de Tapia con el recado que le pareció necesario y continuó su camino la vía de Arequipa para se juntar con Gonzalo Pizarro. Y entretanto se le huyeron otros treinta hombres, dos a dos y tres a tres, según les daba lugar la ocasión, y todos se vinieron a la ciudad de Los Reyes a juntar con Lorenzo de Aldana.

---

[211] 1577: falta «de Escobedo».

Llegado Juan de Acosta doce leguas del Cuzco, se le huyó Martín de Almendras con veinte hombres de los mejores que él llevaba y, tornando al Cuzco con ellos y con la gente que allí quedó, fue parte para quitar las varas a los alcaldes, a quien las había dado Juan de Acosta, y envió preso al uno dellos a la ciudad de Los Reyes y puso alcaldes por su majestad. Y viendo Juan de Acosta cuánto se le disminuía cada día su gente, tuvo por el mejor remedio alargar las jornadas e ir tan de priesa que se entendía bien que lo hacía más por asegurar su vida que no porque cumpliese a la negociación. Y así llegó a Arequipa con solos cien hombres, de trescientos que había sacado de Los Reyes, y halló allí a Gonzalo Pizarro con trescientos y cincuenta, con haber tenido pocos días antes en la ciudad de Los Reyes, sin otros muchos que tenía derramados por el reino con diversos capitanes, mil y quinientos hombres. Y estaba indeterminable en lo que haría, porque para esperar no le parecía bastante fuerza y para huir o esconderse era demasiada. Y así quedará por contar lo que Diego Centeno hizo después que salió del Cuzco.

Capítulo XIX

[De] cómo Diego Centeno se juntó con el capitán
Alonso de Mendoza y lo que sobre ello sucedió

Estando Diego Centeno en el Collao esperando la respuesta de la embajada que había enviado al capitán Alonso de Mendoza con Pedro González de Zárate, maestreescuela del Cuzco, y habiendo recibido los despachos del presidente, los cuales Lorenzo de Aldana le había encaminado, tuvo nuevas de todo lo que en la ciudad de Los Reyes había sucedido y de la huida de Gonzalo Pizarro y cómo se le había juntado Juan de Acosta. Y lo uno y lo otro envió de nuevo a hacer saber a Alonso de Mendoza con Luis García de San Mamés, vecino del Cuzco, declarándole particularmente los poderes y despachos que el presidente traía y cómo, vistos aquellos y que la voluntad de su majestad era que Gonzalo Pizarro no gobernase en el Perú, los más caballeros y personas señaladas que con él andaban le habían desamparado, trayéndole a la memoria las grandes tiranías y robos y muertes que Gonzalo Pizarro había hecho y, sobre todo, haberse declarado contra su rey y señor natural, no obedeciendo sus provisiones ni admitiendo la persona que enviaba a gobernar. Y que mirase que lo que hasta entonces se había hecho podía tener algún color y de allí adelante ninguna cubierta se le podía dar sin caer en gran infamia y renombre de traidor siguiendo a Gonzalo Pizarro y a su dañada intención, y no había para qué traer a la memoria ni tener cuenta con las diferencias pasadas que habían acontecido en tiempo del capitán Carvajal y Alonso de Toro, porque todos los rencores y pasiones privadas se habían de olvidar por hacer un tan señalado servicio a su majestad como se esperaba.

Y con esta embajada y con la buena intención que ya Alonso de Mendoza traía de seguir el nombre de su majestad (aunque no venía determinado a qué parte había de acudir), luego alzó bandera por su majestad y se hicieron capitulaciones entre él y Diego Centeno en tal manera que cada uno [se] quedase por general de su gente. Y con esta confederación salió Alonso de Mendoza de la villa de Plata con su gente y por sus jornadas se vino a juntar con Diego Centeno. En la cual junta de la una y de la otra parte se hicieron grandes alegrías, viéndose con tanta pujanza que tenían más de mil hombres. Acordaron ir a buscar a Pizarro y tomarle cierto paso para que no se pudiese huir, porque no les convenía pasar adelante porque había falta de comida y por otros inconvenientes.

Y en esta sazón aconteció que ya casi todos los lugares del Perú, de la ciudad de Los Reyes para abajo, habían alzado bandera[s] por su majestad, porque el capitán Juan Dolmos, que era teniente de Puerto Viejo por Gonzalo Pizarro, al tiempo que vio pasar los navíos de Lorenzo de Aldana

431

por el puerto de Manta, que es el puerto de aquella provincia, por una parte envió dello relación a Gonzalo Pizarro con gran priesa, diciéndole que le parecía mal no haber surgido en el puerto y que temía no viniesen de guerra, y por otra parte envió una balsa con ciertos indios a saber de los capitanes de los navíos la razón de su venida, los cuales fueron y trajeron la relación de todo con cartas de Lorenzo de Aldana aconsejándole lo que había de hacer. Las cuales Juan Dolmos envió al pueblo de Santiago de Guayaquil (que comúnmente llaman La Culata), a Gómez Estacio, que allí era teniente por Gonzalo Pizarro, haciéndole saber que su majestad no era servido que Gonzalo Pizarro gobernase y que enviaba a ello al presidente, por tanto que le parecía que todos le debían acudir. Estacio le respondió que cuando viniese personalmente la persona que su majestad enviaba él acudiría, pero que entretanto no entendía hacer novedad, sino que cada uno se estuviese en su gobernación. Oído esto, Juan Dolmos fue con siete u ocho amigos a ver a Gómez Estacio, so color de tratar con él en presencia el negocio y, estando un día descuidado, le dio de puñaladas y alzó bandera por su majestad en ambos pueblos.

Llegadas estas nuevas a la ciudad de Quito y sabido por Pedro de Puelles, que allí era gobernador, la entrega del armada y lo demás que había sucedido, se comenzó a poner a recado y Juan Dolmos le envió al capitán Diego de Urbina, persuadiéndole que se redujese al servicio de su majestad. Pedro de Puelles le respondió que, certificándose él que su majestad mandaba que Gonzalo Pizarro no gobernase y viendo presente la persona que enviaba para [ello, estaba presto de le acudir. Y pocos días después de ser vuelto Diego de Urbina con esta][212] respuesta, Rodrigo de Salazar, natural de Toledo, de quien Pedro de Puelles hacía

---

[212] En 1555 falta este fragmento, que coincide con el cambio de hoja, en el paso de la h. 245v a la h. 246r. Probablemente fue entonces un despiste del cajista al componer las páginas.

gran confianza, concertándose con ciertos soldados amigos suyos, una mañana le dio de puñaladas y alzó bandera por su majestad. Y sacando de la ciudad trescientos hombres de guerra, se vino la vuelta del puerto de Tumbez en busca del presidente, por manera que ya no había en toda la provincia lugar ninguno que no tuviese la voz de su majestad antes que el presidente llegase a la tierra.

Libro séptimo

*Que trata de la llegada del presidente a la provincia
del Perú y de lo que hizo hasta el vencimiento
de Gonzalo Pizarro y dejar pacífica la tierra*

Capítulo I

*Cómo el presidente llegó al puerto de Tumbez
y de allí prosiguió su camino por la sierra
contra Gonzalo Pizarro*

En este tiempo el presidente se embarcó en Panamá con
el resto de su ejército, habiéndose proveído con gran diligencia de todo lo necesario para su armada, así de comida como
de armas y otras cosas necesarias y, llevando consigo hasta
quinientos hombres, aportó con buen tiempo al puerto de
Tumbez, quedándosele un solo navío, de que iba por capitán
don Pedro de Cabrera, que por no ser tan buen velero no
pudo tomar la costa del Perú y decayó al puerto de la Buenaventura, y después por tierra alcanzó al presidente, [a quien]
en saltando en tierra todos le escribieron ofreciéndose a su
servicio y dándole cada uno los avisos y medios que le parecían más convenientes para el buen suceso del negocio. Y a
todo respondía el presidente con mucha gracia y de todas
partes le acudía tanta gente que le pareció bastante, sin que
de otras provincias le viniese ningún socorro.

Y así proveyó luego navíos a la Nueva España y Guatemala y Nicaragua y a Santo Domingo, dando relación del estado de los negocios y cómo no había necesidad que viniesen los socorros que él había enviado a pedir creyendo que serían necesarios. Y hecho esto proveyó que Pedro Alonso de Hinojosa, su general, caminase con la gente hasta juntarse con los capitanes y ejército que residía en Cajamarca, para que de todos se hiciese un cuerpo. Y Pablo de Meneses fue con el armada por mar y el presidente, con la gente que le pareció necesaria, continuó su camino por los llanos hasta llegar a la ciudad de Trujillo, donde de todas partes halló nuevas de lo sucedido. Y teniendo intento de no entrar en la ciudad de Los Reyes hasta dar fin en su jornada, determinó que toda la gente del reino que estaba por su majestad se fuese a juntar con él al valle de Jauja, que era sitio conveniente para desde él esperar y acometer los enemigos, y donde había abundancia de comida.

Y así envió a mandar a Lorenzo de Aldana y a todos los que con él estaban en Los Reyes que se fuesen a Jauja, donde los esperaría. Y él se subió por la sierra y, juntándose con su campo, de que ya estaba apoderado su general Hinojosa, caminó con más de mil hombres que en él había la vía de Jauja, con gran placer y contentamiento de todos, esperando verse presto libres de la tiranía de Gonzalo Pizarro, porque aun los más principales que le siguieron y favorecieron[213] en los principios de su tiranía estaban tan escandalizados de ver muertos más de quinientos hombres principales a horca y cuchillo, que no tenían una hora de seguridad en sus vidas.

[213] 1577: falta «y favorecieron».

Capítulo II

De lo que hizo Pizarro sabida la junta de Diego Centeno y Alonso de Mendoza

Ya se dijo arriba cómo llegando Gonzalo Pizarro a la villa de Arequipa la halló despoblada, porque toda la gente della se fue a juntar con el capitán Diego Centeno después de la última entrada que hizo en el Cuzco. Y allí procuró Gonzalo Pizarro de saber nuevas de todo lo que pasaba y supo cómo Diego Centeno estaba en el Collao, cerca de la laguna de Titicaca, y se había confederado y juntado con Alonso de Mendoza, por manera que con toda la gente del Cuzco y de los Charcas y Arequipa le estaban guardando el paso con cerca de mil hombres. Y allí se detuvo Gonzalo Pizarro cerca de veinte días, esperando al capitán Juan de Acosta con la gente que traía, hasta que llegó con ciento y ochenta hombres, porque los demás se le huyeron en el camino y otros muchos ahorcó.

Y llegado Gonzalo Pizarro hizo reseña de toda su gente y halló que tenía quinientos hombres, y escribió al capitán Diego Centeno dándole relación de todo lo sucedido, encareciéndole las buenas obras que le había hecho, especialmente cómo al tiempo que mató a Gaspar Rodríguez y Felipe Gutiérrez le halló a él en la misma culpa y le perdonó, contra parecer de todos sus capitanes. Y que él le haría todo el partido que quisiese por que se viniese a juntar con él, y que le perdonaba todo lo pasado[214], atento que Lope de Mendoza y otros que habían sido la causa dello habían pagado su yerro. Y con estos despachos envió a un Francisco Voso, el cual los dio a Diego Centeno y se ofreció a servirle

---

[214] 1577: le perdonaría lo pasado.

y le avisó cómo Diego Álvarez, su alférez, se carteaba con Gonzalo Pizarro, al cual Diego Centeno dejó de castigar porque ya en aquella sazón el mismo Diego Álvarez lo había descubierto a Diego Centeno, diciendo que lo había hecho por otros fines.

Y así Diego Centeno respondió a las cartas de Gonzalo Pizarro con gran comedimiento, agradeciéndole sus ofrecimientos y reconociendo las buenas obras que de él había recibido, y diciendo que pensaría satisfacerle de todas con aconsejarle y pedirle por merced considerarse el estado de los negocios y la gran merced que su majestad hacía a él y a todos en perdonarles lo pasado, y que si quisiese venir a juntarse con él y reducirse al servicio de su majestad le sería buen intercesor con el presidente para que le hiciese los mejores y más honrados partidos que hubiese lugar, sin que peligrase su persona ni hacienda, certificándole que si el negocio tocara a otro cualquiera que no fuera su majestad, ningún mejor amigo ni ayudador hallara que a él, y otras cosas y cumplimientos desta calidad.

Y con este despacho Francisco Voso se volvió al real de Gonzalo Pizarro. Y le salió al camino el capitán Carvajal y se informó de todo lo que había pasado y le mandó que no dijese que tenía Diego Centeno más de setecientos hombres. Y, llevándole al real, sabida por Gonzalo Pizarro la determinación de Diego Centeno, sin querer leer las cartas las quemó públicamente y luego determinó partirse con toda su gente la vía de los Charcas. Unos decían que con voluntad de excusar la batalla si Diego Centeno le dejaba pasar y otros afirmaban que siempre llevó determinación de romper con él. Y así se fue derecho a donde estaban Diego Centeno y Alonso de Mendoza, llevando siempre el avanguardia el capitán Carvajal, que ahorcó más de veinte hombres que topó en el camino, y entre ellos un clérigo de misa llamado Pantaleón, porque había llevado ciertas cartas de Diego Centeno, al cual ahorcó con un breviario al cuello y unas escribanías al pescuezo.

Y así caminaron hasta que el jueves, que se contaron diecinueve de octubre del año de cuarenta y siete, se toparon los corredores de ambos campos y se hablaron, y volvió cada uno a dar nueva a su general. Y Gonzalo Pizarro envió de nuevo un capellán suyo a requerir a Diego Centeno que lo dejase pasar y no lo necesitase a dar batalla, protestándole todo el daño que en ella sucediese, al cual capellán el obispo del Cuzco, que estaba en el campo de Diego Centeno, mandó prender y llevar a su toldo. Y Diego Centeno proveyó que su campo durmiese aquella noche en escuadrón (caso que él había más de un mes que estaba muy malo de calenturas y sangrado seis veces), de forma que ninguno pensó que escapara, y por esta causa se quedó en el toldo. Y aquella noche se determinó en el real de Gonzalo Pizarro que Juan de Acosta fuese con veinte hombres muy encubiertamente rodeando hasta meterse en los toldos de Diego Centeno, de donde estaba algo desviado el escuadrón, porque ya tenían noticia de Diego Centeno que estaba mal dispuesto y se quedaba en la cama. Y así se hizo con tanto tiento que tomó las centinelas primero que fuese sentido y, llegando a los toldos, unos negros que los vieron dieron arma y Juan de Acosta entonces mandó disparar los arcabuces, lo cual puso tan grande alboroto en el real que muchos del escuadrón acudieron a los toldos y otros de la gente de Valdivia huyeron, dejando las picas. Y al fin Juan de Acosta se escapó sin perder ninguno de los suyos y se tornó al real.

Otro día de mañana salieron los corredores de entrambas partes y los reales se pusieron a vista. El capitán Diego Centeno llevaba poco menos de mil hombres y entre ellos doscientos de caballo y ciento y cincuenta arcabuceros, y los demás piqueros. Iba por maestre de campo Luis de Ribera, y por capitanes de caballo Pedro de los Ríos y Jerónimo de Villegas y Pedro de Ulloa, y por alférez general Diego Álvarez, y por capitanes de infantería Juan de Vargas y Francisco Retamoso, y el capitán Negral y el capitán Pantoja y Diego López de Zúñiga, y por sargento mayor a Luis García de San Mamés. Gonzalo Pizarro llevó por maestre de campo a Francisco de Carvajal, y por capitanes de gente de caballo al licenciado Cepeda y Juan Vélez de Guevara, y por capitanes de infantería a Juan de Acosta y a Hernando Bachicao y a Juan de la Torre. Llevaba trescientos arcabuceros muy diestros y ochenta de caballo, y los demás, hasta cumplimiento de quinientos hombres, eran piqueros.

Capítulo III

Del rompimiento de la batalla que se dio entre Gonzalo Pizarro y Diego Centeno y sus campos, que comúnmente se llama la de Guarina

Desta manera se fue juntando el un ejército al otro con buena orden, con gran música que Gonzalo Pizarro llevaba de trompetas y ministriles altos, hasta que había seiscientos pasos de distancia y entonces el capitán Carvajal mandó hacer alto a su gente, y la de Diego Centeno marchó otros cien pasos adelante y también hizo alto. Y luego del real de Gonzalo Pizarro salieron cuarenta arcabuceros sobresalientes y se sacaron del cuerpo del ejército dos mangas de cada cuarenta arcabuceros a la una banda y a la otra. Gonzalo Pizarro se puso entre la infantería y la gente de caballo. Del real de Diego Centeno salieron treinta arcabuceros sobresalientes y empezaron a escaramuzar los unos con los otros. Y viendo Carvajal que el campo de Diego Centeno estaba parado, pretendiendo sacarle de paso, mandó que su gente marchase diez pasos adelante con grande espacio, lo cual viendo los de Diego Centeno hubo algunos dellos que dijeron que ganaban con ellos honra sus enemigos y comenzaron todos a marchar, y el campo de Gonzalo Pizarro se paró.

Y viendo venir los contrarios, el capitán Carvajal mandó disparar algunos pocos arcabuces para provocar al enemigo que disparase de golpe, como lo hizo. Y la infantería de Centeno comenzó a marchar a paso largo caladas las picas y a disparar segunda vez los arcabuceros sin hacer ningún daño, porque había trescientos pasos de distancia. Carvajal no permitió que ningún arcabuz[ero] suyo disparase hasta que tuvo los contrarios poco más de cien pasos de sí, que mandó disparar la artillería. Y los arcabuceros, que eran muchos y muy diestros, de la primera ruciada mataron más de ciento y cincuenta hombres, y entre ellos dos capitanes, de suerte que se comenzó [a] abrir el escuadrón y de la segunda vez se desbarató de todo punto y comenzaron a huir sin orden, sin que aprovechasen las voces que el capitán Retamoso daba desde el suelo, donde estaba herido con dos arcabuces.

Y viendo la gente de caballo el desbarate de la infantería, arremetió con sus contrarios, en los cuales hicieron mucho daño y mataron el caballo a Gonzalo Pizarro y a él derribaron en el suelo sin hacerle otro daño. Y Pedro de los Ríos y Pedro de Ulloa, que estaban determinados de arremeter con su gente a la infantería, rodearon el ejército por tomar por un lado el escuadrón y dieron en una de las mangas de los arcabuceros, donde recibieron mucho daño, que de los primeros tiros fue muerto Pedro de los Ríos y algunos de los suyos. Y viendo los que quedaron en pie desbaratada la infantería y casi también la gente de caballo, huyeron todos, cada uno por do mejor podía.

Gonzalo Pizarro caminó con buena orden hasta los toldos de Diego Centeno, matando en el camino cuantos toparon, y también de la gente de Diego Centeno que huyó dieron muchos en el real de Gonzalo Pizarro, el cual hallaron tan solo que seguramente podían tomar los caballos y mulas que allí habían dejado los soldados de la infantería y huir en ellos, robando el oro y plata que allí hallaron. El capitán Hernando Bachicao, al tiempo que los de caballo rompieron, viendo los suyos desbaratados, huyó hacia la parte de Diego Centeno creyendo que estaría por él la victoria, lo cual no pudo ser tan secreto que no lo supiese el capitán Carvajal y, topando con él, le ahorcó llamándole compadre, porque en la verdad lo era, y otras palabras de burla. Diego Centeno, al tiempo que se dio la batalla, estaba fuera de ella en una hamaca, que lo llevaban seis indios muy enfermo y casi sin ningún sentido y en el rompimiento se escapó por la buena diligencia que sus amigos en ello pusieron.

Y así se feneció este recuentro tan sangriento, que de parte de Diego Centeno murieron más de trescientos y cincuenta hombres, con treinta que el capitán Carvajal justició después del vencimiento, y entre ellos a fray Gonzalo, fraile de la Merced, que era sacerdote, y otros principales. Murió el maestre de campo Luis de Ribera y los capitanes Retamoso y Diego López de Zúñiga y Negral y Pantoja y Diego Álvarez y otros muchos soldados. De parte de Gonzalo Pizarro murieron hasta cien hombres. El capitán Carvajal, con ciertos de caballo, fue algunas jornadas la vía del Cuzco en seguimiento de los que huían, especialmente si podía alcanzar al obispo del Cuzco, de quien tenía muy gran queja porque había ido con Diego Centeno y halládose personalmente en la batalla. Y, no lo pudiendo alcanzar, ahorcó a muchos que topó en el camino, y entre ellos a un hermano del obispo y a un fraile de Santo Domingo, su compañero. Y así se volvió.

Y Gonzalo Pizarro repartió la tierra entre sus soldados, prometiéndoles que todo había de ser para ellos, y mandó recoger y curar los heridos y enterrar algunos de los muertos, y proveyó que Dionisio de Bobadilla fuese con alguna gente a la villa de Plata y a las minas a recoger todo el oro y plata que hallase, y Diego de Carvajal, a quien llamaban el Galán, fue a Arequipa a lo mismo. Y Juan de la Torre fue al Cuzco, donde fueron justiciados Juan Vázquez de Tapia, que era alcalde ordinario, y el licenciado Martel. Y también mandó que todos los que hubiesen sido soldados de Diego Centeno se viniesen a sentar por lista en sus banderas, so pena de muerte, y perdonoles todo lo pasado, si no fue a las personas que habían hecho cosas señaladas en servicio de su majestad. Envió a Pedro de Bustincia con cierta gente que fuese a tomar los caciques de Andaguaylas y otros comarcanos para que proveyesen de comida el campo. Y pocos días después Gonzalo Pizarro se vino al Cuzco con más de cuatrocientos hombres, donde se comenzó a apercibir de todo lo necesario, habiendo él y su gente cobrado grande ánimo y soberbia con el vencimiento de la batalla de Guarina, por haber sido con tanta ventaja y muertes de sus contrarios, siendo el número de la gente desigual.

Capítulo IV

De cómo el presidente juntó su gente en el valle de Jauja
y de lo demás que allí proveyó

Ya se ha contado arriba cómo el presidente, no queriendo entrar en la ciudad de Los Reyes, caminó por la sierra la vía del valle de Jauja llevando consigo la gente que había traído de Tierra Firme y la que los capitanes Diego de Mora y Gómez de Alvarado y Juan de Saavedra y Porcel y los demás tenían junta en Cajamarca, y enviando a mandar al capitán Salazar, que estaba en Quito, que caminase con la suya hasta se juntar con él, proveyendo, demás desto, que el capitán Lorenzo de Aldana con la gente de su armada y de la ciudad de Los Reyes saliese en su rastro. Desta manera llegó al valle de Jauja con hasta cien hombres y fue el primero que entró en él, y comenzó [a] apercibirse de todas las cosas necesarias, así de municiones como de mantenimientos, de que hay abundancia en aquella tierra (como hemos dicho).

Y el mismo día que llegó se juntaron con él el licenciado Carvajal y Gabriel de Rojas, y luego vinieron Hernán Mejía de Guzmán y Juan Alonso Palomino con sus compañías, dejando en Los Reyes por justicia mayor al capitán Lorenzo de Aldana con la gente de su compañía, por la necesidad que había de tener seguro aquel pueblo y puerto para todos los fines. Y así en poco tiempo se juntaron en aquel valle más de mil y quinientos hombres. Y el presidente ponía gran diligencia en juntar fraguas y herreros y hacer nuevos arcabuces y aderezar los que estaban hechos y cortar picas y proveerse de todos géneros de armas. En lo cual entendía con tanta destreza como si toda su vida se hubiera criado en ello, poniendo gran solicitud en visitar el campo y las obras que en él se hacían, y en curar los soldados enfermos. Tanto, que parecía cosa imposible bastar un solo hombre a tantas cosas, con lo cual cobró en poco tiempo el amor de toda la gente.

Y en este tiempo le vinieron nuevas del desbarato de Diego Centeno, lo cual sintió mucho, aunque en lo público mostraba no tenerlo en nada, con grande ánimo, y todos los de su campo esperaban lo contrario de lo que sucedió. Tanto, que muchas veces habían sido de parecer que el presidente no juntase ejército porque solo el de Diego Centeno bastaba a desbaratar a Gonzalo Pizarro. Y luego proveyó que los capitanes Lope Martín y Mercadillo fuesen con cincuenta hombres a la villa de Guamanga, que está treinta leguas más adelante, para tomar los caminos y saber lo que hacía el enemigo y recoger la gente que se viniese huyendo del Cuzco. Y avínoles también que, teniendo noticia Lope Martín que Pedro de Bustincia estaba en Andaguaylas haciendo lo que arriba tenemos dicho, se adelantó con quince arcabuceros y dio una noche sobre él y le prendió y ahorcó algunos de los que con él venían[215], y tornose a Guamanga y juntó consigo todos los caciques de la comarca.

Y tuvieron formas para avisar por todas partes de la venida del presidente, el cual en Jauja comenzó a ordenar su

---

215 1577: iban.

campo y proveyó que el mariscal Alonso de Alvarado fuese a la ciudad de Los Reyes a traer la gente que allí había, y algunas piezas de artillería de las de la armada, y ropa y dineros para algunos soldados. Lo cual todo se efectuó en breve tiempo y fue ordenado el campo en esta forma: Pedro Alonso de Hinojosa quedó por general, según y de la manera que lo era al tiempo que entregó la armada en Panamá; el mariscal Alonso de Alvarado fue nombrado por maestre de campo y el licenciado Benito de Carvajal por alférez general y Pedro de Villavicencio por sargento mayor; y por capitanes de gente de caballo don Pedro de Cabrera y Gómez de Alvarado y Juan de Saavedra y Diego de Mora y Francisco Hernández y Rodrigo de Salazar y Alonso de Mendoza; por capitanes de infantería a don Baltasar de Castilla, Pablo de Meneses, Hernán Mejía de Guzmán y Juan Alonso Palomino, Gómez de Solís, Francisco Mosquera, don Hernando de Cárdenas, el adelantado Andagoya, Francisco Dolmos, Gómez Darias, el capitán Porcel, el capitán Pardaver, el capitán Serna; nombró por capitán de artillería a Gabriel de Rojas.

Tenía consigo al arzobispo de Los Reyes y a los obispos del Cuzco y Quito, y al provincial de Santo Domingo, fray Tomas de San Martín, y al provincial de la orden de la Merced, y a otros muchos religiosos, clérigos y frailes. En la última reseña que mandó hacer halló que tenía setecientos arcabuceros y quinientos piqueros y cuatrocientos de caballo, caso que desde entonces hasta que llegó a Xaquixaguana se recogieron hasta llegar a número de mil y novecientos hombres. Y así salió el campo de Jauja a veinte y nueve de diciembre del año de cuarenta y siete, caminando en buena orden la vía del Cuzco, para tentar por dónde habría menos peligro de pasar el río de Abancay.

Capítulo V

De cómo llegó Pedro de Valdivia al real del presidente y con él otros capitanes

Habiendo salido el presidente del valle de Jauja, llegó a su campo el capitán Pedro de Valdivia que, como arriba está dicho, era gobernador en la provincia de Chili y había venido de allá por mar para desembarcar en la ciudad de Los Reyes, para llevar gente y munición y ropa con que se acabase de hacer la conquista de aquella tierra. Y como desembarcando supo el estado de los negocios, se aderezó él y los que con él venían, porque traían muy gran abundancia de dineros, y se fue en rastro del presidente hasta se juntar con él. Lo cual se tuvo a buena dicha porque, aunque con el presidente estaba gente y capitanes muy principales y ricos, ninguno había en la tierra que fuese tan práctico y diestro en las cosas de la guerra como Valdivia, ni que así se pudiese igualar con la destreza y ardides del capitán Francisco de Carvajal, por cuyo gobierno e industria se habían vencido tantas batallas por Gonzalo Pizarro, especialmente la que dio en Guarina contra Diego Centeno, cuya victoria se atribuyó por todos al conocimiento de la guerra que Francisco de Carvajal tenía. Por lo cual todo el campo del presidente estaban atemorizados y cobraron grande ánimo con la venida de Valdivia.

También llegó en aquella coyuntura el capitán Diego Centeno con más de treinta de caballo que con él escaparon de la rota de Guarina. Y así continuaron su camino padeciendo gran necesidad de comida hasta llegar a Andaguaylas, donde el presidente se detuvo mucha parte del invierno, que fue de muchas y muy recias aguas, que de día ni de noche [no] cesaba de llover, tanto, que los toldos se pudrían por no haber lugar de enjugarse. Y por estar el

446

maíz que comían tierno con la mucha humedad, adolecieron muchos y algunos murieron del flujo del vientre, caso que el presidente tenía especial cuidado de hacer curar los enfermos por medio de fray Francisco de la Rocha, fraile de la orden de la Santísima Trinidad, que tenía cargo y por copia más de cuatrocientos dellos y los proveía de médicos y medicinas como si estuvieran en un lugar muy bueno y bien proveído y poblado, y por su buena diligencia convalecieron casi todos. Y allí estuvo el campo hasta que llegaron Valdivia y Centeno (como está dicho), en cuya venida se hicieron grandes fiestas y juegos de cañas y corrieron sortija. Y de ahí adelante Valdivia comenzó a entender en los negocios de la guerra, juntamente con el mariscal Alonso de Alvarado y el general Hinojosa.

Y cuando se reconoció la primavera y comenzaron a cesar las aguas, partió el campo de Andaguaylas y fue a sentar en la puente de Abancay, que está veinte leguas del Cuzco, donde estuvo aguardando hasta que en el río de Apurima, que es doce leguas del Cuzco, se hiciesen puentes para poder pasar. Los enemigos tenían quebradas todas las puentes de aquel río, de forma que parecía imposible poderle pasar si no rodeaban más de setenta leguas, y así pareció de menos inconveniente procurar de hacer las puentes. Y para desvelar el presidente los enemigos y que no supiesen dónde habían de acudir a resistir los reparos, mandó traer materiales a tres lugares para reedificar las puentes: la una que estaba en el camino real y la otra en el valle de Cotabamba, que era doce leguas más arriba, y la otra en unos pueblos de don Pedro Puertocarrero, que era mucho más arriba, donde el mismo don Pedro estaba guardando el paso con cierta gente. Y hacíanse desta parte del río las maromas y criznejas de que tenemos dicho arriba, en el primer libro, que se cuajan las puentes del Perú, para que cuando estuviese el campo junto las ayudasen a echar sobre las vigas y estantes, porque de otra manera Gonzalo Pizarro y su gente defenderían el reparo. Y por no saber adónde acudir a la defensa estuvieron confusos, sin tener guarnición en ninguna parte, sino espías que viniesen a dar aviso dónde se comenzaba la obra para acudir luego allí a la defensa. Y túvose tan secreto el lugar por donde habían de pasar que ninguno del campo lo supo sino el presidente y los que con él entraban en el consejo de la guerra.

Y después que los materiales estuvieron hechos y aparejados, caminó el campo la vía de Cotabamba, que era por donde se había de pasar el río, aunque en el camino había tan malos pasos y sierras nevadas que algunos capitanes lo contradecían, teniendo por más seguro ir a pasar cincuenta leguas más arriba, aunque el capitán Lope Martín, que guardaba el paso, decía que por allí en Cotabamba era más seguro el paso. Y en esta diferencia el presidente envió a dar vista a los capitanes Valdivia y Gabriel de Rojas y Diego de Mora y Francisco Hernández Aldana y, traída la relación de lo que había y cómo era lo menos peligroso pasar por allí, se dio gran priesa el campo. Y cuando Lope Martín supo que llegaba cerca con algunos españoles e indios que consigo tenía, comenzó a echar las criznejas de la otra parte y, cuando tuvieron atadas tres dellas, llegaron las espías de Gonzalo Pizarro y sin tener resistencia cortaron las dos.

Cuando esta nueva llegó al presidente y a todo el campo hubo gran pesar dello, porque se tuvo por cierto que los de Pizarro defenderían el paso. Y así el presidente, llevando consigo al arzobispo y a su general y a Alonso de Alvarado y a Valdivia y a ciertos capitanes de infantería, se adelantó a gran priesa hasta llegar a la puente y diose orden como pasaron en balsas ciertos capitanes de infantería con harto peligro, así de la furia del agua como de los enemigos que se creía estar aguardando de la otra parte. Y uno de los primeros que pasaron fue el licenciado Polo Ondegardo, y tras él comenzaron a pasar soldados y otra gente de escuadrón, en lo cual se puso tanta diligencia que aquel día pasaron más de cuatrocientos hombres, llevando los caballos a nado y encima dellos atadas sus armas y arcabuces, caso que se perdieron más de sesenta caballos que con la corriente grande se desataron, y luego daban en unas peñas donde se hacían pedazos sin darles lugar el ímpetu del río a que pudiesen nadar.

Y, en comenzando a pasar la gente, las espías de Pizarro le fueron a dar mandado dello y él envió al capitán Juan de Acosta con hasta doscientos arcabuceros de caballo para que matase[n] a todos cuantos hubiesen pasado el río, excepto los que nuevamente hubiesen ido de Castilla. Lo cual entendiendo los pocos que a la sazón habían pasado, tomaron un recuesto e hicieron subir en los caballos que consigo tenían indios y negros, porque casi todos los caballos eran ya pasados, por hallarse más desembarazados a la mañana. Y, dándoles las lanzas, hicieron un buen escuadrón, cubriendo las haces de las primeras hileras con los españoles y así, cuando Juan de Acosta envió a reconocer la gente, creyó que había número tan desigual que no los osó acometer y se volvió por más gente. Y entretanto el presidente hizo pasar todo el campo por la puente, que ya estaba acabada de aderezar, en lo cual se entendió el gran descuido que Gonzalo Pizarro tuvo en no ponerse tan cerca que pudiese estorbar la pasada, porque solos cien hombres que pusiera en cada paso fuera parte para defenderlo.

Capítulo VI

De lo que el presidente hizo después de pasado el río hasta dar la batalla

Habiendo pasado otro día siguiente todo el resto del ejército del presidente sin faltar ninguno, se ordenó que don Juan de Sandoval fuese a descubrir el campo y, viniendo con relación que Gonzalo Pizarro ni su gente no parecían en tres leguas que había corrido, el presidente mandó que el general Hinojosa y Pedro de Valdivia fuesen con ciertas banderas a tomar lo alto de la montaña, que había más de legua y media de subida, porque si Gonzalo Pizarro se adelantaba en hacerlo les pudiera hacer gran daño primero que subiesen, y así subieron.

Y en este tiempo Juan de Acosta había enviado a hacer saber a Gonzalo Pizarro lo que pasaba para que le proveyese de trescientos arcabuceros, que bastarían para desbaratar aquella gente que ya había pasado el río, antes que todos acabasen de pasar. Y al tiempo que Juan de Acosta se volvía, se le huyó un Juan Núñez de Prado, de Badajoz, y dio aviso de todo lo que pasaba y del socorro que Juan de Acosta esperaba y, creyendo que Gonzalo Pizarro le acudiría con todo su campo, el presidente, con más de novecientos hombres de pie y de caballo que ya tenía en la cumbre de la montaña, estuvo en arma toda la noche. Y como otro día le llegó a Juan de Acosta el socorro, los corredores del presidente le vinieron a dar mandado dello y él proveyó que el mariscal tornase al río para hacer subir el artillería y recoger y traer consigo toda la gente. Y como antes que el mariscal volviese asomaron las banderas de Pizarro, el presidente, con solos novecientos hombres que con él estaban, se puso en orden de batalla para dársela en ocasión. Y después cesó de su intento viendo que no esperarían la batalla, porque no venían sino solos trescientos arcabuceros de socorro para Juan de Acosta, el cual se retiró viendo la pujanza de sus contrarios y lo hizo saber a Gonzalo Pizarro.

Y el presidente estuvo allí dos o tres días hasta que la gente y artillería acabó de subir aquella gran cuesta, y allí le envió Gonzalo Pizarro a requerir con un clérigo que deshiciese el ejército y no hiciese guerra hasta tener nuevo mandado de su majestad, al cual clérigo prendió el obispo del Cuzco. Y antes desto había enviado otro que de su parte ganase las voluntades del general Hinojosa y de Alonso de Alvarado, y este lo hizo con más prudencia que no quiso volver, antes dejó concertado con un hermano suyo que se huyese tras él, como lo hizo. El presidente escribió desde allí a Gonzalo Pizarro, como lo había hecho en todo el camino, persuadiéndole que se redujese a la obediencia de su majestad y enviándole traslado del perdón, y ordinariamente cuando los corredores salían llevaban despachos y cartas para Gonzalo Pizarro y las daban a sus corredores para que ellos se las entregasen. Y como Gonzalo Pizarro supo que el presidente había pasado el río con su campo y tomado el alto de la sierra, salió del Cuzco con novecientos hombres de pie y de caballo, los quinientos y cincuenta arcabuceros y con seis piezas de artillería, y vino a sentar el real en Xaquixaguana, que era cinco leguas del Cuzco, en un llano al pie del camino por donde el real del presidente había de bajar de la sierra. Y asentó el campo en lugar tan fuerte que no le podían acometer sino por una pequeña angostura que delante sí tenía, porque a la una parte tenía el río y la ciénaga y por la otra la montaña y por las espaldas una honda cava quebrada.

Y desde allí aquellos dos o tres días antes que la batalla se diese siempre salían ciento o doscientos hombres a trabar escaramuza con otros tantos que salían del campo del presidente, que iba marchando hasta hallar lugar seguro donde alojarse. Y cuando llegó tan cerca que los de Pizarro, que estaban en lo bajo, podían bien ver sus contrarios que pasaban por lo alto para alojarse más adelante o en el paraje que ellos estaban, Gonzalo Pizarro temió que su gente desfallecería viendo tanta ventaja en sus contrarios. Por lo cual los mandó poner detrás un cerro que junto a su campo estaba, fingiendo que lo hacía porque, viendo el presidente el buen aparejo y calidad de la gente que él tenía, no[216] dejase de dar la batalla. Y en habiendo pasado el presidente y asentado su campo en un llano a la vista de los enemigos, Gonzalo Pizarro sacó toda su gente por sus escuadrones,

---

[216] La negación se elimina en 1577: viendo el presidente el buen aparejo y calidad de la gente que él tenía, dejase de dar la batalla.

sacadas sus mangas de arcabuceros y en orden para dar batalla, y comenzó a disparar el artillería y arcabucería para que el presidente le viese y oyese. Y aquel día de entrambos campos hubo espías y corredores que se topaban unos con otros por la gran niebla que sobrevino.

Y el presidente, caso que vio al enemigo a punto para dar o esperar la batalla, la quisiera dilatar creyendo que muchos de sus contrarios se le pasarían habiendo para ello tiempo. Pero no le daba lugar el sitio de su alojamiento por la falta de comida que en él había y por el gran hielo y frío, sin que hubiese alguna leña para remediarlo, de suerte que no lo podían sufrir, y aun también les faltaba el agua. De todo lo cual ninguna falta padecía el campo de Gonzalo Pizarro, porque tenían por fuerte el río y les venía abundancia de comida[217] del Cuzco y el sitio era muy templado, porque, caso que estaban muy cerca del presidente, los unos estaban en la sierra y los otros en el valle (como tenemos dicho). Y es tan notable la diferencia que en esto hay en el Perú, que acontece cada día hallarse gente en la cumbre de una sierra donde es tanto el frío y hielo y nieve que cae, que no se puede sufrir, y los que están en el valle, con menos de dos leguas de distancia, buscan remedios contra la demasiada calor.

Y con todo esto Gonzalo Pizarro y su maestre de campo acordaron aquella noche subir secretamente por tres partes a dar en el campo del presidente, lo que después dejaron de hacer porque se les huyó un soldado llamado Nava y creyeron que aquel daría noticia del concierto (como lo hizo). Y este Nava y Juan Núñez de Prado aconsejaron al presidente que dilatase lo posible el dar de la batalla, porque la gente que andaba con Gonzalo Pizarro, de los que escaparon de la rota de Diego Centeno, tenían voluntad de le venir a servir en hallando oportunidad. Y así estuvo el cam-

<hr>

[217]   1577: falta «de comida».

po toda la noche en arma, desarmadas las tiendas, padeciendo muy gran frío, que no podían tener las lanzas en las manos, y aguardando que amaneciese. Y, mostrándose el día a gran priesa, comenzaron a tocar las trompetas y atambores, porque muchos arcabuceros de Gonzalo Pizarro iban buscando camino por una loma para dar en el real, a los cuales salieron al encuentro los capitanes Hernán Mejía y Juan Alonso Palomino con trescientos arcabuceros, y con ellos Pedro de Valdivia y el mariscal Alonso de Alvarado, que fueron dándoles tanta priesa hasta que los hicieron volver.

Y entretanto que pasaba esta escaramuza, el presidente con todo el resto del ejército bajó por detrás de aquella loma encubierto hacia la parte del Cuzco, caso que para desvelar el enemigo hizo muestra que bajaba por aquella loma donde pasaba la escaramuza [con] el capitán Pardaver con treinta arcabuceros y alguna gente de caballo. Y cuando Pedro de Valdivia y el mariscal llegaron al cabo de la loma, llamaron al capitán Gabriel de Rojas para que llevase allí el artillería, el cual la hizo asentar y disparar prometiendo a los artilleros que por cada pelota que metiesen en el escuadrón de Pizarro les daría quinientos pesos de oro, y se los pagó después a uno que dio en el toldo de Gonzalo Pizarro, que era muy señalado, y le mató dentro un paje, por lo cual les hicieron abatir todas las tiendas porque les servían de terreros.

En este tiempo, de la parte de Gonzalo Pizarro jugaba también el artillería y él tenía sus escuadrones en orden. De caballo iban por capitanes el mismo Gonzalo Pizarro y el licenciado Cepeda y Juan de Acosta, y de infantería el maestre de campo Carvajal y Juan de la Torre y Diego Guillén y Juan Vélez de Guevara y Francisco Maldonado y Sebastián de Vergara y Pedro de Soria por capitanes de artillería. Y todos los indios que seguían a Gonzalo Pizarro, que eran muchos, se salieron del escuadrón y se pusieron en la ladera de una cuesta.

Capítulo VII

De cómo se dio la batalla de Xaquixaguana
y de lo que en ella acaeció

En tanto que la artillería de ambos campos disparaba, acabó de bajar al llano todo el campo de su majestad, yendo la gente sin orden con la mayor priesa que podía, trotando a pie y los caballos de diestro, así porque la aspereza de la tierra no sufría otra cosa, como por excusar el peligro de la artillería que no diese en el escuadrón, porque jugaba al descubierto. Y así como iban bajando se iban poniendo en orden con sus banderas.

Hiciéronse dos escuadrones de caballo y dos de infantería. Del de caballo que iba a la parte siniestra eran capitanes Juan de Sayavedra y Diego de Mora y Rodrigo de Salazar y Francisco Hernández Aldana. En el escuadrón de la parte derecha iba el estandarte real, de que era alférez el licenciado[218] Benito Suárez de Carvajal, y en su guardia iban los capitanes don Pedro de Cabrera y Alonso Mercadillo y Gómez de Alvarado. Estos dos escuadrones de caballo llevaban en medio la infantería, aunque iba algo delantera. Eran capitanes el licenciado Ramírez, oidor de los confines, y don Baltasar de Castro[219] y Gómez de Solís y don Hernando de Cárdenas y Pablo de Meneses y Cristóbal Mosquera y Miguel de la Serna y Diego de Urbina y Jerónimo de Aliaga y Martín de Robles y Gómez Darias y Francisco Dolmos. Y sin estos escuadrones iba a la parte diestra, algo más delantero, el capitán Alonso de Mendoza con su compañía de caballo, por sobresaliente, y con él iba el capitán

---

[218] 1577: falta «el licenciado».
[219] 1577: Castilla.

Centeno con harto deseo de vengar la rota que le sucedió en Guarina. Fue sargento mayor deste campo Pedro de Villavicencio, natural de Jerez de la Frontera.

Iba poniendo en orden la gente Pedro Alonso de Hinojosa, como general della, y con él iba el licenciado Cianca, porque el presidente y el arzobispo de Los Reyes iban algo delanteros hacia la montaña, por donde bajaba el mariscal [Alonso de] Alvarado y Pedro de Valdivia con el artillería y con los trescientos arcabuceros, de que eran capitanes Hernán Mejía y Juan Alonso Palomino, los cuales, en bajando a lo llano, hicieron de su gente dos mangas. Hernán Mejía sacó la suya por la parte derecha hacia el río y con él se puso el capitán Pardaver, y hacia la parte izquierda de la montaña sacó su manga Juan Alonso Palomino y, cuando el artillería iba bajando, se pasó del campo de Gonzalo Pizarro al del presidente el licenciado Cepeda, oidor que había sido de la audiencia real, y Garcilaso de la Vega y Alonso de Piedrahita y otros muchos caballeros y soldados, en alcance de los cuales salió Pedro Martín de Sicilia con cierta gente, e hirió algunos y alanceó el caballo de Cepeda, y a él le hirió de suerte que si no fuera socorrido por mandado del presidente, peligrara.

Entre tanto Gonzalo Pizarro se estaba parado en su campo, creyendo que los enemigos se le habían de ir a meter en las manos, como lo hicieron en Guarina. El general Hinojosa caminó con su campo paso a paso hasta se poner en un sitio bajo, a tiro de arcabuz de sus enemigos, donde el artillería no le podía coger, que toda pasaba por alto aunque habían abajado mucho los carretones. En este tiempo las mangas de arcabuceros de ambos campos disparaban con gran diligencia y el mariscal y Pedro de Valdivia andaban sobresalientes haciendo dar priesa a sus arcabuceros. El presidente y el arzobispo, que iban en delantera, fatigaban los artilleros que tirasen a gran priesa, haciendo mudar los tiros como era necesario. Y viendo Diego Centeno y Alonso de Mendoza que hacia la parte donde ellos estaban se huían muchos de Gonzalo Pizarro y él mandaba seguirles el alcance, donde peligraban algunos, parecioles salir con su gente hasta el río para hacer reparo a los que se huían, los cuales rogaban mucho al general no rompiese ni moviese los escuadrones, porque sin ningún riesgo los desbaratarían y se les pasaría la gente.

Y en esto aconteció[220] que, como una manga del escuadrón de Pizarro en que había treinta arcabuceros se halló tan cerca de sus contrarios, se pasaron al campo de su majestad y, por enviar tras ellos, se comenzaron a desbaratar los escuadrones, huyendo unos hacia el Cuzco y otros hacia el presidente y algunos de sus capitanes ni tuvieron ánimo para huir ni para pelear. Y viendo esto Gonzalo Pizarro dijo: «Pues todos se van al rey, yo también». Aunque fue público que el capitán Juan de Acosta dijo a Gonzalo Pizarro: «Señor, demos en ellos, muramos como romanos». A lo cual dicen que respondió Gonzalo Pizarro: «Mejor es morir como cristiano[s]». Y viendo cerca de sí al sargento mayor Villavicencio, le llamó y, sabiendo quién era, dijo que se le rendía y le entregó un estoque que traía en el ristre, porque había quebrado su lanza en su misma gente que se le huía. Y así fue llevado al presidente y pasó con él ciertas razones y, pareciéndole aquellas desacatadas, le entregó a Diego Centeno que le guardase. Y luego fueron presos todos los capitanes y el maestre de campo Carvajal huyó y, pensando aquella noche esconderse en unos cañaverales, se le metió el caballo en una ciénaga donde sus mismos soldados le prendieron y le trajeron preso al presidente.

---

[220] 1577: Y en este tiempo aconteció.

Capítulo VIII

Del alcance que siguió el presidente a Gonzalo Pizarro y a su campo y la justicia que hizo en ellos

Como el presidente desde el alto donde estaba vio huir hacia el Cuzco algunos de la retaguardia del enemigo, daba voces a la gente de caballo que arremetiese, diciendo que los enemigos iban de huida, y con todo ninguno salió del escuadrón hasta que se tocó la seña del romper, porque estaban muy avisados dello. Y visto ya claro que todos iban huyendo y desbaratados, les siguieron el alcance hiriendo y matando o prendiendo a los que alcanzaban. Fueron presos Gonzalo Pizarro y su maestre de campo Carvajal y Juan de Acosta y Guevara y Juan Pérez de Vergara. Murió allí el capitán Soria. Los soldados arremetieron a saquear el campo, donde hallaron mucho oro y plata y caballos y mulas y acémilas, donde quedaron muchos ricos, a quien cupieron a cinco y a seis mil pesos de oro. Y era tanta la riqueza que allí se halló que, topando un soldado con una acémila cargada, le cortó los lazos y dejando la carga se fue con el acémila, y antes que él se apartase veinte pasos llegaron otros soldados más diestros y, desliando la carga, hallaron que toda era de oro y plata, aunque iba envuelta en mantas de indios por disimular lo que había, y les valió más de cinco mil ducados.

Aquel día reposó allí el campo porque iban muy fatigados de tantos días como había que no se quitaban las armas. El presidente proveyó que los capitanes Hernán Mejía y Martín de Robles fuesen con su gente al Cuzco a estorbar que muchos de los soldados que hacia allá habían ido no saqueasen la ciudad ni matasen gente, porque era tiempo en que cada uno procuraba vengar sus enemistades particulares so título de la victoria, y para que estos capitanes prendiesen los soldados de Pizarro que se hubiesen huido. Otro día siguiente el presidente cometió el castigo de los presos al licenciado Cianca, oidor, y a Alonso de Alvarado como maestre de campo suyo, los cuales procedieron contra Pizarro por sola su confesión, atenta la notoriedad del hecho, y le condenaron a que le fuese cortada la cabeza, la cual fuese puesta en una ventana que para ello se hiciese en el [rollo] público de la ciudad de Los Reyes, cubierta con una red de hierro y un rótulo encima que dijese: «Esta es la cabeza del traidor Gonzalo Pizarro, que se levantó en el Perú contra su majestad y dio batalla contra su estandarte real en el valle de Xaquixaguana». Demás desto, le mandaron confiscar sus bienes y derribarle y sembrarle de sal las casas que tenía en el Cuzco, poniendo en el solar un padrón con el mismo letrero, lo cual se ejecutó aquel mismo día, muriendo como muy[221] buen cristiano.

Así en el tiempo de su prisión como en la ejecución de su muerte le hizo el capitán Diego Centeno, que le tenía a cargo, tratar muy honradamente, sin permitir que ninguno le dijese palabra deshonesta. Y al tiempo que lo mataron dio al verdugo toda la ropa que traía, que era muy rica y de mucho valor, porque tenía una ropa de armas de terciopelo amarillo, casi toda cubierta de chapería de oro, y un chapeo de la misma forma. Y aun por que no le desnudase hasta que le llevasen a enterrar, rescató Centeno al verdugo todo el valor de la ropa y otro día le hizo llevar a enterrar al Cuzco muy honradamente y la cabeza se llevó a Los Reyes, donde se puso según la forma de la sentencia. Fue descuartizado aquel día el maestre de campo y ahorcados ocho o nueve capitanes de Gonzalo Pizarro, aunque también después, como iban prendiendo los demás principales, los justiciaban.

Luego se fue al Cuzco con todo su campo y envió al capitán Alonso de Mendoza con cierta gente a la provincia de

[221] 1577: falta «muy».

los Charcas a prender algunos a quien había enviado allá Gonzalo Pizarro por dineros y otros que se habían huido. Y entendiendo que toda la más de la gente había de acudir a las minas de Potosí, que son en aquella provincia de los Charcas, como al lugar más rico de la tierra, envió por gobernador y capitán general al licenciado Polo Ondegardo, y para que también castigase los que allí hallase culpados, así por haber favorecido a Gonzalo Pizarro como por no haber acudido a servir al presidente al tiempo que pudieron. Y juntamente con él envió al capitán Gabriel de Rojas para que tuviese cargo en aquella provincia de recoger los quintos y tributos de su majestad y las condenaciones que el gobernador hiciese. De lo cual todo en breve tiempo el licenciado Polo recogió y envió un millón y doscientos mil castellanos, teniendo a su cargo lo uno y lo otro porque, pocos días después de llegado, Gabriel de Rojas falleció.

Entre tanto el presidente se estuvo en el Cuzco ejecutando cada día nuevas justicias según las culpas hallaba en los presos, a unos descuartizando y ahorcando, y a otros azotándolos y echándolos a las galeras, y proveyendo otras cosas necesarias y concernientes a la pacificación y quietud de la tierra. Y, usando del poder y comisión que de su majestad tenía, perdonó a todos los que se hallaron en aquel valle de Xaquixaguana y acompañamiento del estandarte real de todas las culpas que les pudiesen ser imputadas durante la rebelión de Pizarro en cuanto a lo criminal, reservando el derecho a las partes en cuanto a los bienes y causas civiles, según se contenía en su comisión. Esta batalla, de que tanta mención quedará en aquella provincia perpetuamente, se desbarató lunes de Quasimodo, que fue a nueve de abril del año de cuarenta y ocho.

Capítulo IX

Del repartimiento que el presidente hizo de la tierra después de la victoria

Habida la victoria[222] y deshecha la tiranía de Gonzalo Pizarro y castigados los que della resultaron culpados (en la forma que está dicho en el capítulo precedente), se proponía otra muy gran dificultad y de mucha importancia para el sosiego de la tierra, que era derramar tanta gente de guerra como estaba junta, por que no sucediesen otros inconvenientes como los pasados, aunque para hacerlo era necesario mucha prudencia y tiento, porque no había ningún soldado, por de baja suerte que fuese, que no pensase que le habían de dar uno de los mejores repartimientos que estaban vacos[223]. Y siendo el número de la gente más de dos mil y quinientos y los repartimientos ciento y cincuenta, estaba claro que no podía cumplir con ellos con todos los demandadores, y que habían de quedar casi todos descontentos y, después de haberse tratado de la forma que en el derramamiento deste ejército se tendría, por ser materia tan peligrosa y que no sufría dilación, se acordó que el presidente y el arzobispo se saliesen del Cuzco a la provincia de Apurima, que es doce leguas, a hacer el repartimiento, llevando consigo solo el secretario por poderlo hacer con más libertad y evitar las importunidades de la gente.

Y así se acabó dando de comer a los capitanes y gente más señalada según los méritos y servicios de cada uno, mejorando a unos y dando de nuevo a otros. Y valió la renta que

---

[222] 1577: La victoria habida...

[223] 1577: falta toda esta oración: «porque no había ningún soldado por de baja suerte que fuese que no pensase que le habían de dar uno de los mejores repartimientos que estaban vacos».

estaba vaca y se repartió más de un millón de pesos de oro porque, como se puede colegir desta historia, todos los principales repartimientos de la tierra estaban vacos, porque Pizarro había muerto so color de justicia o en batallas a los que los tenían encomendados por su majestad y el presidente había justiciado a muchos a quien los había dado Pizarro, aunque todos los principales tenía en su cabeza para los gastos de la guerra. Y a estas personas a quien dio las encomiendas impuso pensiones de a tres y cuatro mil ducados en dinero, más o menos según la renta principal, para repartirlos entre los soldados, a quien no había otra cosa que dar, para que se apercibiesen de armas y caballos y otras cosas, y enviarlos por diversas partes a descubrir la tierra.

Y aun con todos estos cumplimientos que hizo, le pareció al presidente que sería más conveniente y menos peligroso irse él a la ciudad de Los Reyes y que el arzobispo volviese en su lugar al Cuzco a publicar el repartimiento y dar los dineros según la orden que para ello traía. Y así se efectuó, aunque no dejó de haber grandes quejas de soldados, fundando cada uno cómo tenía más méritos para conseguir los indios que aquellos a quien se habían encomendado. Y no bastaron los cumplimientos y promesas que sobre esto se hizo el arzobispo y los otros capitanes, para que no hubiese motines y alteraciones entre la gente, los cuales concertaban de prender al arzobispo y a los otros principales y enviar al licenciado Cianca por embajador al presidente para que revocase el repartimiento hecho e hiciese otro de nuevo desagraviándolos. Donde no, que se alzarían con la tierra. Y por la buena orden que en esto se tuvo, vino a noticia del licenciado Cianca, que allí había quedado por justicia mayor, y prendió y castigó los promovedores del motín, y con esto quedó todo en paz.

Capítulo X

De cómo el presidente envió a prender a Pedro de Valdivia
y de los gastos que hizo en la guerra desde que llegó
a Tierra Firme hasta que la feneció

Antes que el presidente saliese en la ciudad del Cuzco, por gratificar lo mucho que Pedro de Valdivia le había servido en esta guerra, le confirmó y dio de nuevo la gobernación de la provincia de Chili, que hasta entonces se la había administrado. Y para juntar gente y proveerse de armas y caballos y otras cosas necesarias, Pedro de Valdivia se fue a la ciudad de Los Reyes, por haber allí para ello mejor comodidad. Y después que la hubo aderezado y juntado consigo la gente que pudo, lo embarcó todo y las naos se hicieron a la vela y él quedó para irse por tierra hasta Arequipa.

Y en este tiempo dieron noticia al presidente cómo entre la gente que Valdivia llevaba consigo había recogido ciertos caballeros y soldados que sobre los negocios de Gonzalo Pizarro habían sido desterrados del Perú, y algunos para las galeras. Sobre lo cual envió al general Pedro de Hinojosa para le prender y, como le alcanzó, le rogó mucho que se volviese con él al presidente y él no lo quiso hacer, confiado en la gente que llevaba. Y creyendo que por causa della Hinojosa no se atrevería a intentar cosa alguna[224] contra su voluntad, se descuidó, de suerte que con seis arcabuceros que el general[225] llevaba acometió a prenderle y él, visto que no podía hacer otra cosa, se fue con el presidente[226], donde, después que le satisfizo de la culpa que se le ponía, le hizo quedar los presos que consigo llevaba y alcanzó licencia

---

224 1577: falta «cosa alguna».
225 1577: falta «general».
226 1577: se fue con él al presidente.

para continuar su jornada. Y así dio licencia a todos los demás vecinos que cada uno se fuese a su casa a descansar y restaurarse de sus gastos pasados, y algunos capitanes envió a descubrir y él con los que le seguían se fue a la ciudad de Los Reyes, dejando por gobernador de la ciudad del Cuzco al licenciado Carvajal.

En este tiempo llegaron a la villa de Plata ciento y cincuenta españoles que venían con Domingo de Irala del río de la Plata, y subieron tanto por él hasta que llegaron al descubrimiento de Diego de Rojas, y de allí determinaron ir al Perú para pedir gobernador al presidente. Y, vista su demanda, les dio por gobernador al capitán Diego Centeno, que con ellos y con la demás gente que pudiesen juntar volviese a hacer el descubrimiento y conquista, aunque después él no pudo ir porque, teniendo casi aderezada la jornada, falleció. Y el presidente nombró en su lugar otro capitán que fuese a esta conquista del río de la Plata. Este río nace de las cordilleras nevadas que están en el Perú, entre la ciudad de Los Reyes y el Cuzco, donde salen cuatro ríos, nombrados de las primeras provincias por donde pasan: uno se llama Apurima, otro Vilcas y otro Abancay y otro Jauja, que sale de una laguna de la provincia que se llama Bombón, que es la más llana y más alta tierra del Perú, a cuya causa siempre en ella graniza y nieva[227]. La orilla desta [gran] laguna está bien poblada de indios, y dentro en ella hay muchas isletas llenas de juncos y espadañas y otras yerbas, donde los indios crían sus ganados.

En la expedición desta guerra de Gonzalo Pizarro que arriba está contado gastó el presidente mucha suma de dineros, así en hacer pago y socorros a soldados, como en darles armas y caballos y bastimentos y fletes y matalotajes y artillería y municiones para ella. Y con hacerse todo a la mayor ventaja que fue posible, desde que llegó a Tierra Fir-

---

[227] 1577: falta «y nieva».

me hasta la victoria se gastaron más de novecientos mil castellanos, la mayor parte de los cuales tomó prestados de mercaderes y otras personas, porque los quintos reales todos los había tomado y gastado Gonzalo Pizarro. Y así, después de pacificada la tierra, el presidente comenzó a recoger todos los dineros que pudo, así de los quintos reales como de los bienes confiscados y de las condenaciones de personas, y de lo restante ajuntó más de millón y medio de ducados de diversas partes de aquella provincia, aunque la principal parte se trajo de la provincia de los Charcas (como arriba lo hemos contado), y todo lo recogió en la ciudad de Los Reyes. Puso gran diligencia en proveer que, conforme a las ordenanzas, no se cargasen los indios, así porque de los trabajos de las cargas había perecido gran número dellos, como porque con el aparejo que con estos hallaban los españoles para caminar, no asentaban en ningún pueblo y se andaban ociosos de unas partes a otras, sin aplicarse a oficios ni a otro género de trabajo.

Y demás desto, después de tener el presidente asentada la audiencia real en la ciudad de Los Reyes, comenzó a entender en hacer la tasación de los tributos que los indios habían de dar a los españoles, porque hasta entonces nunca se había hecho, por causa de las guerras y revoluciones que en aquella provincia hubo desde que se descubrió, sino que cada español tomaba de su cacique el tributo que le daba, y otros que no se habían tan templadamente les pedían mucho más de lo que les podían dar, y se lo sacaban por fuerza. Y algunos que en esto tenían más disolución, los sacaban con tormentos y muertes de algunos indios, confiados en que por causa de las guerras no se pudiese haber, o si se pudiese haber o si se supiesen, no serían dello castigados[228]. Y la tasación se comenzó a hacer en conformidad de los

---

[228] 1577: confiados en que por causa de las guerras no se podría saber, o si se supiese no serían dello castigados.

indios y de los más españoles, informándose el presidente y oidores de los frutos que producía la provincia que se tasaba, o si había en ella minas de oro o de plata o abundancia de ganado, haciendo la tasación teniendo respeto a todo esto y a otras particularidades que se requerían.

Capítulo XI

De cómo el presidente, dejando asentadas las cosas del Perú, se embarcó para España, y de lo que en el camino le aconteció

Viendo el presidente que los negocios del Perú estaban tan llanos y asentados como hemos contado, y que los soldados y gente de guerra estaban derramados, habiéndose enviado los más a la provincia de Chili y a la de Diego de Rojas y a otros descubrimientos y entradas debajo de sus capitanes, y los demás que quedaron en el Perú se habían aplicado a ganar de comer cada uno en el oficio que sabía, y otros tratando en el negocio de las minas, y considerando así mismo que la audiencia real y los gobernadores por ella nombrados hacían justicia sin impedimento ni embarazo alguno, determinaron venirse a estos reinos usando de la licencia que de su majestad había llevado para que cada y cuando que le pareciese se pudiese venir.

Y lo que principalmente le movió fue traer consigo tanta cantidad de dineros como arriba habemos dicho que tenía juntada de la hacienda real[229], pareciéndole que ni ella estaba segura en parte donde no había fuerza ni seguridad para guardarse y que, so color de robarse (si a tales términos viniera), se podían levantar nuevas alteraciones en la tierra.

_____

[229] 1577: como arriba tenemos dicho que tenía juntos de la hacienda real.

Y así, después que la tuvo embarcada y aparejadas todas las otras cosas necesarias para su navegación, sin dar parte a nadie hasta entonces de su deliberación, envió a llamar al cabildo de la ciudad de Los Reyes y les propuso lo que tenía determinado. Y aunque ellos le hicieron un requerimiento proponiéndole los inconvenientes que podían suceder de venirse hasta que su majestad proveyese nuevo presidente o visorrey en la tierra, él respondió satisfaciéndoles a todo. Y así se fue a embarcar y desde la nao hizo segundo repartimiento de todos los indios que habían vacado después que se había hecho el primer repartimiento cerca del Cuzco, que eran muchos y muy señalados, porque habían fallecido en este medio tiempo Diego Centeno y Gabriel de Rojas y el licenciado Carvajal y otras algunas personas principales y señaladas en la tierra, aunque por ser tantos los que pretendían ser proveídos y mejorados, y que no se podía cumplir con todos, le pareció no esperar a oír las quejas de los que se habían de tener por agraviados. Y así, hechas las cédulas de las encomiendas, las dejó selladas en poder del secretario de la audiencia, con orden que no las abriese hasta que hubiese ocho días que él estuviese hecho a la vela.

Y así comenzó a navegar por el mes de diciembre de mil y quinientos y cuarenta y nueve años, trayendo consigo al provincial de la orden de Santo Domingo y a Jerónimo de Aliaga, que fueron nombrados por procuradores de la provincia para negociar con su majestad las cosas della. Y así mismo vinieron en su acompañamiento otros muchos caballeros y personas principales que venían a residir de asiento en estos reinos con sus haciendas, y todos llegaron con buen viaje al puerto de Panamá, donde desembarcaron y, dándose toda la priesa posible en pasar la hacienda de su majestad y la de los particulares al Nombre de Dios, ellos también se vinieron para aparejar las cosas necesarias para la navegación de la mar del Norte, teniendo todos al presidente el mismo respeto y obediencia que le tenían en el Perú, tratándolos él muy humana y comedidamente y dan-

466

do de comer a todos los que querían ir a su mesa. Caso que esto se hacía a costa de su majestad, porque al tiempo que el presidente fue proveído a este cargo, considerando que los otros gobernadores habían sido notados de alguna codicia por el aparejo que en la tierra hay de ser aprovechados, y también siendo advertido que ningún salario se le podía señalar en España (según lo que hasta entonces se usaba), que fuese competente para tratar su persona y casa, según los muchos gastos y carestía de las cosas que en la tierra hay, no quiso aceptar ningún salario señalado, salvo que pudiese gastar de la hacienda real todo lo que le pareciese necesario para su costa y mantenimiento y gastos de su casa y criados, llevando cédulas y recaudos para ello. Lo cual él guardaba tan estrechamente que todo cuanto se gastaba y compraba en su casa, así de mantenimientos como de otras cosas, se hacía por ante escribano que para ello estaba diputado, y con fe de él se tomaba lo necesario de la hacienda real.

Capítulo XII

De lo que sucedió a Hernando y a Pedro de Contreras,
que se hallaron en Nicaragua y vinieron en seguimiento
del presidente

En el tiempo que Pedro Arias Dávila gobernó y descubrió la provincia de Nicaragua casó una de sus hijas, llamada doña María de Peñalosa, con Rodrigo de Contreras, natural de la ciudad de Segovia, persona principal y hacendado en ella. Y por muerte de Pedro Arias quedó la gobernación de la provincia a Rodrigo de Contreras, a quien su majestad proveyó della por nombramiento de Pedro Arias, su suegro, atento sus servicios y méritos, el cual la gobernó algunos años hasta tanto que fue proveída nueva audiencia que residiese en la ciudad de Gracias a Dios, que se llama de los confines de Guatimala. Y los oidores no solamente quitaron el cargo a Rodrigo de Contreras pero, ejecutando una de las ordenanzas de que arriba está tratado, por haber sido gobernador le privaron de los indios que él y su mujer tenían, y de todos los que había encomendado a sus hijos en el tiempo que le duró el oficio. Sobre lo cual se vino a estos reinos pidiendo remedio del agravio que pretendía habérsele hecho, representando para ello los servicios de su suegro y los suyos propios. Y su majestad y los señores del Consejo de las Indias determinaron que se guardase la ordenanza y confirmando[230] lo que estaba hecho por los oidores.

Sabido esto por Hernando de Contreras y Pedro de Contreras, hijos de Rodrigo de Contreras, sintiéndose mucho del mal despacho que su padre traía en lo que había venido a negociar, como mancebos livianos determinaron de alzarse en la tierra, confiados en el aparejo que hallaron en un Juan Bermejo y en otros soldados sus compañeros que habían venido del Perú, parte dellos descontentos porque el presidente no les había dado de comer, remunerándoles lo que le habían servido en la guerra de Gonzalo Pizarro, y otros que habían seguido al mismo Pizarro y por el presidente habían sido desterrados del Perú. Y estos animaron los dos hermanos para que emprendiesen este negocio, certificándoles que si con doscientos o trescientos hombres de guerra que allí le podían juntar aportasen al Perú, pues tenían navíos y buen aparejo para la navegación, se les juntaría la mayor parte de la gente que allá estaba descontenta, por no les haber gratificado el licenciado De la Gasca sus servicios.

Y con esta determinación comenzaron a juntar gente y armas secretamente, y cuando se sintieron poderosos para resistir la justicia comenzaron a ejecutar su propósito y, pareciéndoles que el obispo de aquella provincia había sido

---

[230] 1577: confirmaron.

468

muy contrario a su padre en todos los negocios que se habían ofrecido, comenzaron de la venganza de su persona. Y un día entraron ciertos soldados de su compañía adonde estaba el obispo jugando al ajedrez y le mataron y alzaron bandera, intitulándose «el ejército de la libertad». Y, tomando los navíos que hubieron menester, se embarcaron en la mar del Sur con determinación de esperar la venida del presidente y prenderle y robarle en el camino, porque ya sabían que se aparejaba para venirse a Tierra Firme con toda la hacienda de su majestad, aunque primero les pareció que deberían ir a Panamá, así para certificarse del estado de los negocios, como porque desde allí estarían en tan buen paraje y aun mejor para navegar la vuelta del Perú que desde Nicaragua.

Y habiéndose embarcado cerca de trescientos hombres, se vinieron al puerto de Panamá y antes que surgiesen en él se certificaron de ciertos estancieros que prendieron de todo lo que pasaba. Y como el presidente era ya llegado con toda la hacienda real y con otros particulares[231] que traía, pareciéndoles que su buena dicha les había traído la presa a las manos, esperaron a que anocheciese y surgieron en el puerto muy secretamente y sin ningún ruido, creyendo que el presidente estaba en la ciudad y que sin ningún riesgo ni defensa podrían efectuar su intento. Aunque, como ya está dicho, había tres días que después de enviada casi toda la hacienda real el presidente y los de su compañía habían pasádose al Nombre de Dios porque, a estar allí, se tiene por cierto que corriera gran peligro él y toda la hacienda, por estar tan seguro y sin recelo de semejante acontecimiento. Y como supieron estos hermanos la ausencia del presidente, acudieron ante todas cosas a la casa de Martín Ruiz de Marchena, en cuyo poder, como tesorero de su majestad, estaba la caja de las tres llaves. Y, prendiéndole a

---

[231] 1577: con la de otros particulares.

él, le robaron hasta cuatrocientos mil pesos que allí habían quedado en plata baja de su majestad, por no haber bastado las recuas de la tierra para lo llevar. Y llevaron a Marchena y a Juan de Lares y otros vecinos a la plaza, diciendo que los habían de ahorcar si no les descubrían dónde estaban las armas y el dinero de la tierra, y ningún temor bastó para que se lo descubriesen.

Y habiendo puesto en sus navíos todo el oro y plata y otras haciendas que robaron, les pareció que todo su buen suceso consistía en ir con gran brevedad al Nombre de Dios y tomar de sobresalto al presidente antes que fuese avisado ni se pudiese apercibir para la defensa. Y así determinaron salir de la ciudad para hacer la jornada y que Juan Bermejo se quedase con cien hombres en campo junto a la ciudad de Panamá, asentando el real en un recuesto, a efecto de que pudiese hacer espaldas a la gente que iba al Nombre de Dios y recoger la presa que de allá enviasen, y prender y matar a los que de allá creían que venían huyendo y desbaratados, así de la gente del presidente como de los mercaderes y vecinos de la tierra. Y Pedro de Contreras, su hermano, con el resto de su campo caminase para el Nombre de Dios, pareciéndoles que bastaba aquello para tomarlos de sobresalto, aunque les sucedió muy de otra manera que ellos lo tenían figurado. Porque a la hora que Marchena sintió el negocio despachó dos negros muy diestros en la tierra, el uno por tierra y el otro por el río de Chagre, por donde había ido el presidente en barcos.

Porque este río de Chagre nace de unas cordilleras de sierra que hay entre Panamá y el Nombre de Dios, aguas vertientes a la mar del Sur y, pareciendo que corre hacia ella, se vuelve después por unas quebradas a meterse en la mar del Norte por espacio de catorce leguas, por manera que para poderse navegar de una mar a otra faltan solamente de romperse aquellas cuatro o cinco leguas, aunque, por ser de sierras y tierra muy áspera y doblada, se tiene por imposible, como lo fue, romper tanto menos cantidad de tierra como hay en el Peloponeso, entre el mar Egeo y el Jonio, donde ahora se llama la Morea, caso que fue tentado por tantos emperadores con la costa y trabajo que cuentan los historiadores. Y así desde Panamá van por tierra cinco leguas hasta una venta que llaman las Cruces, y allí se embarcan por el río y van a salir a la mar del Norte, a cinco o seis leguas del Nombre de Dios.

Pues el mensajero que fue por el río alcanzó al presidente antes que llegase al Nombre de Dios y, siendo avisado de lo que pasaba, lo comunicó con el provincial y con los otros capitanes que iban en su compañía, sin mostrar ninguna alteración de las que parecía requerir el negocio, aunque sintió mucho que saliendo a la mar le calmó el viento de manera que no pudo navegar, y tomó por remedio enviar al capitán Hernán Núñez de Segura con ciertos negros que le guiasen por tierra hasta el Nombre de Dios, para apercibir la gente del pueblo y poner en recado la hacienda real y la de los particulares. Segura caminó a pie por donde las guías le llevaban, aunque con muy gran trabajo por causa de los muchos ríos, algunos de los cuales por tan crecidos hubo de pasar a nado, y por la dificultad de los arcabucos y anegadizos que hay, porque no es camino cursado ni por donde pasa nadie en muchos tiempos. Pues llegado al Nombre de Dios, halló que ya se sabía allá el suceso por medio del otro mensajero que había dado el mandado por tierra. Y así estaban ya apercibidos lo mejor que pudieron, sacando en tierra mucha gente de los navíos que había en el puerto, que eran nueve o diez. Y ya en esta sazón llegó por mar el presidente y con buena industria se había acabado de poner en orden la gente, y salieron con el mejor apercibimiento que les fue posible del Nombre de Dios, la vuelta de Panamá por tierra, yendo por cabeza el presidente y en su lugar Sancho de Clavijo, gobernador por su majestad de aquella provincia, que acaso había venido en su acompañamiento desde Panamá por el río de Chagre.

Capítulo XIII

De cómo Hernando y Pedro de Contreras fueron vencidos y desbaratados por la gente de Panamá

Habiendo robado estos dos hermanos la ciudad de Panamá y muerto alguna poca gente que se les puso en resistencia, se acordó (como arriba está dicho) que Pedro de Contreras se quedase en la mar en guarda de los navíos y de la presa que se había hecho, y para recoger lo que se le enviase, dejándole alguna parte de la gente que pareció ser necesaria; y que Juan Bermejo con la mitad de su campo asentase el real en una estancia junto a Panamá para el efecto que está dicho; y que Hernando de Contreras con el resto del ejército se fuese al Nombre de Dios, y así se ejecutó todo. Y en viendo Martín Ruiz de Marchena y Juan de Lares, regidor del Nombre de Dios, que se había dividido la gente destos cosarios[232], parecioles que serían parte para desbaratar a Juan Bermejo y a los que con él quedaban. Y así, poniendo en ello diligencia con más brevedad de la que parecía posible, recogieron toda la gente de la ciudad que andaba huida por el monte, y los negros de las recuas y estancias y, armándolos lo mejor que pudieron y dejando en la ciudad alguna guarda y tomadas las calles con baluartes de tierra y fajina, por que no saliesen los de las naos a hacer nuevos daños o a socorrer a los suyos, ellos salieron en campo contra Juan Bermejo y su gente, y pelearon los unos y los otros hasta que Juan Bermejo fue desbaratado y muertos y presos todos los suyos.

Y luego determinó Marchena de irse derecho al Nombre de Dios, sospechando lo que fue, que, teniendo noticia

---

[232] 1577: hermanos.

Hernando de Contreras en el camino que no solamente los del Nombre de Dios estaban apercibidos para la defensa, sabida la entrada de Panamá, pero que venían contra él en campo, se había de retirar para juntarse con Juan Bermejo, y ver si se sentían fuertes para la defensa y, si no, embarcarse con la presa. Pues tornándose Hernando de Contreras a Panamá desde el medio camino y sabido por algunos negros que tomó la victoria que se había habido contra Juan Bermejo y los suyos, y que ejecutando la victoria venía contra él, se desbarató mandando a los suyos que cada uno se fuese por donde mejor le pareciese hasta llegar a la mar, porque allí les tendría su hermano los bateles en la playa para recogerlos en la armada. Y así lo hicieron y él con algunos de los suyos se desvió del camino real, temiendo encontrar con Marchena. Y como en aquella tierra hay tantas espesuras y ríos y arroyos, y él estaba poco diestro en los pasos, se ahogó en un río y algunos de los suyos fueron presos, y otros nunca más se supo dellos.

Los que escaparon desta rota vivos y de la de Juan Bermejo fueron llevados presos a Panamá y, teniéndolos atados en la plaza, un alguacil los mató a puñaladas con una daga. Sabido por Pedro de Contreras, que estaba en la mar, el desastrado fin de su gente, pareciéndole que no tendría tiempo para hacerse a la vela, se metió en un batel él y algunos de los suyos, desamparando las naos y todo cuanto en ellas estaba, y navegó costa a costa hasta saltar en una provincia que se llama Nata, donde nunca más se ha sabido qué se hizo, aunque se cree que dio en indios de guerra, que por allí hay muchos, y le mataron. Siendo avisado el presidente de todos estos sucesos, se volvió con toda su gente al Nombre de Dios, dando gracias a nuestro Señor por la señalada merced que le había hecho en escaparle[233] de un peligro tan no pensado y que no se había podido prevenir

---

[233] 1577: librarle.

con diligencia, ni por otro medio alguno, salvo que a llegar cinco o seis días antes esta gente le prendieran y se apoderaban sin riesgo ni peligro alguno de la mayor presa que nunca cosarios habían hecho.

Pacificando este alboroto, el presidente se embarcó poniendo en orden y a punto de guerra los navíos en que traía la hacienda de su majestad, y llegó en salvamento a estos reinos sin que le aconteciese desgracia ninguna, si no fue que un navío, que traía a cargo Juan Gómez de Anaya con cierta parte de la hacienda de su majestad, se apartó de la compañía y arribó al puerto del Nombre de Dios, aunque después llegó en salvamento a estos reinos. En entrando el presidente con su flota por la barra de Sanlúcar, despachó por la posta al capitán Lope Martín que fuese a Alemania a dar noticia a su majestad de la venida, la cual le fue muy agradable nueva, y que puso grande admiración y espanto en todas aquellas provincias donde dello se tuvo noticia, por haber tan buen suceso como nuestro Señor encaminó en la buena ventura de su majestad en negocios que tan dificultosa parecía que habían de tener la salida.

Venido el presidente a Valladolid, dende a pocos días fue proveído del obispado de Palencia, que vacó por muerte de don Luis Cabeza de Vaca, y su majestad le envió a mandar que se partiese luego para su corte, para tomar de él relación particular de todos los negocios en que había tratado. Y él lo cumplió luego y se partió de Valladolid, llevando en su compañía al provincial de Santo Domingo y al capitán Jerónimo de Aliaga, que vinieron por procuradores de la provincia del Perú, y a otros muchos caballeros y personas señaladas que pretendían recibir de su majestad mercedes y remuneración de lo que le habían servido en la pacificación del Perú. Y con todos ellos se embarcó el obispo en Barcelona, en las galeras que le estaban esperando, y llevó en ellas quinientos mil escudos labrados en reales que su majestad le envió a mandar que llevase. Y poco antes desto su majestad proveyó por visorrey del Perú a don Antonio de Mendoza, que lo era en la Nueva España, y en su lugar envió a don Luis de Velasco, veedor general de las guardas de Castilla.

FIN

LAUS DEO

Anexos

Anexo I:
Transcripción de los capítulos con variantes en la versión A1 de la edición de 1555[234]

LIBRO III

Capítulo I

De cómo don Diego de Almagro se partió para Chili

Don Diego de Almagro se partió en descubrimiento de su conquista con quinientos y setenta hombres de pie y de caballo bien aderezados, y algunos vecinos dejaron sus casas y repartimientos de indios y se fueron con él, con la gran suma de oro que en aquellas partes había. Y envió adelante a Juan de Sayavedra, natural de Sevilla, con cien hombres, que en la provincia que después llamaron los Charcas topó con ciertos indios que venían de Chili, no sabiendo lo que había pasado en el Perú, a dar la obediencia al Inga. Y le traían en presente ciertos tejuelos de oro

---

[234] Nos basamos en el ejemplar de la Bibliotèque Nationale de France (con signatura 8-OL-763), que correspondería con la primera versión impresa (denominada A1 por Roche [1978]). Véase la introducción.

fino muy subido, que pesaban ciento y cincuenta mil pesos, y se los tomaron, queriendo más desto prender Juan de Sayavedra al capitán Gabriel de Rojas, que allí estaba, teniendo la justicia por el gobernador Pizarro, y él, desque lo sintió, se retiró al Cuzco. Y don Diego con toda su gente fue siguiendo su viaje.

Y al tiempo que del Cuzco se partió Mango Inga (que como dijimos tenía el reino del Perú y la borla de él), concertó con un hermano suyo llamado Paulo y otro indio llamado Villaoma, que era sumo sacerdote entre los indios, que con mucha gente de la tierra iban en compañía de don Diego, que cuando más descuidado le viesen, diesen sobre él y matasen a él y a su gente, porque en el Perú él ternía cargo de matar al gobernador y a los que con él quedaban. Y cuando este acuerdo se tomó entre los indios, el Inga mandó hacer grandes sementeras, para que la gente de guerra tuviese de comer, de la cual provisión nunca los españoles tuvieron noticia. Y no pudiendo Villaoma efectuar su intención en los Charcas, se volvió huyendo al Cuzco. Y cuando don Diego llegó a tierra de Chili, aquel don Felipe, lengua, que todo aquel trato traía y sabía, se huyó también, aunque don Diego le hizo prender a ciertos españoles que tras él fueron, y así por esto como por lo que hizo en Quito, le mandó hacer cuartos. Y al tiempo de su muerte confesó haber él sido causa en la injusta muerte que le dio Atabaliba, por gozar de su mujer, como arriba dijimos.

Pues andando en este tiempo don Diego de Almagro conquistando la tierra de Chili, le alcanzó un criado suyo llamado Juan de Herrada, que él había dejado haciendo gente en la ciudad de Los Reyes, y le llevó una provisión que Hernando Pizarro había traído de Castilla, en que su majestad le hacía gobernador de cien leguas adelante, acabados los límites de la gobernación de don Francisco Pizarro. La cual gobernación se intituló la Nueva Toledo, porque la de don Francisco se llamaba la Nueva Castilla. Y creyendo que el Cuzco le cabía y entraba en su gobernación, sin tener respeto al juramento que había hecho, se determinó a volver luego a tomar aquella ciudad, sin detenerse más en Chili ni en ninguna otra parte del camino.

Capítulo IV

De cómo vino don Diego de Almagro sobre el Cuzco y prendió a Hernando Pizarro

Ya dijimos arriba cómo, después que Juan de Herrada llevó a Chili la provisión que su majestad dio para que don Diego de Almagro fuese gobernador pasada la gobernación de don Francisco Pizarro, se determinó de volver al Perú y apoderarse de la ciudad del Cuzco. Para lo cual le daban gran priesa los caballeros principales que con él andaban, especialmente Gómez de Alvarado, hermano del adelantado don Pedro de Alvarado, y su tío Diego de Alvarado y Rodrigo Orgoños, los unos con codicia de poseer los repartimientos de la tierra del Cuzco y los otros por ambición de quedar solos en la gobernación de Chili. Y así, para salir con su intento, trataban con las lenguas, que dijesen cómo el gobernador Pizarro y los demás españoles que en el Perú quedaron habían sido muertos por los indios que se habían rebelado, porque ya la noticia del alzamiento de los indios había llegado a aquellas partes.

Pues con la instancia que toda esta gente hizo a Don Diego se volvió, y cuando llegó a seis leguas del Cuzco, sin hacer saber nada a Hernando Pizarro, se carteó con el Inga, prometiéndole de perdonarle todo lo que había hecho si fuese su amigo y le favoreciese, porque aquella tierra del Cuzco era de su gobernación y que volvía a apoderarse della. Y el Inga cautelosamente le envió a decir que se fuese a ver con él, lo cual don Diego hizo, no recelándose de engaño ninguno, dejando alguna parte de su gente con Juan de Sayavedra y llevando él toda la demás. Mas cuando el Inga vio su tiempo, dio sobre don Diego con tanta furia que le hizo volver atrás. Y entretanto, Hernando Pizarro, que ya de su venida sabía, se fue a ver con Juan de Sayavedra al real. Y lo pudiera bien prender, como los vecinos del Cuzco le habían aconsejado, y no quiso, antes se volvió al Cuzco sin le hacer enojo. Y Juan de Sayavedra dijo después que le había prometido cincuenta mil pesos, por que le entregase la gente, y él no los había querido.

Y cuando don Diego de Almagro volvió de verse con el Inga, pasó a vista del Cuzco y, juntándose con Juan de Sayavedra, vino con toda su gente banderas tendidas sobre la ciudad y prendió a cuatro de caballo que Hernando Pizarro envió a le hablar, y envió a requerir al cabildo con las provisiones para que le recibiesen por gobernador. Y el cabildo le respondió que midiese los límites con don Francisco Pizarro y que, averiguado que aquella ciudad caía fuera de las leguas contadas en la gobernación de don Francisco, le recibirían luego, lo cual ni entonces ni después nunca se hizo. De que sucedieron todos los daños y muertes y diferencias que entre estos dos capitanes y su gente se recrecieron, porque aunque algunas veces se juntaron a medirlo, nunca concordaron en la forma, porque unas veces decían que estas leguas de la gobernación de don Francisco le habían de medir por la costa según iba, haciendo entradas y ancones la mar, y otras veces que se había de medir por el camino, con todos los rodeos en que se torció, porque en cualquiera destas maneras la gobernación de don Francisco fenecía mucho antes del Cuzco, y aun algunos decían que antes de la ciudad de Los Reyes. Él pretendía que no se había de medir sino por el altura del sol, contando la graduación desde la línea equinoccial, dando a cada grado tantas leguas y midiéndolo según los astrólogos y mareantes, norte sur meridiano por la línea superior, de la cual manera diz que se contenía en la gobernación de don Francisco mucho más adelante de la ciudad del Cuzco. Comoquier que sea, hasta el día de hoy nunca se declaró perfectamente esta contienda, si la ciudad del Cuzco entraba en la Nueva Castilla o en la Nueva Toledo, aunque muchas veces se juntaron sobre ello pilotos y grandes geómetras, especialmente por el licenciado Vaca de Castro, que llevó para ello particular comisión. Y al fin nunca pronunció sentencia, caso que algunos dicen que la tuvo ordenada. Y no se maravillará de la dificultad que en esta medida haya habido quien tuviere noticia de un pleito que en el Consejo Real de Castilla pende entre la villa de San Vicente de la Barquera y la villa de Cumillas, sobre si hay de una a otra más o menos de una legua de distancia, y aunque ha más de cuarenta años que pende este pleito y han ido a hacer la medida muchos jueces y muértose mucha gente de una parte y de otra, aún está por dar en él la primera sentencia.

Pues tornando a la historia, Hernando Pizarro envió a decir a don Diego que él le haría desembarazar cierta parte de la ciudad donde se aposentase él y su gente seguramente, entretanto que enviaban relación de lo que pasaba a don Francisco Pizarro, que estaba en la ciudad de Los Reyes, para que se diese algún medio entre ellos, pues eran amigos y compañeros. Y algunos dicen que para tratar desto se pusieron treguas, debajo de las cuales teniéndose por seguro Hernando Pizarro hizo a todos los vecinos y gente de guerra que se fuesen a reposar a sus casas, porque muy cansados estaban de andar armados días y noches, sin dormir ni reposar un punto. Y como don Diego desto fue avisado, con la oscuridad de la noche, especialmente por un gran nublado que sobrevino, dio asalto en la ciudad. Mas cuando Hernando y Gonzalo Pizarro sintieron el ruido se armaron a gran priesa y, como fue su casa la primera sobre que dieron, con sus criados se defendieron fuertemente hasta que por todas partes les pusieron fuego y los prendieron.

Y luego otro día don Diego hizo que el cabildo le recibiese por gobernador y echó en prisiones a Hernando Pizarro y a su hermano, y aunque muchos le aconsejaron que los matase, no lo quiso hacer, por lo mucho que se lo defendió y le aseguró dellos Diego de Alvarado. Y túvose por cierto que a don Diego de Almagro dieron ocasión de quebrantar las treguas ciertos indios y aun españoles que le trajeron nuevas que Hernando Pizarro mandaba quebrar las puentes y se fortalecía en el Cuzco, lo cual pareció claro porque cuando él entraba en la ciudad dijo a grandes voces: «¡Oh, cómo me habéis engañado, que sanas hallo todas las puentes!». De todas estas cosas ninguna sabía el gobernador por entonces, ni lo supo de ahí a muchos días, como adelante se dirá. Don Diego de Almagro hizo Inga y dio la borla del imperio a Paulo, porque su hermano Mango Inga, visto lo que había hecho, se fue huyendo con mucha gente de guerra a unas muy ásperas montañas que llaman los Andes.

LIBRO IV

Capítulo VI

De cómo los de Chili trataron la muerte del marqués

[...]

Y como supieron que su majestad había proveído al licenciado Vaca de Castro que fuese a haber información sobre todas las alteraciones pasadas, sin proveer [en] el negocio con el rigor y aspereza que ellos quisieran y esperaban, determinaron de poner en ejecución su propósito, aunque todavía aguardaba a saber por entero la voluntad que traía Vaca de Castro, porque si en viniendo no prendía o mataba al marqués, trataban de los matar a ambos juntos. Y para sentir algo desto, había enviado la vía de Tumbez a don Alonso de Montemayor y a otros con él, porque algunos navíos que habían venido de Panamá sabían cómo Vaca de Castro quedaba aprestando su viaje. Y como después sucedió, que embarcándose Vaca de Castro en Panamá por falta de una ancla las corrientes de la mar que tenía contrarias le hicieron decaer en la navegación a la isla de la Gorgona y le fue forzado subir por el río de San Juan y por la buenaventura a la gobernación de Benalcázar y desde allí ir por tierra a la provincia del Perú, como adelante más particularmente se dirá.

Viendo los de Chili que la venida de Vaca de Castro se dilataba tanto y que podría ser que en tanta dilación se tuviese noticia de su concierto y los matasen a todos por ello, determinaron de efectuar su propósito de la forma que en el capítulo siguiente se dirá.

Capítulo VII

Cómo avisaron al marqués de la determinación que estaba tomada para matarle

Era tan público en la ciudad de Los Reyes que los de Chili trataban la muerte del marqués, que muchos que lo entendían le avisaron de ello. A los cuales él respondía que sus cabezas guardarían la suya y, tan descuidadamente se trataba, que muchas veces se iba paseando fuera de la ciudad a unos molinos que labraba con solo un paje. Y a los que decían que por qué no traía gente de guarda, respondía que no quería que pensasen o dijesen que se guardaba del licenciado Vaca de Castro, que venía por juez contra él. Y así los de Chili para descuidar al marqués echaron fama que Vaca de Castro era muerto.

Y un día le fue a ver Juan de Herrada con algunos de los suyos y le halló en un vergel, donde le dijo que qué era la causa por que su señoría le quería matar a él y a sus compañeros. Y el marqués le respondió con juramento que nunca tal intención había tenido, que antes le habían dicho que ellos le querían matar, y que compraban armas para ello. Juan de Herrada le respondió que no era mucho, que pues su señoría compraba lanzas, que ellos comprasen corazas para se defender. Y tuvo atrevimiento para decir esto porque bien cerca de allí dejaba en reguarda más de cuarenta hombres muy bien armados, y también le dijo que para que su señoría se asegurase de aquella sospecha, diese licencia a don Diego y a los suyos para salir de la tierra. Y el marqués, no tomando ninguna sospecha de aquellas palabras, antes teniendo lástima de ellos, los aseguró con amorosas palabras, diciendo que no había comprado las lanzas para contra ellos. Y luego él mismo cogió unas naranjas y se las dio a Juan de Herrada, que entonces por ser las primeras se tenían en mucho, y le dijo al oído que viese de lo que tenía necesidad, que él le proveería. Y Juan de Herrada le besó por ello las manos y, dejando tan seguro y confiado al marqués, se despidió de él y se fue a su posada, donde con los más principales de los suyos concertó que el domingo siguiente le matasen, pues no lo habían hecho el día de San Juan como lo tenían acordado.

Y el sábado antes el uno dellos lo descubrió en confesión al cura de la iglesia mayor y él lo fue a decir aquella noche a Antonio Picado, secretario del marqués, y le rogó que le pusiese con él. Y el secretario le llevó en casa de Francisco Martín, hermano del marqués, donde estaba cenando con sus hijos, y levantándose de la mesa le dijo el cura todo lo que pasaba, y el marqués se alteró algo dello a la sazón. Pero dende a poco dijo al secretario que no creía tal cosa, porque pocos días antes le había venido hablar con muy grande humildad Juan de Herrada, y que aquel hombre que había dado el aviso al cura le debía querer pedir algo, y que por echarle cargo había inventado aquello. Y con todo envió a llamar al doctor Juan Velázquez, su teniente, y porque a causa de estar mal dispuesto no pudo venir, el marqués fue aquella noche a su casa, acompañándole solo su secretario con otros dos o tres y una hacha delante. Y como halló al teniente en la cama, le dio cuenta de todo lo que pasaba y él le aseguró diciendo que no tuviese su señoría temor, que en tanto que él tuviese aquella vara en la mano no se osaría revolver nadie en toda la tierra, en lo cual no parece haber quebrantado su palabra, porque después huyendo, como adelante se dirá, al tiempo que quisieron matar al marqués se echó de una ventana abajo a la huerta, llevando la vara en la boca.

Capítulo XX

De cómo Vaca de Castro dio gracias a su gente por la victoria que habían habido

[...]

Y así, menospreciando la muerte, parece que huyó de él, como suele acaecer en todos los peligros y seguir al que más la teme, como se vio en aquella batalla, que un mancebo, no osando entrar en ella, de temor se fue a esconder tras una peña donde le parecía que aún no se oiría el ruido y dando una pelota de un tiro en la peña, hizo saltar un pedazo della que le dio en la cabeza y se la hizo muchos pedazos.

Los principales que se señalaron de parte de su majestad, demás de los arriba dichos, fueron el licenciado Benito de Carvajal y Lorenzo de Aldana y Francisco Godoy y Diego de Aguilera, Bernardino de Valderrama y Nicolás de Ribera y Jerónimo de Aliaga y Juan de Barbarán y Miguel de la Serna y Lope de Mendoza y Diego Centeno y Melchor Verdugo y Francisco de Barrionuevo y el licenciado de La Gama y Gómez de Alvarado y Gaspar Rojas y don Gómez de Luna y Paulo de Meneses y Juan Alonso Palomino y Pedro Alonso de Hinojosa y don Pedro Puertocarrero y el capitán Cáceres y Diego Ortiz de Guzmán y Francisco de Ampuero y otros muchos que fueron en las primeras hileras de los escuadrones.

Capítulo XXI

De la justicia que hizo Vaca de Castro de los de don Diego

Aquella noche de la victoria sobrevino tan gran helada que muchos de los heridos murieron de frío, especialmente los que no había habido lugar para recogellos del campo, porque los indios los desnudaron toda la ropa y armas hasta dejarlos en cueros, sin guardar amigos ni enemigos, porque esto es lo principal de que sirven los indios en aquellas batallas, que no solamente los robaban, pero a muchos chocaban con sus porras. Y como aquella noche por la mucha oscuridad y cansancio de la gente no hubo lugar de recoger los heridos, porque solo Gómez de Tordoya, que aún no era muerto, y a Pero Anzures, que estaba herido, se les pudieron dar tiendas. Y a causa de no ser llegado el carruaje, casi todo el campo durmió sin tiendas aquella noche, y era grande lástima de ver las voces que daban los heridos, de los cuales otro día de mañana Vaca de Castro mandó curar lo mejor que pudo y de los muertos algunos principales hizo llevar a enterrar a la villa de Guamanga. Y especialmente hizo enterrar con gran solemnidad los cuerpos de Pedro Álvarez y Gómez de Tordoya, que dende a poco murió.

Aquella mesma mañana Vaca de Castro mandó degollar algunos de los presos que habían sido en la muerte del marqués. Y cuando otro día fue a Guamanga, el capitán Diego de Rojas había degollado a Juan Tello y a otros capitanes de don Diego. Y Vaca de Castro cometió la ejecución de la justicia de los demás al licenciado de La Gama, el cual ahorcó y degolló cuarenta personas de los más culpados y a otros desterró, y a todos los demás perdonó, por manera que serían justiciados hasta sesenta personas.

Diose licencia a todos los vecinos que se fuesen a sus casas y Vaca de Castro se fue al Cuzco, donde hizo nuevo proceso contra don Diego, y dende algunos días le degolló. Y Diego Méndez se soltó de la cárcel con otros dos de los presos y se fueron con el Inga a aquellas montañas que llaman los Andes, que por la aspereza de la entrada son inexpugnables. El Inga lo[s] recibió alegremente, mostrando mucho sentimiento de la muerte de don Diego, porque le era muy aficionado, y como tal le envió al camino, cuando supo qué pasaba, muchas cotas de malla y coseletes y coracinas y otras armas de las que había tomado a la gente que venció y mató de los cristianos cuando iban en socorro de Gonzalo Pizarro y Juan Pizarro al Cuzco, enviados por el marqués (como arriba hemos dicho), y siempre trajo indios disfrazados en el campo que le avisasen del suceso de la batalla.

LIBRO V

Capítulo XII

*De cierta conjuración que hubo en Lima para matar
los oidores y lo que sobre ello acaeció*

En el tiempo que el visorrey estaba en la isla volvieron a Los Reyes don Alonso de Montemayor y los demás que con él habían ido en seguimiento de los que fueron a prender al padre Loaysa, a los cuales los oidores prendieron y algunos quitaron las armas y, juntamente con algunos capitanes del visorrey y con los que se habían venido del Cuzco, los pusieron presos en casa del capitán Martín de Robles y de otros vecinos. Y viéndose tan mal tratados determinaron matar a los oidores y soltar al visorrey y restituirle en su libertad y cargo, lo cual concertaron desta manera: que a la noche en casa de Martín de Robles se disparasen ciertos arcabuces y que entonces Francisco de Aguirre, sargento, que con cierta gente hacía la guardia al licenciado Cepeda, le matase. Y que se pusiesen ciertos arcabuceros a las entradas de las calles de la plaza, por donde forzosamente el doctor Texada y el licenciado Álvarez habían de acudir en casa de Cepeda, oyendo aquella arma, y que en llegando los matasen y alzasen la ciudad por el rey. Lo cual fuera muy fácil cosa de hacer, si un vecino de Madrid, a quien se había dado parte del negocio, no le descubriera al licenciado Cepeda una hora antes de la noche en que se había de efectuar.

Cepeda proveyó con gran presteza en prender las cabezas del motín, que fueron don Alonso de Montemayor y Pablo de Meneses, vecino de Talavera, y al capitán Cacres y Alonso de Barrionuevo y algunos otros criados del visorrey. E, inquiriendo sobre el negocio, condenaron a muerte a Alonso de Barrionuevo, aunque en revista le cortaron la mano derecha, porque hallaron que este había sido el inventor de la conjuración, la cual se apaciguó por esta vía. Después de lo cual cada día hacían saber a Gonzalo Pizarro lo que había pasado, porque creyeron que con ello desharía su gente. De lo cual él estaba muy apartado, porque creyera que todo cuanto había pasado sobre esta prisión era ruido hechizo, a efecto de hacerle derramar su campo y después prenderle y castigarle cuando le viesen solo. Y así caminaba siempre en ordenanza y aun más recatadamente que antes.

Después de hecho a la vela el licenciado Álvarez con el visorrey y sus hermanos, el mesmo día subió a su cámara y, queriendo reconciliarse con el visorrey de las cosas pasadas, porque él había sido el principal promovedor dellas y el que con más diligencia entendió en su prisión y en el castigo de los que le querían restituir en su libertad y gobernación, y le dijo que su intención de haber aceptado aquella jornada había sido por servirle y por sacarle de poder del licenciado Cepeda, y por que no cayese en el de Gonzalo Pizarro, que tan en breve se esperaba. Y para que lo entendiese así dende entonces le entregaba el navío y le ponía en su libertad, y se metió debajo de su mano y querer, y le suplicaba que le perdonase el yerro pasado de haber entendido en su prisión y en las otras cosas que después habían sucedido, pues también lo había enmendado con asegurarle la vida y libertad. Y mandó a diez hombres que consigo llevaba para la guarda del visorrey que hiciesen lo que les mandasen. El visorrey le agradeció lo hecho y le aceptó y se apoderó del navío y armas, aunque poco después le comenzó a tratar mal de palabra, llamándole bellaco y revolvedor de pueblos y otras palabras de afrenta, y jurándole que le había de ahorcar y que si entonces lo dejaba de hacer era por gran necesidad que de él tenía, y este mal tratamiento duró casi todo el tiempo que anduvieron juntos. Y así se fueron la costa abajo hacia la ciudad de Trujillo, donde les sucedió lo que adelante se dirá.

Capítulo XXVI

De cierto motín que hubo en la ciudad de Los Reyes en este tiempo y cómo le aplacó Lorenzo de Aldana

En la ciudad de Los Reyes se supo luego todo lo que arriba había acontecido y cómo allí estaban juntos muchos soldados, especialmente los que se habían quedado rezagados del campo del visorrey y vieron el aparejo que tenían para cualquier novedad que intentasen. Ya casi en público hacían corrillos y trataban de motines para irse a juntar con Diego Centeno, y aun viendo la poca diligencia que Lorenzo de Aldana ponía en lo castigar, se temía que había de ser él la cabeza, y con este temor los amigos de Gonzalo Pizarro andaban muy alterados y puestos a punto para huirse en sintiendo cualquier cosa destas. De manera que la gente lo dejaba de intentar, creyendo que se haría a menos costa y con mejor orden, porque sentían favor en Lorenzo de Aldana que, según era bienquisto, sabían que saldría con

491

cualquier cosa en que se pusiese, aunque él estaba tan cerrado, continuando siempre el buen tratamiento que hacía a todos, que ninguno podía tener certidumbre de su determinación.

Y en este tiempo llegaron a Los Reyes nuevas de cómo el visorrey, siendo desbaratado por Gonzalo Pizarro, había huido con solos treinta hombres que le pudieron seguir hasta la provincia de Popayán y que en el camino había muerto muchos capitanes y otra gente principal de los suyos por sospechas que dellos concebía, aunque algunas eran tan livianas y sin fundamento como después pareció. Y especialmente mató a Rodrigo del Campo, que era el que con su persona y hacienda le había sustentado el campo mucho tiempo, y a Gaspar Gil y a Olivera y a Gómez Estacio. Con las cuales nuevas y con saber la pujanza con que Gonzalo Pizarro estaba en la ciudad de Quito, sin tener contradicción, se sosegó algo la gente de la ciudad de Los Reyes.

Y los amigos de Gonzalo Pizarro, especialmente el tesorero Riquelme y el contador Cáceres y Cristóbal de Burgos y don Antonio de Ribera y Pedro Martín de Sicilia, que favorecían sus cosas, tomaron tanto ánimo que les pareció que se podían ya declarar con Lorenzo de Aldana y le dijeron que en aquella ciudad había personas sospechosas y que no se querían quietar, por lo cual convenía desterrarlos y aun castigarlos de algunas palabras escandalosas que habían dicho. De lo cual se ofrecieron a dar información y le pidieron que hiciese sobre ello las diligencias necesarias. Y él respondió que no había venido a su noticia tal cosa, porque lo hubiera castigado, y que, sabidos quiénes eran, haría lo que conviniese.

Y con este acuerdo, poniéndose en orden los principales, prendieron hasta quince personas sospechosas y entre ellos a Diego López de Zúñiga, y presos les quisieron dar tormento y hacer dellos justicia por mano del alcalde Pedro Martín. Y corrieran todos gran riesgo si Lorenzo de Aldana no acudiera a sacárselos de entre las manos, llevándolos a su posada, so color que en ella estarían mejor guardados. Y allí les dio todo lo que habían menester, y sobre concierto que con ellos hizo les dio un navío con que se salieron del puerto, quedando harto descontentos los regidores porque no habían visto más castigo en aquel negocio, y que no quiso Lorenzo de Aldana que sobre ello se hiciese ninguna averiguación. Y les quedó gran sospecha de que se hubiese descubierto a los presos y dejase con ellos algún trato, y daban dello noticia a Gonzalo Pizarro por sus cartas, avisándole que proveyese en ello, aunque él nunca quiso hacer novedad ni enviar con Lorenzo de Aldana, temiendo que no saldría con ello, como arriba está dicho.

Capítulo XXXIV

De cómo el visorrey se rehízo de gente y vino a Quito
y dio la batalla a Gonzalo Pizarro,
en la cual fue vencido y muerto

[...]

Y así mandó ordenar su gente y asentarla por lista en sus compañías, y halló tener ciento y treinta de caballo muy bien aderezados y doscientos arcabuceros y trescientos y cincuenta piqueros, que serían por todos setecientos hombres. Tenía muy gran cantidad de pólvora bien refinada. Y desta manera, sabiendo que el visorrey había asentado el real dos leguas de la ciudad de Quito junto al río, salió con toda su gente de la ciudad llevando por capitanes de arcabuceros a Juan de Acosta y a Juan Vélez de Guevara, y por capitán de piqueros a Hernando Bachicao, y por capitanes de caballo a Pedro de Puelles y Gómez de Alvarado, y con su estandarte a Francisco de Ampuero, regidor de la ciudad de Los Reyes, debajo del cual iban setenta hombres de caballo. Y así se adelantó a tomar un paso que estaba en el río, donde pensó desbaratar al visorrey, sábado a quince de enero del año de cuarenta y seis.

Y desta manera estuvieron allí aquella noche, teniendo muy gran recado en su real, y el visorrey tenía asentado el suyo tan cerca dellos que se llegaron a hablar los corredores de ambas partes, llamándose traidores los unos a los otros, fundando que cada uno sustentaba la voz del rey. Y así estuvieron toda aquella noche aguardando, sin que el visorrey supiese el número de sus enemigos, ni que Gonzalo Pizarro estuviese allí, el cual creía que era ido a la ciudad de Los Reyes, salvo que había de pelear con Pedro de Puelles y los de su compañía tan solamente. Y demás de los capitanes que arriba hemos dicho que traía Gonzalo Pizarro, venía con él el licenciado Benito Suárez de Carvajal, hermano del factor Illán Suárez de Carvajal, el cual había venido de la ciudad del Cuzco desde los principios de la guerra, huyendo de Gonzalo Pizarro para se juntar con el visorrey. Y llegando veinte leguas de Los Reyes supo la muerte de su hermano y así se detuvo sin osar entrar en la ciudad hasta que supo que el visorrey era preso y embarcado, y después Gonzalo Pizarro le prendió y tuvo a punto de degollarle, y cuando hubo de ir a la guerra de Quito le redujo en su gracia y él aceptó de ir la jornada en venganza de la muerte del factor, su hermano, llevando consigo hasta treinta personas, todos parientes y criados suyos por compañía aparte, de que se nombraba capitán.

Capítulo XXXV

De cómo se rompió la batalla de Quito,
en que fue vencido y muerto el visorrey

Estando el visorrey tan cerca de sus enemigos como hemos dicho, y no sabiendo que tuviese tanta gente contra sí, al principio de la noche tomó acuerdo con sus capitanes en que les pareció que sería más conveniente y con menos riesgo irse a meter en la ciudad, que no dar la batalla, y así antes de medianoche, lo más sin ruido que pudo, hizo armar la gente y, dejando el campo poblado con las tiendas e indios que traía, rodeó por la parte izquierda, atravesando por la sierra, y caminó toda la noche hasta meterse en la ciudad y, aunque no estaba tres leguas della con el rodeo que hizo, fue necesario andar más de ocho leguas aquella noche. La causa principal que a esto le moviese nunca se pudo averiguar, porque unos dicen que le pareció que dando la batalla a Pedro de Puelles dentro del pueblo se le pasaría a su campo la más gente, lo cual no podían hacer con tanta facilidad en el campo; otros dicen haberlo hecho por desechar una ladera denuesta por donde había de subir al enemigo con gran trabajo y peligro, pero comoquier que fuese, pareció gran error sobre determinación de dar la batalla el día siguiente fatigar la gente y caballos con andar ocho leguas la noche antes, de sierra y de caminos muy ásperos. Y así el visorrey entró en la ciudad, sin que hallase resistencia ninguna, y allí le dijo una mujer cómo iba contra él Gonzalo Pizarro, de lo cual se maravilló mucho y entendió el engaño que con él se había usado.

Gonzalo Pizarro no supo nada de la salida del visorrey, antes como no sintiese ruido y viese los toldos puestos y los fuegos encendidos y los perros ladrando, tuvo por cierto que no había habido ninguna mudanza hasta que a la mañana, llegándose los corredores cerca de los toldos y viendo el poco ruido que había, entraron dentro y supieron de los indios lo que pasaba y, haciéndolo saber a Gonzalo Pizarro, envió corredores por diversas partes a saber el designio que el enemigo llevaba. Y le vinieron a decir cómo el visorrey estaba dentro en Quito, y luego alzó a gran priesa su real y caminó con él ordenadamente, con determinación de darle batalla dondequiera que le topase. Y el visorrey, después de llegado a Quito y sabido particularmente todo lo que pasaba, aunque veía la gran ventaja que los enemigos le tenían y que no esperaba otro ningún remedio, determinó poner el negocio en riesgo de batalla y salir a darla fuera de la ciudad, porque sintió más peligro en esperar dentro. Y así salió al camino y, animando su gente con gran esfuerzo, fue marchando contra sus enemigos. Y así se acercaron unos a otros con tanto ánimo como si cada uno tuviera la victoria por cierta, porque aunque la gente de Pizarro era superior en número, el visorrey tenía muy valerosos capitanes y algunos hombres señalados.

Eran capitanes de infantería Juan Cabrera y Sancho Sánchez de Ávila, su primo, y Francisco Sánchez. De caballo eran capitanes el adelantado Benalcázar y Cepeda y Pedro de Bazán, y así llegaron los reales a vista unos de otros. Y luego salieron del de Gonzalo Pizarro sesenta arcabuceros sobresalientes a trabar la escaramuza, aunque a la verdad al visorrey le hacía gran daño traer poca pólvora y aquella muy ruin y húmeda. Y Gonzalo Pizarro traía mucha y muy buena, y los arcabuceros muy diestros, y desta manera comenzó la escaramuza hasta que se acercaron los reales tanto que fue necesario recogerse los sobresalientes a sus banderas. Y salió a los recoger de parte de Gonzalo Pizarro el capitán Juan de Acosta, que con una alabarda se adelantó buen trecho de su escuadrón y en su ayuda salió un soldado llamado Páez de Sotomayor.

Y a esta sazón Gonzalo Pizarro mandó al licenciado Carvajal que con su gente rompiese por la parte derecha en los enemigos y él se quiso poner en la vanguardia de su gente de caballo y sus capitanes no lo consintieron y le pusieron con siete u ocho criados suyos a un lado del escuadrón. La gente de caballo del visorrey, que serían hasta ciento y cuarenta hombres, arremetieron todos juntos de tropel hacia la parte donde el licenciado Carvajal estaba y acometieron tan sin tiempo que, cuando llegaron a los enemigos, estaban ya casi desbaratados. Y el licenciado Carvajal y los suyos les salieron al encuentro y cayeron muchos de los caballos y llegaron a se juntar y pelear con hachas y porras y estoques, después de rompidas las lanzas. Y la gente del visorrey recibió muy gran daño de una manga de arcabuceros que los aguardaban por un lado y les tiraban muy de cerca.

Y a esta sazón acometió el estandarte de Gonzalo Pizarro con hasta cien hombres de caballo y, como halló tan mal parados los enemigos, con gran facilidad los acabó de desbaratar, y los que quedaron vivos volvieron las espaldas. A esta hora la infantería estaba trabada con tantas voces y ruido que parecía mucha más gente, y de los primeros encuentros fue muerto Juan Cabrera, y por otra parte Sancho Sánchez de Ávila, que por la parte que acometió, yendo él delante de los suyos con un montante en la mano, lo había hecho tan valerosamente que había rompido hasta más de la mitad del escuadrón, pero en fin como la gente de Pizarro era mucho más, los rodearon por todas partes, hasta que lo mataron a él y a los más de los suyos.

El visorrey andaba entre su gente de caballo en un caballo rucio crecido, disfrazado con una camiseta de indios sobre las armas y, viendo el negocio tan perdido, quiso huir y encontró con él un Hernando de Torres, vecino de Arequipa, y con una hacha de armas le dio un golpe en la cabeza de que le aturdió y dio con él en tierra. Y él y su caballo andaban tan cansados del trabajo de la noche pasada, en que no habían parado ni dormido ni comido, que no hubo mucha dificultad en caer. Y aunque todavía la batalla andaba bien reñida entre la infantería, en viendo caído al virrey, los suyos que lo conocían aflojaron y fueron vencidos y mucha parte dellos muertos.

Y andando en este tiempo el licenciado Carvajal discurriendo por el campo en busca del visorrey para satisfacerse de él sobre la muerte de su hermano, que era el fin sobre que había hecho aquella jornada, halló que el capitán Pedro de Puelles le quería acabar de matar, aunque él estaba casi muerto, así de la caída como de un arcabuzazo que le habían dado, y Carvajal se lo quitó de entre las manos y le hizo cortar la cabeza. Y hecho esto mandó Gonzalo Pizarro tocar las trompetas para recoger, porque andaba la gente muy derramada siguiendo el alcance, en el cual y en la batalla fueron muertos de parte del visorrey doscientos hombres, y de parte de Gonzalo Pizarro solos siete, a los cuales el día siguiente hicieron enterrar, echando a seis y siete cuerpos en cada hoyo. Y al visorrey y a Juan Cabrera y a Sancho Sánchez y a otros algunos principales llevaron a la ciudad y los enterraron con gran solemnidad, poniéndose Gonzalo Pizarro una loba de luto. Y dende a pocos días hizo ahorcar otras doce personas señaladas de la parte del visorrey que les pareció que lo merecían, los cuales hallaron escondidos por las iglesias y los montes.

Los principales que murieron de parte del visorrey fueron él mesmo, y Juan Cabrera, y Sancho Sánchez de Ávila, y el licenciado Gallego, y el licenciado Álvarez, oidor, que siempre trajo consigo y murió pocos días después de la batalla de las heridas que en ella recibió, aunque algunos dicen que murió por trato que Gonzalo Pizarro tuvo sobre ello con los cirujanos. Quedaron muy malheridos el adelantado Benalcázar y otros muchos, don Alonso de Montemayor y Rodrigo Núñez de Bonilla, tesorero de Quito, con otros algunos fueron desterrados para Chili, aunque después se alzaron con el navío en que los llevaban y se fueron a la Nueva España.

Demás desto, envió al capitán Guevara con cierta gente a la villa de Pasto a traer presos algunos de quien tenía enojo, y dellos ahorcó uno y los demás desterró. Perdonó a Benalcázar con pleito homenaje que le hizo de favorecerle siempre, y diole cierta gente de la que había traído con que se volviese a su gobernación. Recogió toda la gente del visorrey que pudo haber de los que se escaparon de la batalla, a los cuales propuso la razón que tenía de estar dellos quejoso, pero que él les perdonaba, atento que habían venido allí los unos engañados y los otros forzados, prometiéndoles que si le seguían y hacían su deber los ternía en el mesmo lugar y reputación que a los demás que habían andado con él y les haría igual gratificación. Y así los mandó quedar en su campo, prohibiendo que nadie los maltratase de obra ni palabra, aunque siempre se tuvo dellos algún recelo.

Despachó mensajeros por todas partes, haciendo saber la victoria para animar los suyos y confirmar su tiranía. Despachó al capitán Alarcón en un navío que llevase la nueva del vencimiento a Hinojosa y a la vuelta trajese a Vela Núñez y a los que con él estaban presos. Algunos pareceres hubo que enviase su armada por las costas de Nueva España y de Nicaragua a quemar y recoger todos los navíos que allí hubiese, por quitar cualquier aparejo de ser acometido por mar, haciendo después recoger toda la armada a la ciudad de Los Reyes, porque viniendo despacho de su majestad a Tierra Firme y no hallando allí en qué ni cómo los pasar al Perú, lo tenían por bastante torcedor para hacer los partidos muy a su ventaja. Pero, atenta la confianza que tenía Gonzalo Pizarro de Hinojosa y los que con él estaban, y la soberbia que le había quedado con la victoria del visorrey, le pareció no mostrar aquella flaqueza, porque entendía poder resistir abiertamente cualquiera contradicción que se le hiciese.

Y así se partió Alarcón e hizo su viaje trayendo los presos y con ellos al hijo de Gonzalo Pizarro, y cerca de Puerto Viejo ahorcó a Sayavedra y a Lerma, que eran dos soldados principales entre los presos, por ciertas palabras escandalosas que supo que habían dicho. Y también quiso ahorcar a Rodrigo Mejía, el cual salvó el hijo de Gonzalo Pizarro diciendo que aquel le trataba con muy buena crianza y comedimiento. A Vela Núñez llevó a Quito, donde Gonzalo Pizarro le perdonó todo lo pasado, amonestándole que en lo porvenir estuviese muy sobre el aviso, porque cualquiera sospecha le sería muy peligrosa. Y así le traía consigo con alguna libertad y le llevó cuando se fue a la ciudad de Los Reyes.

En toda esta jornada siguió y acompañó a Gonzalo Pizarro el licenciado Cepeda, oidor, al cual sacó de la ciudad de Los Reyes a efecto de deshacer la audiencia real porque, de cuatro oidores que había, el licenciado Álvarez fue con el visorrey y al doctor Tejada envió a España, como está dicho, y llevando consigo a Cepeda el licenciado Zárate solo no podía hacer audiencia, cuanto más que estaba siempre enfermo y se tenía de él alguna más confianza que antes, después que Gonzalo Pizarro le tomó casi por fuerza una hija suya y la casó con Blas de Soto, su hermano, aunque a la verdad el licenciado Zárate siempre estuvo muy entero en el servicio de su majestad, caso que hacía algunos cumplimientos con el tirano necesarios a la opresión del tiempo.

Anexo II:
Transcripción de los textos que se añadieron o modificaron en la edición de 1577[235]

[PORTADA:]

Historia del descubrimiento y conquista de las provincias del Perú, y de los sucesos que en ella ha habido, desde que se conquistó hasta que el licenciado De la Gasca, obispo de Sigüenza, volvió a estos reinos; y de las cosas naturales que en la dicha provincia se hallan dignas de memoria. La cual escribía Agustín de Zárate, contador de mercedes de su majestad, siendo contador general de cuentas en aquella provincia y en la de Tierra Firme.

Imprimiose el año de cincuenta y cinco en la villa de Anvers por mandado de la majestad del rey nuestro señor, y con licencia de la majestad cesárea, y ahora se torna a imprimir con licencia de la majestad real, habiéndose visto y examinado por los señores del Supremo Consejo de Castilla, como parece por la Real Cédula que está en la segunda hoja deste libro.

---

[235] Nos basamos en el ejemplar de la Biblioteca Nacional de España (signatura R/31359).

[Escudo]

En Sevilla.
En casa de Alonso Escribano. Año de MDLXXVII.
Con privilegio.

* * *

[Preliminares añadidos:]

Concede su majestad a Martín Nuncio que él solo pueda imprimir este libro, llamado *La historia del descubrimiento y conquista de la provincia del Perú,* por tiempo de cinco años, y veda a todos los otros impresores hacer lo mesmo, so graves penas, como más claro parece en el original privilegio.

Suscripto

Facuvves

Tasa

Yo, Alonso de Vallejo, secretario del Consejo de su majestad, doy fe que habiéndose presentado ante los señores del Consejo por el contador Agustín de Zárate un libro del descubrimiento y conquista de las provincias del Perú, que con su licencia se imprimió, le dieron licencia para que pueda vender cada libro en papel a tres maravedíes el pliego. Y mandaron que esta tasa se ponga en principio de cada libro para que se sepa el precio en que se ha de vender. Y para que dello conste, de mandamiento de los dichos señores del Consejo y pedimiento del dicho Agustín de Zárate, di esta fe en Madrid, a diez y ocho días del mes de abril de mil y quinientos y setenta y ocho años.

Alonso de Vallejo

Conforme a la cual tasación se ha de vender cada volumen en 186 maravedís porque tiene sesenta y dos pliegos.

El Rey

Por cuanto por parte de vos, el contador Agustín de Zárate, nos fue hecha relación diciendo que el año de cuarenta y tres, yendo por nuestro mandado por contador general de las provincias del Perú, vistas las novedades que allí habían sucedido, habíades hecho un libro dello, del descubrimiento de aquella tierra, hasta que el licenciado Gasca, obispo que fue de Palencia, había venido a estos reinos, en que se declaraban en partes convenientes las cosas naturales que en aquella tierra se hallaban, con su graduación y cosmografía, y porque había falta dellos y no se hallaban, nos suplicastes os mandásemos dar licencia para lo poder hacer imprimir, y privilegio por diez años para que otro ninguno lo pudiese imprimir, o como la nuestra merced fuese.

Lo cual visto por los del nuestro consejo, por cuanto en el dicho libro se hizo la diligencia que la pragmática ahora nuevamente sobre lo susodicho fecha dispone, fue acordado que debíamos mandar dar esta nuestra cédula en la dicha razón, y yo túvelo por bien, por la cual vos damos licencia y facultad para que vos o la persona que para ello vuestro poder hubiere, y no otra persona alguna, podáis hacer imprimir y vender el dicho libro que de suso se hace mención en estos nuestros reinos, por tiempo y espacio de diez años cumplidos primeros siguientes, que corren y se cuentan desde el día de la data desta nuestra cédula, so pena que cualquier persona que sin tener para ello vuestro poder le imprimiere o vendiere o hiciere imprimir y vender, pierda la impresión que hicieren y vendieren con los moldes y aparejos della, y más incurran en pena de cincuenta mil maravedís por cada vez que lo contrario hicieren, la mitad de la cual pena sea para la nuestra cámara y fisco, y la otra mitad para vos, el dicho contador Agustín de Zárate.

Y todas las veces que se hubiere de imprimir el dicho libro durante el tiempo de los dichos diez años, se traiga al nuestro consejo juntamente con el original que en él fue visto, que va rubricada cada plana, y firmado al fin del de Alonso de Vallejo, nuestro escribano de cámara, y uno de los que en el nuestro consejo residen, para que se vea si la dicha impresión está conforme al original, y se os dé licencia para que lo podáis vender, y se tase el precio en que se ha de vender cada volumen, so pena de caer e incurrir en las penas contenidas en la dicha pragmática y leyes de nuestros reinos. Y mandamos a los del nuestro consejo y otras cualesquier justicias destos nuestros reinos que guarden y cumplan y ejecuten y hagan guardar, cumplir y ejecutar esta nuestra cédula y todo lo en ella contenido.

Fecha en San Lorenzo el Real, a 11 días del mes de septiembre de mil y quinientos y setenta y seis años.

Yo el Rey

Por mandado de su majestad, Martín Gaztelu.

Licencia al contador Agustín de Zárate para que pueda hacer imprimir un libro en que se trata del descubrimiento de ciertas tierras del Perú y privilegio por diez años.

Asentada, Vallejo.

Anexo III:
Tabla de contenidos
de la edición príncipe

505

507

509

510

511

512

513

514